COLLECTION

Claude **Lizeaux** • Denis **Baude**

SVT 1^{re}S

SCIENCES de la VIE et de la TERRE

Programme 2011

Sous la direction de Claude Lizeaux et Denis Baude,
ce livre a été écrit par :

Denis Baude

Christophe Brunet

Bruno Forestier

Emmanuelle François

Yves Jusserand

Claude Lizeaux

Paul Pillot

Stéphane Rabouin

André Vareille

Avec la collaboration de :
Jean-Yves Dupont : coordination du manuel numérique
Claude Fabre et **Hélène Grand** : photographies et vidéos
Grégory Michnik : dessins originaux
Pierre Perez : animations (manuel numérique)

éco responsable

Bordas

Les **SVT** en classe de 1re S

En classe de 1re S, le programme s'inscrit dans les trois thématiques générales déjà abordées en 2de.

La Terre dans l'Univers, la vie et l'évolution du vivant

Dans ce premier thème, on étudie :
– les données fondamentales concernant le patrimoine génétique (réplication, transcription, traduction, mutation et variabilité génétique), avec une approche moléculaire permettant de progresser dans l'explication au-delà de la classe de Seconde ;
– la tectonique des plaques abordée dans le cadre de l'histoire d'un modèle ; il s'agit de comprendre comment a été élaboré le modèle étudié au collège et comment il évolue à l'heure actuelle.

Enjeux planétaires contemporains

Pour aborder ce second thème, deux questions sont traitées :
– dans le prolongement du programme de Seconde, et en écho à l'étude historique du modèle de tectonique des plaques, on aborde la manière dont la connaissance de la tectonique des plaques constitue souvent un cadre de réflexion utile en géologie appliquée ;
– le thème « Nourrir l'humanité » prolonge l'approche globale de l'agriculture conduite en Seconde ; il s'agit de mettre en relation les besoins qualitatifs et quantitatifs des individus en aliments et en eau potable et les problématiques de gestion durable de la planète ; ce thème est l'occasion de présenter quelques notions fondamentales d'écologie générale.

Corps humain et santé

Enfin, le dernier thème est structuré autour de trois questions :
– la dualité féminin/masculin est abordée, à la fois, sous l'angle de la mise en place du phénotype de chaque sexe et sous l'angle d'une approche biologique des questions de sexualité ;
– les relations entre la variabilité génétique et la santé conduisent à évoquer la part de la génétique dans la cause des maladies, celle des perturbations du génome dans le cancer, et l'importance médicale de la sélection de souches bactériennes résistantes aux antibiotiques ;
– en relation étroite avec le cours de physique, la vision est abordée sous trois angles ; le cristallin est étudié en tant que lentille transparente vivante, l'étude des cellules photoréceptrices permet à la fois de comprendre certains aspects de la perception et d'aborder leur origine évolutive et celle du fonctionnement cérébral montre la complexité des interconnexions et de la plasticité.

Les auteurs remercient pour leur collaboration :

- Jean-Jacques Auclair, professeur de SVT
- Olivier Baude, Sciences du langage, Université d'Orléans
- Monique Bellegy, proviseure du lycée Turgot, Limoges
- Gilles Billen, UPMC-CNRS, Paris
- Patrick Defaye, proviseur-adjoint du lycée Gay-Lussac, Limoges.
- Lucien Degras, association Archipel des Sciences, Guadeloupe
- Michel Dojat, Institut des Neurosciences, INSERM U836, Grenoble
- Marc Dorel, CIRAD, Guadeloupe
- Mélanie Dupuis, Faculté de médecine de Poitiers
- Janniko Georgiadis, Université de Gronigen, Pays-Bas
- Jacques Gignoux, chargé de recherches CNRS, Paris
- Robert Hodac, proviseur du Lycée Renoir, Limoges
- La société Jeulin
- La société Sordalab

- Les personnels des laboratoires de physique et de chimie du lycée Gay-Lussac, Limoges
- Les personnels du laboratoire de SVT du lycée Guez de Balzac, Angoulême
- Les personnels des laboratoires de SVT du lycée Renoir, Limoges
- Les personnels de laboratoire du lycée Turgot, Limoges
- Marie Launay, Ph-D, INRA-Agroclim, Avignon
- Francis Laval, laboratoire SVT du Lycée Gay-Lussac, Limoges
- Gisèle Le Bloa-Tarnot, proviseure du Lycée Gay-Lussac
- Daniel Locker, CNRS Orléans
- Tom Manney, Genetics Education Network, Kansas State University
- Jérôme Mathieu, Maître de conférences, UPMC, Paris
- Agnès Petit, CNRS, Université Sophia Antipolis
- Michel Séranne, CNRS, Université Montpellier II

Direction éditoriale : Jacqueline Erb
Édition : Béatrice Le Brun
Iconographie : Christine Varin, Fabrice Lucas
Couverture : Oxygène

Conception graphique : Valéric Venant
Schémas : Domino, Vincent Landrin, Catherine Claveau
Compogravure : CGI
Fabrication : Jean-Marie Jous

Sommaire

Le manuel numérique enrichi

- **Une utilisation interactive et totalement ouverte de tous les documents du manuel**
- **Des exercices interactifs, des ressources complémentaires**

→ *Pour observer, comprendre, faire le point.*
→ *Pour manipuler et expérimenter en développant l'autonomie.*
→ *Pour s'interroger, aller plus loin.*
→ *Pour s'entraîner et s'évaluer.*

Des vidéos et des animations

Dans le manuel, ces pictogrammes signalent une vidéo ou une animation associée.

Connaître le manuel pour mieux l'utiliser

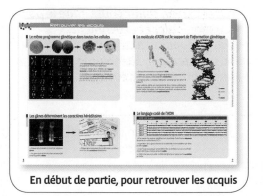

En début de partie, pour retrouver les acquis

Pour poser les problématiques du chapitre

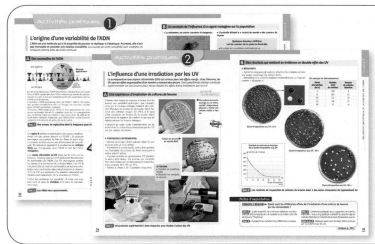

Les activités, pour construire les notions du programme :

→ de nombreuses activités expérimentales

→ des documents à mettre en relation

→ des activités de modélisation

→ une question et des pistes pour une utilisation ouverte des documents

Les mots surlignés sont définis dans le **Lexique** à la fin du manuel.

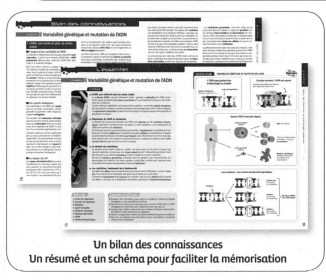

Un bilan des connaissances
Un résumé et un schéma pour faciliter la mémorisation

« Des clés » pour aller plus loin

Des exercices pour s'évaluer et s'entraîner

Des ressources à consulter et à télécharger :

www.bordas-svtlycee.fr

5

Partie

1

Expression, stabilité et
variation du patrimoine génétique

Le même programme génétique dans toutes les cellules

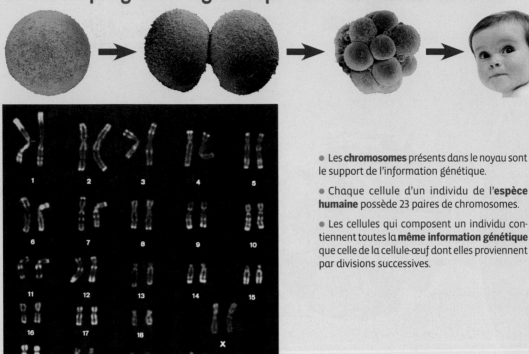

- Les **chromosomes** présents dans le noyau sont le support de l'information génétique.

- Chaque cellule d'un individu de l'**espèce humaine** possède 23 paires de chromosomes.

- Les cellules qui composent un individu contiennent toutes la **même information génétique** que celle de la cellule-œuf dont elles proviennent par divisions successives.

Les gènes déterminent les caractères héréditaires

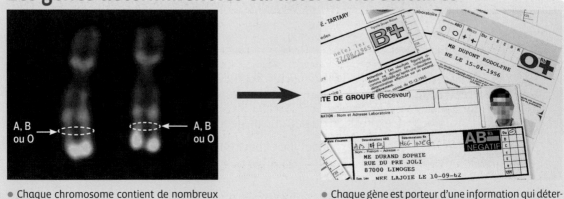

A, B ou O

A, B ou O

- Chaque chromosome contient de nombreux **gènes**.

- Un gène peut exister sous des versions différentes appelées **allèles**.

- Chaque gène est porteur d'une information qui détermine l'un des **caractères** héréditaires.

La molécule d'ADN est le support de l'information génétique

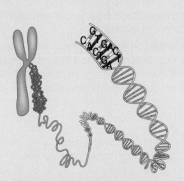

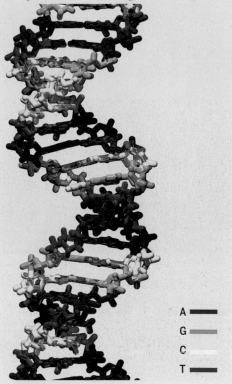

- Chaque chromosome est constitué d'**ADN**.

- L'ADN est une molécule de très grande dimension, composée de très nombreuses petites unités appelées **nucléotides**.

- Il existe quatre nucléotides différents, identifiés par les lettres **A**, **C**, **G** et **T**.

- La molécule d'ADN est constituée de deux chaînes entrelacées. Chaque nucléotide A d'une chaîne est associé à un nucléotide T sur l'autre chaîne. De même, C est toujours associé à G. Les deux chaînes d'une molécule d'ADN sont **complémentaires**.

A ▬▬▬
G ▬▬▬
C ▬▬▬
T ▬▬▬

Le langage codé de l'ADN

CNDP-INRP Anagène								
	1	10	20	30	40	50	60	70	80
gène 1	ATGAATGGCACAGAAGGCCCTAACTTCTACGTGCCCTTCTCCAATGCGACGGGTGTGGTACGCAGCCCCTTCGAGTACCCA
gène 2	ATGGCCGAGGTGTTGCGGACGCTGGCCGGAAAACCAAAATGCCACGCACTTCGACCTATGATCCTTTTCCTAATAATGCTT
gène 3	ATGGTGCACCTGACTCCTGAGGAGAAGTCTGCCGTTACTGCCCTGTGGGGCAAGGTGAACGTGGATGAAGTTGGTGGTGAG
gène 4	ATGCTCCTGGCTGTTTTGTACTGCCTGCTGTGGAGTTTCCAGACCTCCGCTGGCCATTTCCCTAGAGCCTGTGTCTCCTCT
gène 5	ATGGCTACAGGCTCCCGGACGTCCCTGCTCCTGGCTTTTGGCCTGCTCTGCCTGCCCTGGCTTCAAGAGGGCAGTGCCTTC

- Chez toutes les espèces, les gènes sont constitués d'une longue **séquence** de paires de nucléotides A, T, C, G.

- Cependant, d'un gène à l'autre, les nucléotides ne se succèdent pas dans le même **ordre**.

- C'est l'ordre dans lequel se succèdent les nucléotides qui constitue l'information génétique. Celle-ci est donc **codée**.

- L'ADN n'est pas immuable : la diversité génétique repose sur la **variabilité** de l'ADN.

Des DOCUMENTS pour se poser des questions

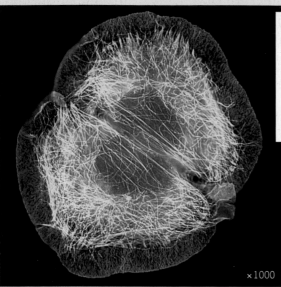

Des cellules immortelles

Cette photographie montre deux cellules épidermiques humaines en culture, à l'issue d'une division (cellules observées par microscopie confocale en fluorescence).

Ces cellules ont été artificiellement modifiées pour devenir immortelles sans pour autant être cancéreuses : cela signifie qu'elles peuvent se diviser indéfiniment, en conservant les particularités structurales et fonctionnelles des cellules de la peau.

×1000

OH CHIC! UN CLONE!

G. MICHNIK

Le clonage

Le clonage est une technique fondée sur la conservation de l'information génétique au cours des divisions cellulaires. À partir d'une cellule prélevée sur un organisme, il est théoriquement possible, mais techniquement complexe, d'obtenir un être vivant identique à l'organisme donneur.

Chromosome et ADN

Ce chromosome de 4,5 μm de hauteur contient deux molécules d'ADN de 4,5 cm de long environ, donc 10 000 fois plus longues que le chromosome lui-même !

LES PROBLÉMATIQUES DU CHAPITRE

- Que deviennent les chromosomes au cours de l'interphase ?
- Quels mécanismes assurent le maintien du même caryotype dans toutes les cellules ?
- Comment l'ADN est-il répliqué ?
- Quelles sont les étapes d'un cycle cellulaire ?

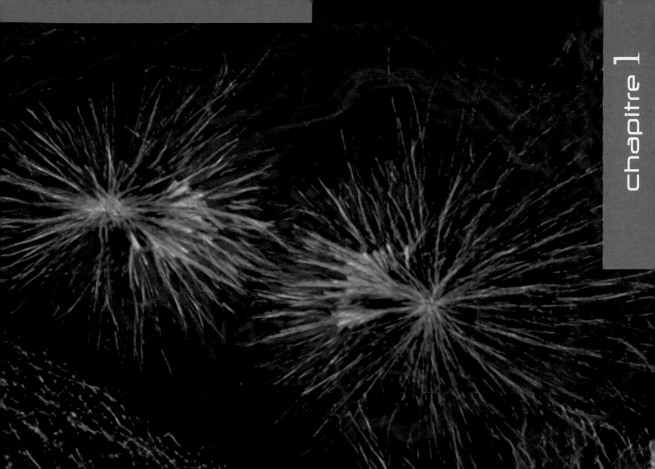

Une étape de la division d'une cellule d'amphibien
(microscopie confocale en fluorescence, × 5 000).

Reproduction conforme
et réplication de l'ADN

Les chromosomes, éléments permanents des cellules

Au cours d'une division cellulaire, les chromosomes apparaissent bien visibles au microscope sous la forme de « bâtonnets colorables », mais ce n'est pas toujours le cas. *Nous allons essayer de comprendre les divers aspects pris par le matériel génétique, au cours de la vie cellulaire.*

A Chromosomes et ADN

Certains réactifs colorent spécifiquement tel ou tel constituant chimique. Ainsi, le **réactif de Feulgen** met en évidence l'ADN par une teinte rouge. Cette coloration peut donc être utilisée pour observer les chromosomes et suivre leur devenir au cours de la vie cellulaire.

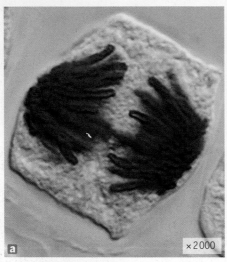

× 2 000 — Cellule en division (mitose)

× 2 000 — Cellule en interphase

Doc. 1 Des éléments bien visibles en mitose mais présents aussi pendant l'interphase.

L'ADN est une molécule filamenteuse très fine (2 nm d'épaisseur). Cependant, dans une cellule, l'ADN est toujours associé à des protéines autour desquelles il s'enroule de façon plus ou moins complexe. Ainsi, en interphase, l'épaisseur des filaments enroulés est de 30 nm environ (voir doc 3).

■ **POUR MENER UNE INVESTIGATION**

À l'aide d'un logiciel de visualisation moléculaire, vous pouvez étudier cet enroulement :
– choisir une coloration par chaîne ;
– sélectionner telle ou telle chaîne pour lui appliquer une coloration spécifique ;
– faire des mesures.

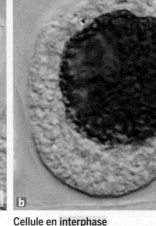

11 nm

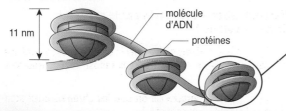

11 nm — molécule d'ADN — protéines

Pour télécharger les modèles moléculaires :
www.bordas-svtlycee.fr

Doc. 2 L'ADN dans la cellule : une capacité à s'enrouler.

B Au cours du cycle cellulaire, différents états de condensation

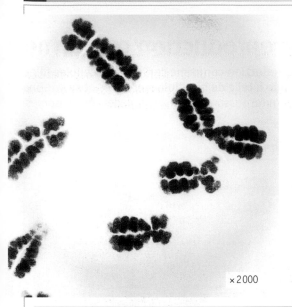

×2000

Le plus souvent, les chromosomes apparaissent « doubles », c'est-à-dire constitués de deux **chromatides**. En effet, les chromosomes sont particulièrement bien observables au début de la mitose : ils sont, à ce moment, déjà dupliqués et donc constitués de deux molécules d'ADN identiques, réunies au niveau du **centromère**.

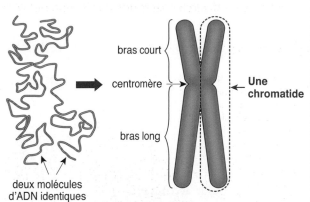

bras court

centromère

bras long

Une chromatide

deux molécules d'ADN identiques

1 : molécule d'ADN
2 : enroulement = filament interphasique
3 et 4 : surenroulement au cours de la mitose

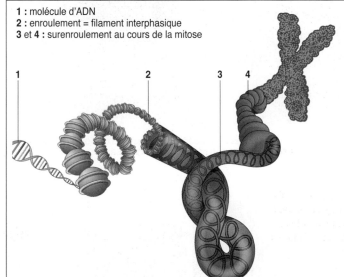

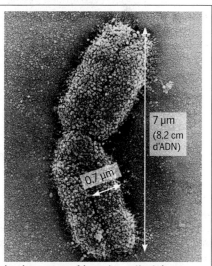

7 µm (8,2 cm d'ADN)

0,7 µm

Le chromosome 1 humain contient deux molécules d'ADN de 8,2 cm de long chacune

Doc. 3 En mitose, l'ADN est très **condensé**.

Pistes d'exploitation

PROBLÈME À RÉSOUDRE ▸ Comment expliquer les différents aspects présentés par le matériel génétique au cours de la vie d'une cellule ?

Doc. 1 Comparez les deux photographies de façon à caractériser les deux états pris par l'ADN.

Doc. 3 Utilisez les informations tirées de ce document pour interpréter les observations des deux photographies du document 1.

Doc. 2 et 3 Quels changements se produisent quand une cellule passe de l'interphase à la mitose ? De la mitose à l'interphase ?

Doc. 1 à 3 Pourquoi dit-on que les chromosomes sont des éléments permanents ?

Lexique, p. 354

La division cellulaire : une reproduction conforme

La division cellulaire, ou mitose, est qualifiée de reproduction conforme car les deux cellules-filles héritent d'une même information génétique, identique à celle de la cellule-mère. *Des observations microscopiques permettent de comprendre comment la mitose assure la transmission des chromosomes.*

A Observations microscopiques de cellules en division

ACTIVITÉ EXPÉRIMENTALE

■ **PROTOCOLE EXPÉRIMENTAL**

– Prélever sur un bulbe de jacinthe, d'ail ou d'oignon, 0,5 cm du segment terminal d'une racine et le déposer sur une lame microscopique.

– Recouvrir l'échantillon d'acide chlorhydrique à 1 mol·L^{-1} (ceci facilitera la dissociation des cellules). Laisser agir 5 minutes, puis absorber l'acide avec un essuie-tout, en laissant en place l'échantillon végétal.

– Recouvrir l'échantillon d'une solution d'orcéine acétique et laisser agir pendant 15 minutes. Absorber le colorant avec un essuie-tout en préservant le fragment de racine.

– Recouvrir d'une goutte d'acide acétique à 45 % et poser une lamelle.

– Appuyer doucement sur la lamelle avec un bouchon de liège pour dissocier les cellules.

– Observer au microscope.

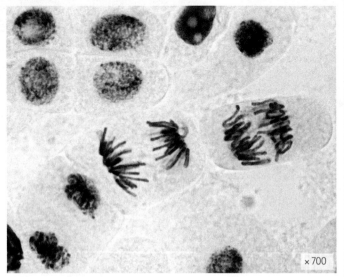

×700

Observation de cellules de la pointe d'une racine d'oignon (coloration à l'orcéine acétique).

Vidéo

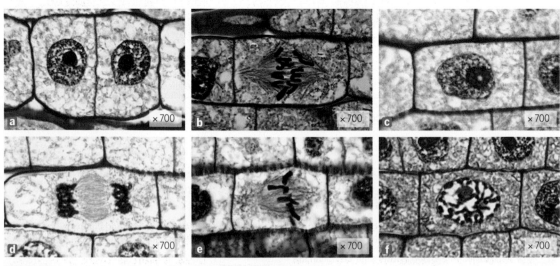

Une sélection de six observations (cellules de la pointe d'une racine d'oignon).

Doc. 1 Des observations qui permettent d'établir une chronologie.

B Un partage équitable des chromosomes

• Chaque espèce, végétale ou animale, est caractérisée par son **caryotype**.

Le nombre de chromosomes, leur taille, leur morphologie, définissent ce caryotype et sont les mêmes (sauf anomalies) chez tous les individus de l'espèce.

Les différentes étapes de la mitose assurent la conservation de toutes les caractéristiques du caryotype au cours des générations cellulaires.

• Le mécanisme de la mitose est très stéréotypé : il suit, à peu de choses près, le même déroulement chez toutes les cellules **eucaryotes**.

Les deux *photographies ci-contre* illustrent deux étapes cruciales de toute mitose. Les photographies sont ici placées dans l'ordre chronologique.

Ces observations ont été réalisées chez la jacinthe des bois, organisme dont les cellules comportent 16 chromosomes.

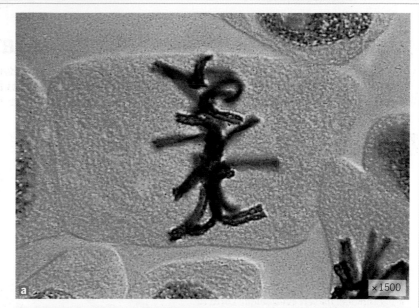

a ×1500

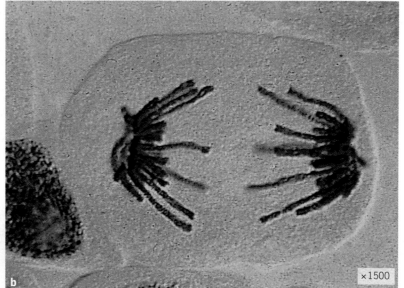

b ×1500

Doc. 2 Deux étapes de la mitose.

Pistes d'exploitation

PROBLÈME À RÉSOUDRE ► **Quel est le comportement des chromosomes au cours des différentes étapes de la division cellulaire ?**

Doc. 1 Identifiez les cellules en mitose et les cellules en interphase. Justifiez votre réponse.

Doc. 1 Placez les photographies notées de **a** à **f** dans un ordre qui vous semble chronologique et décrivez chacune des étapes.

Doc. 2 Faites un schéma correspondant à chacune des photographies, en représentant par exemple trois chromosomes.

Doc. 1 et 2 Utilisez le bilan et le schéma (pages 20 à 23) pour compléter et éventuellement corriger vos réponses.

Lexique, p. 354

15

Le mécanisme de la réplication de l'ADN

Au début d'une mitose, un chromosome contient deux molécules d'ADN identiques. Ceci suppose que l'ADN a été répliqué avant le début de la division cellulaire. *Dès la découverte de sa structure, le mécanisme de réplication de l'ADN a été compris, puis confirmé expérimentalement.*

A La réplication se fait selon un mode semi-conservatif

Dès 1953, dans leur célèbre publication décrivant la structure en double hélice de l'ADN, Watson et Crick écrivaient :
« Il n'a pas échappé à notre attention que l'appariement spécifique des nucléotides que nous avons proposé suggère immédiatement un mécanisme possible de réplication pour le matériel génétique ».

Dans cette hypothèse, chaque brin de la molécule d'ADN sert en quelque sorte de « négatif » et un nouveau brin se forme par ajout de nucléotides successifs selon la complémentarité A-T et G-C.
Chaque molécule-fille comporte donc un brin hérité de la molécule-mère et un brin nouvellement formé.

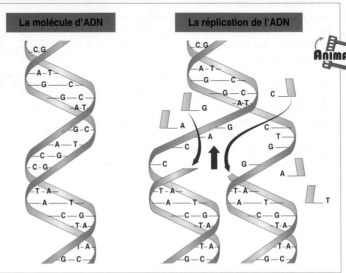

La molécule d'ADN

La réplication de l'ADN

Doc. 1 Un mécanisme imaginé par les « découvreurs » de l'ADN.

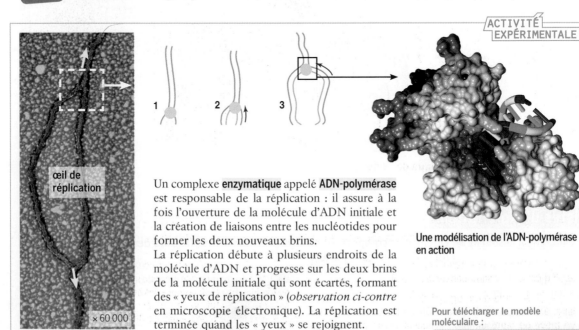

ACTIVITÉ EXPÉRIMENTALE

œil de réplication

× 60 000

Un complexe **enzymatique** appelé **ADN-polymérase** est responsable de la réplication : il assure à la fois l'ouverture de la molécule d'ADN initiale et la création de liaisons entre les nucléotides pour former les deux nouveaux brins.
La réplication débute à plusieurs endroits de la molécule d'ADN et progresse sur les deux brins de la molécule initiale qui sont écartés, formant des « yeux de réplication » (*observation ci-contre* en microscopie électronique). La réplication est terminée quand les « yeux » se rejoignent.

Une modélisation de l'ADN-polymérase en action

Pour télécharger le modèle moléculaire :

www.bordas-svtlycee.fr

Doc. 2 Observation et modélisation de la réplication de l'ADN.

B Une validation expérimentale du mécanisme de la réplication

• En 1957, quatre ans après la découverte de l'ADN, Taylor met en culture de jeunes plantules dans un milieu nutritif contenant un « précurseur marqué » de l'ADN. Ce précurseur est le **nucléotide T** de l'ADN dans lequel certains atomes d'hydrogène ont été remplacés par l'isotope **radioactif** de cet élément, le tritium (^{3}H). Lorsque les cellules répliquent leurs molécules d'ADN, elles incorporent ce précurseur et l'ADN formé devient radioactif. Cette molécule est alors détectable par la technique d'**autoradiographie** : les cellules en culture sont écrasées et mises en contact avec un film photographique. Le rayonnement émis par les molécules radioactives impressionne le film, formant ainsi une tache noire qui révèle la position de ces molécules dans la cellule.

• Les plantules sont cultivées pendant la durée d'un **cycle cellulaire** sur ce milieu radioactif. Taylor prélève alors des racines et réalise une première autoradiographie (**a**). Les plantules sont ensuite transférées dans un second milieu, non radioactif. Une seconde autoradiographie (**b**) est réalisée après un second cycle cellulaire.

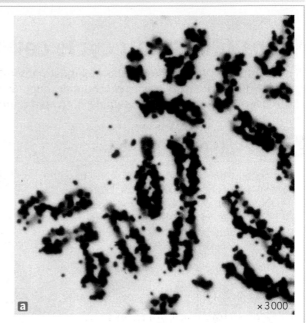

a × 3 000

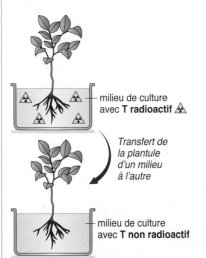

milieu de culture avec **T radioactif** ⚠

Transfert de la plantule d'un milieu à l'autre

milieu de culture avec **T non radioactif**

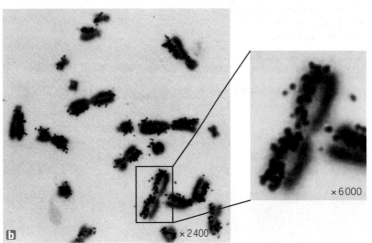

b × 2 400

× 6 000

Doc. 3 L'expérience historique de Taylor.

Pistes d'exploitation

PROBLÈME À RÉSOUDRE ► Comment la molécule d'ADN peut-elle être répliquée à l'identique ?

Doc. 1 Pourquoi le mécanisme de réplication de l'ADN est-il qualifié de « semi-conservatif » ?

Doc. 2 À l'aide d'un logiciel de visualisation moléculaire, étudiez un modèle de l'ADN-polymérase. Appliquez un mode de représentation judicieux, réalisez une image et légendez-la.

Doc. 1 et 3 En utilisant une couleur particulière pour figurer T tritiée, réalisez une série de schémas de la réplication de l'ADN qui rendent compte des observations de Taylor (on précise qu'il suffit qu'un seul des deux brins d'une molécule d'ADN soit marqué par T tritiée pour que la molécule d'ADN soit radioactive).

Lexique, p. 354

Les étapes du cycle cellulaire

Au cours de la vie d'une cellule, il existe des périodes de synthèse pendant lesquelles l'ADN est répliqué et d'autres étapes au cours desquelles le matériel génétique est partagé. *Un bilan permet d'avoir une vue d'ensemble du déroulement d'un cycle cellulaire.*

A Des cellules à différents stades

Des cellules de racine de fougère ont été cultivées en présence d'un **précurseur** radioactif de l'ADN. Celui-ci est incorporé par les cellules dont l'ADN devient ainsi radioactif. Lors de la réalisation d'une **autoradiographie**, la présence d'ADN se traduit alors par des taches noires.

La *photographie a* correspond à une autoradiographie d'une cellule en interphase, réalisée après incubation des cellules pendant plusieurs jours en présence du précurseur radioactif.
Les cellules sont ensuite placées pendant plusieurs heures sur un milieu de culture non radioactif.
La *photographie b* montre l'aspect d'une autoradiographie de deux cellules-filles à l'issue d'une division cellulaire.

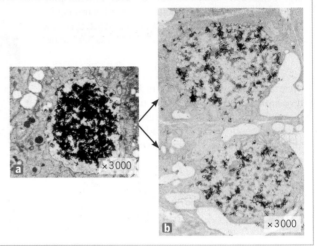

Doc. 1 Une mise en évidence du partage du matériel génétique.

Le cytomètre en flux est un appareil qui permet de compter précisément le nombre de cellules présentes dans un échantillon tout en mesurant, pour chaque cellule, un ou plusieurs paramètres caractérisé(s) par un marqueur fluorescent.

Dans cette étude, on utilise un marqueur qui a la propriété de se fixer à l'ADN de telle sorte que la quantité de marqueur décelée par l'appareil est proportionnelle à la quantité d'ADN présente dans la cellule.

Doc. 2 Des mesures très précises.

B Le cycle cellulaire : des phases qui se succèdent

Ce graphique présente l'évolution de la quantité d'ADN d'une cellule au cours du temps. À l'issue d'une division, on ne prend en compte que la quantité d'ADN dans l'une des cellules.

Les mesures ont été effectuées après incorporation de nucléotides radioactifs et sont présentées en unités arbitraires.

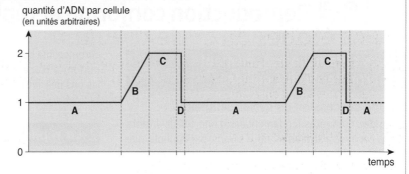

Doc. 3 Une variation de la quantité d'ADN.

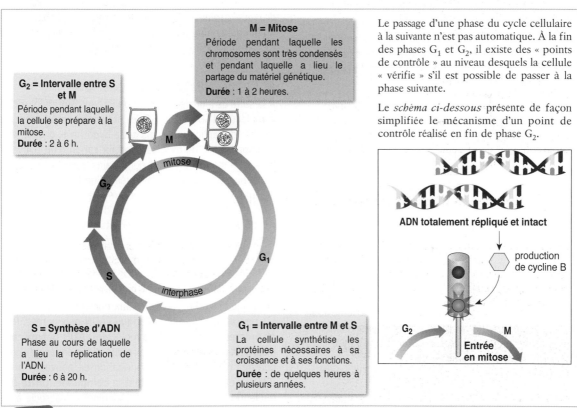

M = Mitose
Période pendant laquelle les chromosomes sont très condensés et pendant laquelle a lieu le partage du matériel génétique.
Durée : 1 à 2 heures.

G₂ = Intervalle entre S et M
Période pendant laquelle la cellule se prépare à la mitose.
Durée : 2 à 6 h.

S = Synthèse d'ADN
Phase au cours de laquelle a lieu la réplication de l'ADN.
Durée : 6 à 20 h.

G₁ = Intervalle entre M et S
La cellule synthétise les protéines nécessaires à sa croissance et à ses fonctions.
Durée : de quelques heures à plusieurs années.

Le passage d'une phase du cycle cellulaire à la suivante n'est pas automatique. À la fin des phases G_1 et G_2, il existe des « points de contrôle » au niveau desquels la cellule « vérifie » s'il est possible de passer à la phase suivante.

Le *schéma ci-dessous* présente de façon simplifiée le mécanisme d'un point de contrôle réalisé en fin de phase G_2.

ADN totalement répliqué et intact

production de cycline B

G_2 M

Entrée en mitose

Doc. 4 Les phases du cycle cellulaire.

Pistes d'exploitation

PROBLÈME À RÉSOUDRE ► Quelles sont les différentes étapes d'un cycle cellulaire ?

Doc. 1 Que montre cette expérience ?

Doc. 2 et 3 Mettez en relation ces deux graphiques. Montrez notamment que la durée des différentes phases est cohérente avec le nombre de cellules comptées.

Doc. 3 et 4 Pourquoi parle-t-on de « cycle » cellulaire ?

Doc. 1 à 4 Retrouvez sur les documents 1, 2 et 3 les différentes étapes du cycle cellulaire présentées par le document 4.

Lexique, p. 354

chapitre 1 · Reproduction conforme et réplication de l'ADN

1 Les chromosomes, éléments permanents des cellules

■ Une succession de cycles cellulaires

L'une des propriétés fondamentales d'une cellule vivante est sa capacité à se diviser : nous savons, par exemple, que toutes les cellules d'un être vivant pluricellulaire proviennent de divisons successives à partir de l'unique cellule-œuf originelle. On appelle **cycle cellulaire** la période qui s'étend depuis la formation d'une cellule, par division d'une cellule-mère, jusqu'au moment où cette cellule finit elle-même de se diviser en deux cellules-filles. À l'intérieur d'un cycle, on distingue l'**interphase**, période pendant laquelle la cellule n'est pas dans un état de division et la **mitose**, qui correspond aux différentes étapes pendant laquelle la cellule se divise en deux cellules-filles.

■ Chromosomes et ADN

Dans les cellules **eucaryotes**, l'information génétique, constituée d'**ADN**, est localisée dans un noyau bien délimité. L'utilisation d'une coloration spécifique de l'ADN permet d'observer son état à différentes étapes de la vie cellulaire.

En **interphase**, les différentes molécules d'ADN d'une cellule forment des amas diffus occupant la majeure partie du volume nucléaire. On dit que l'ADN est dans un état **décondensé**. Pendant la **mitose**, en revanche, l'information génétique se présente sous la forme caractéristique de petits bâtonnets colorables, bien individualisés : ce sont les **chromosomes** (du grec *krôma* : couleur et *sôma* : corps). Observé au début de la mitose, chaque chromosome apparaît double, constitué de deux **chromatides** réunies au niveau d'une région appelée **centromère**. Chaque chromatide contient **une molécule d'ADN**.

■ Différents états de condensation

L'ADN est une longue molécule filamenteuse qui a la capacité à s'enrouler autour de protéines, les **histones**. Il se forme ainsi une sorte de « collier de perles » qui peut s'enrouler sur lui-même. C'est dans cet état que se trouvent les molécules d'ADN en interphase. Au début de la division cellulaire, ces filaments vont se **sur-enrouler** considérablement : l'ADN est alors très condensé, ce qui se traduit par un raccourcissement et un épaississement de la structure : une molécule d'ADN de 8 cm de long ainsi compactée formera un chromosome de 7 µm de longueur seulement mais de 0,7 µm d'épaisseur (contre 2 nm pour la molécule d'ADN). Une conséquence de cette condensation est que chaque chromosome occupant un espace restreint, tous les chromosomes d'une cellule sont bien individualisés, séparés les uns des autres.

2 La réplication de L'ADN

■ Un préalable à la division cellulaire

Puisque, au cours de sa division, une cellule transmet son information génétique à deux cellules-filles, il est indispensable que la mitose soit préparée par une étape au cours de laquelle l'ensemble des chromosomes sont copiés. Cette étape, qui se déroule au cours de l'interphase précédant toute mitose, est la **réplication de l'ADN**.

■ Un mécanisme semi-conservatif

À la suite de leur découverte concernant l'architecture de la molécule d'ADN (1953), Crick et Watson proposèrent un modèle de réplication. Dans cette hypothèse, chacun des deux brins sert de modèle à la fabrication d'un nouveau brin. Une molécule d'ADN donne ainsi naissance à deux molécules d'ADN-filles constituées d'un brin « nouveau » et d'un brin « ancien ». Comme la moitié de la molécule initiale est conservée, le mécanisme de réplication de l'ADN est dit **semi-conservatif**. Différentes études expérimentales, utilisant des nucléotides « marqués » qui permettent de « suivre » l'ADN au cours des générations cellulaires successives, ont confirmé la réalité de ce mécanisme.

L'écartement des deux brins de la molécule initiale d'ADN ainsi que l'insertion de nouveaux nucléotides sont assurés par un complexe enzymatique, l'ADN-polymérase. Tout en progressant le long de la molécule, l'**ADN-polymérase** insère un par un de nouveaux nucléotides en face de chacun des deux brins. Cette fabrication de nouveaux brins d'ADN s'effectue en respectant la **complémentarité** des nucléotides : un nucléotide A (Adénine) est associé à un nucléotide T (Thymine) et un nucléotide C (Cytosine) est associé à un nucléotide G (Guanine). Les molécules d'ADN en cours de réplication peuvent être observées au microscope électronique : il est alors possible de voir des zones appelées « **yeux de réplication** » où la molécule d'ADN est dédoublée. Chaque œil comporte en fait deux « fourches de réplication », figures en forme de Y, où une ADN-polymérase effectue la réplication. Ces fourches progressent en sens inverse, assurant la réplication de l'ensemble de la molécule d'ADN. Les deux « copies » restent néanmoins solidaires au niveau d'une zone qui forme le centromère du chromosome.

Ainsi, un chromosome à deux chromatides, tel qu'il apparaît au début de la mitose, est constitué de deux molécules d'ADN identiques, portant la même information génétique, c'est-à-dire la même série d'allèles.

3 La division cellulaire : une reproduction conforme

■ Les étapes de la mitose
Bien que la mitose soit un processus continu, elle est classiquement divisée en plusieurs phases permettant de bien comprendre le phénomène : la prophase, la métaphase, l'anaphase et la télophase. Chaque phase est essentiellement caractérisée par l'état des chromosomes et leur localisation dans la cellule.

● La **prophase** (du grec *pro*, en avant)
Les chromosomes commencent à se **condenser**, ils deviennent progressivement visibles et bien individualisés. Chaque chromosome apparaît ainsi constitué de deux chromatides réunies au niveau du centromère. L'enveloppe du noyau disparaît, les chromosomes sont dispersés dans l'espace cellulaire.

● La **métaphase** (du grec *meta*, transformation)
La condensation des chromosomes est alors maximale. Les chromosomes se placent de telle sorte que tous les centromères sont situés dans un même plan, qualifié d'équatorial. L'ensemble des chromosomes ainsi disposés forme une figure caractéristique appelée **plaque équatoriale**.

● L'**anaphase** (du grec *ana*, en haut)
Les deux chromatides sœurs de chaque chromosome double se séparent après rupture du centromère. Deux lots identiques de **chromatides migrent** en sens opposé vers chaque pôle cellulaire. Des fibres de nature protéique, constituant ce que l'on appelle le fuseau de division, assurent la progression des chromosomes.

Dès la fin de l'anaphase, la séparation du cytoplasme commence.

● La **télophase** (du grec *telos*, fin)
Chaque lot de chromatides arrive à un pôle de la cellule et se décondense. Une enveloppe nucléaire se forme autour de chaque lot et achève ainsi la formation des **deux noyaux-fils**, la séparation du cytoplasme se termine, ce qui marque la fin de la mitose.

■ Une « copie » complète du programme génétique pour chaque cellule-fille
Au début de la mitose, chaque chromosome contient deux molécules d'ADN identiques : une cellule possède donc à ce moment deux fois l'intégralité de l'information génétique. On comprend alors, qu'à l'issue de la mitose, chaque cellule-fille a bien hérité d'un exemplaire de l'intégralité du programme génétique de la cellule-mère. Notons, en particulier, que les deux cellules-filles ont exactement le même nombre et les mêmes chromosomes que la cellule-mère. La mitose est une reproduction dite **conforme**, c'est-à-dire qu'elle **conserve le caryotype** au cours des divisions successives.

4 Le cycle cellulaire : des phases qui se répètent

■ Les phases d'un cycle cellulaire
La durée d'un cycle cellulaire est très variable suivant le type cellulaire : certaines cellules se divisent activement, c'est le cas par exemple des cellules embryonnaires, alors que d'autres peuvent rester très longtemps sans se diviser. Cependant, quel que soit le type cellulaire, on retrouve les mêmes phases caractéristiques.

● L'**interphase** peut être découpée en trois phases. La phase G1 (G, de l'anglais *gap* = intervalle) pendant laquelle la quantité d'ADN par cellule reste constante et peut être qualifiée de simple (quantité = q). Pendant cette étape, la cellule utilise son information génétique, peut croître et exercer ses fonctions. La phase S (S comme synthèse), qui succède à la phase G1, est marquée par un doublement progressif de la quantité d'ADN. C'est donc au cours de la phase S, qui dure plusieurs heures, que s'effectue la réplication de l'ADN. Ensuite, au cours de la phase G2, la cellule se prépare à la mitose. La quantité d'ADN pendant cette phase est stable, elle est le double de celle de la phase G1 (quantité = 2q).

● La **mitose** est la période pendant laquelle les chromosomes, bien visibles, sont équitablement répartis entre deux cellules-filles : elle dure une heure environ.

■ Un contrôle du cycle cellulaire
Pour assurer le développement et le bon fonctionnement de l'organisme, les cycles cellulaires doivent être contrôlés : ils existent en effet des **signaux** qui déterminent les moments où une cellule entre en division et le passage d'une phase à une autre. Un tel contrôle s'avère particulièrement important : en effet, si une cellule échappe à cette régulation, elle peut être à l'origine du développement incontrôlé d'un massif cellulaire : c'est le processus de **cancérisation** (voir page 286).

À RETENIR

■ Chromosomes et ADN

Les **chromosomes** sont des **éléments permanents** des cellules. En **interphase**, les chromosomes sont dans un état **décondensé**. Au début de la **mitose**, la molécule d'ADN s'enroule de façon très compacte autour de protéines, l'ensemble prenant l'aspect caractéristique d'un chromosome. Au début de la mitose, chaque chromosome est double : il possède deux chromatides réunies au niveau du centromère. Chaque **chromatide** contient **une molécule d'ADN** dans un état très **condensé**.

■ La réplication de l'ADN au cours de l'interphase

Au cours de la **phase S** de l'interphase, la quantité d'ADN double : chaque molécule d'ADN est **répliquée** en deux molécules-filles, selon un **mécanisme semi-conservatif**. En effet, chacun des deux brins de l'ADN sert de matrice : l'**ADN-polymérase** forme deux nouveaux brins en incorporant des nucléotides par complémentarité avec les deux brins d'origine. En absence d'erreur, les deux molécules d'ADN sont identiques, elles possèdent la **même séquence de nucléotides**.

■ La répartition des chromosomes au cours de la mitose

Au début de la division cellulaire, chaque chromosome est constitué de deux chromatides, c'est-à-dire de deux molécules d'ADN identiques. Les étapes successives de la mitose assurent une **répartition** parfaitement équitable du matériel génétique, chaque cellule-fille héritant d'une chromatide de chaque chromosome. À l'issue de la mitose, chaque cellule-fille possède donc une copie intégrale de l'information génétique. La **mitose** est une **reproduction conforme** qui **conserve le caryotype**.

■ Le cycle cellulaire : un processus sous contrôle

On appelle **cycle cellulaire** l'ensemble de l'interphase (phases G1, S et G2 qui séparent deux divisions successives) et de la **mitose**. Les cycles cellulaires se succèdent selon une chronologie parfaitement régulée. En effet, différents signaux déterminent le passage d'une étape à la suivante. Le processus de **cancérisation** résulte de défaillances de ces contrôles et d'une multiplication anarchique des cellules.

Mots-clés

- Cycle cellulaire, interphase, mitose
- Chromosome, chromatide
- État décondensé, état condensé
- Réplication de l'ADN
- Mécanisme semi-conservatif
- ADN-polymérase
- Reproduction conforme

Capacités et attitudes

▶ Faire des observations, recenser des informations, pour caractériser l'état de l'ADN au cours du cycle cellulaire.

▶ Réaliser des préparations pour observer au microscope les étapes de la mitose.

▶ Exploiter des informations pour comprendre les expériences historiques qui ont confirmé le mécanisme de réplication semi-conservative de l'ADN.

▶ Recenser et exploiter des informations permettant de caractériser les phases du cycle cellulaire.

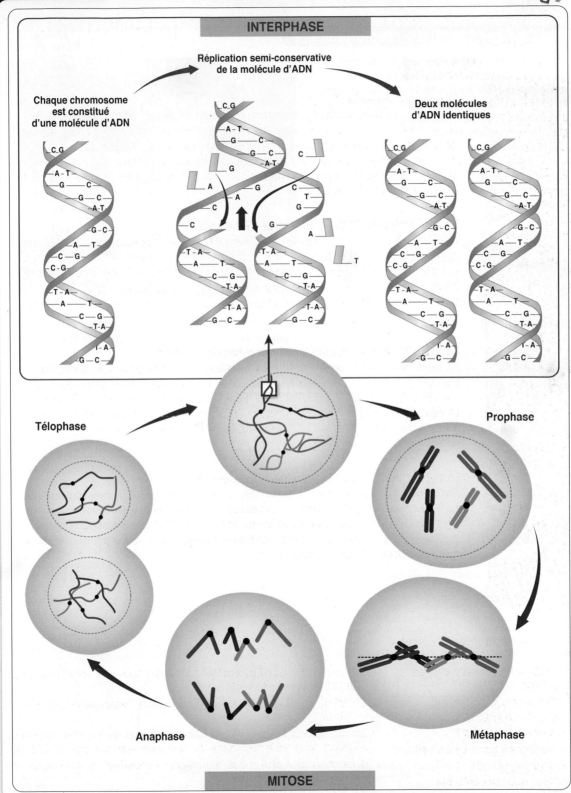

INTERPHASE

Réplication semi-conservative
de la molécule d'ADN

Chaque chromosome
est constitué
d'une molécule d'ADN

Deux molécules
d'ADN identiques

Télophase

Prophase

Anaphase

Métaphase

MITOSE

La PCR : une technique révolutionnaire

Animation

L'**amplification en chaîne par polymérase** (polymerase chain reaction ou PCR, en anglais) est une technique imaginée par Kary Mullis en 1985 (récompensé en 1993 par le prix Nobel de chimie) ; cette technique a bouleversé la biologie moléculaire et s'est imposée dans tous les laboratoires.

La PCR permet de **multiplier rapidement et intensément** une séquence d'ADN : on peut en effet obtenir par PCR un million de copies d'ADN en moins d'une heure ! Il devient alors possible d'analyser l'ADN à partir d'une quantité au départ **infime**. Par exemple, un cheveu, une trace de salive, une momie égyptienne ou encore un reste fossilisé de mammouth peuvent livrer les secrets de leur ADN...

La PCR est à la base de la réalisation des **tests ADN** qui connaissent, aujourd'hui, une utilisation croissante.

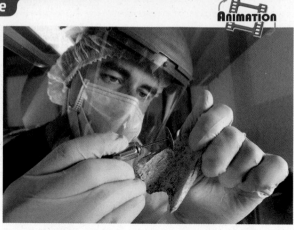

Technicien prélevant un fragment d'os fossile d'Homme de Neandertal avant d'amplifier par PCR les restes d'ADN : pourquoi ce prélèvement s'accompagne-t-il de telles précautions ?

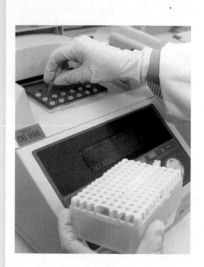

La PCR repose sur les connaissances des **mécanismes de la réplication de l'ADN** ainsi que sur les propriétés de séparation et d'association des deux brins de la molécule en fonction de la température (60 à 95 °C).

La mise en œuvre de cette technique a été rendue possible par la découverte, chez des **bactéries des sources chaudes**, d'ADN-polymérases capables de fonctionner aux températures employées (la polymérase humaine est détruite au-delà de 60 °C). La bactérie *Pyrococcus furiosus*, par exemple, possède une polymérase résistante à la chaleur, particulièrement fiable.

La technique de la PCR repose sur une astuce : les molécules d'ADN obtenues à chaque cycle servent de matrice à l'étape suivante : ainsi, à chaque cycle (d'une durée de l'ordre de quelques minutes), le nombre de molécules d'ADN double. L'amplification est donc **exponentielle**.

La réaction a lieu dans un petit tube introduit dans un **thermocycleur** (*photographie ci-contre*). Cet appareil maintient le tube à des températures précises pendant des durées programmées et répète l'opération de façon cyclique, réalisant les opérations présentées par le *schéma ci-dessous*.

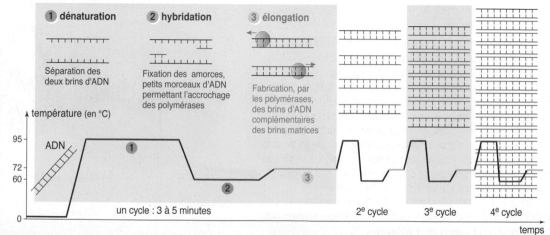

1 dénaturation — Séparation des deux brins d'ADN

2 hybridation — Fixation des amorces, petits morceaux d'ADN permettant l'accrochage des polymérases

3 élongation — Fabrication, par les polymérases, des brins d'ADN complémentaires des brins matrices

température (en °C)

95
72
60
0

ADN

un cycle : 3 à 5 minutes   2e cycle   3e cycle   4e cycle

temps

Travailler dans un laboratoire d'analyses médicales

Vos goûts et vos points forts
- Observer, analyser
- Effectuer des mesures
- Utiliser des techniques
- Faire un travail minutieux
- Être rigoureux et organisé
- Travailler en équipe

Cytologiste
C'est identifier les types cellulaires et les caractéristiques d'un prélèvement.

Les domaines d'activité

Dans le domaine public, les techniciens d'analyses biomédicales et les techniciens biologistes travaillent dans le **secteur hospitalier** en liaison avec un médecin, ou dans les **laboratoires de recherche** sous la direction d'un chercheur.
Dans le domaine privé, ils peuvent exercer en **laboratoire d'analyses médicales**, mais aussi en milieu industriel (pharmacie, cosmétique, agroalimentaire...).

Technicien biologiste
C'est analyser les prélèvements, réaliser des numérations cellulaires, mettre en culture des cellules.

Pour y parvenir

Après un baccalauréat scientifique, plusieurs diplômes sont envisageables : **BTS** analyses de biologie médicale ou **DUT** génie biologique à bac + 2, ou encore diplôme d'état à bac + 3 (recrutement sur concours).
Pour augmenter ses chances de travailler dans la recherche, mieux vaut préparer ensuite une **licence professionnelle**, plus pointue. De solides connaissances en biologie sont nécessaires mais il faut aussi s'intéresser aux évolutions technologiques et informatiques pour gérer les automates employés pour les analyses.

Les débouchés

Les secteurs industriels sont très demandeurs de techniciens biologistes. Les perspectives d'emploi sont moindres en laboratoire, en raison de l'automatisation des tâches.

... mieux comprendre l'histoire des sciences

La découverte des chromosomes

Les chromosomes ont été observés pour la première fois en 1878, mais le biologiste allemand **Walther Flemming** (1843-1905) fut le premier à étudier précisément le comportement de ces structures. En traitant des cellules d'embryon de salamandre avec un colorant dérivé du charbon, l'aniline, il parvient à visualiser les chromosomes pendant que les cellules se divisent. Il constate que les **chromosomes sont doubles** quand ils apparaissent, puis sont **partagés en deux** et sont entraînés dans deux directions opposées pour se répartir dans les deux cellules-filles. Il publie ses résultats, illustrés de nombreux dessins, en 1882 dans son livre « *Zell-substanz, Kern und Zellteilung* » (« Substance cellulaire, noyau et division cellulaire »).
Ce n'est que vingt ans plus tard que ces travaux seront associés aux lois de l'hérédité découvertes par Johann Gregor Mendel, permettant ainsi la naissance de la génétique.

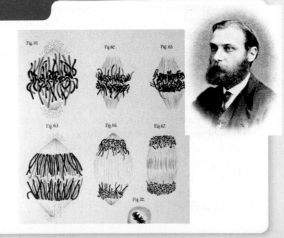

Exercices

1 **Définissez les mots ou expressions**

Chromosome, mitose, réplication, ADN-polymérase, cycle cellulaire, anaphase.

2 **Questions à choix multiples**

Choisissez la ou les bonnes réponses.

1. Les chromosomes :
a. sont plus ou moins condensés au cours du cycle cellulaire ;
b. sont visibles seulement à certains moments de la vie de la cellule ;
c. sont toujours constitués de deux molécules d'ADN.

2. L'ordre des phases de la mitose est :
a. prophase – télophase – anaphase – métaphase ;
b. prophase – métaphase – anaphase – télophase ;
c. prophase – anaphase – télophase – métaphase.

3. L'ADN-polymérase permet la synthèse de molécules d'ADN :
a. entièrement nouvelles ;
b. dont un brin est nouveau ;
c. dont les deux brins comportent des parties nouvelles.

4. L'anaphase est un moment du cycle cellulaire où :
a. la quantité d'ADN dans la cellule double ;
b. les chromosomes sont partagés ;
c. la cellule-mère se divise en deux cellules-filles.

3 **Vrai ou faux ?**

Repérez les affirmations exactes et corrigez celles qui sont inexactes.
a. Les chromosomes sont plus courts que la molécule d'ADN qu'ils contiennent.
b. La mitose assure un partage équitable des chromosomes de la cellule-mère.
c. La mitose se déroule en trois phases.
d. La mitose ne peut avoir lieu sans une réplication préalable.
e. La quantité d'ADN est constante dans une cellule tout au long de l'interphase.

4 **Questions à réponse courte**

a. Pourquoi les chromosomes ne sont-ils pas toujours visibles dans la cellule ?
b. Pourquoi une cellule-fille qui ne reçoit que des chromosomes simples (chromatides) possède-t-elle pourtant l'intégralité du programme génétique ?

5 **Restitution organisée de connaissances**

1. Montrez que la réplication et la mitose sont deux phénomènes complémentaires, nécessaires au au bon déroulement d'un cycle cellulaire.
2. Expliquez le mécanisme de la réplication de l'ADN et précisez le moment du cycle cellulaire où elle a lieu.

6 **Une substance anticancéreuse** **Extraire des informations, raisonner**

Le déplacement très coordonné des chromosomes dans la cellule au cours de chaque étape de la mitose est réalisé grâce à des éléments du « squelette » cellulaire, les microtubules.
Chacun de ces filaments protéiques est ancré d'un côté à un pôle de la cellule et de l'autre à un chromosome (*photographie ci-contre*). Ces fibres sont capables de s'allonger ou de se rétracter très rapidement. L'ensemble des microtubules forme ce que l'on appelle le fuseau de division.
Le taxol est une substance pharmaceutique produite à partir de l'if (un conifère). Elle a la propriété de se lier aux microtubules et d'empêcher leur rétraction. Cette molécule est utilisée dans le traitement de certains cancers.

Choisissez, parmi les affirmations suivantes, celles qui vous paraissent exactes. Justifiez vos choix.
Le taxol :
a. stimule la mitose ;
b. détruit les cellules cancéreuses ;
c. stoppe la prolifération des cellules ;
d. bloque la mitose au stade de la métaphase.

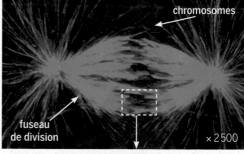

chromosomes

fuseau de division

×2500

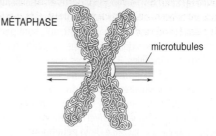

MÉTAPHASE

microtubules

7 | Le déroulement de la mitose d'une cellule animale · Observer, classer, communiquer

Les *photographies ci-dessous* montrent l'aspect de cellules humaines au cours de différents moments de leur cycle cellulaire. La technique d'immunofluorescence employée ici permet de visualiser l'ADN (en rouge-orangé) et les microtubules du fuseau de division (en vert). Les microtubules constituent des fibres attachées aux pôles de la cellule et aux chromosomes : ils permettent, par leur allongement ou leur rétraction, les déplacements des chromosomes (voir exercice 6, p. 26).

1. Classez chronologiquement ces clichés et donnez un titre à chacun d'eux.

2. Schématisez le déroulement de ce cycle cellulaire en vous limitant à quatre chromosomes.

3. Pour chaque étape, indiquez en une phrase en quoi elle consiste.

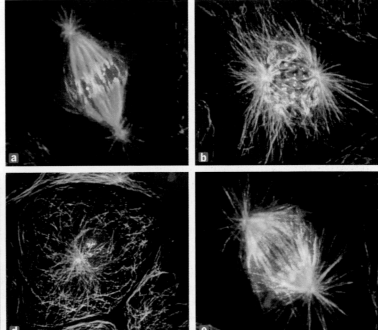

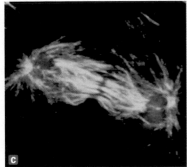

8 | Un antibiotique en action · Observer, raisonner

La gyrase est une enzyme spécifique des bactéries, indispensable à la réplication de leur chromosome. En se fixant sur l'ADN, la gyrase provoque un déroulement localisé de l'ADN permettant à l'ADN-polymérase de jouer son rôle.

Les quinolones sont des antibiotiques utilisés pour combattre de nombreuses maladies provoquées par des bactéries.

L'*image ci-contre* montre la gyrase en contact avec l'ADN, en présence de quinolone.

D'après cette observation et vos connaissances, expliquez comment ce médicament peut stopper une infection bactérienne.

Pour télécharger ce modèle moléculaire :

www.bordas-svtlycee.fr

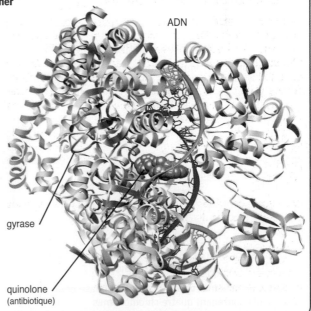

ADN

gyrase

quinolone
(antibiotique)

9 L'expérience de Meselson et Stahl (1958)

Analyser une expérience, Raisonner

Dès la découverte de la structure de l'ADN par Watson et Crick, en 1953, les deux chercheurs ont imaginé que cette double spirale puisse s'ouvrir, permettant ainsi la synthèse de nouveaux brins à partir des brins originaux.

En 1958, Meselson et Stahl cherchent à comprendre comment s'effectue cette copie conforme de l'ADN. Leurs expériences sont réalisées sur la bactérie *Escherichia coli*, qui se multiplie activement quand elle est cultivée sur un milieu favorable et réplique alors intensément son ADN.

Les bactéries sont cultivées dans deux milieux différents : l'un contient des nucléotides « légers » intégrant de l'azote « léger » ^{14}N, l'autre des nucléotides « lourds » intégrant l'isotope « lourd » ^{15}N de l'azote.

Des bactéries, d'abord cultivées depuis de nombreuses générations sur un milieu contenant des « nucléotides ^{15}N », sont prélevées et transférées sur un milieu normal, à « nucléotides ^{14}N ».

À chaque étape, l'ADN de bactéries en culture est extrait et centrifugé à grande vitesse dans un tube contenant une solution de densité appropriée. Après centrifugation, l'ADN se stabilise ainsi à un niveau correspondant à sa densité (*schéma ci-contre*).

1. Montrez que les résultats de cette expérience confirment que la réplication de l'ADN se fait selon un mécanisme semi-conservatif. Vous pouvez, par exemple, représenter les brins d'ADN des différentes molécules centrifugées en utilisant un code de couleur.

2. Représentez le résultat qui serait obtenu dans le tube à la génération suivante.

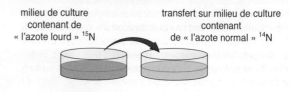

milieu de culture contenant de « l'azote lourd » ^{15}N — transfert sur milieu de culture contenant de « l'azote normal » ^{14}N

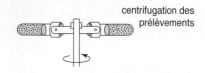

centrifugation des prélèvements

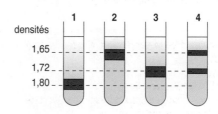

densités — 1,65 — 1,72 — 1,80

- **Tube 1 :** ADN de bactéries cultivées depuis de nombreuses générations sur un milieu ^{15}N.
- **Tube 2 :** ADN de bactéries cultivées depuis de nombreuses générations sur un milieu ^{14}N.
- **Tube 3 :** ADN de bactéries de la culture sur milieu ^{15}N, une génération après leur transfert sur milieu ^{14}N.
- **Tube 4 :** ADN de bactéries de la culture sur milieu ^{15}N, deux générations après leur transfert sur milieu ^{14}N.

10 La mitose vue sous un angle inhabituel

Comprendre une observation, communiquer

La *photographie ci-contre* montre la même phase de la mitose dans deux cellules de la moelle osseuse, vue depuis le pôle des cellules (*schéma ci-dessous*).

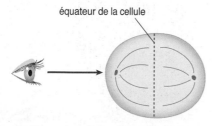

équateur de la cellule

1. D'après vos connaissances sur la mitose, identifiez cette phase. Justifiez votre réponse.

2. Faites un schéma représentant cette phase pour une cellule contenant quatre chromosomes.

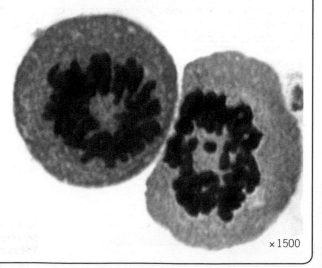

× 1500

11 L'observation de chromosomes particuliers

Chez les larves de certains insectes comme la drosophile ou le chironome, les glandes salivaires possèdent des cellules contenant des chromosomes géants (chromosomes qualifiés de polyténiques). Ces chromosomes géants doivent en effet leur taille au phénomène de polyténie : des milliers de copies des chromatides obtenues après réplication restent accolées les unes aux autres sur toute leur longueur. C'est pourquoi les chromosomes polyténiques sont facilement observables au microscope optique.

■ Problème à résoudre

Observer au microscopique des chromosomes polyténiques et préciser leurs caractéristiques.

■ Matériel

– Larves de chironome (« ver de vase ») ou de drosophile (mortes).
– Pinces fines.
– Microscope, lames et lamelles.
– Colorant (orcéine acétique, carmin acétique, vert de méthyle ou bleu de toluidine).
– Dispositif de prise de vue.
– Logiciel Mesurim.

■ Protocole

– Placez la larve sur une lame microscopique.
– Saisissez la tête avec des pinces fines, tout en maintenant la larve avec une autre pince au niveau du tiers antérieur du corps.
– Arrachez doucement la tête ; les glandes salivaires apparaissent, attachées à la tête.
– Éliminez les restes de la partie postérieure du corps, séparez la tête des glandes salivaires et ôtez-la.
– Placez les glandes salivaires sur une lame, recouvrez d'une goutte de colorant et laissez agir 5 à 10 minutes.
– Ajoutez une lamelle et écrasez légèrement avec une pince tenue à plat.
– Observez au microscope.

■ Exploitation des résultats

– Réalisez un cliché d'une cellule contenant un chromosome polyténique.
– À l'aide du logiciel Mesurim, mesurez la largeur du chromosome.
– En utilisant une photographie du manuel, comparez avec les dimensions des chromosomes non polyténiques habituellement observés.

Disséquer, réaliser une préparation microscopique, observer

a

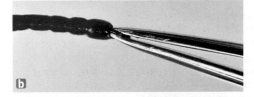

b

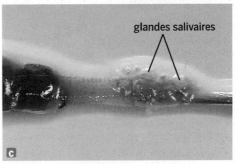

glandes salivaires

c

Étapes du prélèvement des glandes salivaires d'une larve de chironome.

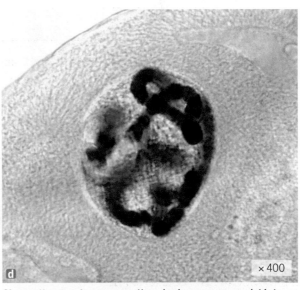

d   × 400

Observation au microscope optique de chromosomes polyténiques dans une cellule de glande salivaire de larve de chironome (coloration au carmin acétique à froid).

Des DOCUMENTS pour se poser des questions

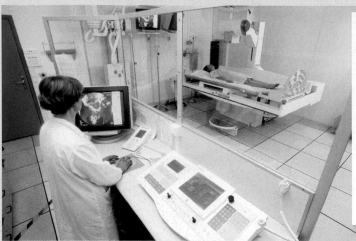

L'exposition aux rayons X : un contrôle très strict

Dans les cabinets de radiologie, il est impératif de respecter certaines procédures :
– Le personnel est hors de la salle, le pupitre de commandes étant dans une pièce indépendante.
– Si la présence d'une personne à proximité du patient (maintien du patient, biopsie, injection...) est indispensable pendant l'examen, le port d'un tablier de protection (tablier plombé) est obligatoire.
– Sauf exceptions, les accompagnants ne sont pas autorisés à pénétrer dans la salle.

D'après l'Institut National de Recherche et de Sécurité.

Tous semblables, tous différents

Tous les êtres humains partagent les mêmes gènes. Pourtant, chaque individu est unique : cette variabilité repose sur le fait qu'il existe pour la plupart des gènes une grande diversité d'allèles.

LES PROBLÉMATIQUES DU CHAPITRE

- Qu'est-ce qu'un « agent mutagène » ?
- En quoi consiste précisément une mutation ?
- Quel est le devenir possible d'une mutation ?
- Quelle est l'origine de la biodiversité génétique ?

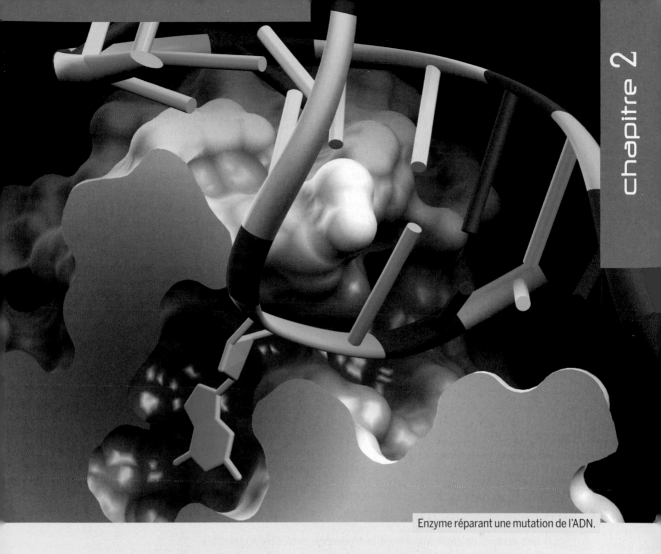

Enzyme réparant une mutation de l'ADN.

Variabilité génétique
et mutation de l'ADN

L'origine d'une variabilité de l'ADN

L'ADN est une molécule qui a la propriété de pouvoir se répliquer à l'identique. Pourtant, elle n'est pas immuable et possède une relative instabilité. *Les causes de cette variabilité sont multiples et certaines d'entre elles sont bien connues.*

A Des anomalies de l'ADN

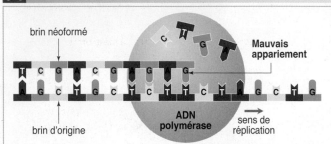

brin néoformé

Mauvais appariement

ADN polymérase — sens de réplication

brin d'origine

• Lors de la réplication, l'ADN-polymérase construit deux nouveaux brins d'ADN à partir des deux brins existants qui servent de matrice. Puisque la copie se fait par complémentarité des nucléotides, elle est théoriquement parfaite.

Cependant, l'ADN-polymérase n'est pas fiable à 100 %. On estime que, pendant la réplication, elle « se trompe » en moyenne une fois pour 100 000 nucléotides répliqués.

Toutefois, l'ADN-polymérase vérifie le bon appariement des nouveaux nucléotides ajoutés et remplace ceux qui ne correspondent pas. La fiabilité finale est estimée à une erreur pour 10 millions de nucléotides répliqués (rappelons que l'ADN d'une cellule humaine comporte 6,4 milliards de paires de nucléotides).

• Certains produits chimiques, par exemple le benzène ou l'acridine (un colorant biologique), sont des molécules planes qui peuvent s'intercaler dans la molécule d'ADN. Ils modifient sa structure et augmentent fortement la probabilité d'erreurs de réplication.

molécule d'acridine

Doc. 1 **Des erreurs de réplication dont la fréquence peut être augmentée.**

Les **rayons X** (utilisés en radiologie) et les rayons γ (radioactivité) ont une action directe sur l'ADN : ils peuvent provoquer une rupture de l'un des brins, la perte d'un nucléotide ou bien encore une déformation de la molécule. Ils entraînent également la production de **radicaux libres** qui interagissent avec l'ADN et ont des effets **mutagènes**.

Les **rayons ultraviolets ou UV** (émis par le soleil ou les lampes à bronzer) sont préférentiellement absorbés par les nucléotides de l'ADN. Les UV provoquent comme les rayons X la formation de radicaux libres. Les UV-B ont pour effet de stimuler la formation de liaisons covalentes entre nucléotides adjacents (formation de dimères T=T ou T=C par exemple). Ces dimères entraînent une modification importante de la structure de l'ADN.

L'effet des radiations est cumulatif : il existe une relation entre le taux de **mutation** et la dose de rayonnement reçu.

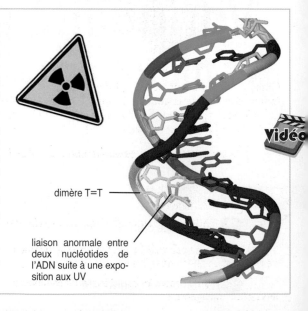

Vidéo

dimère T=T

liaison anormale entre deux nucléotides de l'ADN suite à une exposition aux UV

Doc. 2 **Les effets des rayonnements.**

B Un exemple de l'influence d'un agent mutagène sur la population

• Le mélanome, un cancer sournois et dangereux

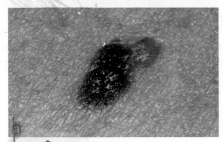

a

Les mélanocytes, cellules responsables de la pigmentation de la peau, peuvent devenir cancéreux et se multiplier de manière incontrôlée. Le résultat de cette prolifération est un **mélanome** prenant l'apparence d'un grain de beauté qui grossit (*photographie a*). Il est dangereux car il est indolore et développe rapidement des **métastases** vers des organes autres que la peau. Le mélanome est le plus grave des cancers de la peau : il doit être détecté et ôté le plus rapidement possible.

• L'Australie : à proximité du « trou » de la couche d'ozone

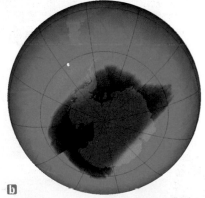

b

L'image satellitale présentée ci-dessus traduit l'amincissement de la couche d'ozone au niveau du pôle Sud. Or, la couche d'ozone stoppe une partie des rayons UV émis par le soleil.

• L'Australie détient le « record du monde » des cancers de la peau

Quelques données chiffrées sur les cancers de la peau en Australie

• Un million de consultations médicales par an.

• 434 000 personnes traitées chaque année pour un cancer de la peau, dont 10 300 pour un mélanome.

• Deux australiens sur trois développeront un cancer de la peau avant l'âge de 70 ans (soit 4 fois plus qu'en Europe ou aux États Unis).

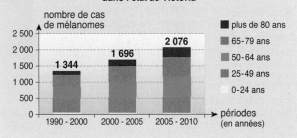

Évolution du nombre de cas de mélanomes dans l'état de Victoria

• Une politique de prévention des risques

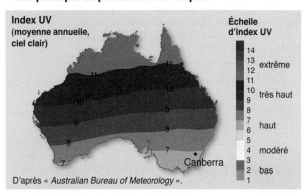

D'après « Australian Bureau of Meteorology ».

Des cartes (comme ci-dessus), des messages d'alerte aux familles et divers moyens de protection permettent d'éviter les risques liés à une surexposition aux UV.

Doc. 3 Une relation entre surexposition aux UV et fréquence des mélanomes.

Pistes d'exploitation

PROBLÈME À RÉSOUDRE ► Quelles sont les causes des mutations et qu'est-ce qu'un agent mutagène ?

Doc. 1 Expliquez pourquoi on peut dire que la mutation de l'ADN est un phénomène à la fois rare et banal.

Doc. 1 et 2 Quelles sont les caractéristiques communes des agents mutagènes ?

Doc. 3 Quelle relation de cause à effet peut-on ici établir ? Comment expliquez-vous que le nombre de cas de mélanomes soit plus élevé en Australie que dans d'autres pays ?

Lexique, p. 354

L'influence d'une irradiation par les UV

La surexposition aux rayons ultraviolets (UV) est connue pour ses effets nocifs : chez l'Homme, les UV sont en effet responsables d'un nombre croissant de cancers. *Il est possible de réaliser une étude expérimentale sur des levures pour mieux étudier les effets d'une irradiation par les UV.*

A Une expérience d'irradiation de cultures de levures

ACTIVITÉ EXPÉRIMENTALE

Comme chez toutes les espèces, il existe chez les levures une variabilité génétique : par exemple, alors que les levures sauvages forment des colonies blanches, les levures de la souche Ade2 forment des colonies rouges. En effet, à la suite d'une mutation, les levures de la souche Ade2 produisent un pigment de couleur rouge que ne fabriquent pas les levures sauvages.

L'objectif de cette étude expérimentale est de rechercher les effets d'une irradiation par les UV sur une culture de levures.

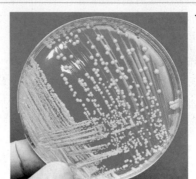

◄ Une culture de souche sauvage sur un milieu nutritif ; chaque levure déposée a formé une colonie visible à l'œil nu.

AnimATion

■ PROTOCOLE EXPÉRIMENTAL

– Mettre les levures d'une colonie Ade2 en suspension dans de l'eau stérile.
– En utilisant le râteau stérile, étaler deux gouttes sur l'ensemble de la boîte de Petri contenant le milieu nutritif gélosé.
– Exposer la boîte au rayonnement UV pendant la durée déterminée. On pourra, par exemple, faire trois boîtes qui seront exposées respectivement pendant 15 s, 45 s et 90 s.
– Mettre à l'étuve à 30 °C pendant cinq jours.

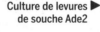
Culture de levures ▶ de souche Ade2

ATTENTION
• Travailler en conditions stériles.
• Respecter les consignes de sécurité.

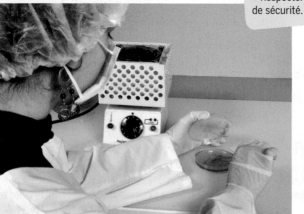

Doc. 1 Un protocole expérimental à bien respecter pour étudier l'action des UV.

B Des résultats qui mettent en évidence un double effet des UV

■ **RÉSULTATS**

– Après les cinq jours de culture, observer les résultats et faire une image numérique de chaque boîte.
– Dénombrer les colonies (utiliser éventuellement un logiciel comme « Mesurim »).

Un exemple de dénombrement

Durée d'irradiation (en s)	Nombre total de colonies	Nombre de colonies blanches
0	490	3
15	284	22
30	152	29
45	66	19
90	30	14

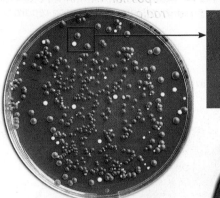

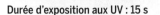

Durée d'exposition aux UV : 15 s

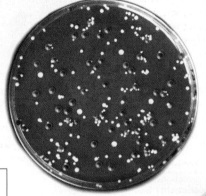

Durée d'exposition aux UV : 45 s

Nombre de colonies en fonction de la durée d'exposition aux UV

nombre de colonies

600
500
400
300
200
100
0
0 15 30 45 60 75 90
durée d'exposition (en s)

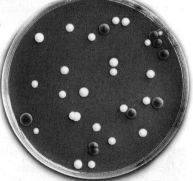

Durée d'exposition aux UV : 90 s

Doc. 2 Les résultats de l'exposition de cultures de levures Ade2 à des doses croissantes de rayonnement UV.

Pistes d'exploitation

PROBLÈME À RÉSOUDRE ► Quels sont les différents effets de l'irradiation d'une culture de levures par les ultraviolets ?

Doc. 1 Quelle propriété de la division cellulaire est illustrée par les photographies de cultures de ces deux souches de levures ? Expliquez.

Doc. 2 Comparez les résultats des différentes cultures.

Doc. 2 Comment expliquez-vous l'apparition de colonies blanches ? Tracez le graphique montrant le pourcentage de colonies blanches en fonction de la durée d'exposition aux UV.

Doc. 1 et 2 Indiquez quels sont les deux effets produits par l'irradiation par les UV.

Lexique, p. 354

Réparation de l'ADN et mutations

À la fin de l'interphase, on estime qu'il subsiste dans l'ADN une « erreur » pour 1 000 000 000 de nucléotides insérés alors qu'il s'en produit environ une pour 100 000 pendant la réplication. *On cherche à comprendre comment l'ADN est réparé et quelles sont les conséquences résultant d'une non-réparation.*

A Des systèmes de réparation de l'ADN

Les cellules sont équipées de « systèmes de réparation », capables de détecter des anomalies de l'ADN et de les corriger. Ces systèmes sont constitués d'**enzymes** appelées **endonucléases**. On en connaît une centaine chez la bactérie *Escherichia coli* et 130 chez l'Homme.

Ces systèmes sont indispensables car certaines des anomalies de l'ADN (comme la formation de dimères de thymine) empêchent la réplication de l'ADN (la cellule touchée ne peut plus se reproduire) ou entraînent même rapidement la mort de la cellule. Des défaillances de l'un de ces systèmes enzymatiques de réparation de l'ADN sont responsables de maladies graves comme le *Xeroderma pigmentosum* (voir page 75) ou certaines formes de cancer du colon.

Par ailleurs, même si ces enzymes sont très efficaces, leur fiabilité n'est pas totale.

Une enzyme de réparation de l'ADN en action

Vidéo

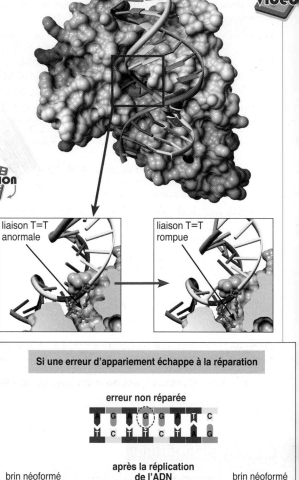

liaison T=T anormale

liaison T=T rompue

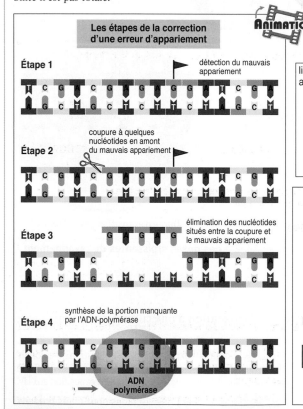

Les étapes de la correction d'une erreur d'appariement

Animation

Étape 1   détection du mauvais appariement

Étape 2   coupure à quelques nucléotides en amont du mauvais appariement

Étape 3   élimination des nucléotides situés entre la coupure et le mauvais appariement

Étape 4   synthèse de la portion manquante par l'ADN-polymérase

ADN polymérase

Si une erreur d'appariement échappe à la réparation

erreur non réparée

brin néoformé   **après la réplication de l'ADN**   brin néoformé

Séquence conforme   **Séquence mutante**

Doc. 1 **Des enzymes réparatrices qui limitent les cas de mutations.**

B Différents types de mutations

Pour rechercher et repérer l'existence de mutations, on utilise un logiciel de traitement de séquences nucléotidiques. Il est en effet possible d'afficher différentes séquences d'un même gène et de les comparer pour détecter d'éventuelles différences.

• Le **premier exemple** présente une portion de la séquence d'un gène impliqué dans la couleur des colonies de levures (voir pages 34-35).

	70	80	90	100	110	120	130
▶ Souche sauvage	AGGCTCAACATTAAGACGGTAATACTAGATGCTGAAAATTCTCCTGCCAAACAAATAAGCAAC						
Souche Ade 2	AGGCTCAACATTAAGACGGTAATACTAGATGCTTAAAATTCTCCTGCCAAACAAATAAGCAAC						

• Ce **deuxième exemple** présente la séquence normale (Beta-A) du gène qui gouverne la synthèse de la globine β (l'une des chaînes de l'hémoglobine) ainsi que d'autres séquences de ce gène, beaucoup plus rares et responsables de maladies comme la **drépanocytose** (Beta-S) ou les **thalassémies** (Beta-Th1, Beta-Th2).

	1	10	20	30	40	50	60	7
▶ Beta-A	ATGGTGCACCTGACTCCTGAGGAGAAGTCTGCCGTTACTGCCCTGTGGGGCAAGGTGAACGTGGATGAAG							
Beta-S	ATGGTGCACCTGACTCCTGTGGAGAAGTCTGCCGTTACTGCCCTGTGGGGCAAGGTGAACGTGGATGAAG							
Beta-Th1	ATGGTGCACCTGACTCCTGGGAGAAGTCTGCCGTTACTGCCCTGTGGGGCAAGGTGAACGTGGATGAAGT							
Beta-Th2	ATGGTGCACCTGACTCCTGAGGAGAAGCTCTGCCGTTACTGCCCTGTGGGGCAAGGTGAACGTGGATGAA							

Comparaisons réalisées avec le logiciel « Anagène ». Pour chaque séquence, seul le brin non-transcrit d'ADN est représenté.

Doc. 2 Une comparaison de séquences nucléotidiques.

Il est possible de distinguer plusieurs types de **mutations ponctuelles** affectant la molécule d'ADN :

• **Séquence normale :**	...ATCCGA...		...ATCCGA...		...ATCCGA...
	un nucléotide est remplacé par un autre ↓		perte d'un nucléotide ↓		ajout d'un nucléotide ↓
• **Séquence mutée :**	...ATCAGA...		...ATCGA...		...ATCCGTA...
	substitution		**délétion**		**addition**

Précision : l'ADN étant constitué de deux brins complémentaires, les mutations concernent les deux brins. Cependant, par souci de simplicité et de clarté, un seul brin est ici représenté.

Doc. 3 Les différents types de mutations ponctuelles.

Pour télécharger les données utilisées pour ces activités :
www.bordas-svtlycee.fr

Pistes d'exploitation

PROBLÈME À RÉSOUDRE ► Comment l'ADN peut-il être « réparé » et quels sont les différents types de mutations ?

Doc. 1 et 2 Expliquez pourquoi il est primordial que les cellules possèdent des systèmes efficaces de réparation de l'ADN.

Doc. 1 À quelles conditions y a-t-il véritablement mutation de l'ADN ?

Doc. 2 Utilisez les fonctionnalités du logiciel ou ce document pour repérer l'existence de mutations dans ces séquences.

Doc. 2 et 3 Utilisez les informations du document 3 pour nommer les différents types de mutations repérées.

Lexique, p. 354

Mutations et biodiversité

Quelle que soit l'efficacité des systèmes de réparation de l'ADN, il se produit dans une cellule des mutations qui peuvent être transmises si la cellule se divise. *En dépit des inconvénients que cela peut comporter pour l'individu, ce faible taux de mutation est, pour l'espèce, une indéniable source de richesse.*

A La transmission des mutations

Quelle est l'origine de cette curieuse pomme ? Une mutation, intervenue dans l'une des cellules de la paroi de l'ovaire d'une fleur de pommier de la variété « *golden-delicious* ». Cette mutation se traduit par une couleur rouge, prise par toutes les cellules issues de la cellule mutée. Elle n'est pas présente dans les graines du fruit. Une telle mutation est qualifiée de mutation **somatique**.

Doc. 1 **Un exemple de mutation somatique.**

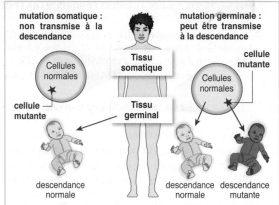

Les mutations qui affectent les cellules somatiques concernent l'individu mais ne sont pas transmises à sa descendance. Il n'en va pas de même des mutations qui affectent les cellules de la ligne **germinale** : en effet, si des cellules reproductrices mutées sont à l'origine d'une fécondation, alors ce sont toutes les cellules du nouvel individu qui héritent de la mutation.

Doc. 2 **Le devenir des mutations.**

• Certains cancers sont d'origine génétique : on sait, par exemple, que le gène « P53 » exerce un rôle protecteur vis-à-vis du cancer (voir page 287). Une mutation de ce gène peut donc se traduire par le développement précoce d'un cancer.

• *L'arbre généalogique ci-contre* représente le cas d'une famille dans laquelle deux membres ont déjà développé un cancer. Une recherche approfondie permet de comprendre qu'il ne s'agit pas d'un simple hasard.

On a indiqué ici les séquences d'une petite portion des allèles du gène P53 présents chez certains membres de cette famille. Deux séquences sont indiquées pour chaque individu : en effet, chaque individu possède deux exemplaires de chaque gène.

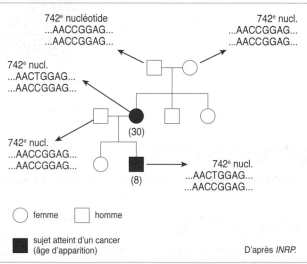

Doc. 3 **Un exemple de mutation devenue héréditaire.**

B Mutations, polyallélisme et biodiversité

« Le taux de mutation de l'ADN reflète les erreurs inévitables lors de la réplication ou de la réparation de l'ADN. En effet, des erreurs de réplication subsistent avec une fréquence d'environ 10^{-9} par nucléotide incorporé, soit environ une mutation par division cellulaire sur l'ensemble du génome.

Au cours d'une vie humaine, l'organisme effectuant de l'ordre de 10^{17} divisions cellulaires, le génome subit donc environ 10^{17} mutations somatiques.

Pour la lignée germinale, on estime à 24 le nombre de divisions nécessaires pour produire un ovule et à $35 + 23\,n$ (où n = âge en années − 15) le nombre de divisions nécessaires pour produire un spermatozoïde.

Chaque ovule est donc porteur d'environ 24 mutations ponctuelles liées aux erreurs de réplication et chaque spermatozoïde d'un homme de 25 ans en comporte près de 265. »

D'après L. Schibler, D. Vaiman, E.P. Cribiu (INRA).

Doc. 4 **Les cellules reproductrices comportent inévitablement des mutations.**

Les cellules de l'organisme portent des marqueurs qui définissent leur groupe tissulaire (déterminant pour la réalisation de greffes). Ces marqueurs constituent le « système HLA ». Il existe trois principaux gènes codant pour ces marqueurs : HLA-A, HLA-B et HLA-C.

Ces gènes sont très **polymorphes** : on a identifié 309 allèles du gène HLA-A, 563 du gène HLA-B et 163 du gène HLA-C. Ces allèles sont plus ou moins répandus dans les diverses populations mondiales.

• **Fréquence de quelques allèles du gène HLA-A (en %)**

Pays / Allèle	France	Japon	Pays de Galles	Malaisie
A01	13,2	0,2	21,1	2,1
A02	29,1	11,6	30,2	15,1
A03	13,2	0,2	13,3	1,9
A11	6,1	10,2	6,6	20,9
A24	9,7	36,2	7,0	35,1

D'après New Allele Frequency Database.

• **Fréquence de l'allèle HLA-A02 dans diverses populations du monde**

■ 0 à 10 % ■ 10 à 25 % ■ > 25 %

Doc. 5 **Les mutations sont à l'origine de la diversité génétique des populations.**

Pistes d'exploitation

PROBLÈME À RÉSOUDRE ► Quelle est l'origine de la diversité des allèles qui caractérise les différentes populations ?

Doc. 1 et 2 À quelle condition un organisme peut-il porter une mutation dans toutes ses cellules ?

Doc. 3 Comment expliquez-vous l'apparition et la transmission de cas de cancers dans cette famille ?

Doc. 3 et 4 Expliquez comment peuvent apparaître de nouveaux allèles.

Doc. 5 Pourquoi peut-on dire que les mutations sont une source de diversité génétique pour les espèces ?

Lexique, p. 354

chapitre 2 Variabilité génétique et mutation de l'ADN

1 L'ADN, une molécule plus ou moins stable

■ L'origine d'une variabilité de l'ADN

La molécule d'ADN possède la remarquable propriété d'**auto-réplication** : à partir d'une molécule d'ADN mère, l'**ADN-polymérase** fabrique deux molécules d'ADN filles identiques à la molécule d'origine.

Dans une cellule humaine, à chaque réplication, ce sont 6,4 milliards de paires de nucléotides qui sont ainsi répliqués. Aucun système de copie n'étant infaillible, on comprend aisément qu'il puisse se produire de temps en temps des **erreurs** : il peut y avoir par exemple incorporation d'un nucléotide non complémentaire ou bien un « oubli » ou au contraire l'ajout d'un nucléotide surnuméraire. Même si la **fiabilité** de l'ADN-polymérase peut être considérée comme excellente, on estime qu'elle « se trompe » environ une fois pour 100 000 nucléotides insérés. De plus, même en dehors des périodes de réplication, l'ADN peut être endommagé et sa séquence s'en trouver modifiée.

■ Des agents mutagènes

Ces modifications de l'ADN sont **spontanées** et leur fréquence est faible. Cependant, certains facteurs ont la propriété d'augmenter cette fréquence. Ils sont qualifiés d'agents **mutagènes**.

Par exemple, des **substances chimiques** comme le benzène ou l'acridine (utilisée comme colorant) sont des molécules qui **s'intercalent** entre les nucléotides de l'ADN : au cours de la réplication de l'ADN, il y aura alors incorporation d'un nucléotide supplémentaire sur le brin opposé.

Certaines radiations électromagnétiques peuvent pénétrer plus ou moins profondément la matière vivante et endommager l'ADN. Les rayonnements radioactifs sont de ce point de vue les plus puissants, mais ils sont heureusement peu abondants naturellement. Les **rayons X**, utilisés en radiologie, ont un effet mutagène important (d'où les mesures de protection et le calibrage des doses délivrées lorsqu'on pratique un examen radiologique).

■ Le danger des UV

Les **rayons ultraviolets (UV)** émis par le soleil sont incontestablement les principaux agents mutagènes auxquels sont exposées les populations humaines. Si l'ozone stratosphérique filtre la totalité des UV-C et la quasi-totalité des UV-B, il n'en reste pas moins que les êtres humains sont exposés à un rayonnement UV plus ou moins intense

(UV-A principalement). Des études expérimentales réalisées sur les levures le confirment : les rayons UV peuvent détruire des cellules (**effet létal**) et ils ont également un **effet mutagène** important.

Les effets des UV sur l'ADN sont multiples et bien connus : ils entraînent souvent la formation de **liaisons covalentes** entre deux nucléotides consécutifs (par exemple deux nucléotides T, constituant ce que l'on appelle un dimère T=T). Cette liaison anormale crée localement une **modification de la structure de l'ADN** qui perturbe le fonctionnement normal de l'ADN-polymérase au moment de la réplication.

Cet effet des rayons UV constitue aujourd'hui un problème de **santé** publique : en effet, les cellules dont l'ADN est lésé peuvent devenir **cancéreuses** (voir partie 4, chapitre 3).

Le rayonnement UV arrivant à la surface de la Terre est plus ou moins intense : il est particulièrement important en altitude, en bord de mer ou dans les régions du globe terrestre concernées par l'amincissement de la couche d'ozone protectrice. Dans de nombreux pays, on relève depuis quelques années une augmentation significative des cancers de la peau. Il est donc particulièrement important de suivre, dès le plus jeune âge, les mesures préconisées pour se protéger des UV.

2 Réparation de l'ADN et mutation

■ Les mécanismes de réparation de l'ADN

À la fin de l'interphase, on constate que le nombre d'erreurs présentes dans une molécule d'ADN est **beaucoup plus faible** (une pour un milliard de nucléotides environ) que le nombre d'erreurs effectuées au cours de la réplication. En effet, les cellules possèdent plusieurs **systèmes enzymatiques** capables de vérifier l'ADN et de **réparer** les erreurs. Ces enzymes exercent leur action au cours de la réplication ou après celle-ci. Très schématiquement, l'erreur est d'abord repérée et signalée par une enzyme qui parcourt l'ADN, puis une autre enzyme coupe un court fragment du brin d'ADN comportant l'erreur. L'ADN polymérase remplace alors les nucléotides manquants par complémentarité avec le second brin.

■ Des mutations de l'ADN

Dans une cellule, plusieurs douzaines d'enzymes de réparation de l'ADN interviennent ainsi, corrigeant environ 99,9 %

des erreurs. Quelques erreurs subsistent néanmoins dans une molécule d'ADN répliquée. On appelle alors **mutation** une modification de la molécule d'ADN qui a échappé aux processus de réparation. Notons que si la modification ne concerne bien au départ qu'un seul brin, il y aura néanmoins, dès la réplication suivante, formation d'une molécule d'ADN portant une paire de nucléotides modifiée. Comme cette molécule d'ADN peut elle-même servir de modèle pour les réplications ultérieures, la mutation peut **se transmettre** au cours des cycles cellulaires successifs.

La comparaison de molécules d'ADN révèle, comme on peut s'y attendre, l'existence de plusieurs types de **mutations ponctuelles**, portant sur une paire de nucléotides :
– mutation par **substitution**, lorsqu'une paire de nucléotides a été remplacée par une autre paire ;
– mutation par **délétion**, correspondant à la perte d'une paire de nucléotides ;
– mutation par **addition**, lorsqu'une paire de nucléotides supplémentaire a été insérée dans la séquence d'ADN.

■ Le devenir des mutations

Souvent, une cellule comportant une mutation **meurt** à plus ou moins brève échéance : elle sera alors facilement remplacée. Mais, si la cellule mutée reste vivante, elle sera, par divisions successives, à l'origine d'un **clone cellulaire**, c'est-à-dire une population de cellules portant la même mutation. Dans beaucoup de tissus, les cellules ont tendance, après une division, à rester proches les unes des autres : le résultat observable dans un tissu est alors l'existence d'un **secteur mutant**. Remarquons que ce secteur sera d'autant plus important que la mutation intervient tôt au cours du développement de l'organisme : il peut tout aussi bien correspondre à un organe entier qu'à un ensemble plus ou moins restreint de cellules.

Une mutation entraîne parfois une **cancérisation** de la cellule : on comprend alors qu'un foyer de cellules cancéreuses puisse se développer dans un organe (voir Partie 4, chapitre 3).

Mais la principale distinction à faire concernant le devenir des mutations est de savoir si elle affecte un tissu somatique ou un tissu germinal :

– Les **mutations somatiques**, c'est-à-dire celles qui ne concernent pas les cellules sexuelles, disparaîtront au plus tard avec la mort de l'individu. Elles ne sont donc pas transmises à sa descendance.

– Les **mutations germinales**, c'est-à-dire celles qui se produisent dans les cellules à l'origine des **gamètes** sont au contraire **transmissibles à la descendance** de l'individu. En effet, une mutation portée par un spermatozoïde ou un ovule se retrouvera présente dans la cellule-œuf et par conséquent dans **toutes les cellules** du nouvel individu. Elle devient alors **héréditaire**.

Le phénomène de mutation est certes peu fréquent, mais étant donné le nombre de nucléotides présents dans l'ADN d'une part et le nombre de divisions des cellules à l'origine des gamètes d'autre part, il est acquis qu'un spermatozoïde ou un ovule comporte toujours plusieurs dizaines de mutations. L'existence de mutations est donc finalement un **phénomène banal**.

3 Mutations et biodiversité

Nous savons que pour un gène, il existe le plus souvent plusieurs « versions » différentes, appelées **allèles**.

Par exemple, si tous les êtres humains ont nécessairement un groupe sanguin, tous n'ont pas les mêmes allèles déterminant ce groupe. Pour certains gènes, il peut exister une très grande **diversité** d'allèles : c'est le cas par exemple des gènes HLA qui déterminent ce que l'on appelle le groupe tissulaire, impliqué dans le phénomène de rejet des greffes.

C'est de cette diversité des allèles que découle la **diversité génétique** d'une population et, par là même, la diversité des individus d'une même espèce.

La comparaison des allèles d'un gène montre que ceux-ci diffèrent en général par quelques nucléotides seulement. L'origine commune des divers allèles d'un gène ne fait pas de doute : c'est en effet par **mutation** que se forme un nouvel allèle. Lorsqu'un individu hérite d'un nouvel allèle, celui-ci devient transmissible de génération en génération : à long terme, il peut se répandre dans une population. Il est important de remarquer que ce mécanisme à l'origine des allèles est purement **aléatoire** : il ne fait appel à aucun mécanisme prédéterminé et ne répond *a priori* à aucune nécessité.

Ainsi, le phénomène de mutation, s'il peut se révéler souvent néfaste à l'échelle d'un individu, doit être compris comme étant le fondement même de la **biodiversité** génétique des populations et des espèces.

chapitre 2 Variabilité génétique et mutation de l'ADN

■ L'ADN, une molécule plus ou moins stable

La **molécule d'ADN** n'est pas totalement stable : pendant la **réplication** de l'ADN notamment, il peut se produire des **erreurs spontanées** et rares modifiant la séquence de nucléotides de la molécule.

Certains facteurs augmentent la fréquence des mutations : ce sont des **agents mutagènes**. Des substances chimiques, certaines radiations électromagnétiques ont un effet mutagène. Le **rayonnement ultraviolet** constitue le principal agent mutagène auquel sont exposées les populations humaines.

■ Réparation de l'ADN et mutations

La plupart des erreurs de réplication de l'ADN sont **réparées** par des **systèmes enzymatiques**. Cependant, certaines erreurs échappent à cette réparation : ces modifications de l'ADN sont qualifiées de **mutations**.

On distingue plusieurs types de mutations ponctuelles : **substitution** (un nucléotide est remplacé par un autre), **délétion** (un nucléotide est perdu), **addition** (un nucléotide est ajouté). Le phénomène de mutation est certes **peu fréquent**, mais, étant donné le nombre de nucléotides présents dans une cellule et le nombre de divisions cellulaires, la mutation est un **phénomène banal** auquel aucun être vivant n'échappe.

■ Le devenir des mutations

La destinée d'une cellule mutée est variable : elle peut mourir ou bien être à l'origine, par divisions cellulaires successives, d'un **clone mutant** portant l'information génétique modifiée. Elle peut aussi devenir **cancéreuse** et être à l'origine d'un foyer cancéreux.

Seules les **mutations germinales**, présentes dans les gamètes, sont transmissibles à la descendance de l'individu. Une telle mutation, existant dès la cellule-œuf, concerne alors l'ensemble des cellules du descendant et devient **héréditaire**.

■ Les mutations, fondement de la biodiversité

Les différents **allèles** d'un gène présentent un nombre limité de différences : c'est par **mutation** de la séquence de nucléotides d'un gène que se forme un nouvel allèle.

À l'échelle des **populations** et des **espèces**, les mutations sont la source **aléatoire** de la diversité des allèles. C'est donc sur le phénomène de mutation que repose la **biodiversité génétique**.

Mots-clés

- Erreur de réplication
- Enzyme de réparation
- Mutation
- Agent mutagène
- Mutation somatique
- Mutation germinale
- Allèle
- Biodiversité génétique

Capacités et attitudes

▶ Exploiter des informations pour mettre en évidence l'influence d'agents mutagènes sur les populations humaines.

▶ Concevoir et réaliser une expérience pour montrer l'effet létal et l'effet mutagène de l'irradiation d'une culture de levures par des UV.

▶ Exploiter des modèles moléculaires pour mettre en évidence une mutation de l'ADN et l'action d'enzymes de réparation.

▶ Utiliser un logiciel pour mettre en évidence différents types de mutations.

▶ Recenser et exploiter des informations pour caractériser la diversité allélique d'une population.

L'ADN peut parfois être endommagé ou modifié

agents mutagènes
(benzène, rayons UV, X...)

erreur de réplication

Le plus souvent, l'ADN est réparé

système enzymatique de détection et de réparation des erreurs

Quand l'ADN n'est pas réparé...

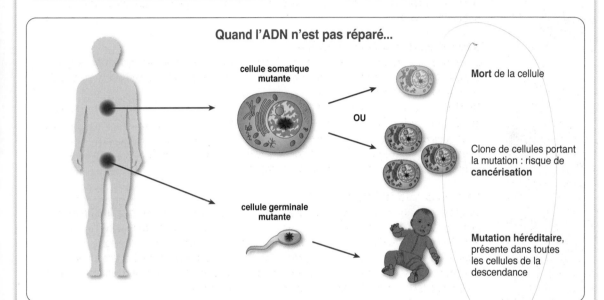

cellule somatique mutante

Mort de la cellule

OU

Clone de cellules portant la mutation : risque de **cancérisation**

cellule germinale mutante

Mutation héréditaire, présente dans toutes les cellules de la descendance

Les mutations : une source de diversité génétique

mutation

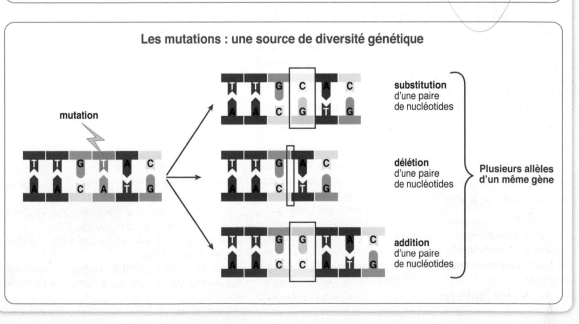

substitution d'une paire de nucléotides

délétion d'une paire de nucléotides

addition d'une paire de nucléotides

Plusieurs allèles d'un même gène

Attention aux agents mutagènes !

• Les rayons ultraviolets

Naturellement émis par le soleil, les rayons ultraviolets n'atteignent fort heureusement pas tous la surface terrestre.

– Les **UV-A** constituent 95 % du rayonnement UV ambiant. Ils sont responsables du bronzage. Des études récentes montrent qu'ils peuvent provoquer la formation de radicaux libres mutagènes.

– Les **UV-B** peuvent causer des dommages importants : coups de soleil, brûlures, formation de radicaux libres mutagènes, vieillissement et cancérisation de la peau. La majeure partie des UV-B est arrêtée par la couche d'ozone, mais ces rayons représentent néanmoins 5 % du rayonnement ultraviolet atteignant la surface terrestre.

– Les **UV-C**, de très courte longueur d'onde, sont les plus nocifs mais ces rayons sont totalement arrêtés par la couche d'ozone.

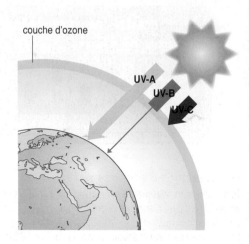

couche d'ozone

UV-A
UV-B
UV-C

UV		durée maximale d'exposition
UV 9+	extrême	15 min
UV 7 8	très fort	CS 40 — 20 min
UV 5 6	élevé	CS 25 — 25 min
UV 3 4	modéré	CS 15 — 40 min
UV 1 2	faible	CS 8 — 1 h 30

CS = crème solaire · *D'après la Sécurité solaire*

• Qu'est-ce que l'index UV ?

Parfaitement invisible, le rayonnement ultraviolet est plus ou moins intense. Il est plus ardent par temps clair, en bord de mer, en altitude, ou dans les régions du globe moins protégées du fait de l'amincissement de la couche d'ozone.

L'**index UV** est une échelle internationale, graduée jusqu'à 14, à laquelle sont associés différents niveaux de risque et une série de **mesures de protection**.

L'index UV fait partie du bulletin météorologique (diffusé par Météo France par exemple).

• D'autres agents mutagènes

D'autres rayons (**rayons X** utilisés en radiologie, rayons émis par des éléments chimiques radioactifs comme le **radon**) sont également des agents mutagènes.

Le radon est un gaz rare présent dans l'atmosphère : il est la principale source d'exposition naturelle des populations à la radioactivité. Le radon est issu de la désintégration d'éléments présents dans les roches, surtout granitiques et volcaniques. Sa concentration, extrêmement faible dans l'atmosphère, peut atteindre des valeurs élevées dans des locaux confinés comme les caves. Dans les départements les plus concernés (voir *carte ci-contre*), l'IRSN (Institut de Radioprotection et de Sûreté Nucléaire) effectue des mesures, en particulier dans les lieux ouverts au public pour des séjours prolongés comme les établissements scolaires.

Moyenne par département des concentrations en radon dans l'air des habitations (en Bq/m³)

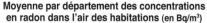

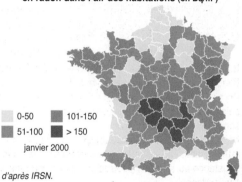

0-50 · 101-150
51-100 · > 150
janvier 2000

d'après IRSN.

... mieux connaître des métiers et des formations

Les métiers de la radioprotection

Vos goûts et vos points forts
- Effectuer des mesures
- Connaître les techniques
- Évaluer les risques
- Travailler avec rigueur, respecter règles et règlementations
- Prendre des décisions

Technicien ou ingénieur en radioprotection c'est veiller au respect des règles et procédures en matière de protection contre les rayonnements.

Les domaines d'activités potentiels

Techniciens et ingénieurs en radioprotection peuvent travailler à l'extérieur, sur des chantiers ou bien dans des établissements industriels, éventuellement au sein d'installations nucléaires, ou d'établissements de santé (hôpitaux, laboratoires).

Leur rôle est d'assurer l'**application des mesures de prévention** face aux risques présentés par l'utilisation des rayonnements ionisants. L'ingénieur est amené à **former** les personnels et à **représenter** son établissement au sein des organismes de radioprotection.

Pour y parvenir

Des études scientifiques au lycée sont indispensables. Le niveau requis pour devenir **technicien** en radioprotection est un BTS (Contrôle des rayonnements ionisants et application des techniques de protection) ou un DUT (mesures physiques).

Pour devenir **ingénieur**, un diplôme est nécessaire (bac +5), si possible avec une spécialisation (génie énergétique ou nucléaire).

... mieux comprendre l'histoire des sciences

Le mutationnisme

C'est à **Hugo De Vries**, un botaniste néerlandais, que l'on doit la découverte du « mutationnisme ».

En cultivant sur plusieurs générations des plantes de la même espèce (l'onagre de Lamarck, *Œnothera lamarckiana, photographie ci-contre*), il constate que des caractères nouveaux apparaissent subitement, par hasard, et sont transmis à la descendance.

Dans son ouvrage publié en 1901, « **La théorie des mutations** », Hugo De Vries définit les mutations comme des "variations brusques, discontinues et héréditaires".

On sait aujourd'hui que les mutations observées par De Vries ne correspondaient pas à des mutations géniques mais plutôt à des remaniements chromosomiques de grande ampleur.

Néanmoins, le « **mutationnisme** », ainsi découvert par De Vries, apporte une retentissante consolidation à la **théorie darwinienne de l'évolution**, confirmant l'existence au sein des populations d'une variation aléatoire transmissible à la descendance.

Œnothera lamarckiana

Exercices

1 **Définissez les mots ou expressions**

Mutation, agent mutagène, mutation somatique, mutation germinale, addition, délétion, substitution.

2 **Questions à choix multiples**

Choisissez la ou les bonnes réponses.

1. Une mutation :
a. est un événement peu fréquent ;
b. peut se produire spontanément ;
c. a toujours lieu sous l'effet d'un agent mutagène.

2. Les agents mutagènes :
a. modifient la séquence de nucléotides de l'ADN ;
b. sont sans effet sur les cellules germinales ;
c. sont un problème de santé publique.

3. Une mutation :
a. crée un nouvel allèle ;
b. est toujours néfaste pour la cellule ;
c. peut provoquer un cancer.

4. Les systèmes de réparation de l'ADN :
a. corrigent uniquement les effets des agents mutagènes ;
b. existent uniquement chez les bactéries ;
c. réduisent le risque de mutation.

3 **Vrai ou faux ?**

Repérez les affirmations exactes et corrigez celles qui sont inexactes.
a. Une mutation est toujours causée par un agent mutagène.
b. Seules les mutations germinales sont héréditaires.
c. Les mutations contribuent à la biodiversité.
d. Substitution, délétion et translation sont trois types de mutations.
e. Seuls certains rayons ultraviolets sont sans danger.

4 **Questions à réponse courte**

a. Expliquez à quelles conditions toutes les cellules d'un individu peuvent être porteuses d'une même mutation.
b. Expliquez pourquoi on peut dire que les mutations sont à la fois rares mais finalement assez banales selon l'échelle à laquelle on se place.
c. Pourquoi peut-on dire que les mutations enrichissent le génome d'une espèce ?
d. Présentez les différents types de mutations ponctuelles.

5 **Restitution organisée de connaissances**

Expliquez comment apparaissent les mutations et quels moyens les cellules mettent en œuvre pour limiter le risque qu'elles se produisent.

6 **« Slip, Slop, Slap, Seek, Slide »** QCM **Exercer ses responsabilités en matière de santé**

Depuis plusieurs années, les autorités australiennes de santé ont mis en place une grande campagne de prévention intitulée « Slip, Slop, Slap, Seek and Slide » (**a**). Celle-ci est associée à un bulletin d'information quotidien pour chaque ville australienne (**b**).

Choisissez parmi les affirmations suivantes, celles qui vous paraissent exactes. Corrigez les affirmations jugées inexactes.
a. Cette campagne de prévention ne concerne que les enfants.
b. Cette campagne de prévention peut permettre d'éviter de nombreux cancers.
c. Le 15 janvier à Sydney, mieux vaut éviter de s'exposer au soleil entre 11 heures et 15 heures.
d. Ce problème ne peut se poser que dans l'hémisphère Sud.

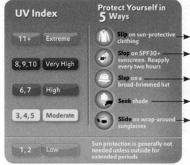

a Cinq façons de se protéger du soleil.

Portez des vêtements de protection solaire.
Appliquez de la crème solaire indice 30 toutes les deux heures.
Portez un chapeau.
Recherchez l'ombre.
Portez des lunettes de soleil couvrantes.

b Bulletin d'alerte pour la ville de Sydney, le 15 janvier 2011.

7 Une mutation qui favorise les mutations

Exploiter un graphique, mettre en relation des informations

Le *Xeroderma pigmentosum* est une maladie rare d'origine génétique (voir page 75), caractérisée principalement par une sensibilité excessive de la peau aux rayons ultraviolets (UV) solaires et multipliant par 1 000 le risque de développer un cancer de la peau.

Il n'existe, à l'heure actuelle, aucun traitement de cette maladie qui frappe dès le plus jeune âge. Il est donc indispensable pour les personnes atteintes de supprimer ou limiter toute exposition aux UV. L'Agence Spatiale Européenne a d'ailleurs mis au point une combinaison intégrale de protection *(photographie ci-contre)*.

On cherche à comprendre l'origine et le mécanisme de cette maladie.

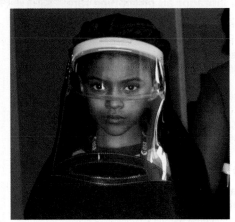

Document 1

Les rayons UV sont des agents mutagènes qui provoquent dans l'ADN l'établissement de liaisons entre deux nucléotides T successifs. Ces dimères T=T déforment l'ADN, perturbent sa réplication et son expression (voir page 32).

On a mesuré chez des malades et des individus sains la fréquence des dimères T=T pour différentes expositions aux UV *(graphique 1)* et l'évolution du pourcentage de dimères T=T dans les cellules après une exposition aux UV *(graphique 2)*.

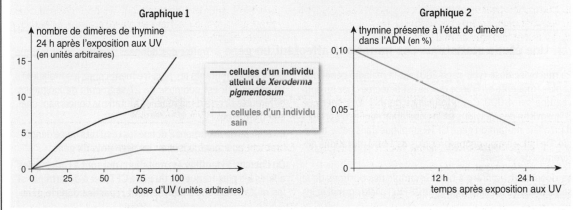

Document 2

L'enzyme XPf intervient dans la réparation des dimères de thymine présents dans l'ADN. La séquence du gène permettant de produire cette enzyme XPf a été déterminée chez un individu sain et chez deux malades. Ces séquences ont été comparées grâce au logiciel *Anagène* et quelques portions sont présentées ci-dessous :

	1460	1470	1480	1490	1550	1560	2350	2360
AlleleXpf Norm	TAGGAAAACCTGAAGAACTGGAAGAGGAAGGAGATG				AAATTAAGCATGAAGAATTT		TTCCCCAGACTACGGA	
AlleleXpf1	TAGGAAAACCTGAAGAACTGGAAGAGGAAGGAGATG				AAATTAAGCATGAAGAATTT		TTCCCCAGACTATGGA	
AlleleXpf2	TAGGAAAACCTAAAGAACTGGAAGAGGAAGGAGATG				AAACTAAGCATGAAGAATTT		TTCCCCAGACTACGGA	

1. D'après les informations tirées du texte et de l'analyse des graphiques, comparez les effets des UV sur les cellules des individus sains et sur celles des individus atteints de *Xeroderma pigmentosum*.

2. Comparez les trois séquences présentées et indiquez les anomalies repérables dans les gènes des individus malades. Proposez une explication quant au mécanisme responsable de la maladie.

8 Un labrador au phénotype rare   Saisir des informations, raisonner

Chez le labrador, le pelage est coloré (couleur noire ou chocolat) ou non coloré. Ceci dépend d'un gène qui existe sous deux formes :
– l'allèle « E » permet la production de mélanine et l'animal est coloré (couleur noire ou chocolat).
– l'allèle « e » ne permet pas cette production et l'animal est de couleur sable.
Spotty (photographie ci-contre) est un labrador issu du croisement d'une femelle noire et d'un mâle sable, et tous ses frères et sœurs sont soit noirs, soit sable. Les tests génétiques menés sur Spotty ont montré qu'il est un « animal – mosaïque » : à la suite d'une seule mutation, l'allèle E est présent dans certaines cellules seulement.

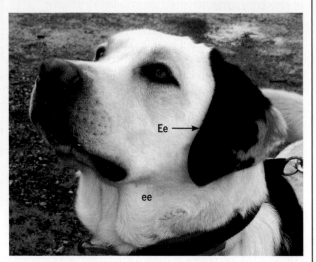

1. Indiquez, en justifiant votre réponse, s'il s'agit d'un cas de mutation somatique ou de mutation germinale.

2. À quel moment cette mutation a-t-elle pu se produire ?

9 Une étude statistique des mutations affectant un gène   Traiter des données, réaliser un graphique

La mucoviscidose (voir page 280) est la maladie génétique la plus fréquente en France où elle est détectée chez un nouveau-né sur 4 000. Cette fréquence permet d'estimer que 3 % environ des individus de la population sont des porteurs d'un allèle mutant du gène CFTR, impliqué dans cette maladie. De fait, on a pu dénombrer plus de 1 500 mutations différentes de ce gène.

Le document 1 montre à titre d'exemple des portions de la séquence de trois allèles du gène CFTR (l'allèle normal et les deux allèles mutants les plus fréquents chez les malades). Le gène CFTR est composé de 27 segments de longueurs différentes et on a dénombré les mutations concernant chacun d'entre eux.

Le tableau du document 2 donne les résultats de ce dénombrement pour quelques-uns des segments du gène.

On cherche à identifier les mutations qui sont à l'origine des allèles les plus fréquents du gène CFTR et à déterminer si les mutations sont uniformément réparties dans le gène.

Document 1

	1500	1510	1520	1530	1590	1600	1610	1620
CFTR.adn	CACCATTAAAGAAAATATCATCTTTGGTGTTTCCTA				CTCCAAGTTTGCAGAGAAAGACAATATAGTTCTTGGAGAA			
delF508.adn	CACCATTAAAGAAAATATCATCGGTGTTTCCTATGA				CAAGTTTGCAGAGAAAGACAATATAGTTCTTGGAGAAGGT			
G542X.adn	CACCATTAAAGAAAATATCATCTTTGGTGTTTCCTA				CTCCAAGTTTGCAGAGAAAGACAATATAGTTCTTTGAGAA			

Document 2

Segments du gène CFTR	1	2	4	5	6a	9	13	Gène entier
Longueur (en paires de nucléotides)	53	111	216	90	164	182	724	4 444
Nombre de mutations différentes	27	33	120	31	51	10	159	1 312

1 Comparez les séquences des allèles et expliquez l'origine des différences constatées.

2. À partir du tableau, calculez, pour chaque segment, le rapport entre le nombre de mutations recensées et la longueur du segment concerné.

3. Traduisez vos résultats sous la forme d'un histogramme de façon à répondre au problème posé.

Utiliser ses capacités expérimentales

10 Tester l'efficacité des protections solaires
Élaborer un protocole, manipuler, communiquer

■ Problème à résoudre

Les rayons ultraviolets (UV) sont des agents mutagènes nocifs dont il est recommandé de se protéger. On cherche à tester l'efficacité de différentes crèmes et de lunettes solaires vis-à-vis de ces rayonnements.

Pour cela, on se propose de déterminer si ces protections diminuent ou non l'effet létal des UV sur une culture de levures.

■ Matériel disponible

– Une enceinte à UV (contenant une lampe à UV).
– Boîtes de Petri en verre avec milieu de culture.
– Levures* (sensibles aux UV) à mettre en culture.
– Matériel nécessaire pour réaliser prélèvement et mise en culture.
– Film plastique.
– Bec électrique.
– Crèmes solaires de différents indices.
– Lunettes de soleil.

■ Protocole expérimental

– Mettez en culture les levures dans des boîtes de Petri.
– Placez un film plastique sur chacune et étalez en surface de celui-ci de la crème solaire d'indices de protection différents (voir *figure ci-contre*), ou bien interposez des lunettes de soleil.
– Placez les boîtes de Petri sous la lampe à UV pour les exposer au rayonnement UV pendant des durées variées.
– Laissez ensuite les cultures quelques jours à l'étuve.

■ Exploitation des résultats

– Observez les boîtes et comparez.
– Représentez graphiquement les résultats donnés en exemple dans les tableaux ci-dessous et indiquez s'ils sont conformes ou non aux tests réalisés.

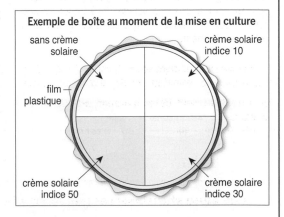

Exemple de boîte au moment de la mise en culture

sans crème solaire — crème solaire indice 10 — film plastique — crème solaire indice 50 — crème solaire indice 30

■ Exemples de résultats

Après une exposition, sans crème solaire

Temps d'exposition aux UV (en s)	0	5	10	20	30	60
Levures survivantes (en %)	100	81,4	7,5	0,25	0	0

Après une exposition de 20 s, avec crème solaire

Indice de protection	0	10	30	50
Levures survivantes (en %)	0,25	73	94,5	98,8

Mise en évidence de l'effet protecteur de crèmes solaires

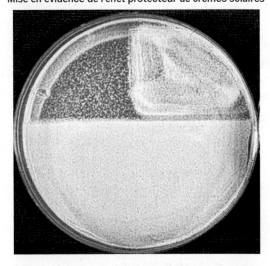

Mise en évidence de l'effet protecteur de lunettes solaires

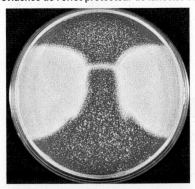

* Cette étude a été réalisée avec une souche de levures mutantes, incapables de réparer l'effet des UV.

Des DOCUMENTS pour se poser des questions

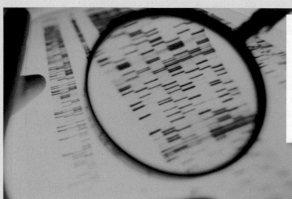

Une information codée

L'information génétique est parfois comparée au code-barres qui figure sur la plupart des produits. Effectivement, il s'agit dans les deux cas d'une information codée. Mais l'analogie s'arrête là : alors qu'un code-barres crypte une information chiffrée qui permet d'identifier un produit, l'information génétique est un message codé par une succession de nucléotides.

La découverte du code génétique

C'est au cours des années 1960 que plusieurs expériences ont permis de dévoiler la signification précise du message génétique.

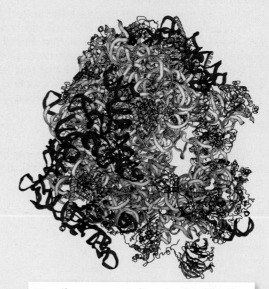

Un ribosome, atelier de production des protéines

Les ribosomes, omniprésents dans le cytoplasme cellulaire (visibles sous forme de points rouges sur la photographie de la page 51), sont les organites qui expriment le message génétique. L'image ci-dessus est le premier modèle moléculaire d'un ribosome de cellule eucaryote, établi en novembre 2010 par une équipe de scientifiques (CNRS/Université de Strasbourg/INSERM). L'ensemble mesure 30 nanomètres.

LES PROBLÉMATIQUES DU CHAPITRE

- Quel est le rôle précis de l'information portée par un gène ?
- En quoi consiste le code génétique ?
- Comment l'information génétique s'exprime-t-elle dans une cellule ?

Activité de synthèse protéique dans un neurone
(microscopie électronique, × 50 000).

L'expression
du patrimoine génétique

La découverte des relations entre protéines et ADN

La molécule d'ADN est une succession de nucléotides, porteuse d'une information codée.
Ces documents ont pour objectif de montrer comment l'information génétique a pu être reliée à l'organisation des protéines.

A La structure d'une protéine : exemple de l'hémoglobine

ACTIVITÉ EXPÉRIMENTALE

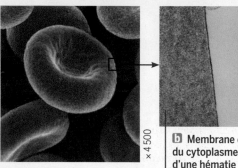

a Hématie (MEB) × 4 500

b Membrane et contenu du cytoplasme d'une hématie (MET) × 50 000

Les hématies (ou globules rouges) ont pour rôle de transporter le dioxygène dans le sang. Cette fonction est réalisée par une protéine, l'**hémoglobine**, produite par les cellules sanguines.

L'hémoglobine est formée par l'association de quatre **globines**. Chacune de ces globines est une chaîne protéique repliée sur elle-même, constituée d'une suite de petites molécules appelées **acides aminés**.

La succession des acides aminés d'une chaîne protéique est sa séquence.

Vidéo

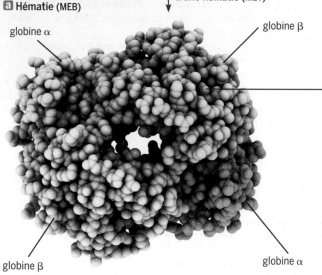

globine α

globine β

globine β

globine α

c Modèle d'une molécule d'hémoglobine, coloration par chaîne

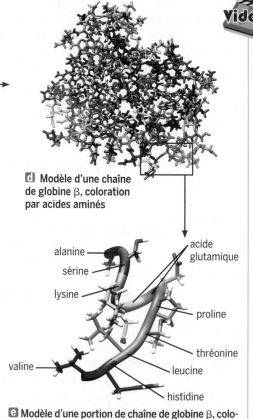

d Modèle d'une chaîne de globine β, coloration par acides aminés

alanine
sérine
lysine
valine

acide glutamique
proline
thréonine
leucine
histidine

e Modèle d'une portion de chaîne de globine β, coloration par acides aminés le long de la chaîne.
Le squelette de la chaîne est représenté par un tube.

```
Val-His-Leu-Thr-Pro-Glu-Glu-Lys-Ser-Ala-Val-Thr-Ala-Leu-Trp-
Gly-Lys-Val-Asn-Val-Asp-Glu-Val-Gly-Gly-Glu-Ala-Leu-Gly-Arg-
Leu-Leu-Val-Val-Tyr-Pro-Trp-Thr-Gln-Arg-Phe-Phe-Glu-Ser-Phe-
Gly-Asp-Leu-Ser-Thr-Pro-Asp-Ala-Val-Met-Gly-Asn-Pro-Lys-Val-
Lys-Ala-His-Gly-Lys-Lys-Val-Leu-Gly-Ala-Phe-Ser-Asp-Gly-Leu-
Ala-His-Leu-Asp-Asn-Leu-Lys-Gly-Thr-Phe-Ala-Thr-Leu-Ser-Glu-
Leu-His-Cys-Asp-Lys-Leu-His-Val-Asp-Pro-Glu-Asn-Phe-Arg-Leu-
Leu-Gly-Asn-Val-Leu-Val-Cys-Val-Leu-Ala-His-His-Phe-Gly-Lys-
Glu-Phe-Thr-Pro-Pro-Val-Gln-Ala-Ala-Tyr-Gln-Lys-Val-Val-Ala-
Gly-Val-Ala-Asn-Ala-Leu-Ala-His-Lys-Tyr-His
```

Séquence de la chaîne de globine β (les acides aminés identifiés dans le modèle ci-contre sont mis en évidence par des couleurs).

Doc. 1 **Une protéine est une succession d'acides aminés.**

Téléchargement des données et protocole :

B La découverte de la relation « un gène, une protéine »

Au cours des premières décennies du XXe siècle, les travaux des biochimistes révèlent l'importance des protéines :
– certaines sont des **enzymes**, indispensables à la réalisation de toutes les réactions du métabolisme ;
– d'autres, comme l'hémoglobine, sont des **transporteurs** ;
– d'autres encore sont identifiées comme jouant un rôle structural (kératine du poil des mammifères, myosine des fibres musculaires...) ;
– vers le début des années 1950, l'établissement de la séquence des acides aminés d'une **hormone**, l'insuline, permet de comprendre que chaque protéine consiste en une séquence unique d'acides aminés.

Vingt acides aminés seulement entrent dans la composition des diverses protéines fabriquées par un être vivant. Lors de la **synthèse** d'une protéine, ces acides aminés sont enchaînés les uns à la suite des autres dans un ordre précis pour constituer la protéine.

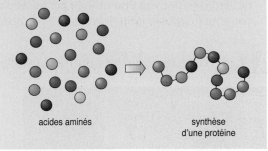

acides aminés

synthèse
d'une protéine

Doc. 2 Les protéines : des molécules diverses aux fonctions essentielles.

De nombreuses découvertes ont établi que des anomalies métaboliques héréditaires reposaient sur des défauts dans l'enchaînement des acides aminés de certaines protéines.

• Dès les années 1940, en travaillant sur des microorganismes, Beadle et Tatum démontrent que différentes mutations se traduisent par des déficiences enzymatiques différentes et avancent pour la première fois l'hypothèse devenue célèbre : « *un gène, une enzyme* ». L'idée selon laquelle un gène est le « plan de fabrication » d'une protéine, c'est-à-dire qu'il détient l'information nécessaire à sa synthèse, était née.

De la même façon, Charles Yanofsky parvient à isoler seize mutants bactériens différant pour le gène responsable de la formation de l'enzyme tryptophane synthase. Deux analyses sont menées simultanément :
– la localisation des mutations sur l'ADN (carte génétique) ;
– le **séquençage** des acides aminés de l'enzyme pour chacun des mutants.

• En 1963, la position de mutations sur l'ADN et la position des modifications correspondantes sur la séquence d'une protéine est établie pour la première fois (voir *illustration ci-dessous*).

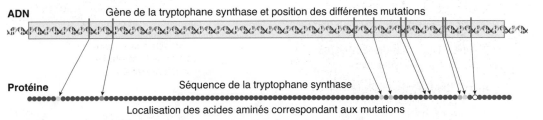

ADN — Gène de la tryptophane synthase et position des différentes mutations

Protéine — Séquence de la tryptophane synthase

Localisation des acides aminés correspondant aux mutations

Carte simplifiée établie par Yanofsky : localisation approximative de quelques mutations et position des acides aminés respectivement modifiés sur la protéine (enzyme tryptophane synthase).

Doc. 3 Relation entre position des mutations sur un gène et position des acides aminés d'une protéine.

Pistes d'exploitation

PROBLÈME À RÉSOUDRE ► Quelle relation a-t-on pu établir entre la séquence d'ADN des gènes et les protéines produites par une cellule ?

Doc. 1 À l'aide d'un logiciel de visualisation moléculaire, étudiez l'organisation d'une protéine. Comparez avec l'ADN.

Doc. 2 Pourquoi apparaît-il indispensable qu'une cellule dispose de « plans de fabrication » des protéines qu'elle produit ?

Doc. 3 Quelle relation entre gène et protéine a pu être établie par ces expériences ?

Doc. 1 à 3 Donnez une définition aussi précise que possible de ce qu'est un gène.

Lexique, p. 354

Le transfert de l'information génétique

L'ADN est contenu dans le noyau des cellules et ne le quitte pas. Cependant, l'information qu'il détient doit pouvoir être utilisée par la cellule pour produire des protéines. *Ces documents montrent comment l'information génétique est transférée jusqu'au lieu de synthèse des protéines.*

A Une copie de l'information d'un gène

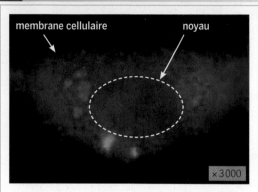

membrane cellulaire — noyau

×3000

Cette photographie montre une cellule réalisant une importante activité de **synthèse** protéique : les chercheurs ont modifié un gène de telle sorte que lorsque celui-ci s'exprime, certains acides aminés assemblés en protéine réagissent avec une substance qui émet alors une fluorescence orange.

Doc. 1 Une localisation problématique.

En 1951, Brachet démontre qu'il existe une relation entre l'activité de synthèse des protéines et la présence dans la cellule d'**ARN**, un **acide nucléique** proche de l'ADN. Les deux *photographies ci-dessus* montrent une cellule cultivée pendant 15 minutes sur un milieu contenant un précurseur **radioactif** de l'ARN (**a**) et une autre, elle aussi cultivée pendant 15 minutes sur un milieu contenant un précurseur radioactif de l'ARN, puis placée une heure et demie sur un milieu non radioactif (**b**).

a **b**

Doc. 2 La mise en évidence d'un intermédiaire.

À l'aide d'un logiciel de visualisation moléculaire et d'un logiciel de traitement de séquences, il est possible d'étudier et de comparer ADN et ARN correspondant.

> Chimiquement très proche de l'ADN, l'ARN s'en distingue par le sucre qui entre dans sa composition (ribose dans l'ARN, désoxyribose dans l'ADN).
> Par ailleurs, dans l'ARN, il n'y a pas de thymine (T) mais de l'uracile (U).
> Il existe plusieurs catégories d'ARN : l'ARN assurant le transfert de l'information génétique est qualifié d'ARN messager (ARNm).

Modèles 3D : représentation et coloration mettant en évidence les nucléotides.

ACTIVITÉ EXPÉRIMENTALE

Vidéo

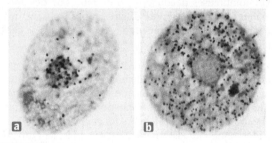

ADN — ARN

Ci-dessous : le début de la séquence d'ADN du gène dirigeant la synthèse de la globine β et l'ARN correspondant.

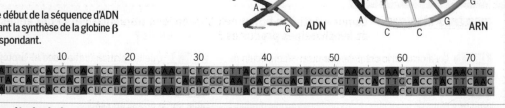

	10	20	30	40	50	60	70
ADN non transcrit	ATGGTGCACCTGACTCCTGAGGAGAAGTCTGCCGTTACTGCCCTGTGGGGCAAGGTGAACGTGGATGAACTTG
ADN transcrit	TACCACGTGGACTGAGGACTCCTCTTCAGACGGCAATGACGGGACACCCCGTTCCACTTGCACCTACTTCAAC
ARN	AUGGUGCACCUGACUCCUGAGGAGAAGUCUGCCGUUACUGCCCUGUGGGGCAAGGUGAACGUGGAUGAACUUG

Doc. 3 Une étude de la correspondance entre ADN et ARN messager.

B La transcription de l'ADN en ARN dans le noyau

La *photographie ci-contre* (observation en microscopie électronique) montre un gène en cours d'expression dans le noyau d'une cellule. À partir de la molécule d'ADN du gène se construisent progressivement les ARN messagers : tous ces filaments formeront autant de copies identiques du gène qui s'exprime.

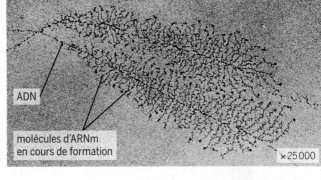

ADN

molécules d'ARNm en cours de formation

×25 000

double hélice d'ADN

ARN messager en formation

nucléotide en cours d'addition

ARN-polymérase

Dans le noyau des cellules, une enzyme, l'**ARN-polymérase**, parcourt la portion d'ADN correspondant au gène, sépare transitoirement les deux brins de l'ADN et forme un brin d'ARN.

Au fur et à mesure de son déplacement, l'ARN-polymérase assemble des **nucléotides** libres (A, U, C, G) par complémentarité avec l'un des brins de l'ADN.

nucléotides précurseurs

ADN

brin transcrit
A C A T G A G T T A C A G C T A G C T A A G C G

brin non transcrit
T G T A C T C G A T G C G

ARNm
U G U A C U C

ARN-polymérase

Doc. 4 Le mécanisme de la transcription : synthèse d'ARN messager à partir de l'ADN.

Téléchargement des modèles moléculaires :

www.bordas-svtlycee.fr

Pistes d'exploitation

<u>PROBLÈME À RÉSOUDRE</u> ► Comment l'information de l'ADN est-elle transmise du noyau au lieu de synthèse des protéines ?

Doc. 1 Quel problème est posé par cette observation ?

Doc. 2 et 3 Quels arguments permettent de penser que l'ARN peut jouer le rôle de messager entre l'ADN et le cytoplasme ?

Doc. 3 et 4 Comment l'action de l'ARN-polymérase permet-elle d'obtenir une copie de l'un des brins d'ADN ?

Doc. 4 Pourquoi les ARNm n'ont-ils pas tous la même taille sur la photographie ?

Lexique, p. 354

Le langage génétique

La séquence de l'ADN d'un gène, formée de nucléotides, contient le message nécessaire à la synthèse d'une protéine, constituée d'une suite d'acides aminés. *Des expériences historiques ont permis de décrypter le système de codage utilisé par les cellules.*

A ▐ Des expériences qui ont permis de « casser » le code génétique

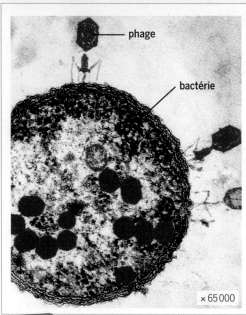

phage

bactérie

× 65 000

Les phages sont des **virus** qui infectent des bactéries et s'y multiplient (*photographie ci-contre*), ce qui aboutit à la destruction de ces dernières.

En 1961, Crick et son équipe ont obtenu, en utilisant des **agents mutagènes**, divers phages portant des mutations par addition ou délétion sur un gène impliqué dans l'infection des bactéries. Ces phages ont été classés en fonction du nombre de nucléotides supprimés ou ajoutés dans le gène. Crick a alors recherché une relation avec le caractère infectieux du phage ainsi muté.

Mutations	Virulence
addition d'un nucléotide	non infectieux
addition de deux nucléotides	non infectieux
addition de trois nucléotides	infectieux
addition de quatre nucléotides	non infectieux
addition de six nucléotides	infectieux
délétion d'un nucléotide	non infectieux
addition et délétion d'un nucléotide	infectieux
délétion de trois nucléotides	infectieux

Remarque : Crick suppose que, si une mutation ne modifie qu'un ou deux acides aminés, la protéine impliquée dans l'infection reste fonctionnelle.

Doc. 1 **La taille des « mots » du langage génétique.**

En 1961, Nirenberg parvient à préparer un extrait de bactéries contenant les constituants indispensables à la synthèse de protéines. En utilisant ces extraits, il réalise une série d'expériences visant à déterminer la relation entre la séquence d'un ARN et la composition de la protéine formée.

■ PROTOCOLE A

– La phénylalanine est le seul acide aminé ajouté au milieu de réaction.
– Un ARN de synthèse différent est testé dans chaque expérience : poly-U, poly-A ou poly-C.
– Au bout de 30 minutes, les protéines formées sont analysées.

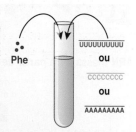

Phe

UUUUUUUUUU
ou
CCCCCCCC
ou
AAAAAAAA

■ PROTOCOLE B

– Le seul ARN présent dans le milieu de réaction est un poly-U.
– Des acides aminés différents sont testés dans chaque expérience.
– Au bout de 30 minutes, les protéines formées sont analysées.

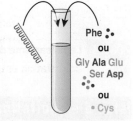

Phe
ou
Gly **Ala** Glu
Ser **Asp**
ou
• Cys

ARN ajouté	Présence de Phe dans les protéines (unité relative)
Poly-U (UUUU...)	904
Poly-A (AAAA...)	1,1 (négligeable)
Poly-C (CCCC...)	0,9 (négligeable)

Acides aminés ajoutés	Présence de ces acides aminés dans les protéines (unité relative)
Phe	563
Gly, Ala, Ser, Asp, Glu	1,6 (négligeable)
Cys	1,2 (négligeable)

Doc. 2 **La signification des « mots » du langage génétique.**

B   Le code génétique : un système de correspondance

Après les premiers travaux de Nirenberg, d'autres expériences furent réalisées par différents laboratoires, de telle sorte qu'en 1965 le **code génétique** était entièrement décrypté. Il existe ainsi 64 associations possibles de trois nucléotides : à chacun de ces **codons** (sauf trois*) correspond un acide aminé, toujours le même.

* Trois codons n'ont pas d'acide aminé correspondant : ils sont qualifiés de codons-stop (voir page 59).

		2e nucléotide				
		U	**C**	**A**	**G**	
1er nucléotide	**U**	UUU UUC phénylalanine / UUA UUG leucine	UCU UCC UCA UCG sérine	UAU UAC tyrosine / UAA UAG codon(s) stop	UGU UGC cystéine / UGA codon(s) stop / UGG tryptophane	U C A G
	C	CUU CUC CUA CUG leucine	CCU CCC CCA CCG proline	CAU CAC histidine / CAA CAG glutamine	CGU CGC CGA CGG arginine	U C A G
	A	AUU AUC isoleucine / AUA / AUG méthionine	ACU ACC ACA ACG thréonine	AAU AAC asparagine / AAA AAG lysine	AGU AGC sérine / AGA AGG arginine	U C A G
	G	GUU GUC GUA valine GUG	GCU GCC GCA alanine GCG	GAU GAC acide aspartique / GAA GAG acide glutamique	GGU GGC GGA glycine GGG	U C A G

3e nucléotide

Doc. 3 Le code génétique.

ACTIVITÉ EXPÉRIMENTALE

■ PROTOCOLE

Avec un logiciel (*Anagène* par exemple), il est possible d'afficher des séquences d'ADN, de les transcrire en ARN et d'effectuer la traduction en protéine.

L'extrait ci-dessous montre un exemple (début du gène de la globine β) ainsi que l'effet de deux mutations (seul le brin d'ADN qui sert de matrice pour la transcription est ici représenté).

	1 5 10 15 20
Traitement	
ADN brin transcrit	TACCACGTGGACTGAGGACTCCTCTTCAGACGGCAATGACGGGACACCCCGTTCCACTTGCACCTA
Protéine	MetValHisLeuThrProGluGluLysSerAlaValThrAlaLeuTrpGlyLysValAsnValAsp
Traitement	
ADN brin transcrit	TACCACGTGGACTGAGGATTCCTCTTCAGACGGCAATGACGGGACACCCCGTTCCACTTGCACCTA
Protéine	MetValHisLeuThrProLysGluLysSerAlaValThrAlaLeuTrpGlyLysValAsnValAsp
Traitement	
ADN brin transcrit	TACCACGTGGACTGAGGACTCCTCTTCGAGACGGCAATGACGGGACACCCCGTTCCACTTGCACCT
Protéine	MetValHisLeuThrProGluGluLysLeuCysArgTyrCysProValGlyGlnGlyGluArgGly

Doc. 4 Une relation entre ADN et protéine.

Pistes d'exploitation

PROBLÈME À RÉSOUDRE ► Comment la séquence des nucléotides de l'ADN ou de l'ARNm peut-elle déterminer la séquence des acides aminés d'une protéine ?

Doc. 1 et 3 Comment cette expérience a-t-elle permis de démontrer la taille des codons du code génétique ?

Doc. 2 Que peut-on déduire de ces expériences ?

Doc. 3 et 4 Identifiez les mutations sur les séquences présentées par le document 4 et expliquez, à l'aide du code génétique, les conséquences sur la séquence protéique correspondante.

Lexique, p. 354

La traduction de l'ARN messager en protéine

L'information génétique, exportée dans le cytoplasme sous forme d'ARNm, est utilisée par la cellule pour fabriquer des protéines. *Des observations permettre de comprendre les étapes et les mécanismes de cette traduction.*

A La localisation de la traduction

Des études expérimentales ont démontré que les acides aminés s'assemblent pour former des protéines au niveau de minuscules structures présentes dans le cytoplasme cellulaire et apparaissant sous la forme de petits grains au microscope électronique : ce sont les **ribosomes**.

Le prix Nobel 2009 a été décerné aux découvreurs de la structure moléculaire du ribosome bactérien (**c**).

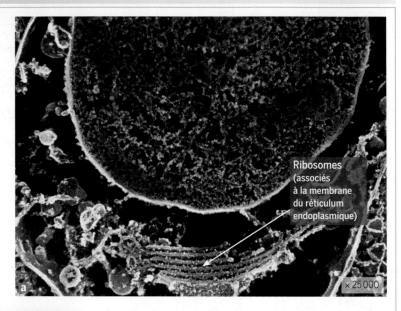

Ribosomes (associés à la membrane du réticulum endoplasmique)

a   × 25 000

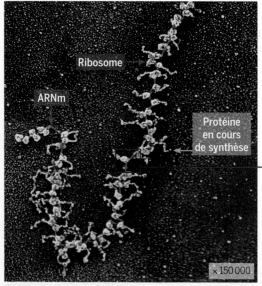

Ribosome

ARNm

Protéine en cours de synthèse

× 150 000

b Reliés par l'ARNm, plusieurs ribosomes forment un polysome.

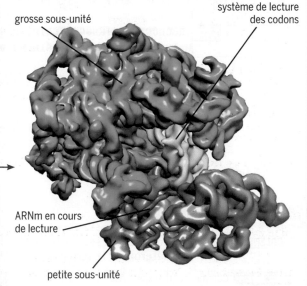

système de lecture des codons

grosse sous-unité

ARNm en cours de lecture

petite sous-unité

c Un ribosome élaborant une protéine à partir de l'information de l'ARNm.

Doc. 1 Les ribosomes, ateliers de synthèse des protéines.

B De l'ARN messager aux protéines

■ PROTOCOLE

En utilisant un logiciel de traitement de séquences génétiques :
– transcrire et traduire différents gènes ;
– comparer les premiers et derniers codons de l'ARNm traduit.

■ RÉSULTATS

Les *extraits ci-contre* présentent quelques exemples affichés avec le logiciel « Anagène ».

– **Gène 1** : gène codant pour la globine β.
– **Gène 2** : gène déterminant le groupe sanguin (allèle A).
– **Gène 3** : gène codant pour l'hormone de croissance.
– **Gène 4** : gène codant pour une protéine déterminant la pigmentation de la peau.

Conversion

	1	5	...	
Gène 1				
ARNm	AUGGUGCACCUGACUCCU	...	CUGGCCCACAAGUAUCACUAA	
Protéine	MetValHisLeuThrPro	...	LeuAlaHisLysTyrHis	
Gène 2				
ARNm	AUGGCCGAGGUGUUGCGG	...	CAGGCGGUCCGGAACCCGUGA	
Protéine	MetAlaGluValLeuArg	...	GlnAlaValArgAsnPro	
Gène 3				
ARNm	AUGGCUACAGGCUCCCGG	...	GAGGGCAGCUGUGGCUUCUAG	
Protéine	MetAlaThrGlySerArg	...	GluGlySerCysGlyPhe	
Gène 4				
ARNm	AUGCUCCUGGCUGUUUUG	...	UUGUAUCAGAGCCAUUUAUAA	
Protéine	MetLeuLeuAlaValLeu	...	LeuTyrGlnSerHisLeu	

Seuls le début et la fin des séquences sont ici présentés.

Doc. 2 Début et fin de la traduction.

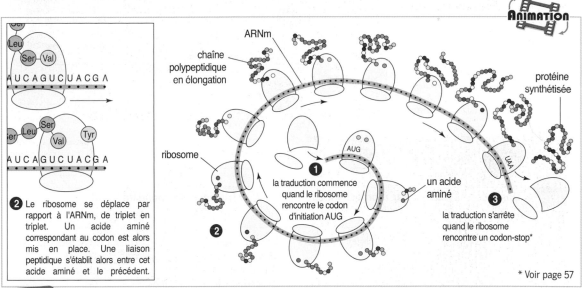

2 Le ribosome se déplace par rapport à l'ARNm, de triplet en triplet. Un acide aminé correspondant au codon est alors mis en place. Une liaison peptidique s'établit alors entre cet acide aminé et le précédent.

la traduction commence quand le ribosome rencontre le codon d'initiation AUG

la traduction s'arrête quand le ribosome rencontre un codon-stop*

* Voir page 57

Doc. 3 La « lecture » de l'ARN messager et l'assemblage des acides aminés.

Pour télécharger les données :
www.bordas-svtlycee.fr

Pistes d'exploitation

PROBLÈME À RÉSOUDRE ► Comment l'information apportée par l'ARNm est-elle traduite en protéine ?

Doc. 1 et 3 Quels sont les différents éléments nécessaires à la traduction ? Commentez la photographie **b** du document 1.

Doc. 2 Que remarquez-vous ? Proposez des explications (reportez-vous au Code génétique, page 57).

Doc. 1 et 3 Expliquez l'intérêt de la présence de plusieurs ribosomes simultanément sur un même brin d'ARN. Que peut-on dire des protéines formées au sein d'un même polysome ?

Lexique, p. 354

Du génome au « protéome »

Alors que le génome humain comporte environ 20 à 25000 gènes « seulement », le protéome, c'est-à-dire l'ensemble des protéines produites, est beaucoup plus important. *Des mécanismes de maturation de l'ARN peuvent être à l'origine d'une diversification des protéines formées.*

A Le morcellement des gènes eucaryotes

Chez les **eucaryotes**, il existe des différences entre l'ARN messager utilisé dans le cytoplasme pour la traduction et l'ARN initial, directement issu de la transcription de l'ADN. Pour cette raison, ce dernier est qualifié d'ARN pré-messager.

Par exemple, dans le cas du gène de la globine β, alors que l'ARN messager comporte 444 nucléotides, l'ARN pré-messager en comporte 1638 (comme le gène complet).

Un « dotplot » est une comparaison graphique entre deux séquences différentes, ici l'ARN messager codant pour la globine β (en ordonnées) et l'ARN pré-messager du même gène (en abscisses). Les portions qui sont identiques dans les deux séquences apparaissent alors en rouge, les autres couleurs signifiant que les nucléotides ne sont pas les mêmes (traitement obtenu avec *Anagène 2*).

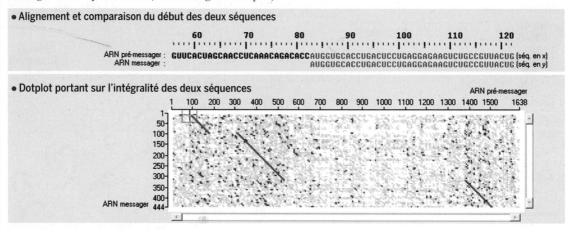

● **Alignement et comparaison du début des deux séquences**

ARN pré-messager : GUUCACUAGCAACCUCAAACAGACACCAUGGUGCACCUGACUCCUGAGGAGAAGUCUGCCGUUACUG (séq. en x)
ARN messager : AUGGUGCACCUGACUCCUGAGGAGAAGUCUGCCGUUACUG (séq. en y)

● **Dotplot portant sur l'intégralité des deux séquences**

Doc. 1 Des ressemblances « par morceaux » entre un gène et l'ARNm correspondant.

Après la transcription, l'ARN pré-messager en cours de formation subit un **épissage** :
– des portions d'ARN appelées **introns** sont éliminées ;
– les autres portions d'ARN, appelées **exons**, sont liées les unes aux autres pour former l'ARN messager qui sera exporté vers le cytoplasme.
En moyenne, les introns représentent 90 % de la séquence totale des gènes.

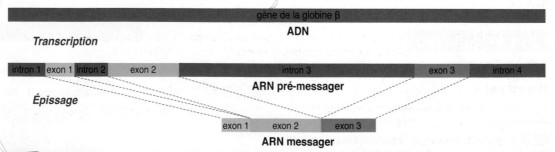

Doc. 2 La maturation de l'ARN pré-messager en ARN messager.

B Un gène peut coder pour plusieurs protéines

La tropomyosine est un des constituants du cytosquelette (ensemble de filaments qui donnent leur forme aux cellules).

L'image ci-contre montre des fibres constituées de tropomyosine.

Toutes les cellules (fibres musculaires, neurones, etc.) n'ont pas la même tropomyosine. Ainsi, il existe au moins neuf formes de tropomyosine alpha. Ces neuf protéines différentes sont pourtant le résultat de l'expression d'un seul gène.

Ce gène est constitué de 15 exons dont 5 sont présents dans toutes les formes de la tropomyosine. Les autres exons sont éliminés ou bien retenus alternativement au cours de l'épissage.

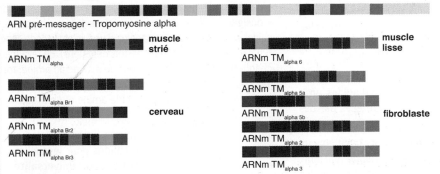

ARN pré-messager - Tropomyosine alpha

ARNm TM$_{alpha}$ **muscle strié**

ARNm TM$_{alpha\ Br1}$

ARNm TM$_{alpha\ Br2}$ **cerveau**

ARNm TM$_{alpha\ Br3}$

ARNm TM$_{alpha\ 6}$ **muscle lisse**

ARNm TM$_{alpha\ 5a}$

ARNm TM$_{alpha\ 5b}$ **fibroblaste**

ARNm TM$_{alpha\ 2}$

ARNm TM$_{alpha\ 3}$

Fibres du cytosquelette constituées de molécules de tropomyosine

Doc. 3 **Un gène, neuf protéines.**

L'étude des génomes révèle l'importance de l'épissage des ARN chez les eucaryotes. Les gènes humains, par exemple, codent en moyenne pour deux à trois ARNm différents, le maximum étant atteint par le gène de la neurexine (une protéine impliquée dans la formation des synapses) avec 1 728 formes différentes possibles !

Ainsi, plus que le nombre de gènes, ce processus s'avère particulièrement efficace pour générer une grande diversité de protéines.

Organisation du génome chez trois organismes

Levure

gène gène gène gène gène gène gène gène

Drosophile

gène gène gène gène gène gène

Homme

gène gène gène

■ exon ■ intron ■ ADN situé entre les gènes

	Levure	Drosophile	Homme
Nombre de gènes (pour un million de nucléotides)	479	76	11
Nombre d'introns par gène (moyenne)	0,04	3	9

Doc. 4 **L'importance de l'épissage alternatif.**

Pistes d'exploitation

PROBLÈME À RÉSOUDRE ▶ Quelles sont les transformations subies par l'ARNm et quelles conséquences ont-elles sur les protéines formées ?

Doc. 1 Comparez l'ARNm et l'ARN pré-messager du gène de la globine β.

Doc. 1 et 2 Montrez la relation entre le « dotplot » et le schéma d'interprétation présenté par le document 2.

Doc. 3 Quelle différence peut-on faire entre la tropomyosine du muscle lisse et celle du muscle strié ?

Expliquez comment un même gène peut-être à l'origine de protéines différentes.

Doc. 4 Comparez l'organisation du génome de ces trois espèces.

Lexique, p. 354

chapitre 3 L'expression du patrimoine génétique

1 Les gènes contrôlent la synthèse des protéines

■ Les protéines, des macromolécules essentielles au fonctionnement des cellules

Les fonctions essentielles des cellules (réactions chimiques, transmission de signaux, transports) et leur structure elle-même sont assurées par des molécules de structure complexe et chimiquement réactives : les **protéines**.

Une protéine est constituée par un ou plusieurs **polypeptides**. Chaque polypeptide est une chaîne d'**acides aminés**, petites molécules qui sont liées entre elles par des **liaisons peptidiques**.

Il existe vingt acides aminés différents, possédant chacun des propriétés chimiques particulières (acide, basique, hydrophobe, hydrophile, etc.). Dans un polypeptide, les acides aminés réagissent avec leurs voisins selon leurs affinités chimiques, si bien que la chaîne polypeptidique ne conserve jamais une forme linéaire : elle se replie dans l'espace et adopte une **forme caractéristique** qui lui confère ses propriétés.

■ L'enchaînement des acides aminés d'une protéine est contrôlé par l'enchaînement des nucléotides

Différentes expériences historiques ont montré que des mutations touchant un gène affectaient le fonctionnement de protéines. Elles ont abouti au concept « un gène, une protéine ». Cette idée a été ensuite affinée : par exemple, dans le cas de maladies génétiques touchant l'hémoglobine, on a constaté qu'une mutation de l'ADN modifiait un acide aminé dans la protéine. Par la suite, on a pu comparer la position des mutations sur un gène donné et la position des acides aminés sur la séquence de la protéine correspondante. On a constaté alors que l'enchaînement des acides aminés d'une protéine suit le même ordre que la succession des informations sur l'ADN : c'est la **colinéarité** gène/protéine. On comprend ainsi la signification de l'information codée par l'ADN : la succession des nucléotides d'un gène indique l'enchaînement des acides aminés qui constituent une protéine.

■ Le code génétique est le système de correspondance entre les nucléotides de l'ADN et les acides aminés

Plus tard, d'autres expériences ont démontré que la « lecture » de l'information génétique se fait suivant un cadre de longueur fixe, constitué de trois nucléotides : un **triplet de nucléotides** (ou **codon**) code pour un acide aminé.

Le « **code génétique** » est le système qui établit la correspondance entre un triplet de nucléotides et un acide aminé. Comme il existe quatre nucléotides, on dénombre 64 triplets de nucléotides différents (4^3) ; or, ils permettent de « désigner » 20 acides aminés. De ce fait, la plupart des acides aminés sont codés par plus d'un triplet : le code génétique est **redondant** (on dit parfois dégénéré). En revanche, chaque triplet ne code que pour un seul acide aminé, toujours le même : le code génétique est **univoque**. Trois triplets ne codent pour aucun acide aminé et sont qualifiés de « codons-stop ».

Le code génétique est commun à l'ensemble des êtres vivants, hormis quelques exceptions pour lesquelles un ou deux codons sont différents. Cette **universalité** ne peut s'expliquer que par une origine commune de tous les êtres vivants.

2 La transcription de l'ADN en ARN, première étape de l'expression des gènes

■ Du gène à la protéine, deux grandes étapes

Chez les eucaryotes, l'ADN est toujours localisé dans le noyau cellulaire, séparé du cytoplasme par l'enveloppe nucléaire. À aucun moment cet ADN ne quitte le noyau et c'est pourtant dans le cytoplasme que s'effectue la synthèse des protéines : cette synthèse peut néanmoins être dirigée par l'information génétique grâce à des « copies » du gène à exprimer qui sont exportées du noyau vers le cytoplasme. Ces copies sont fabriquées dans le noyau, sous forme d'**ARN**, une molécule très proche de l'ADN : cette étape est la **transcription**.

■ L'ARN est une molécule de composition comparable à celle de l'ADN

L'ARN ou Acide RiboNucléique est, comme l'ADN, une molécule formée par une succession de nucléotides de quatre types différents. Cependant, les nucléotides trouvés dans l'ARN diffèrent de l'ADN par le glucide qu'ils possèdent (du ribose à la place du désoxyribose). De plus, le nucléotide T n'est pas présent dans l'ARN où il est remplacé par le nucléotide U. Enfin, l'ARN n'est constitué que d'**une seule chaîne** de nucléotides.

■ L'ARN est synthétisé dans le noyau par l'ARN-polymérase

L'ARN est synthétisé dans le noyau, à partir de l'information contenue dans la séquence des nucléotides d'un gène. Il est ensuite transporté dans le cytoplasme sur les lieux de synthèse des protéines (l'enveloppe nucléaire possède des pores qui permettent le passage des molécules d'ARN, ces dernières étant de petite dimension). Cette copie du gène exprimé, dont l'existence est temporaire (quelques heures), transmet l'information de l'ADN du noyau vers le cytoplasme : elle est qualifiée pour cette raison d'**ARN messager** (ARNm).

La transcription nécessite l'action d'une enzyme, l'**ARN-polymérase**. Au fur et à mesure de sa progression le long de l'ADN, l'ARN-polymérase incorpore des nucléotides libres, présents dans le noyau, par complémentarité avec l'un des brins de l'ADN : G se place en face de C, C en face de G, A en face de T et U en face de A. Le brin d'ARN ainsi produit est donc complémentaire du brin d'ADN qui a servi de matrice, appelé brin transcrit. Par conséquent, le message de l'ARN est **identique** à celui du brin non transcrit d'ADN (à la différence du nucléotide U qui, sur l'ARN, occupe la place du nucléotide T de l'ADN). Plusieurs ARN-polymérases se succèdent le long d'un même segment d'ADN et entament la fabrication « à la chaîne » d'ARNm identiques entre eux et qui constituent autant de copies d'un gène.

3 La maturation de l'ARN pré-messager en ARN messager

■ Les gènes des eucaryotes sont morcelés

Chez les eucaryotes pluricellulaires, la comparaison de la séquence complète des gènes avec celle de leurs ARNm révèle qu'en moyenne la longueur totale du gène est cinq fois plus importante que celle de l'ARNm exporté dans le cytoplasme. Il se produit donc dans le noyau une **maturation** de l'ARN. Par transcription, il se forme d'abord une molécule d'ARN qui est la copie conforme du gène : cette séquence, appelée **ARN pré-messager**, est en fait constituée d'une alternance de tronçons qui ne serviront pas à la synthèse des protéines (les introns) et de **tronçons codant** pour la chaine polypeptidique (les exons).

Dans un deuxième temps, les introns sont supprimés et les exons successifs sont raccordés entre eux : ce processus, qui aboutit à la formation de l'ARN messager, est appelé **épissage**.

■ De nombreux gènes peuvent subir un épissage différent suivant le contexte cellulaire

Un même ARN pré-messager peut donner des ARN messagers différents en fonction de facteurs tels que le type de cellule ou bien le moment où le gène s'exprime.

En effet, au cours de l'épissage, certains exons peuvent ou non être retenus dans l'ARN messager définitif. Ce phénomène, appelé **épissage alternatif**, concerne 60 % de nos gènes. Il procure une plus grande flexibilité génétique, en permettant à un gène de coder selon les cas pour plusieurs protéines différentes, aux fonctions différentes. De fait, si la taille du génome humain est estimée entre 20 000 et 25 000 gènes, la taille de son **protéome**, c'est-à-dire de l'ensemble de son bagage protéique, est infiniment plus grande. Cette découverte a amené les scientifiques à remettre en cause le postulat historique « *un gène, une protéine* ».

Toutes les espèces n'ont pas la même organisation de leur génome : on constate notamment que chez certaines espèces le morcellement des gènes est plus important : plus que le nombre total de gènes, le processus d'épissage de l'ARN a probablement joué un rôle important dans l'**évolution** des espèces.

4 La traduction de l'ARN messager en protéine

■ La traduction a lieu au niveau des ribosomes

La synthèse protéique est localisée dans le cytoplasme au niveau de structures appelées **ribosomes**. Les ribosomes sont formés d'une petite sous-unité, capable de reconnaître et de se fixer sur une molécule d'ARNm, et d'une grosse sous-unité, associée à la petite sous-unité et qui réalise l'assemblage des acides aminés.

■ Les ribosomes assemblent les acides aminés en suivant les informations de l'ARNm

La **traduction** commence toujours par un codon particulier de l'ARNm, le **codon initiateur** AUG (codant pour la méthionine). Ensuite, le ribosome se « déplace » de triplet en triplet, en formant des **liaisons peptidiques** entre les acides aminés correspondant à chaque codon et l'acide aminé précédent dans la chaîne protéique. C'est l'**élongation**. Cette phase se poursuit jusqu'à la lecture d'un **codon-stop** par le ribosome ; celui-ci se dissocie alors et libère la protéine ainsi formée. La protéine subira ensuite des modifications telles que la suppression de la méthionine en première position.

Plusieurs ribosomes effectuent la synthèse de protéines à partir d'un même ARNm. Ils se succèdent sur le brin d'ARN et forment un ensemble caractéristique appelé **polysome**. Chaque molécule d'ARNm gouverne ainsi la synthèse simultanée de 10 à 20 molécules polypeptidiques identiques.

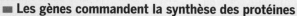

chapitre 3 — L'expression du patrimoine génétique

À RETENIR

■ Les gènes commandent la synthèse des protéines

Les **protéines** sont des macromolécules essentielles au fonctionnement des cellules. Elles sont formées d'une succession de petites molécules : les **acides aminés**.

Toutes les protéines sont le produit de l'**expression d'un gène**. L'enchaînement des acides aminés d'une protéine suit la séquence des nucléotides du gène correspondant.

Une suite de trois nucléotides, ou **codon**, code pour un acide aminé, toujours le même.

La correspondance entre les 64 codons différents et les acides aminés qui leur sont associés constitue le **code génétique**. Le code génétique est univoque, redondant et **universel**.

■ La transcription de l'ADN en ARN pré-messager

L'**ARN messager** est une copie éphémère de l'ADN, formée dans le noyau et détruite dans le cytoplasme.

La production de l'ARN messager débute par une opération de **transcription** au cours de laquelle est synthétisé un **ARN pré-messager** par complémentarité avec le brin transcrit de l'ADN, grâce à l'action de l'**ARN-polymérase**.

■ La maturation de l'ARN pré-messager en ARN messager

L'ARN pré-messager subit un **épissage** au cours duquel des séquences appelées introns sont supprimées et les séquences codantes appelées **exons** sont raccordées entre elles.

L'épissage alternatif permet à un même gène de coder pour **plusieurs protéines** différentes selon les exons retenus pour la constitution de l'ARN messager.

■ La traduction de l'ARN messager en protéine

Les **ribosomes** réalisent la synthèse des protéines à partir de l'information de l'ARN messager.

La **traduction** commence toujours par le **codon d'initiation** AUG. Elle se poursuit de codon en codon, ajoutant les acides aminés correspondants jusqu'à la lecture d'un **codon-stop**.

Mots-clés

- Protéine, acide aminé
- Code génétique
- Codon
- Transcription
- ARN pré-messager
- ARN messager
- Épissage
- Traduction
- Ribosome

Capacités et attitudes

▶ Recenser, extraire et exploiter des informations permettant de caractériser les protéines comme expression primaire de l'information génétique.

▶ Mettre en œuvre une méthode (démarche historique), une utilisation de logiciels, une pratique documentaire permettant :
 – d'approcher le mécanisme de la transcription et de la traduction ;
 – de comprendre comment le code génétique a été élucidé.

Du gène à la protéine, plusieurs étapes

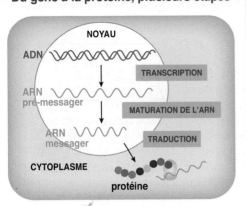

NOYAU

ADN

TRANSCRIPTION

ARN pré-messager

MATURATION DE L'ARN

ARN messager

TRADUCTION

CYTOPLASME

protéine

LA MATURATION DE L'ARN

Un gène, plusieurs protéines

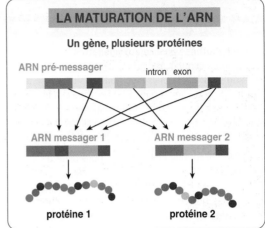

ARN pré-messager

intron exon

ARN messager 1

ARN messager 2

protéine 1

protéine 2

LA TRANSCRIPTION

Dans le **NOYAU**, synthèse d'un brin d'ARN, copie conforme du brin non transcrit d'ADN

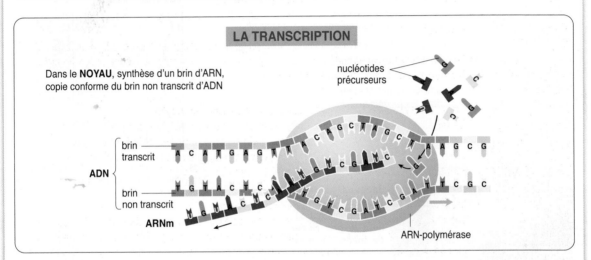

nucléotides précurseurs

ADN

brin transcrit

brin non transcrit

ARNm

ARN-polymérase

LA TRADUCTION

Dans le **CYTOPLASME**, assemblage des acides aminés en protéine, suivant le système de correspondance du code génétique : 1 codon → 1 acide aminé

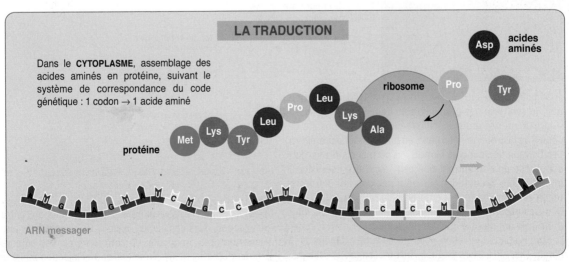

Asp   acides aminés

ribosome

Pro

Tyr

Leu

Pro

Leu

Lys

Ala

Met

Lys

Tyr

protéine

ARN messager

Une période de recherches très intense

• Une hypothèse passée aux oubliettes

Juste après la publication de la structure de l'ADN par Watson et Crick, le physicien **Gamow** s'intéresse à la nature du code génétique. Il est le premier à formaliser le problème de façon **mathématique**, c'est-à-dire à rechercher comment des combinaisons de quatre nucléotides peuvent coder pour 20 acides aminés.

En 1954, il propose une première possibilité de code génétique qu'il appelle « *diamond code* ». Selon lui, l'ADN servirait directement de « moule » pour la fabrication des protéines : les acides aminés viendraient s'insérer entre les nucléotides de l'ADN pour façonner une protéine. Le type d'acide aminé dépendrait des trois nucléotides qui l'entourent et d'un quatrième, complémentaire de son vis-à-vis, ce qui donne **exactement 20 combinaisons** (*document ci-contre*).

Ce premier code sera rapidement **invalidé**, car un codon donné limite les combinaisons possibles pour le suivant, ce qui ne permet pas la diversité des séquences d'acides aminés observées dans les protéines.

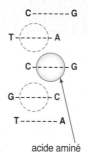

acide aminé

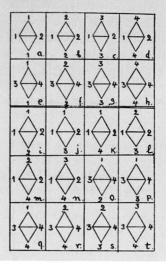

"Possible mathematical relation between Deoxyribonucleic Acid and proteins", George Gamow (1954).

• Une découverte couronnée de succès

En 1965, les trois chercheurs français Jacques Monod, François Jacob et André Lwoff obtiennent le prix Nobel de médecine pour leurs travaux portant notamment sur l'ARN messager.

À la fin des années 1950, l'hypothèse la plus répandue concernant la synthèse des protéines est que l'ADN d'un gène sert à former un ribosome spécifique qui produirait ensuite des copies de la protéine (« *un gène, un ribosome, une protéine* »). Les travaux de **Jacob** et **Monod** ont permis d'infirmer cette hypothèse en démontrant que cette synthèse nécessite un intermédiaire, produit dans un délai très court et dont l'existence est temporaire, à la différence du ribosome.

D'autres expériences de marquage avant et après une infection virale ont montré que des ribosomes nouveaux n'étaient pas créés suite à l'infection, mais qu'une autre catégorie d'ARN l'était. Cet ARN, alors baptisé **ARN messager,** est retrouvé associé aux ribosomes avec les nouvelles protéines virales en cours de formation.

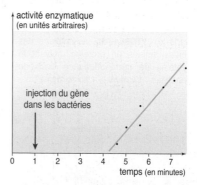

Le *graphique ci-dessus* montre le décalage temporel entre l'injection, dans des bactéries, de l'ADN codant pour une enzyme et la production de cette enzyme. Les auteurs notent un délai de trois minutes entre l'injection du gène et le début de la synthèse protéique, suggérant ainsi une étape intermédiaire.

... mieux connaître des métiers et des formations

Les métiers du génie génétique

Vos goûts et vos points forts :
- La biologie moléculaire
- Les nouvelles technologies, l'informatique
- Le traitement de données
- L'innovation
- Faire un travail minutieux

La recherche en génétique :
Un travail d'équipe, passionnant et souvent très prenant.

Les domaines d'activités potentiels

Les activités de **recherche** et **développement** dans les domaines de la **médecine**, de la **pharmacie**, ou encore de l'**agro-industrie**, nécessitent d'isoler des gènes, de comprendre leur expression, de déterminer les propriétés des protéines produites afin, par exemple, de mettre au point des molécules d'intérêt thérapeutique ou d'améliorer des espèces. Ces activités engagent des équipes pluridisciplinaires, alliant des compétences dans les **domaines scientifiques** (biologie, chimie, informatique...), dans l'application des **réglementations** et également dans le **management**.

Pour y parvenir

Des études scientifiques au lycée sont nécessaires. Pour exercer en tant que **technicien** et mettre en œuvre des protocoles, une formation en IUT permet d'obtenir un DUT génie biologique.

Le niveau requis pour devenir **ingénieur** est d'au moins bac + 8. Il faut d'abord obtenir un diplôme de niveau master (bac + 5), dans une grande école ou dans certains cas par une formation universitaire.

... mieux connaître l'histoire des arts

Quand l'art code des informations

Les **hiéroglyphes** sont une écriture figurative intégrée dans l'art de l'Égypte antique. En effet, la disposition des signes, leur sens de lecture, s'adaptent à la représentation picturale qu'ils viennent compléter. Leur signification peut être un objet en soit (idéogramme), ou une **partie d'un mot** (écriture syllabique). Après 3 000 ans d'utilisation, leur sens s'est perdu à cause de l'interdiction des cultes païens, jusqu'à leur décodage par Champollion en 1822.

« Serpent arc-en-ciel » (Mythologie aborigène, Australie).

Tombe de Néfertari (détail, Vallée des reines, Égypte).

L'**art aborigène** trouve son origine dans la représentation des rapports que les aborigènes entretiennent avec leur territoire, au travers de la mythologie du « temps du rêve ». Des **codes** permettent de représenter, par exemple, des personnages (arcs de cercle), des lieux (cercles concentriques), des rivières (lignes ondulées parallèles), etc.

Exercices

1 Définissez les mots ou expressions

Acide aminé, code génétique, transcription, ARN messager, brin transcrit d'ADN, traduction, épissage.

2 Questions à choix multiples QCM

Choisissez la ou les bonnes réponses.

1. Les protéines :
a. sont formées d'une succession de nucléotides ;
b. sont le support de l'information génétique ;
c. ont une forme qui dépend de leur séquence ;
d. ont une fonction qui dépend de leur forme.

2. Le code génétique :
a. est le même chez la quasi totalité les êtres vivants eucaryotes ;
b. est la séquence de l'ADN d'un individu ;
c. est fondé sur des triplets de nucléotides ;
d. permet de déterminer la séquence d'ADN codant pour une protéine connue.

3. La synthèse des protéines :
a. est localisée dans le noyau ;
b. est réalisée par un ribosome, à partir de l'ADN d'un gène et des acides aminés présents ;
c. s'arrête lorsqu'il n'y a plus de nucléotides à traduire ;
d. aboutit à plusieurs exemplaires de protéines identiques à partir d'un même gène.

3 Vrai ou faux ?

Repérez les affirmations exactes et corrigez celles qui sont inexactes.

a. L'ARN pré-messager contient la même information que le brin non transcrit de l'ADN.
b. Des codons différents peuvent coder pour le même acide aminé.
c. À chaque codon correspond un acide aminé.
d. Les animaux n'utilisent pas le même code génétique que les plantes.

4 Questions à réponse courte

a. Quelles sont les différences entre la structure de l'ADN et celle de l'ARNm ?
b. Quel est le rôle de l'ARN-polymérase ?
c. Quelle est la fonction du codon d'initiation ?
d. Quelle est la conséquence de l'épissage alternatif d'un gène ?

5 Restitution organisée de connaissances

1. Du gène à la protéine
Sans entrer dans les détails des mécanismes, présentez les grandes étapes de l'expression d'un gène.

2. La maturation de l'ARN
Montrez comment l'expression génétique peut conduire à la formation de plusieurs protéines à partir d'un même gène.

6 La redondance du code génétique Raisonner

La Leu-enképhaline (*image ci-contre*) est un petit polypeptide produit par certains neurones ; c'est un messager chimique intervenant dans les circuits qui contrôlent la douleur.
La séquence de ce polypeptide est la suivante :
Tyr-Gly-Gly-Phe-Leu.
On veut connaître le nombre de séquences d'ADN différentes qui pourraient aboutir à la formation de cette séquence d'acides aminés.

En vous fondant sur le code génétique (voir p. 57 ou p. 343), choisissez, parmi les propositions suivantes, celle qui vous paraît exacte. Expliquez votre raisonnement.
a. On ne peut pas répondre à cette question.
b. 1.
c. 3.
d. 64.
e. 384.
f. Une infinité.

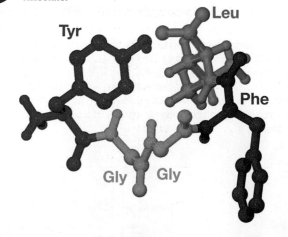

7 Du gène au polypeptide Appliquer les connaissances acquises

L'ocytocine et l'hormone antidiurétique (ADH) sont deux hormones de nature protéique produites par l'hypophyse des mammifères. L'ocytocine favorise les contractions de l'utérus, l'ADH agit sur l'élimination d'eau par les reins.

Le *document ci-contre* présente les séquences d'ADN codant pour la synthèse de ces deux hormones.

Écrivez les séquences d'ARN messager résultant de la transcription de ces deux gènes. À l'aide du code génétique (p. 57 ou p. 343), établissez la séquence d'acides aminés de ces deux hormones.

Ocytocine

Brin non transcrit :	TGCTACATCCAGAACTGCCCCCTGGGC
Brin transcrit :	ACGATGTAGGTCTTGACGGGGGACCCG

ADH

Brin non transcrit :	TGCTACTTCCTGAACTGCCCAAGAGGA
Brin transcrit :	ACGATGAAGGACTTGACGGGTTCTCCT

8 Code génétique : des exceptions à la règle Extraire et organiser des informations, argumenter

Une étude systématique de la correspondance entre acides aminés et nucléotides a été menée chez de très nombreuses espèces. Les seules différences constatées sont présentées dans le *tableau ci-dessous*.

1. Dégagez les informations apportées par ce tableau.
2. Discutez la notion d'« universalité » du code génétique.

Signification de quatre codons chez différentes espèces

Plus de 99 % des espèces étudiées	Tetrahymena (Protozoaire)	Paramecium (Protozoaire)	Euplotes (Protozoaire)	Mycoplasma (Bactérie)	Candida (Levure)	Acetabularia (Algue verte)
UAA	Stop	Glutamine	Glutamine	Stop	Stop	Stop	Glycine
UAG	Stop	Glutamine	Glutamine	Stop	Stop	Stop	Glycine
UGA	Stop	Stop	Stop	Cystéine	Tryptophane	Stop	Stop
CUG	Sérine	Sérine	Sérine	Sérine	Sérine	Leucine	Sérine

9 Un épissage alternatif record Exploiter des informations

Chez la drosophile, les protéines « DSCAM » sont impliquées dans la formation des connexions entre neurones. L'unique gène DSCAM, constitué de 60 000 nucléotides, contient 115 exons, parmi lesquels 20 sont présents dans tous les ARNm transcrits. Les 95 autres exons sont répartis en quatre groupes qui subissent un épissage alternatif pour ne conserver qu'un seul exon de chaque groupe. L'ARNm final est donc constitué d'un total de 24 exons.

Les quatre groupes d'exons subissant l'épissage alternatif contiennent respectivement 12, 48, 33 et 2 exons.

1. Calculez combien de protéines DSCAM différentes la drosophile peut produire.
2. Quel intérêt de l'épissage alternatif est montré de façon spectaculaire par l'exemple du gène DSCAM ?

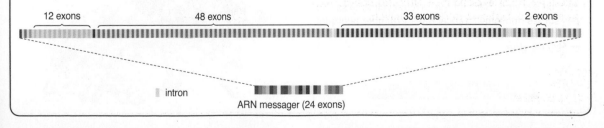

12 exons — 48 exons — 33 exons — 2 exons

intron

ARN messager (24 exons)

10 Une expérience d'hybridation entre ADN et ARNm
Utiliser ses connaissances pour comprendre une observation

Des agents chimiques permettent de séparer les deux chaînes de l'ADN. Après cette dénaturation, les brins d'ADN peuvent s'hybrider, c'est-à-dire se réassocier avec d'autres molécules de séquence complémentaire. Une telle expérience d'hybridation a été réalisée entre l'ADN codant pour une protéine, l'ovalbumine, et l'ARNm correspondant. Le résultat est présenté sur la *microphotographie ci-contre*.
Le schéma d'interprétation permet de situer l'ADN et l'ARN présents sur cette image.

1. Montrez que cette photographie met en évidence des zones de ressemblance et des zones de différence entre ADN et ARNm correspondant.

2. À l'aide de vos connaissances, expliquez l'aspect pris par cette hybridation entre la séquence d'ADN et la séquence d'ARNm dirigeant la production d'ovalbumine.

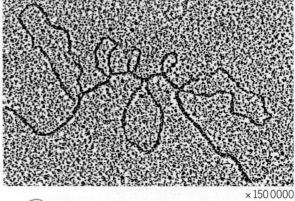

× 150 0000

A, B, C, D, E, F, G : boucles d'ADN non hybridé
1, 2, 3, 4, 5, 6, 7 : brins hybrides d'ADN et d'ARN

11 Le fonctionnement d'un antibiotique
Exploiter un modèle, s'informer

Les antibiotiques sont des molécules pharmaceutiques qui ont pour rôle de détruire des bactéries. La tétracycline est un antibiotique qui peut se fixer sur le ribosome bactérien, mais par sur les ribosomes d'eucaryotes.
Les *images ci-contre* présentent des modèles moléculaires de la petite sous-unité d'un ribosome bactérien en absence (**a**) et en présence (**b**) de tétracycline.
– En vert : petite sous-unité du ribosome.
– En rouge : ARNm.
– En bleu : tétracycline.

1. À partir d'une analyse des modèles présentés et à l'aide de vos connaissances, proposez une explication à l'effet antibiotique de la tétracycline.

2. Recherchez des informations sur le mode de reproduction des virus. Sachant que la tétracycline ne se fixe pas sur les ribosomes d'eucaryotes, expliquez pourquoi les antibiotiques comme la tétracycline sont inefficaces contre les virus.

Pour télécharger les modèles moléculaires :

www.bordas-svtlycee.fr

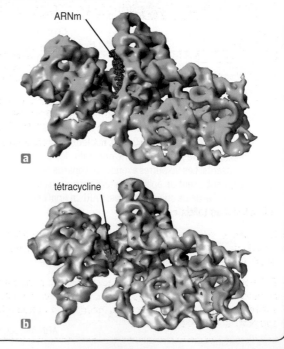

Utiliser ses capacités expérimentales

12 **Les conséquences d'une mutation sur la fabrication d'une protéine**

Utiliser un logiciel de traitement de séquences

■ **Problème à résoudre**

La globine-β est l'une des chaînes protéiques constitutives de l'hémoglobine (voir page 52). Cette molécule est normalement constituée d'une succession de 146 acides aminés. On connaît cependant un allèle (tha7) de ce gène qui code pour une chaîne constituée seulement de 21 acides aminés. On cherche à comprendre comment cela est possible.

■ **Matériel disponible**

– Logiciel de traitement de séquences nucléotidiques et protéiques (*Anagène* ou *GenieGen* par exemple).
– Séquences d'ADN de deux allèles du gène de la globine-β (séquences codantes, brins non transcrits).

■ **Protocole**

– Affichez les séquences des deux allèles.
– Comparez-les.
– Recommencez la comparaison en choisissant l'option « alignement avec discontinuité ».
– Effectuez la conversion permettant d'afficher les ARNm correspondants (transcription).
– Effectuez la conversion permettant d'afficher les séquences polypeptidiques correspondantes (traduction).

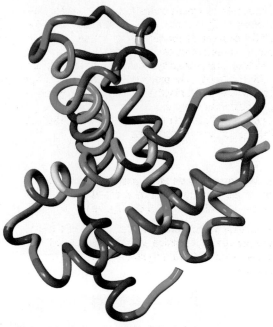

Visualisation du modèle moléculaire de la globine-β. Représentation en brin et coloration mettant en évidence la séquence d'acides aminés.

🞀 Conversion							
	1	5	10	15	20	25	30
▸ Traitement	Conversion de betacod.adn						
betacod.adn	GTGCACCTGACTCCTGAGGAGAAGTCTGCCGTTACTGCCCTGTGGGGCAAGGTGAACGTGGATGAAGTTGGTGGTGAGGCCCTGGGCAGGCTGCTGGTGG						
Arn-betacod.adn	GUGCACCUGACUCCUGAGGAGAAGUCUGCCGUUACUGCCCUGUGGGGCAAGGUGAACGUGGAUGAAGUUGGUGGUGAGGCCCUGGGCAGGCUGCUGGUGG						
Pro-betacod.adn	ValHisLeuThrProGluGluLysSerAlaValThrAlaLeuTrpGlyLysValAsnValAspGluValGlyGlyGluAlaLeuGlyArgLeuLeuValV						
Traitement	Conversion de tha7cod.adn						
tha7cod.adn	GTGCACCTGACTCCTGAGGAGAAGTCTGCCGTTACTGCCCTGTGGGGCAAGGTGAACGTGGATGAAGTTGGTGGTGAGGCCCTGGGCAGGCTGCTGGTG						
Arn-tha7cod.adn	GUGCACCUGACUCCUGAGGAGAAGCUCUGCCGUUACUGCCCUGUGGGGCAAGGUGAACGUGGAUGAAGUUGGUGGUGAGGCCCUGGGCAGGCUGCUGGUG						
Pro-tha7cod.adn	ValHisLeuThrProGluGluLysLeuCysArgTyrCysProValGlyGlnGlyGluArgGly						

Séquences d'ADN (brin non transcrit), d'ARNm et polypeptidiques affichées avec le logiciel Anagène.

■ **Exploitation des résultats**

1. Présentez les résultats des comparaisons des deux allèles.
À l'aide des connaissances issues du chapitre 2, expliquez l'origine des différences entre les deux allèles de ce gène.

2. Relevez les différences entre les deux séquences polypeptidiques. En utilisant le code génétique (p. 57 ou p. 343) et vos connaissances sur l'expression génétique, expliquez pourquoi la protéine tha7 ne comporte que 21 acides aminés.

Pour télécharger les données à utiliser :

www.bordas-svtlycee.fr

Des DOCUMENTS pour se poser des questions

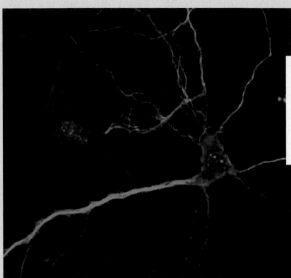

Des cellules différentes

Cette photographie montre un fibroblaste (cellule du tissu conjonctif, en rouge) et un neurone (en vert). Comme les autres cellules de l'organisme, ces deux cellules ont la même information génétique. Elles sont pourtant bien différentes et ne produisent pas les mêmes protéines.

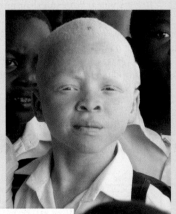

Le déterminisme de la couleur de la peau

Chacun a une couleur de peau qui lui est propre : ce caractère fait partie de l'identité individuelle. Mais la couleur de la peau peut aussi changer, par exemple par exposition au soleil. Par ailleurs, certaines personnes présentent une anomalie, l'albinisme, caractérisée par une absence de pigmentation de la peau.

LES PROBLÉMATIQUES DU CHAPITRE

- De l'échelle moléculaire à celle de l'organisme, comment l'expression des gènes se traduit-elle ?
- Quels facteurs déterminent la présence des protéines qui se trouvent dans une cellule ?
- Comment l'environnement peut-il exercer une influence sur le phénotype ?

Cellules acineuses du pancréas, spécialisées dans la production d'enzymes (× 5 000).

Génotype, phénotype
et environnement

Le phénotype se définit à différentes échelles

On appelle phénotype l'ensemble des caractéristiques qui définissent tout être vivant : caractères morphologiques, anatomiques, physiologiques, tant qualitatifs que quantitatifs. *L'étude de deux exemples permet de comprendre sur quoi repose le phénotype.*

A Exemple du phénotype drépanocytaire

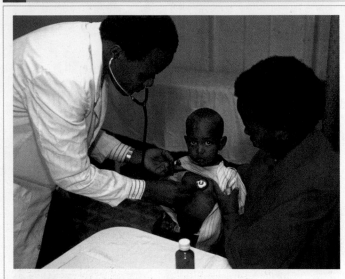

La drépanocytose est une maladie génétique qui touche des millions de personnes dans le monde (en Afrique notamment) et des milliers en France.

À l'échelle de l'organisme, la drépanocytose se traduit par une **anémie** modérée mais permanente qui se manifeste par de la fatigue et une tendance à l'essoufflement. Dans certaines conditions, des crises peuvent survenir, se traduisant par une anémie aiguë. Cette situation nécessite souvent des transfusions sanguines.

Les crises drépanocytaires sont parfois très douloureuses, en particulier au niveau des articulations.

Des **accidents vasculaires** ainsi que des infections limitent l'espérance de vie. Mais, grâce à un suivi médical, celle-ci dépasse actuellement l'âge de 50 ans.

Doc. 1 La drépanocytose est la plus fréquente des maladies génétiques.

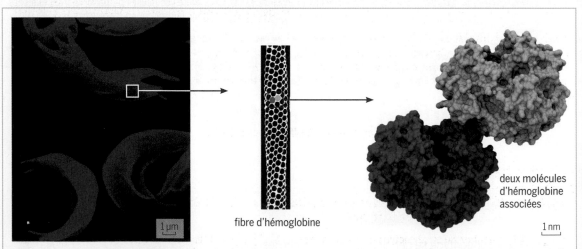

1 µm

fibre d'hémoglobine

deux molécules d'hémoglobine associées

1 nm

Chez les sujets atteints de drépanocytose, le nombre de globules rouges (hématies) est anormalement faible et ces cellules sont souvent déformées (en forme de « faucille ») ; elles circulent donc moins bien. L'aspect particulier des hématies s'explique par la tendance qu'ont les innombrables molécules d'hémoglobine à s'associer. Elles constituent ainsi de longues fibres qui déforment les globules rouges, entraînant parfois leur destruction.

Doc. 2 Des anomalies à l'échelle cellulaire et à l'échelle moléculaire.

B Exemple du *Xeroderma pigmentosum* : les « enfants de l'ombre »

Le *Xeroderma pigmentosum* est une maladie génétique rare (quelques milliers de cas dans le monde) caractérisée par une hypersensibilité de la peau aux rayons ultraviolets (UV). Les individus qui en sont atteints subissent des brûlures de la peau et des dommages aux yeux à la suite d'une simple exposition à la lumière du soleil ou d'une lampe non adaptée. Ils doivent donc, en permanence, être protégés de la lumière, d'où l'expression d'« enfants de l'ombre ».

Les sujets présentent très jeunes une peau sèche et tachetée comparable à celle d'une personne âgée ayant passé son existence au soleil (en grec *xeros* pour sec, *derma* pour peau) ; ils développent leur premier cancer de la peau en général avant l'âge de 10 ans.

a

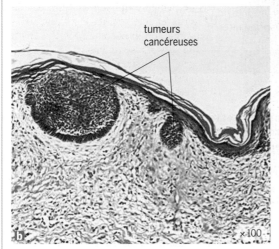

tumeurs cancéreuses

b ×100

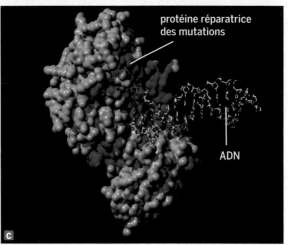

protéine réparatrice des mutations

ADN
c

Chez les individus atteints de *Xeroderma pigmentosum*, les cellules de la base de l'épiderme perdent le contrôle de leurs divisions et se multiplient rapidement jusqu'à former des **tumeurs** cancéreuses (carcinome basal).

Les rayons UV du soleil sont de puissants **agents mutagènes** mais les mutations sont ensuite habituellement réparées (voir pages 32-33 et 36). Les personnes atteintes de *Xeroderma pigmentosum* produisent des protéines réparatrices de l'ADN défectueuses qui ne peuvent accomplir leur fonction.

> **Doc. 3** Le phénotype xérodermique caractérisé à différentes échelles.

Pistes d'exploitation

PROBLÈME À RÉSOUDRE ▶ Quelle relation peut-on établir entre les différentes échelles d'observation d'un phénotype ?

Doc. 1 à 3 Montrez qu'un phénotype peut être caractérisé à différentes échelles. Présentez ces deux exemples sous la forme d'un tableau.

Doc. 1 à 3 Pour chacun des deux exemples, montrez par un raisonnement, que le phénotype macroscopique (échelle de l'organisme) est déterminé par le phénotype moléculaire.

Doc. 2 et 3 Proposez une hypothèse susceptible d'expliquer l'origine génétique de ces deux maladies.

Lexique, p. 354

Phénotype moléculaire et expression génétique

L'ensemble des protéines qui se trouvent dans une cellule constituent son phénotype molé-culaire. *Celui-ci résulte de l'expression, à un moment donné, d'une partie des gènes dont la cellule est dotée.*

A Le phénotype moléculaire résulte de l'expression génétique

Un phénotype, comme le phénotype drépanocytaire, résulte finalement du phéno-type moléculaire qui le sous-tend. En effet, la drépanocytose est due à la présence, dans les globules rouges, d'une forme de globine β (appelée βS) qui diffère de la glo-bine β normale (βA).

■ UNE COMPARAISON DE SÉQUENCES

Grâce à un logiciel de traitement de séquences (« Anagène » par exemple), il est pos-sible de comparer les allèles codant pour la globine β chez un individu sain et chez une personne drépanocytaire, ainsi que les protéines correspondantes.

🖭 Conversion

	1	5	10	15	20
Traitement					
ADN Beta A brin nT	GTGCACCTGACTCCTGAGGAGAAGTCTGCCGTTACTGCCCTGTGGGGCAAGGTGAACGTGGATGAAGTTG
ADN Beta A brin T	CACGTGGACTGAGGACTCCTCTTCAGACGGCAATGACGGGACACCCGTTCCACTTGCACCTACTTCAAC
Globine Beta A	ValHisLeuThrProGluGluLysSerAlaValThrAlaLeuTrpGlyLysValAsnValAspGluValG
Traitement					
ADN Beta S brin nT	GTGCACCTGACTCCTGTGGAGAAGTCTGCCGTTACTGCCCTGTGGGGCAAGGTGAACGTGGATGAAGTTG
ADN Beta S brin T	CACGTGGACTGAGGACACCTCTTCAGACGGCAATGACGGGACACCCGTTCCACTTGCACCTACTTCAAC
Globine Beta S	ValHisLeuThrProValGluGluLysSerAlaValThrAlaLeuTrpGlyLysValAsnValAspGluValG

■ UNE ÉTUDE 3D DE L'HÉMOGLOBINE S

À l'aide d'un logiciel de visualisation moléculaire, on peut comprendre les conséquences de la différence mise en évidence précédemment entre les deux formes de globine. Pour cela, il suffit d'afficher les modèles moléculaires et de mettre en évidence le 6e acide aminé.

Pour comprendre l'étude réalisée, il faut savoir que la valine (Val) est, contrairement à l'acide glutamique (Glu), un acide aminé **hydrophobe**. Ceci signifie que, dans un milieu aqueux comme le cytoplasme cellulaire, la valine aura tendance à « fuir » les molécules d'eau en établissant une liaison avec une molécule d'hémoglobine voisine.

Cette image présente deux molécules d'hémoglobine provenant d'une personne drépanocytaire. Les chaînes d'acides aminés de chaque globine sont représentées en fils. Leur 6e acide aminé est affiché en sphères.

Rappel : chaque molécule d'hémoglobine comporte quatre chaînes de globine (voir p. 52).

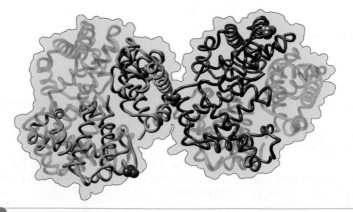

Doc. 1 **Les conséquences d'une mutation allélique.**

Pour télécharger les données :

www.bordas-svtlycee.fr

B Dans une cellule, une expression génétique sélective

• Les cellules sanguines sont spécialisées : alors que les globules rouges (hématies) ont pour fonction de transporter le dioxygène, les globules blancs (leucocytes) ont pour fonction de défendre l'organisme. Les plaquettes (thrombocytes) qui ne sont pas des cellules complètes sont, elles, indispensables à la coagulation du sang.
Ces cellules contiennent des protéines communes et des protéines spécifiques : quelques exemples sont indiqués ci-contre.

• Les cellules souches de la moelle osseuse reçoivent des signaux chimiques (par exemple l'**EPO**) qui stimulent leur multiplication et leur différenciation : en fonction des signaux reçus, elles exprimeront préférentiellement tel ou tel gène.

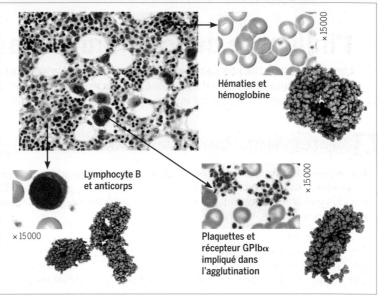

×15000

Hématies et hémoglobine

Lymphocyte B et anticorps

×15000

Plaquettes et récepteur GPIbα impliqué dans l'agglutination

×15000

Doc. 2 Une cellule n'exprime qu'une partie de ses gènes.

Au cours de la vie embryonnaire, de la vie fœtale ou après la naissance, l'approvisionnement en dioxygène est assuré par une hémoglobine dont la composition n'est pas toujours la même *(tableau ci-contre)*. En effet, l'hémoglobine est constituée de quatre chaînes de globines identiques deux à deux. Or, il existe dans l'espèce humaine six gènes différents codant pour six globines différentes.

Le *schéma ci-contre* présente la localisation chromosomique de quatre de ces gènes sur le chromosome 11 (les deux autres sont situés sur le chromosome 16).

Étape du développement	Composition de l'hémoglobine
Vie embryonnaire	• 2 globines ζ (zêta) + 2 globines ε (epsilon)
Vie fœtale	• 2 globines α (alpha) + 2 globines γ (gamma)
Après la naissance	• 97 % d'hémoglobine A1 : 2 globines α (alpha) + 2 globines β (bêta) • 3 % d'hémoglobine A2 : 2 globines α (alpha) + 2 globines δ (delta)

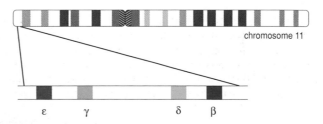

chromosome 11

ε   γ   δ   β

Doc. 3 L'expression des gènes peut varier au cours du temps.

Pistes d'exploitation

PROBLÈME À RÉSOUDRE ► **Comment le phénotype moléculaire caractérisant une cellule est-il déterminé ?**

Doc. 1 À l'aide du code génétique (page 57) et des connaissances acquises au cours des chapitres précédents, expliquez l'origine du phénotype drépanocytaire.

Doc. 1 Expliquez pourquoi l'hémoglobine des personnes drépanocytaires a tendance à former des fibres constituées par l'association de multiples molécules d'hémoglobine.

Doc. 2 Comment expliquer la diversité des phénotypes cellulaires ?

Doc. 3 Comment l'équipement génétique dont dispose l'espèce humaine lui permet-elle de produire différentes hémoglobines au cours du temps ?

Lexique, p. 354

L'influence de l'environnement sur le phénotype

Les caractéristiques de l'environnement dans lequel vivent les cellules ne sont pas constantes, elles peuvent évoluer au cours du temps. *Ces deux exemples montrent comment le phénotype moléculaire peut être modifié ou adapté en fonction des caractéristiques de l'environnement.*

A Un contrôle de la transcription des gènes

Le glucose et le lactose sont des sucres qui peuvent être utilisés comme source d'énergie par des bactéries. Lorsque ces deux sucres sont présents dans leur milieu de vie, les bactéries *Escherichia coli* utilisent préférentiellement le glucose.

En absence de glucose, ces bactéries exploitent le lactose grâce à la production de trois protéines spécifiques impliquées dans le métabolisme du lactose.

Les gènes de ces protéines (lacZ, lacY et lacA) se succèdent dans cet ordre sur le chromosome bactérien et sont transcrits en même temps lorsque le premier est transcrit.

information génétique (ADN)

E. Coli

× 20 000

	1re expérience	2e expérience	3e expérience
Conditions de culture	Glucose	Glucose + lactose	Lactose
Substrat consommé	Glucose	Glucose puis lactose	Lactose
Transcription du gène lacZ	Très faible	Très faible puis forte	forte

Doc. 1 La transcription de certains gènes varie en fonction des conditions du milieu.

En l'absence de glucose, un signal chimique active une protéine du cytoplasme (CAP, en vert sur *l'image ci-dessous*). Celle-ci peut alors se lier à l'ADN au niveau d'une séquence particulière (ADN en vert) située avant les gènes « lac » nécessaires à l'exploitation du lactose (l'ADN en rouge marque le début de ces gènes).

Pour télécharger le modèle moléculaire :

www.bordas-svtlycee.fr

Vidéo

La liaison de la protéine CAP avec l'ADN provoque une déformation de la molécule d'ADN (courbure de 80°) qui favorise la fixation de l'ARN polymérase et donc la transcription des gènes « lac ».

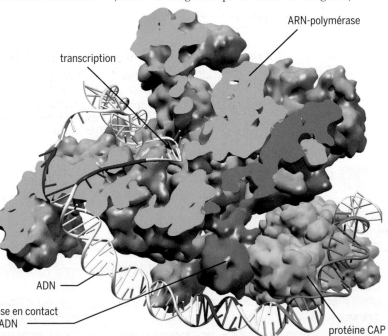

ARN-polymérase

transcription

ADN

partie de l'ARN-polymérase en contact avec la protéine CAP et l'ADN

protéine CAP

Doc. 2 Des protéines contrôlent la fixation de l'ARN-polymérase sur l'ADN.

B Une influence sur les propriétés des protéines

Chez les personnes drépanocytaires (voir page 74), l'hémoglobine HbS peut exister dans les hématies sous forme soluble ou sous forme de fibres insolubles, en proportions variables.

C'est la formation de fibres qui est à l'origine de la déformation des hématies et des crises caractéristiques du phénotype drépanocytaire.

Le passage de l'état soluble de l'hémoglobine à sa **polymérisation** en fibres est un équilibre chimique dépendant de plusieurs facteurs qui ont pu être testés en laboratoire.

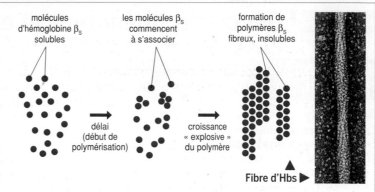

molécules d'hémoglobine β_S solubles

délai (début de polymérisation)

les molécules β_S commencent à s'associer

croissance « explosive » du polymère

formation de polymères β_S fibreux, insolubles

Fibre d'Hbs ▶

• L'oxygénation du sang

Pourcentage d'hématies en forme de faucille en fonctin de la concentration en dioxygène :

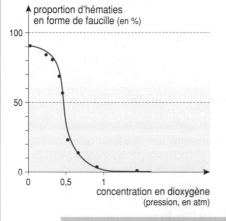

proportion d'hématies en forme de faucille (en %)

concentration en dioxygène (pression, en atm)

• La concentration en hémoglobine

Variation de la durée de formation des fibres en fonction de la concentration en hémoglobine S :

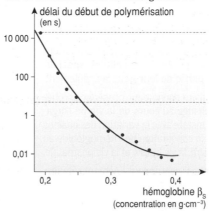

délai du début de polymérisation (en s)

hémoglobine β_S (concentration en g·cm⁻³)

Les recommandations adressées aux malades afin d'éviter les crises

• Éviter les situations hypoxiques, ne pas dépasser une altitude supérieure à 2 000 mètres.

• Aérer les locaux, porter des vêtements non serrés.

• Au cours des activités sportives, éviter les efforts violents ou prolongés et la déshydratation.

• Boire de l'eau, ne pas rester trop longtemps au soleil.

• Surveiller la fièvre, cause d'une déshydratation même légère.

• Limiter les écarts de température (en cas de baignade par exemple) afin d'éviter les phénomènes de **vasoconstriction**.

Doc. 3 La formation de fibres d'hémoglobine S est favorisée par certaines conditions.

Pistes d'exploitation

PROBLÈME À RÉSOUDRE ▶ Comment des facteurs de l'environnement peuvent-ils avoir une influence sur le phénotype ?

Doc. 1 En quoi l'expression génétique apparaît-elle ici adaptée aux conditions du milieu ?

Doc. 1 et 2 Indiquez la succession des événements aboutissant à l'exploitation du lactose présent dans le milieu.

Doc. 3 Quels facteurs environnementaux peuvent influer sur le phénotype drépanocytaire ?

Doc. 3 Justifiez les conseils donnés aux malades en vous fondant sur les études expérimentales.

Lexique, p. 354

chapitre 4 Génotype, phénotype et environnement

1 Le phénotype moléculaire est le résultat de l'expression des gènes

■ Le génotype détermine le phénotype

L'ensemble des **protéines** qui se trouvent dans une cellule constitue son **phénotype moléculaire**. L'étude de maladies génétiques telles que la drépanocytose ou le *Xeroderma pigmentosum* montre que ces maladies sont la conséquence de la **mutation d'un allèle d'un gène** qui peut conduire à la synthèse d'une protéine aux acides aminés différents, voire à l'absence de synthèse de protéine.

■ Les cellules n'expriment pas toutes, les mêmes gènes

Toutes les cellules d'un organisme possèdent la même information génétique. Cependant, leurs phénotypes moléculaires peuvent être très différents. Par exemple, les hématies contiennent de l'hémoglobine alors que les lymphocytes produisent essentiellement des anticorps. Ainsi, les **cellules spécialisées** n'expriment qu'une **partie de leur génome** seulement.

Par ailleurs, un type cellulaire donné peut posséder un phénotype moléculaire qui change au cours de la vie de l'organisme. C'est ce que l'on constate avec la variation des chaînes de globines entrant dans la constitution de l'hémoglobine au cours de la vie embryonnaire, la vie fœtale et la vie postnatale.

L'expression des gènes est par conséquent finement **régulée**, dans l'espace et au cours du temps.

2 Les facteurs environnementaux influencent le phénotype moléculaire

■ Les facteurs environnementaux peuvent moduler l'expression des gènes

Une partie des gènes est exprimée en permanence par les cellules : on dit que leur expression est **constitutive**. Les autres gènes ne sont exprimés qu'à la suite de la perception d'un ou plusieurs signaux : leur expression est **inductible**. En effet, des signaux internes ou externes à l'organisme, de nature très variée, sont susceptibles de déclencher la fixation sur l'ADN de protéines appelées facteurs de transcription. Une fois fixés, ces **facteurs de transcription** interagissent avec l'ADN et l'ARN-polymérase pour initier la transcription d'un gène.

■ Les facteurs environnementaux peuvent affecter les propriétés des protéines

Après leur formation, les protéines sont également soumises à l'action de **facteurs environnementaux** susceptibles de modifier leurs caractéristiques et donc le phénotype moléculaire. Par exemple, l'hémoglobine HbS devient insoluble et fibreuse dans des conditions de déshydratation ou de manque d'oxygène.

3 Le phénotype moléculaire détermine le phénotype aux autres échelles

Le phénotype, ensemble des caractéristiques d'un être vivant, peut être défini à chacun des niveaux d'organisation du vivant, de la molécule à l'organisme.

L'étude des maladies génétiques montre que le **phénotype moléculaire** est la cause des symptômes constatés à l'échelle cellulaire et à l'échelle de l'organisme. Dans le cas de la drépanocytose par exemple, la nature de l'hémoglobine produite (HbA ou HbS) détermine la forme des hématies (arrondies ou en faucille) et finalement l'état de l'individu (en bonne santé ou atteint d'anémie chronique).

Ainsi, on peut dire que le **phénotype macroscopique** repose sur le **phénotype cellulaire** lui-même induit par le **phénotype moléculaire**.

À RETENIR

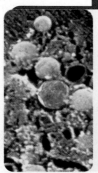

- ■ Le **phénotype moléculaire** est défini comme l'ensemble des protéines présentes dans une cellule. Il est déterminé par les gènes qui s'expriment dans la cellule.

- ■ Toutes les cellules d'un organisme n'expriment pas les mêmes gènes : c'est ce qui explique leurs différences. L'expression génétique peut aussi **varier** au cours du temps.

- ■ Des **facteurs environnementaux** ou **internes** peuvent déclencher ou influencer l'expression des gènes. Ils peuvent également agir sur les caractéristiques des protéines formées.

- ■ Le phénotype moléculaire détermine le **phénotype cellulaire** lui-même responsable du phénotype observé à l'échelle de l'**organisme**.

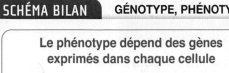

Le phénotype dépend des gènes exprimés dans chaque cellule

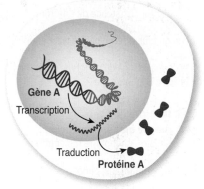

Gène A

Transcription

Traduction

Protéine A

Cellule 1
(exemple : cellule de la moelle osseuse)

Transcription

Traduction

Gène B

Protéine B

Cellule 2
(exemple : neurone)

Certains facteurs influencent le phénotype moléculaire

Signal
(externe ou interne)

Activation de
la transcription

Gène C

Gène A

Protéine C

Protéine A

**Activation de
l'expression génétique**

Paramètres de
l'environnement

Gène A

Protéine A

Modification
des propriétés
des protéines

**Action sur les propriétés
des protéines synthétisées**

Du génotype au phénotype

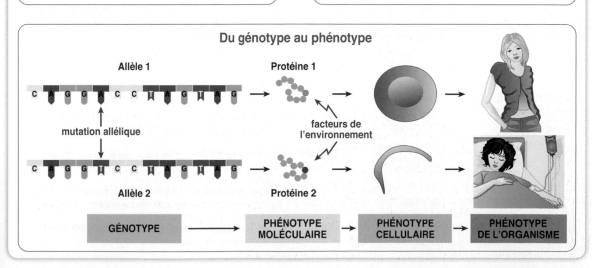

Allèle 1

C A G G A C C C A G A G

mutation allélique

C A G G A C C C A G A G

Allèle 2

Protéine 1

facteurs de
l'environnement

Protéine 2

GÉNOTYPE	→	PHÉNOTYPE MOLÉCULAIRE	→	PHÉNOTYPE CELLULAIRE	→	PHÉNOTYPE DE L'ORGANISME

Exercices

1 Définissez les mots ou expressions

Phénotype, phénotype moléculaire, génotype, cellules différenciées, facteur de transcription.

2 Questions à choix multiples

Choisissez la ou les bonnes réponses.

1. Le phénotype moléculaire d'une cellule :
a. est le même pour toutes les cellules de l'organisme ;
b. dépend des gènes qui se sont exprimés ;
c. est le même tout au long de la vie ;
d. peut varier sous l'influence de facteurs externes.

2. Le phénotype macroscopique :
a. résulte de l'expression du génotype ;
b. détermine le génotype ;
c. peut dépendre de facteurs environnementaux ;
d. dépend du phénotype cellulaire lui-même induit par le phénotype moléculaire.

3. La transcription d'un gène :
a. est automatique ;
b. est indépendante des facteurs environnementaux ;
c. peut être activée par des signaux internes ;
d. est un phénomène régulé.

3 Questions à réponse courte

1. Quelle peut être la conséquence d'une mutation allélique sur le phénotype ?
2. Comment expliquer l'existence de différents types cellulaires dans un même organisme ?
3. Comment un facteur externe peut-il exercer une influence sur le phénotype ?
4. Pourquoi la connaissance du génotype ne permet-elle pas toujours de prédire le phénotype ?

4 Rédigez une phrase...

... en utilisant chaque mot ou expression :
a. Phénotype cellulaire, phénotype moléculaire, phénotype macroscopique.
b. Facteurs environnementaux, génotype, phénotype moléculaire.
c. Maladie génétique, mutation, protéine déficiente.

5 Restitution organisée de connaissances

1. En vous appuyant sur un exemple, montrez que le phénotype peut se définir à plusieurs échelles.
2. Montrez à partir d'exemples que le phénotype résulte à la fois du génotype et de facteurs environnementaux.

6 Le mode d'action d'une hormone sexuelle **QCM** S'informer à partir d'un schéma fonctionnel

L'œstradiol est une hormone du groupe des œstrogènes, produite par les ovaires à partir de la puberté : elle agit sur l'activité de nombreuses cellules et modifie profondément le phénotype à l'échelle de l'organisme. Elle est en partie responsable des transformations physiques chez la femme au moment de la puberté (voir page 242).

Le *schéma ci-contre* présente le mode d'action simplifié de cette hormone sur une cellule-cible qui débute la production d'une protéine B à partir de la puberté.

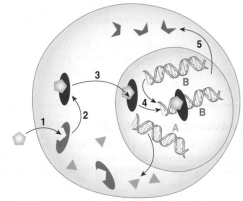

œstradiol ▲ protéine A ⌇ protéine B
récepteur à l'œstradiol inactif / récepteur à l'œstradiol actif / B gène B / A gène A

1 : entrée de l'œstradiol dans la cellule
2 : fixation de l'œstradiol sur le récepteur inactif
3 : migration du récepteur actif dans le noyau
4 : reconnaissance et fixation du récepteur
    sur une séquence d'ADN spécifique précédant le gène B
5 : transcription et traduction du gène B

Choisissez parmi les affirmations suivantes celles que vous jugez exactes.

L'œstradiol :
a. est indispensable à la production des protéines A et B ;
b. est indispensable à la production du récepteur à l'œstradiol ;
c. modifie l'activité des protéines B ;
d. entraîne une mutation du gène B ;
e. stimule indirectement la transcription du gène B ;
f. modifie l'activité du récepteur à l'œstradiol ;
g. modifie le phénotype moléculaire ;
h. modifie le génotype.

7 L'origine de l'albinisme Mettre en relation des informations, raisonner

L'albinisme *(photographie a)* se traduit par un déficit général de la pigmentation : les cheveux et les poils sont blancs, la peau est très claire et ne bronze pas. La rétine et l'iris de l'œil sont également parfois dépigmentés.

Chez une personne non albinos, la couleur de la peau est due à l'activité des mélanocytes, cellules situées à la base de l'épiderme *(photographie b)*. En effet, dans les mélanocytes, une succession de réactions chimiques transforment la tyrosine (acide aminé incolore) en mélanine, substance de couleur brune.

Le *document c* schématise la synthèse par étapes de la mélanine : chacune de ces étapes est rendue possible par une enzyme (protéine) produite par l'organisme. C'est la mélanine, présente en plus ou moins grande quantité, qui donne à la peau sa couleur.

La tyrosinase est l'une des enzymes nécessaires à la production de mélanine : c'est une protéine qui comporte normalement 530 acides aminés. Le document **d** présente une comparaison réalisée avec le logiciel « Anagène » de deux allèles du gène qui code pour la tyrosinase (le document ne présente qu'une partie des séquences ; seul le brin non transcrit d'ADN est représenté).

1. À l'aide des connaissances issues des chapitres précédents et en vous aidant du code génétique (voir p. 57 ou p. 343), expliquez quelle peut être la cause de l'albinisme.

2. En vous appuyant sur cet exemple, montrez que le phénotype dépend du génotype et peut se définir à différentes échelles.

a

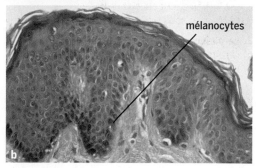
mélanocytes
b

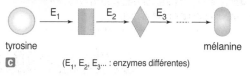
tyrosine   mélanine

c   (E₁, E₂, E₃... : enzymes différentes)

d

	160	165	170	175	180	185	190
Non-albinos							
ADN	AAAAATGGATCAACACCCATGTTTAACGACATCAATATTTATGACCTCTTTGTCTGGATGCATTATTATGTGTCAATGGATGCACTGCTTGGG						
Protéine	LysAsnGlySerThrProMetPheAsnAspIleAsnIleTyrAspLeuPheValTrpMetHisTyrTyrValSerMetAspAlaLeuLeuGly						
▶ Albinos							
ADN	AAAAATGGATCAACACCCATGTTTAACGACATCAATATTTATGACCTCTTTGTCTAGATGCATTATTATGTGTCAATGGATGCACTGCTTGGG						
Protéine	LysAsnGlySerThrProMetPheAsnAspIleAsnIleTyrAspLeuPheVal						

8 La couleur des hortensias Exploiter des informations, raisonner

Il existe de nombreuses variétés d'hortensias qui diffèrent notamment par la couleur des fleurs : rose, blanc, rouge, carmin, violet, bleu foncé, bleu pâle... Cependant, la couleur des fleurs d'hortensia semble bien capricieuse :

● Un pied d'hortensia d'une véritable variété bleue d'origine reste toujours bleu, mais s'il est planté dans un sol calcaire (pH > 7), la couleur a tendance à être moins soutenue.

● Un hortensia rose, planté dans un sol de pH < 6, devient bleu et dans ce même sol, une variété rouge devient mauve foncé.

1. D'après ces informations, indiquez de quoi dépend la couleur des fleurs d'hortensia.

2. Comment expliquez-vous la couleur des fleurs du pied d'hortensia présent sur la *photographie ci-contre* ?

Partie 2

La tectonique
des plaques : histoire d'un modèle

Les séismes

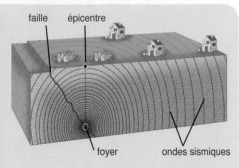

Le 12 janvier 2010, la ville de Port-au-Prince, en Haïti, est frappée par un tremblement de terre de magnitude 7. Au total, malgré une aide internationale importante, plus de 230 000 personnes ont trouvé la mort dans cette catastrophe.

● Les séismes résultent d'une **rupture brutale des roches** en profondeur au niveau d'une faille. Des contraintes s'exercent en permanence sur les roches qui se déforment puis finissent par céder en un lieu appelé **foyer**.

● À partir de ce foyer, les **ondes sismiques** se propagent dans toutes les directions et peuvent provoquer d'importants dégâts.

Le volcanisme

L'éruption du Volcan islandais Eyjafjöll, le 20 mars 2010, après 190 ans de sommeil.

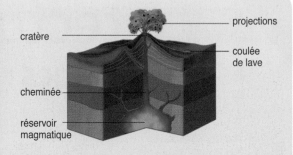

● Une activité volcanique **effusive** se caractérise par l'émission de **laves fluides** qui forment de longues **coulées**. Une activité volcanique **explosive** se manifeste par des **explosions violentes** accompagnées de **nuées ardentes**, mélanges de lave et de gaz brûlants.

● À quelques kilomètres sous le volcan existe un **réservoir magmatique**. Le **magma** est constitué d'un mélange variable de **gaz** et de **roches fondues**.

● L'arrivée en surface des différents magmas est à l'origine des différents types d'éruptions.
Certains magmas sont **fluides** et sont à l'origine d'éruptions **effusives** ; d'autres sont beaucoup plus **visqueux** et sont à l'origine d'éruptions **explosives**.

Lithosphère et asthénosphère

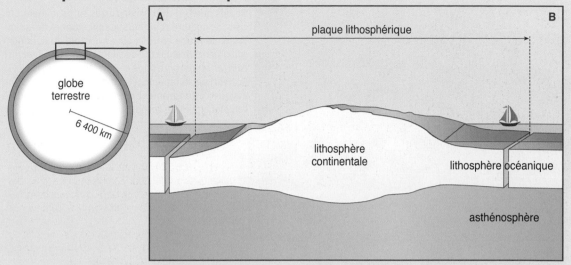

● L'analyse de la propagation des ondes sismiques à l'intérieur du globe a permis de distinguer une couche externe froide et rigide, nommée **lithosphère**, reposant sur une couche interne plus chaude et plus déformable, l'**asthénosphère**.

● La lithosphère océanique est plus mince (80 km au maximum) que la lithosphère continentale (100 à 200 km).

Les plaques lithosphériques et leurs déplacements

● La partie externe de la Terre est découpées en une douzaine de **plaques lithosphériques** rigides qui reposent sur l'**asthénosphère** moins rigide.

● Les plaques **se déplacent** les unes par rapport aux autres. Dans l'**axe des dorsales océaniques,** du plancher océanique se forme, les plaques s'**écartent** et l'océan s'élargit (exemple : le milieu de l'océan Atlantique).

Au niveau des **fosses océaniques**, les plaques se **rapprochent**, l'une d'elle s'enfonçant dans l'asthénosphère (par exemple : la plaque de Nazca s'enfonce sous la plaque sud-américaine). Si, lors du rapprochement de deux plaques, deux lithosphères continentales s'affrontent, il y a formation d'une **chaîne de montagnes** (Alpes, Himalaya...).

Des DOCUMENTS pour se poser des questions

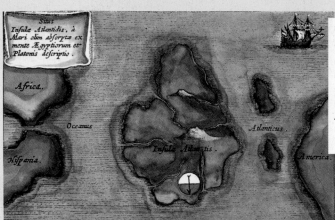

Un problème géologique

Depuis que l'on dispose de cartes suffisamment précises, de nombreux auteurs se sont étonnés de la similitude de forme entre la côte orientale du continent sud-américain et la côte occidentale du continent africain *(photographie page ci-contre)*.

Au XVIIIᵉ siècle, reprenant un très ancien mythe, Buffon évoque l'effondrement d'une ancienne Atlantide à l'emplacement de l'océan Atlantique actuel.

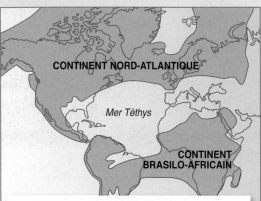

Une explication ancienne par des mouvements verticaux

Suess, géologue autrichien (1831-1914), constate des analogies de faunes et de flores fossiles entre des régions aujourd'hui séparées par des océans. Il pense que ces régions étaient réunies autrefois en un seul continent, le Gondwana. Les bassins océaniques qui les séparent aujourd'hui résultent, selon lui, d'enfoncements de la croûte continentale qui ont permis l'invasion marine.

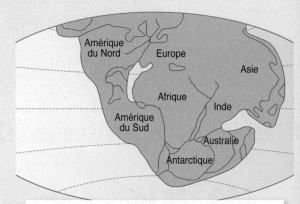

Une idée révolutionnaire : la mobilité horizontale des continents.

C'est en 1910 que Wegener conçoit pour la première fois l'idée d'un déplacement latéral des continents. Selon lui, les continents étaient tous réunis il y a 230 millions d'années en un supercontinent qu'il appela « Pangée ». Cette Pangée se serait ensuite disloquée et les continents auraient dérivé jusqu'à leur position actuelle.

LES PROBLÉMATIQUES DU CHAPITRE

- Sur quels arguments repose la théorie énoncée par Wegener ?
- Quels obstacles ont entraîné le rejet de cette idée de dérive des continents ?
- Comment les connaissances et techniques actuelles ont-elles permis de confirmer et de préciser cette théorie ?

Une étonnante complémentarité de forme entre les côtes de l'Amérique du Sud et celles de l'Afrique.

La naissance d'une théorie :
la dérive des continents

Wegener et la théorie de la dérive des continents

Au début du XXᵉ siècle, la communauté scientifique n'est pas prête à admettre l'idée d'une mobilité horizontale des continents. *C'est dans ce contexte que Wegener construit sa théorie « révolutionnaire » de la dérive des continents en s'appuyant sur divers arguments présentés ici.*

A Les premiers arguments de Wegener

Au début du XXᵉ siècle, les géologues, comme Suess, pensent qu'en se refroidissant la Terre se rétracte « comme une pomme qui se dessèche » ; c'est là l'origine des plissements et des reliefs (les chaînes de montagnes), et des effondrements (les bassins océaniques).

Par ailleurs, la croûte terrestre est considérée comme formée d'une couche superficielle (granites, roches métamorphiques, sédiments) surmontant un soubassement plus dense, légèrement visqueux (basaltes, péridotites).

Pour Wegener, l'effondrement d'une masse continentale ne semble pas possible en raison du principe de l'**isostasie** connu depuis le milieu du XIXᵉ siècle. Ce principe postule que les continents « flottent » sur leur soubassement, « un peu comme des péniches qui s'enfoncent plus ou moins dans l'eau d'un fleuve selon qu'elles sont plus ou moins chargées ».

◀ Alfred Wegener : astronome et météorologue allemand.

Doc. 1 Wegener, un scientifique visionnaire.

Les arguments avancés par Wegener sont précis et de natures différentes.

• Arguments morphologiques
Wegener a constaté une complémentarité de forme des continents (Afrique et Amérique du Sud) de part et d'autre de l'océan Atlantique.

• Arguments pétrographiques
Des formations rocheuses spécifiques *(carte ci-contre)* peuvent être assemblées en chaînes continues si on rapproche l'Afrique et l'Amérique du Sud.

• Arguments paléontologiques
La répartition des fossiles de l'ère Primaire s'explique d'après Wegener par le fait que chaque espèce devait occuper une seule aire de répartition avant la séparation des continents.

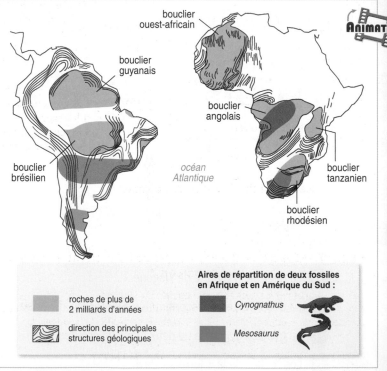

roches de plus de 2 milliards d'années

direction des principales structures géologiques

Aires de répartition de deux fossiles en Afrique et en Amérique du Sud :

Cynognathus

Mesosaurus

Doc. 2 Des arguments géologiques et paléontologiques.

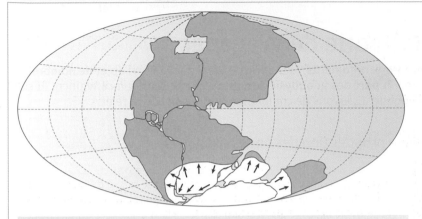

B D'autres arguments avancés par Wegener

Des dépôts glaciaires datés de 250 Ma (millions d'années) sont observés en Amérique du Sud, en Afrique du Sud, en Inde et en Australie. Ces dépôts indiquent que ces portions de continents ont été recouvertes par une calotte glaciaire. Celle-ci aurait eu une dimension et des limites fantaisistes si les continents avaient occupé à cette époque-là leur emplacement actuel.

Le rassemblement des masses continentales imaginé par Wegener donne une cohérence à la répartition des dépôts glaciaires de cette époque ainsi qu'au sens des courants glaciaires (flèches rouges).

« C'est comme si nous devions reconstituer une page de journal déchirée, en mettant les morceaux bord à bord, puis en vérifiant si les lignes imprimées correspondent. Si oui, on doit en conclure que les morceaux étaient bien placés de cette façon à l'origine. Si ce test est positif pour une seule ligne, l'exactitude de la reconstitution est hautement probable, mais s'il est pour n lignes, la probabilité devient une certitude ».

A. Wegener

Doc. 3 Des arguments paléoclimatiques.

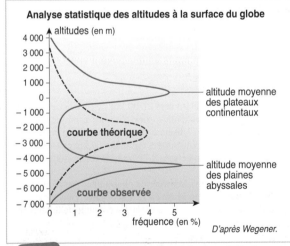

Analyse statistique des altitudes à la surface du globe

D'après Wegener.

Si la théorie d'une contraction de la Terre suite à son refroidissement était exacte, elle se traduirait par l'existence d'affaissements et de soulèvements aléatoires de la croûte terrestre. L'analyse statistique des reliefs à la surface du globe devrait révéler une distribution des altitudes de type gaussien (courbe rouge).
Or, ces altitudes se répartissent statistiquement suivant une courbe bimodale (courbe bleue).
Une telle distribution est cohérente avec l'idée admise à l'époque d'une croûte terrestre constituée de deux couches distinctes : une couche légère « granitique » et une couche plus dense « basaltique ».
Elle suggère surtout à Wegener que les fonds océaniques ne semblent pas avoir la même composition que la croûte continentale.

Doc. 4 Une distribution bimodale des altitudes.

Pistes d'exploitation

PROBLÈME À RÉSOUDRE ▶ Quelles sont les données scientifiques à l'origine de l'idée de la dérive des continents ?

Doc. 1 Comment les géologues de l'époque de Wegener expliquent-ils la formation d'un océan séparant deux masses continentales ? Pourquoi Wegener réfute-t-il cette hypothèse ?

Doc. 2, 3 et 4 Faites un schéma montrant que les continents sud-américain et africain étaient autrefois très probablement réunis.

Doc. 2, 3 et 4 Indiquez en quoi les arguments de Wegener permettent de penser à une mobilité horizontale des continents.

Lexique, p. 354

Le rejet de la théorie de Wegener

Bien que fondée sur de nombreux arguments, la théorie de Wegener va être l'objet de nombreuses controverses, notamment de la part des géophysiciens, et ne va pas réussir à convaincre la communauté scientifique de l'époque. *Essayons de comprendre les raisons de ce rejet.*

A Des arguments tirés de la propagation des ondes sismiques

• Plusieurs types d'ondes sismiques

Lorsque l'on enregistre un séisme à une distance suffisante de l'épicentre, on peut repérer trois types d'ondes.

– Les **ondes de volume** se propagent à l'intérieur du globe dans toutes les directions. On distingue deux catégories d'ondes de volume : les ondes P (ou premières) et les ondes S (ou secondes).

Les **ondes P** sont les plus rapides : ce sont des ondes longitudinales de compression-dilatation capables de se propager aussi bien dans les milieux solides que dans les fluides. Les **ondes S** ou ondes transversales de cisaillement se propagent que dans les milieux solides.

– Les **ondes de surface** sont moins rapides mais de grande amplitude. Elles se propagent dans les couches superficielles du globe.

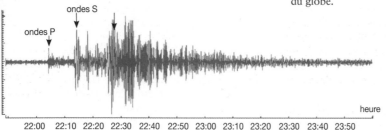

◀ Sismogramme enregistré en Allemagne, lors du séisme, de magnitude 7, survenu en Haïti le 12 janvier 2010, à 21 h 53 min (heure GMT).

• Les trajectoires des ondes de volume dans le globe terrestre

En **1906**, le sismologue anglais, Oldham découvre que, plus les ondes sismiques traversent des couches profondes du globe, plus leur vitesse moyenne est élevée *(graphe)*. Au-delà d'une certaine profondeur, les ondes sismiques sont brutalement ralenties, ce qui évoque une transition entre deux matériaux de nature différente.

Oldham suggère que la Terre est solide jusqu'à 3 800 km de profondeur mais, qu'au-delà, il doit y avoir un noyau liquide. En **1912**, le sismologue allemand Gutenberg repositionne la

discontinuité d'Oldham vers 2 900 km de profondeur grâce à la mise en évidence d'une « zone d'ombre sismique ». Cette zone correspond à l'absence d'enregistrement d'ondes sismiques dans les stations situées entre 11 500 km et 14 500 km de distance de l'épicentre, soit une distance angulaire de 105° à 143°.

En **1923**, Gutenberg interprète ce phénomène par l'existence d'une discontinuité majeure entre une épaisse couche externe solide et un noyau liquide : c'est la **discontinuité de Gutenberg**.

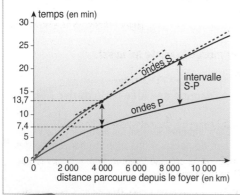

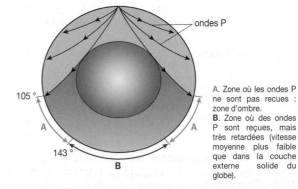

A. Zone où les ondes P ne sont pas reçues : zone d'ombre.
B. Zone où des ondes P sont reçues, mais très retardées (vitesse moyenne plus faible que dans la couche externe solide du globe).

Doc. 1 Au début du XXᵉ siècle, « l'auscultation de la Terre » à l'aide des ondes sismiques révèle une Terre solide jusqu'à une grande profondeur.

B Le moteur de la dérive, point faible de la théorie

• Des déplacements possibles selon Wegener

Wegener pense que si des mouvements verticaux des blocs continentaux sont possibles (et admis par tous), des déplacements horizontaux doivent l'être également. Wegener envisage plusieurs forces susceptibles de jouer un rôle moteur. Il suggère que les continents tendent à s'éloigner vers l'ouest (du fait de la rotation de la planète d'une part, d'effet de marée d'autre part) ; ils tendent aussi à migrer des pôles vers l'équateur en raison de la **force d'Eötvös** qui tend à pousser les continents vers l'équateur.

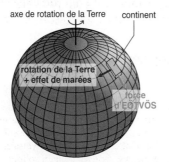

• Le rejet de cette idée par Jeffreys

En 1924, Jeffreys (1891-1989) s'oppose résolument à la théorie de Wegener en soutenant que les forces envisagées sont bien trop faibles pour mouvoir les continents.

« ... la supposition selon laquelle la Terre pourrait être déformée indéfiniment par de petites forces à la seule condition que celles-ci agissent longtemps, est donc une supposition très dangereuse, qui peut conduire à des erreurs graves. [...] Une dérive séculaire des continents, telle qu'elle a pu être soutenue par A. Wegener et autres, est hors de question. »

D'après Harold Jeffreys.

Doc. 2 **En 1924, le géophysicien Jeffreys rejette le moteur de la dérive invoqué par Wegener.**

Wegener va néanmoins trouver un soutien dans la communauté scientifique de l'époque. En 1928, l'écossais Holmes propose une explication nouvelle à l'origine de la dérive continentale. Pour lui, les matériaux du manteau, surchauffés par la radioactivité et devenus « fluides », se déplacent lentement en profondeur.

Ces **mouvements de convection** sous la croûte continentale provoquent sa fracturation et le magma basaltique montant dans les fractures forme le nouveau plancher océanique. Puisque le volume du globe terrestre est constant, Holmes envisage aussi l'existence de zones de destruction de la croûte terrestre qui compensent le mécanisme de formation.

Mais cette hypothèse séduisante (et proche des conceptions actuelles) n'emporte pas l'adhésion immédiate du monde scientifique.

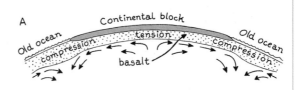

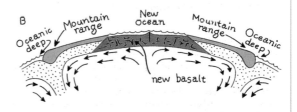

« J'ai examiné assez longuement la théorie du professeur Holmes sur les courants de convection, et je n'ai trouvé aucun test qui pourrait l'appuyer ou la contredire. Autant que je peux voir, elle ne contient rien de fondamentalement impossible, mais l'association de conditions devant être réunies pour qu'elle puisse fonctionner appartient plutôt au domaine de l'extraordinaire. »

D'après Harold Jeffreys en 1931.

Doc. 3 **La découverte de la radioactivité à l'origine d'un nouveau modèle... rejeté lui aussi.**

Pistes d'exploitation

PROBLÈME À RÉSOUDRE ► Quelles sont les données scientifiques à l'origine du rejet de la théorie de la dérive des continents ?

Doc. 1 Quel renseignement sur l'état physique des couches du globe terrestre en profondeur apporte cette étude ? En quoi ce résultat semble-t-il s'opposer aux idées de Wegener ?

Doc. 2 Indiquez la critique majeure faite à Wegener par les scientifiques de son époque.

Doc. 3 Expliquez en quoi le modèle de Holmes, proche du modèle actuel, est lui aussi rejeté.

Lexique, p. 354

La découverte de discontinuités à l'intérieur du globe

À l'époque de Wegener, les scientifiques cherchent à mieux connaître la structure interne de la Terre. Ils utilisent pour cela les propriétés des ondes sismiques. *Il s'agit de comprendre ici comment ces ondes ont permis d'ausculter l'intérieur du globe terrestre.*

A Mise en évidence de discontinuités profondes

En première approximation, on peut considérer que les ondes sismiques se propagent dans les roches comme les ondes lumineuses dans les milieux transparents. L'énergie se dissipe le long de trajectoires, les rais sismiques. Lorsqu'une onde sismique atteint une surface de discontinuité, c'est-à-dire une frontière entre deux milieux dans lesquels les vitesses de propagation des ondes (V1 et V2) sont différentes, elle se réfléchit et éventuellement se réfracte comme le ferait une onde lumineuse.

■ **MONTAGE EXPÉRIMENTAL**

Deux cristallisoirs l'un dans l'autre (ici, vus de dessus) :
– **milieu 1** (grand cristallisoir) : air enfumé ;
– **milieu 2** (petit cristallisoir) : solution saturée de saccharose teintée à la fluorescéine.

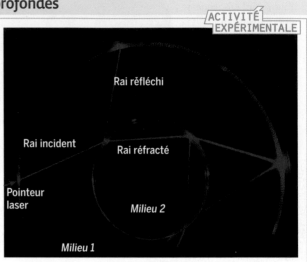

Doc. 1 Un modèle simple pour comprendre la trajectoire des ondes sismiques.

Les *deux modélisations ci-contre* correspondent à la trajectoire des ondes P.

• **Modélisation 1 :** Gutenberg avait mis en évidence une zone « d'ombre sismique » des ondes P entre 105° et 143° de distance angulaire à l'épicentre. Il en avait déduit une discontinuité majeure, c'est-à-dire une surface séparant deux milieux aux vitesses de propagation très différentes, à 2 900 km de profondeur. Pour la modélisation, il faut donc placer une telle discontinuité à cette profondeur. Cette discontinuité, appelée **discontinuité de Gutenberg**, représente la limite entre le manteau et le noyau.

• **Modélisation 2 :** En 1936, Inge Lehmann, sismologue danoise, découvre que la zone d'ombre sismique n'est pas entièrement muette : on y observe en fait l'arrivée d'ondes P tardives que Lehmann explique par une autre discontinuité au sein du noyau qui réfléchit en partie les ondes P. Cette discontinuité, située à environ 5 100 km de profondeur et aujourd'hui appelée **discontinuité de Lehmann**, représente la limite entre le noyau et sa graine centrale.

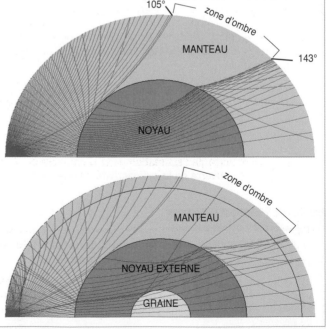

Doc. 2 Modélisation des deux discontinuités profondes du globe à l'aide du logiciel Sismolog (Éd. Chrysis).

B Mise en évidence d'une discontinuité superficielle

En 1909, à la suite d'un séisme au sud de Zagreb, Mohorovicic, géophysicien croate, fait une observation étonnante. En comparant les enregistrements réalisés dans différentes stations, il constate qu'à partir d'une certaine distance du foyer, deux trains d'ondes P se succèdent, l'un des deux arrivant plus tôt que la vitesse moyenne des ondes P dans la croûte ne le laisserait prévoir.

Il en déduit que les deux trains d'ondes ont suivi des trajets différents : certaines ondes ont suivi un trajet direct (ondes Pg), à vitesse à peu près constante, alors que d'autres, en s'enfonçant dans la croûte, ont atteint un milieu différent où elles ont été accélérées, avant de regagner la surface (ondes Pn). Elles ont ainsi pu arriver avant les ondes directes.

Doc. 3 Les observations et les déductions de Mohorovicic.

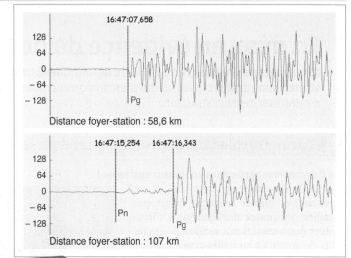

Distance foyer-station : 58,6 km

Distance foyer-station : 107 km

Doc. 4 L'observation des ondes Pn (séisme du 08/09/1995 à 16:46:57,2 dans l'Isère, banque Sismolog).

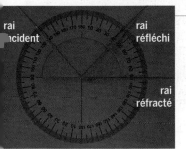

Modélisation de l'incidence limite

Pourquoi les ondes Pn arrivent-elles avant les ondes Pg ?

Lorsqu'une onde P arrive au niveau de la discontinuité pressentie par Mohorovicic avec un certain angle d'incidence, dit incidence limite, l'angle de réfraction est de 90° : l'onde réfractée se propage dans le milieu « à conduction rapide » parallèlement à la discontinuité. Cette onde réfractée engendre tout le long de sa trajectoire des ondes Pn vers la surface. À partir d'une certaine distance de l'épicentre, les ondes Pn, qui ont parcouru une distance plus grande que les ondes Pg directes, arrivent pourtant avant celles-ci. C'est donc qu'elles ont été accélérées en profondeur.

Des calculs précis ont permis à Mohorovicic d'établir que ce milieu qui accélère les ondes P se situe, sous la Croatie, à une profondeur de l'ordre de 54 km. Ce milieu est le manteau terrestre, séparé de la croûte par une surface de discontinuité connue depuis sous le nom de **discontinuité de Mohorovicic**, ou plus simplement « Moho ».

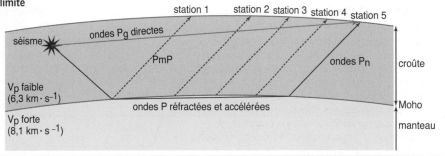

Doc. 5 Le principe de l'estimation de la profondeur du Moho.

Pistes d'exploitation

PROBLÈME À RÉSOUDRE ► Comment les ondes sismiques ont-elles permis de construire un modèle de la structure interne de la Terre ?

Doc. 1 Expliquez l'analogie entre les ondes sismiques et les ondes lumineuses.

Doc. 2 Indiquez les enseignements concernant la structure interne du globe que l'on peut tirer des trajectoires des ondes sismiques.

Doc. 3 et 4 Expliquez comment Mohorovicic a mis en évidence la séparation entre la croûte terrestre et le manteau.

Lexique, p. 354

Activités pratiques 4

La mise en évidence de deux types de croûtes

Les données sismiques ont permis de définir une discontinuité importante séparant croûte terrestre et manteau. *L'objectif est ici de montrer comment les techniques actuelles permettent de valider et de préciser cette distinction.*

A La propagation des ondes sismiques dans les roches

• Des mesures réalisables en travaux pratiques

À l'aide du *montage ci-contre*, il est possible d'estimer la vitesse de propagation des ondes sismiques dans différents matériaux. Sur une barre de roche (ici du granite) sont collés deux capteurs, distants de 70 cm et reliés à un ordinateur. Le coup de marteau à une extrémité de la barre est à l'origine d'ondes qui se propagent dans la roche. Ces ondes sont enregistrées par les deux capteurs avec un intervalle de temps qui permet, à l'aide du logiciel Audacity, d'en déduire la vitesse de propagation. Les différences de vitesses de propagation d'ondes entre le granite et le basalte ne sont pas significatives à l'aide de ce montage.

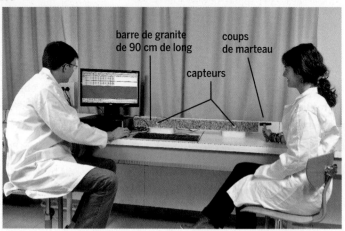

barre de granite de 90 cm de long
coups de marteau
capteurs

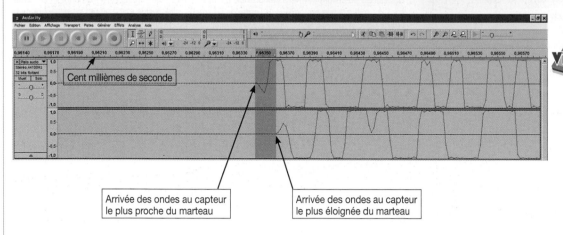

Cent millièmes de seconde

Arrivée des ondes au capteur le plus proche du marteau

Arrivée des ondes au capteur le plus éloignée du marteau

• Des mesures réalisées par les géophysiciens

Les différentes roches de la croûte et du manteau ne conduisent pas les ondes sismiques aux mêmes vitesses. En simplifiant beaucoup, on peut considérer que la composition pétrographique de la partie externe solide du globe (lithosphère) est la suivante :
– croûte continentale : granite ;
– croûte océanique : basalte et gabbro ;
– manteau : péridotite.

	Granite	Basalte	Gabbro	Péridotite
Vitesse (en km·s⁻¹)	6,25	6,75	7,25	7,75

Doc. 1 **Une estimation de la vitesse de propagation des ondes dans différents matériaux à l'aide d'un modèle.**

B La distinction de deux types de croûtes grâce à la sismique

La sismique est une technique de mesure indirecte qui consiste à enregistrer en surface des échos issus de la propagation dans le sous-sol d'une onde sismique provoquée. Pour créer des ondes, on utilise des canons à air comprimé en mer ou des camions vibreurs à terre. Lorsque les ondes incidentes arrivent sur la limite entre deux couches de nature différente, elles sont en partie réfléchies par cette interface : on parle de **sismique réflexion**.

Les temps d'arrivée et l'amplitude des échos permettent de situer la position de cette interface dans le sous-sol et apportent des informations sur la vitesse de propagation des ondes dans les milieux traversés.

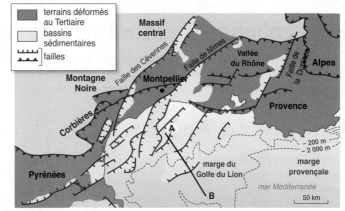

Carte géologique simplifiée du Golfe du Lion

• **Profil de sismique réflexion et vitesse des ondes au niveau du Golfe du Lion (selon AB)**

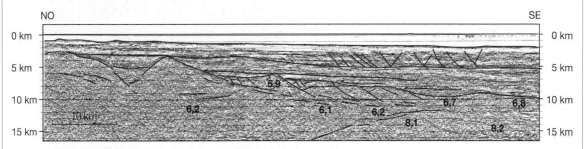

Les failles et les limites principales des couches ont été repérées (traits rouges).
Les vitesses des ondes P (en km/s) sont précisées (données Ifremer).

• **Interprétation du profil : croquis des structures géologiques détectées**

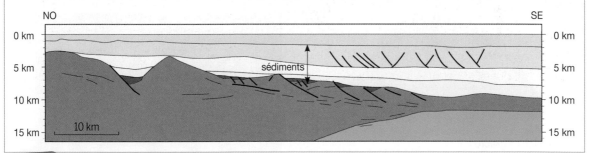

Doc. 2 L'interprétation des profils de sismique réflexion permet de visualiser les deux types de croûtes.

Pistes d'exploitation

PROBLÈME À RÉSOUDRE ► Comment l'étude des variations de la vitesse des ondes sismiques permet-elle de distinguer deux types de croûtes terrestres ?

Doc. 1 Quel paramètre influant sur la vitesse de propagation des ondes sismiques est ici mis en évidence ?

Doc. 1 et 2 Montrez que les ondes sismiques permettent de distinguer différentes couches au niveau de la marge du Golfe du Lion.

Lexique, p. 354

Les roches de la « Terre solide »

Les études sismiques ont permis de mettre en évidence des différences entre croûte océanique et croûte continentale, les deux reposant sur le manteau. *On cherche ici à caractériser plus précisément les différentes roches constituant ces structures du globe terrestre.*

Animati

A Les roches de la croûte océanique

a

Échantillon de basalte

LE BASALTE

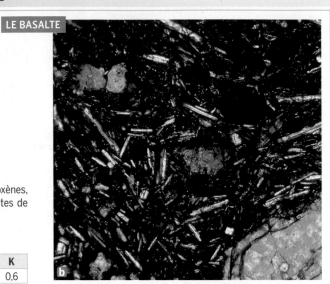

CARTE D'IDENTITÉ

- Roche volcanique
- *Composition minéralogique :* **phénocristaux** de pyroxènes, éventuellement d'olivines et de feldspaths, microlites de feldspaths et de pyroxènes
- *Densité :* 2,9
- *Principaux éléments chimiques (en %) :*

O	Si	Al	Fe	Mg	Ca	Na	K
43,5	23,7	7,4	8,3	3,8	7,4	1,6	0,6

b

Lame mince de basalte observée en lumière polarisée analysée

Doc. 1 **Une roche de la croûte océanique : le basalte.**

a

Échantillon de gabbro

LE GABBRO

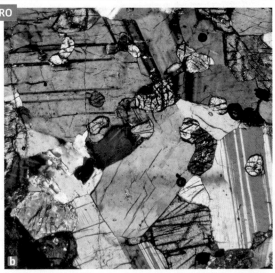

CARTE D'IDENTITÉ

- **Roche plutonique**
- *Composition minéralogique :* pyroxènes, feldspaths, éventuellement olivines
- *Densité :* 3
- *Principaux éléments chimiques (en %) :*

O	Si	Al	Fe	Mg	Ca	Na	K
43,5	23,7	7,4	8,3	3,8	7,4	1,6	0,6

b

Lame mince de gabbro observée en lumière polarisée analysée

Doc. 2 **Une seconde roche de la croûte océanique : le gabbro.**

B Les roches de la croûte continentale et du manteau

LE GRANITE

a
Échantillon
de granite

b
Lame mince de granite observée en lumière polarisée analysée

CARTE D'IDENTITÉ
- Roche magmatique plutonique
- *Composition minéralogique* : quartz et feldspaths (80 %), micas, éventuellement amphiboles
- *Densité* : 2,7
- *Principaux éléments chimiques (en %)* :

O	Si	Al	Fe	Mg	Ca	Na	K
47,4	32,6	7,6	2,2	0,5	1,4	2,4	4,1

Doc. 3 **La roche principale de la croûte continentale : le granite.**

LA PÉRIDOTITE

a
Échantillon
de péridotite

b
Lame mince de péridotite observée en lumière polarisée analysée

CARTE D'IDENTITÉ
- Roche magmatique
- *Composition minéralogique* : essentiellement olivines et pyroxènes
- *Densité* : 3,2
- *Principaux éléments chimiques (en %)* :

O	Si	Al	Fe	Mg	Ca	Na	K
42,7	20,3	2,1	9,4	20,5	2,4	0,4	0,2

Doc. 4 **La roche du manteau : la péridotite.**

Pistes d'exploitation

PROBLÈME À RÉSOUDRE ► Quelles sont les caractéristiques des roches constitutives de la croûte et du manteau terrestres ?

Doc. 1 et 3 Réalisez un schéma interprétatif des lames minces de basalte et de granite que vous légenderez à l'aide des pages 344 et 345.

Doc. 1 à 3 En quoi les deux types de croûte se distinguent-ils, du point de vue minéralogique ?

Doc. 1 à 4 Wegener affirmait que « les continents, constitués de SIAL, riche en silice et en aluminium, reposent sur un substratum de SIMA, riche en silice et magnésium plus dense qui affleure directement au niveau des océans ». À la lumière des données présentées ici, commentez cette affirmation.

Lexique, p. 354

chapitre 1 — La naissance d'une théorie : la dérive des continents

1 L'idée d'une mobilité horizontale des continents

■ La naissance de l'idée

● Au début du XXe siècle, Wegener, scientifique allemand, tente de faire la synthèse de nombreuses observations troublantes. Des indices variés suggèrent en effet que des continents actuellement éloignés auraient pu être jointifs dans le passé :
– correspondance de forme des côtes occidentale et orientale de l'océan Atlantique ;
– présence des mêmes fossiles, datés de l'ère Primaire, en Amérique du Sud et en Afrique ;
– existence de traces de glaciations de même âge en Amérique du Sud, en Afrique, en Australie.

Par ailleurs, l'étude statistique des altitudes terrestres révèle l'existence de deux maxima : + 100 mètres (altitude moyenne des continents) et – 4 500 mètres (altitude moyenne des plaines abyssales). Cette donnée n'est pas compatible avec celle, communément admise à l'époque, de reliefs liés à des effondrements ou à des soulèvements aléatoires de la croûte terrestre (auquel cas la courbe devrait présenter un seul maximum).

● Wegener pense que la croûte terrestre est constituée de deux ensembles distincts : une couche légère faite de granite (croûte continentale) et une couche plus dense faite de basalte (croûte océanique). Il va plus loin et propose la théorie de la dérive des continents : un super continent, la Pangée, se serait fragmenté au début de l'ère Secondaire et, depuis cette date, les masses continentales issues de cette fragmentation dériveraient à la surface de la Terre.

Cette idée révolutionnaire est rejetée par la majorité des scientifiques de l'époque qui estiment notamment qu'aucun moteur capable de déplacer les masses continentales ne peut être proposé.

■ La convection mantellique, moteur de la dérive des continents ?

La radioactivité a été découverte à la fin du XIXe siècle. La présence dans les roches d'éléments radioactifs comme l'uranium est connue. Holmes, géologue britannique qui est un des rares partisans de la théorie de Wegener, est ainsi amené à proposer un moteur aux déplacements des continents. Selon lui, le manteau terrestre serait animé de courants de convection très lents ayant pour origine la chaleur libérée par la désintégration des éléments radioactifs. Ces courants entraîneraient la croûte terrestre à se déplacer horizontalement en surface.

2 Les premières études sismiques à l'origine du rejet de la théorie

■ Des ondes qui peuvent traverser le globe

Un séisme correspond à la rupture de roches soumises à des tensions. L'énergie brutalement libérée est alors transportée sur de très grandes distances par des ondes sismiques émises dans toutes les directions à partir du foyer :
– les **ondes P** (premières), les plus rapides, se propagent dans les solides et les fluides ;
– les **ondes S** (secondes), plus lentes, ne peuvent se propager que dans les solides ;
– les **ondes de surface**, les moins rapides, se propagent seulement dans les couches superficielles du globe.

Par analogie avec les rayons lumineux, on parle de **rais sismiques** pour désigner les trajectoires suivies par les vibrations sismiques. Lorsqu'une onde sismique atteint l'interface entre deux milieux à vitesse de propagation différente, elle est d'une part **réfractée** (en changeant de milieu, sa trajectoire est déviée), d'autre part **réfléchie** (dans le même milieu). L'interface entre ces deux milieux constitue une surface de **discontinuité**. Les ondes P et S, qui traversent le globe terrestre, fournissent donc des informations sur les caractéristiques des milieux traversés d'une part, sur la position des surfaces de discontinuité d'autre part.

■ Des données sismologiques qui révèlent une « Terre solide »

Au début du XXe siècle, **Gutenberg** remarque que, pour chaque séisme, il existe une large zone du globe où les stations d'enregistrement ne reçoivent pas « normalement » les ondes sismiques : c'est la **zone d'ombre** s'étendant entre 105° et 143° de distance angulaire à l'épicentre (soit de 11 500 à 14 500 km environ). Elle révèle l'existence d'un « obstacle » à une profondeur estimée à 2 900 km. De plus, si la vitesse des ondes P augmente avec la profondeur jusqu'à 2 900 km, au-delà, cette vitesse diminue brutalement. Cette **discontinuité** marque la **limite entre le manteau profond et le noyau terrestre**. Les ondes S ne traversent pas cette discontinuité.

Gutenberg déduit de toutes ces données que la **Terre interne est solide** jusqu'à cette discontinuité (qui porte aujourd'hui son nom). Quant au noyau terrestre, il se comporte comme un liquide, au moins dans sa partie externe.

Plus tard, Lehmann mettra en évidence une autre discontinuité au sein du noyau ; située à environ 5 100 km de profondeur, elle représente la **limite de la graine centrale du noyau**.

Jeffreys, géophysicien britannique adversaire de la théorie de Wegener, utilise ces données pour attaquer le point faible de la théorie : le moteur de la dérive des continents. En effet, la quasi-totalité de la Terre étant solide, Jeffreys démontre que la **Terre est beaucoup trop résistante** pour être déformée par les forces invoquées par Wegener. L'idée d'une mobilité horizontale des continents est alors rejetée par l'ensemble de la communauté scientifique.

3 Une connaissance de plus en plus précise de la croûte terrestre

À partir de la distribution bimodale des altitudes terrestres, Wegener avait supposé que la croûte terrestre était constituée de deux croûtes bien distinctes : une croûte continentale « légère » et une croûte océanique « plus dense ». Il est actuellement possible de préciser cette distinction.

■ L'étude sismique de la croûte terrestre

● En 1909, suite au séisme de Zagreb, **Mohorovicic** remarque que les stations proches de l'épicentre (quelques centaines de kilomètres) reçoivent des ondes directes mais aussi de nombreux échos rapprochés de ces ondes. Il les interprète comme le résultat de réflexions des ondes sur une surface de discontinuité peu profonde (appelée aujourd'hui le **Moho**). Elle marque la limite sismique entre la croûte terrestre (océanique ou continentale) et le manteau. Sa profondeur est variable : 7 à 12 km sous les océans, 30 à 40 km sous les continents (et jusqu'à 70 km sous les chaînes de montagnes).

● À partir des techniques de **sismique réflexion**, qui consistent à émettre des ondes sismiques dans le sous-sol et à étudier les échos recueillis, il est possible de localiser des interfaces sismiques d'une part, de mesurer la **vitesse de propagation des ondes** dans les milieux traversés d'autre part.

La vitesse des ondes P, par exemple, est de l'ordre de $6\,km \cdot s^{-1}$ dans la croûte continentale, entre $6,5$ et $7\,km \cdot s^{-1}$ au sein de la croûte océanique ; dans le manteau sous-jacent, elle dépasse $8\,km \cdot s^{-1}$. Il est donc désormais possible de distinguer précisément croûte continentale, croûte océanique et manteau supérieur.

■ L'étude des roches de la « Terre solide »
● Les roches de la croûte océanique
La croûte océanique est essentiellement formée de **basaltes** et de **gabbros**.

Un basalte est une roche microlitique : noyés dans un **verre** se trouvent des microcristaux (ou **microlites**) de plagioclases et de pyroxènes ainsi que de gros cristaux (**phénocristaux**) de pyroxènes, éventuellement d'olivine et de feldspaths. Les éléments chimiques majoritaires sont : O, Si, Fe, Al.

Le plancher basaltique surmonte d'autres roches plus profondes, les **gabbros**. Ce sont des roches grenues (totalement cristallisées) de même composition chimique que les basaltes. Les minéraux qui les constituent sont les mêmes.

● Les roches de la croûte continentale
Les roches continentales qui affleurent à la surface du sol sont très variées, mais les roches les plus banales que l'on récolte sur les affleurements de roches profondes sont des **granites**. Un granite est une roche grenue composée essentiellement de feldspaths et de quartz et accessoirement de micas et d'amphiboles. Les éléments chimiques majoritaires sont : O, Si, Al, K.

● Les roches du manteau supérieur
La composition du manteau est connue dans ses grandes lignes même si ces roches sont généralement inaccessibles ; on dispose tout de même d'échantillons du manteau remontés par le magma par exemple. Le manteau supérieur est formé de **péridotites**, roches grenues essentiellement constituées de minéraux ferromagnésiens : péridots, olivines et pyroxènes. Les éléments chimiques majoritaires sont : O, Si, Mg, Fe.

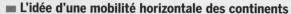

À RETENIR

■ L'idée d'une mobilité horizontale des continents

Au début du XXᵉ siècle, **Wegener** propose la théorie de la **dérive des continents** : des observations issues de différents domaines de la géologie montrent, d'après lui, que des continents autrefois réunis sont aujourd'hui séparés par des océans.

Par ailleurs, il interprète la répartition bimodale des altitudes terrestres par l'existence d'une **croûte continentale légère surmontant une croûte plus dense**, cette dernière étant seule présente au niveau des océans.

Un des rares défenseurs de Wegener, Holmes, suggère que des **courants de convection** dans le manteau terrestre seraient le « **moteur** » de la mobilité horizontale des continents ; leur existence serait la conséquence de la chaleur libérée par la désintégration des éléments radioactifs.

■ Les premières études sismiques à l'origine du rejet de la théorie

Parmi les ondes produites par un séisme, les **ondes** de volume P et S permettent d'**ausculter** l'intérieur du globe terrestre. Leur étude permet d'avoir une idée de la nature, solide ou liquide, des milieux traversés ; elle permet aussi de détecter la présence de discontinuités. Plusieurs **discontinuités** importantes ont ainsi été mises en évidence :

– une discontinuité superficielle entre la croûte et le manteau, le **Moho** ;

– des discontinuités plus profondes, notamment la **discontinuité de Gutenberg** (située à – 2 900 km) séparant le noyau du manteau terrestre.

Ces études montrent que la Terre est solide jusqu'à une grande profondeur. L'idée de déplacements horizontaux importants des continents est donc rejetée par la communauté scientifique.

■ Une connaissance de plus en plus précise de la croûte terrestre

Les techniques actuelles de sismologie permettent une étude fine de la vitesse de propagation des ondes sismiques dans la croûte terrestre ; on peut, sur ce critère, distinguer **croûte continentale**, **croûte océanique** et manteau sous-jacent.

Ces trois ensembles diffèrent également par la nature des roches qui les constituent : le **granite** est la roche représentative de la croûte continentale, **basalte** et **gabbro** forment la croûte océanique et la **péridotite** est la roche du manteau.

Ces données sont en accord avec la distribution bimodale des altitudes terrestres déjà notée par Wegener. Toutefois, les relations entre croûte continentale, croûte océanique et manteau supérieur sont désormais connues avec beaucoup plus de précision.

Mots-clés

- Dérive des continents
- Convection du manteau terrestre
- Terre « solide »
- Discontinuité
- Croûte continentale
- Croûte océanique
- Granite, basalte, péridotite

Capacités et attitudes

▶ Comprendre pourquoi l'idée de Wegener concernant la dérive des continents n'a pas été acceptée par la communauté scientifique de son époque.

▶ Réaliser et exploiter des modèles analogiques et numériques.

▶ Observer des échantillons de roches de la croûte terrestre et du manteau à l'échelle macroscopique et microscopique.

▶ Comprendre comment les techniques plus récentes ont permis de préciser les caractéristiques de la croûte terrestre

Animation

Une hypothèse ancienne longtemps rejetée par la communauté scientifique

1 Des continents dérivant à la surface du globe ?

Fin de l'ère Primaire
(– 250 Ma)

Actuel

→ **1912, Wegener**
Hypothèse de la dérive des continents.

→ **1923, Gutenberg**
La Terre est solide jusqu'à une très grande profondeur, la dérive des continents paraît donc impossible.

→ **1929, Holmes**
Des mouvements de convection dans le manteau chaud seraient à l'origine de la mobilité continentale.

2 Des études sismiques à l'origine d'un rejet de cette théorie

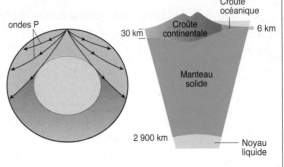

ondes P

30 km

Croûte
continentale

Croûte
océanique

= 6 km

Manteau
solide

2 900 km

Noyau
liquide

3 Une tentative intéressante d'explication

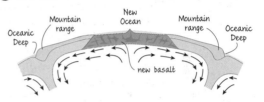

Oceanic
Deep

Mountain
range

New
Ocean

Mountain
range

Oceanic
Deep

new basalt

Une donnée importante, utilisée par Wegener, est éclairée par les connaissances actuelles

• **Wegener : une distribution bimodale des altitudes terrestres**

fréquence
(en %)

5

4

3

2

1

0

courbe théorique

courbe observée

+ 100 m

– 4 500 m

altitudes

• **Les connaissances actuelles permettent de comprendre cette donnée**

→ **Les études pétrologiques** permettent de définir les roches caractéristiques de la croûte continentale, de la croûte océanique et du manteau.

→ **Les études sismiques** montrent une relation entre densité des roches et vitesse de propagation des ondes sismiques.

Altitude moyenne de la surface
continentale : + 100 m

Altitude moyenne des fonds
océaniques : – 4 500 m

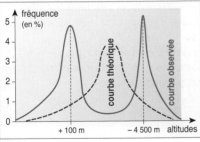

Croûte
continentale

Granite

30 km

MOHO

6 km

Croûte
océanique

Manteau

Basalte
et Gabbro

Péridotite

Découvrir un modèle plus précis de la structure du manteau terrestre

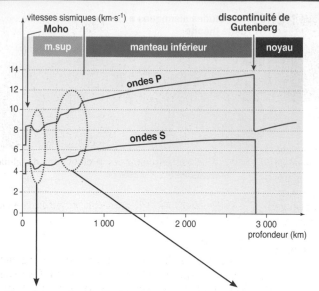

L'étude des variations de vitesse des ondes sismiques P et S a permis de modéliser la structure interne de la Terre. Le *modèle PREM ci-contre* (Preliminary Reference Earth Model) correspond à une Terre découpée en enveloppes sphériques, séparées les unes des autres par des discontinuités ; celles-ci sont repérées par des variations brutales de la vitesse des ondes sismiques. Nous nous intéresserons, ici, au manteau terrestre afin d'en préciser la structure.

● Un « glissoir » à la base des plaques : la LVZ

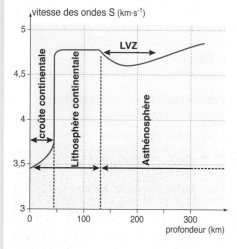

● Des discontinuités plus profondes dans le manteau

L'analyse des variations de vitesse des ondes sismiques montre un net ralentissement des ondes P et S entre 120 et 240 km de profondeur environ. Cette zone, appelée **LVZ** (Low Velocity Zone), marque la limite inférieure de la lithosphère rigide ; elle est interprétée comme une région où le manteau devient **ductile**, c'est-à-dire plus déformable. La lithosphère peut donc se désolidariser du manteau sous-jacent à nouveau rigide. La LVZ permet ainsi des déplacements relatifs de quelques centimètres par an.

L'**olivine** (*photographie ci-dessus*) est un silicate de fer et de magnésium caractéristique des **péridotites**.

Lorsqu'elle est soumise à des pressions et des températures croissantes, sa structure cristalline subit des réarrangements qui conduisent à des formes de plus en plus denses.

Ces « changements de phase » de l'olivine correspondent aux profondeurs auxquelles se repèrent des variations de vitesse des ondes sismiques (graphe du haut).

Par exemple, à 660 km, l'olivine acquiert une structure particulièrement compacte (nommée pérovskite par les spécialistes). C'est à ce niveau que l'on situe la discontinuité séparant le **manteau supérieur** du **manteau inférieur**.

... mieux connaître des métiers et des formations

Un métier lié à l'étude de la Terre interne

Vos goûts et vos points forts
- Aimer les sciences et l'informatique
- Aimer le travail sur le terrain
- Participer à des recherches en équipe

Géophysicien
C'est ausculter les profondeurs du globe terrestre.

Les domaines d'activités potentiels

Le travail d'un géophysicien se répartit entre l'étude au laboratoire et les missions sur le terrain. Il peut travailler dans différents domaines de la géologie fondamentale (gravimétrie, sismologie, géomagnétisme). En géologie appliquée, il peut évaluer les qualités d'un terrain avant une construction industrielle (génie civil) ou pour un site de stockage. Dans la prospection pétrolière ou minière, il aide le géologue en effectuant diverses mesures sur les couches géologiques profondes, ce qui permet d'en comprendre la disposition.

Pour y parvenir

Après un bac S, cinq années d'études sont nécessaires. La formation se fait en école d'ingénieurs (l'École des mines ou l'École Nationale Supérieure de Géologie de Nancy, par exemple), ou à l'Université (master spécialité géophysique à l'Institut de Physique du Globe de Paris ou master pro géosciences et environnement à Poitiers).

Les débouchés

Dans la recherche, l'emploi se situe au sein de grands établissements : CNRS (Centre National de la Recherche Scientifique) ou BRGM (Bureau de Recherches Géologiques et Minières) par exemple. Cependant, les principaux débouchés se situent dans l'activité pétrolière avec un recrutement de quelques géophysiciens chaque année par une quarantaine d'entreprises.

... mieux comprendre l'histoire des sciences

La structure interne du globe... vue par Jules Verne

- En 1864, Jules Verne publie son roman *Voyage au centre de la Terre*. Il y relate les aventures de trois personnages, le savant Lidenbrock, son neveu Axel et leur guide islandais Hans. Sur la foi d'un ancien manuscrit qui prétend qu'un voyage au centre de la Terre a été réalisé jadis, ils s'enfoncent dans les entrailles de la Terre en empruntant la cheminée du Sneffels, un volcan islandais éteint. Au cours de ce voyage, les héros finissent par atteindre, à environ 120 km sous terre, une caverne gigantesque où des formes de vie préhistoriques (dinosaures par exemple) subsistent. Après bien des péripéties, ils finissent par ressortir à l'air libre, éjectés par le volcan italien Stromboli.

- Si d'inévitables invraisemblances émaillent ce récit que Jules Verne lui-même qualifiait d'extraordinaire, le roman donne une idée assez bonne des conceptions de l'époque concernant l'intérieur de la planète. Pour certains géologues, le centre de la Terre contient une boule de gaz incandescent sous pression, théorie défendue par Axel dans le roman : « ... *il existe au centre une température qui dépasse deux cent mille degrés* ». D'autres soupçonnent déjà l'existence de plusieurs enveloppes formées de divers matériaux, idée défendue par Lidenbrock.

- Il a fallu attendre les progrès de la sismologie pour avoir une idée plus précise des structures et des températures régnant dans les profondeurs de la Terre. On pense actuellement que la température du noyau terrestre est de l'ordre de 6 000 °C.

Exercices

1 Définissez les mots ou expressions

Dérive des continents, Pangée, ondes sismiques de volume, discontinuité de Gutenberg, « Terre solide », sismique réflexion.

2 Questions à choix multiples

Choisissez la ou les bonnes réponses parmi les différentes propositions.

1. La théorie de Wegener :
a. est fondée sur des arguments issus de diverses disciplines ;
b. est acceptée par la majorité de la communauté scientifique de l'époque ;
c. est rejetée par Holmes.

2. La discontinuité de Mohorovicic :
a. est située entre la croûte et le manteau ;
b. est située entre le manteau et le noyau ;
c. est située entre 7 et 70 km de profondeur.

3. La péridotite :
a. est la roche principale de la croûte terrestre ;
b. est la roche principale du manteau terrestre ;
c. est constituée principalement de quartz.

3 Vrai ou faux ?

Repérez les affirmations exactes et corrigez celles qui sont inexactes.

a. Au début du XXe siècle, la dérive des continents est une théorie admise depuis l'Antiquité.
b. La découverte de la radioactivité à la fin du XIXe siècle a permis à Holmes d'émettre l'idée qu'une convection dans le manteau existait.

c. La sismologie a permis d'imaginer une Terre interne entièrement solide.
d. La croûte océanique est située sous la croûte continentale.
e. Le granite est la roche principale de la croûte continentale.

4 Annotez un modèle de la Terre interne

Placez sur le schéma les discontinuités et les enveloppes terrestres représentées.

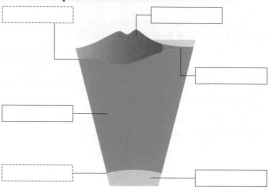

5 Restitution organisée des connaissances

1. La dérive des continents
Résumez les principaux arguments sur lesquels s'est appuyé Wegener pour émettre son hypothèse sur la dérive des continents.

2. Les deux types de croûtes terrestres
Expliquez comment la propagation des ondes sismiques d'une part, la nature des roches d'autre part permettent de distinguer deux types de croûtes terrestres.

6 La vitesse des ondes sismiques Exploiter un graphique, raisonner

Pour un séisme donné, enregistré par des stations plus ou moins lointaines, on détermine le temps mis par les ondes pour atteindre ces stations. Les ondes P et S sont des ondes qui pénètrent à l'intérieur du globe d'autant plus profondément que la station est éloignée de l'épicentre. Les ondes de surface se propagent dans la croûte terrestre uniquement.
Le *graphique ci-contre* présente les résultats obtenus.

Choisissez, parmi les différentes propositions, celles qui vous paraissent exactes :
a. La vitesse moyenne des ondes P et S augmente avec la profondeur.
b. Les ondes S ralentissent avec la profondeur.
c. Les ondes P sont plus rapides que les ondes S.
d. Les ondes de surface ont une vitesse moyenne à peu près constante.
e. Les ondes de surface sont les plus rapides.

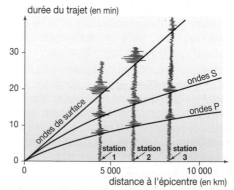

Temps mis par les ondes sismiques pour atteindre différentes stations.

7 La profondeur du Moho sous les Alpes

Extraire et organiser des informations, raisonner

De nombreux sismographes sont installés dans les Alpes ou sur leur pourtour. Ils enregistrent chaque année de nombreux séismes de faible magnitude qui surviennent dans cette région.

Sur certains enregistrements, on observe la présence de deux trains d'ondes P : des ondes directes, notées Pg, et un deuxième train d'ondes, noté PmP, qui atteint la station avec un retard δt (voir document 5, page 95).

La vitesse moyenne de propagation des ondes dans la croûte terrestre est V = 6,3 km·s⁻¹.

1. Représentez, sous forme d'un schéma, le trajet suivi par les ondes Pg et PmP à partir du foyer.

2. En utilisant les données, déterminez la profondeur du Moho à partir de chaque séisme (à l'aide d'un tableur ou une calculatrice programmable, entrez la formule permettant d'estimer une hauteur H).

3. Comparez les résultats avec la valeur moyenne de l'épaisseur de la croûte continentale.

Document 1 : Sismogramme du séisme 1 (Isère) enregistré à La Clusaz (station OG04).

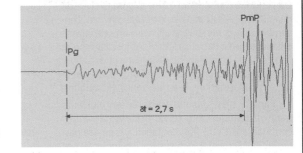

Document 3 : Des données issues du logiciel Sismolog.
● : épicentre ; ▽ : station.

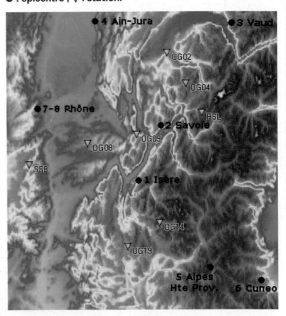

Document 2 : Tableau des données obtenues pour sept autres séismes dont les épicentres sont localisés sur la carte.

Séismes	Stations	Δ	h	δt
2	OG02	63,3 km	11 km	3,00 s
3	RSL	82,0 km	11 km	4,12 s
4	OG09	104,9 km	16 km	0,91 s
5	OG19	81,2 km	10 km	3,69 s
6	OG14	107,1 km	7 km	3,44 s
7	SSB	49,7 km	10 km	2,33 s
8	OG08	55,7 km	10 km	1,48 s

Δ : distance épicentre-station

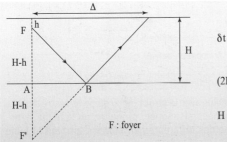

Document 4 : Représentation géométrique et formules permettant d'estimer une hauteur H.

$$\delta t = \frac{\sqrt{(2H-h)^2 + \Delta^2}}{V} - \frac{\sqrt{h^2 + \Delta^2}}{V}$$

$$(2H-h)^2 = \left(V \times \delta t + \sqrt{h^2 + \Delta^2}\right)^2 - \Delta^2$$

$$H = \frac{1}{2}\left[h + \sqrt{\left(V \times \delta t + \sqrt{h^2 + \Delta^2}\right)^2 - \Delta^2}\right]$$

F : foyer

8 Dérive des continents et biodiversité · Extraire et mettre en relation des informations

De l'époque Carbonifère jusqu'au Jurassique, soit de − 350 à − 200 millions d'années environ, l'ensemble des continents était réuni en une masse unique, appelée Pangée. L'étude des fossiles montre une certaine homogénéité de la faune et de la flore terrestres qui vivaient sur cette Pangée, avec seulement des variations liées aux zones climatiques.

La Pangée s'est ensuite fracturée en plusieurs masses continentales suivie d'une « dérive des continents ». Cette fragmentation a créé des barrières difficilement franchissables, isolant les faunes et les flores sur divers continents.

Lorsque deux populations d'une même espèce se trouvent séparées, elles évoluent indépendamment l'une de l'autre et de nouvelles espèces peuvent ainsi apparaître (vu en classe de Seconde). Sur un plan théorique, on peut admettre que la division d'une masse continentale portant n groupes zoologiques ou botaniques en deux continents isolés aura pour conséquence, à long terme, l'apparition de $2n$ groupes.

Montrez, à l'aide du texte et du graphique, qu'il est possible de mettre en relation la dérive des continents et l'évolution de la biodiversité.

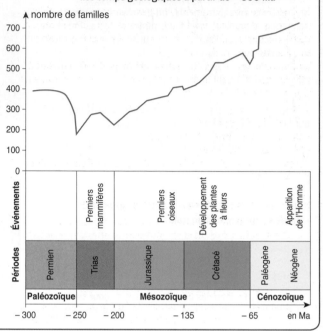

Variations du nombre de familles animales au cours des temps géologiques à partir de − 300 Ma

9 La structure de la Lune interne · Extraire et organiser des informations

Lors des missions Apollo sur la Lune, des expériences de sismique ont permis de construire le modèle de propagation des ondes P et S pour les 1 000 premiers kilomètres (le rayon moyen de la Lune étant de 1738 km). Au-dessous de 1 000 km, on constate un ralentissement des ondes S.

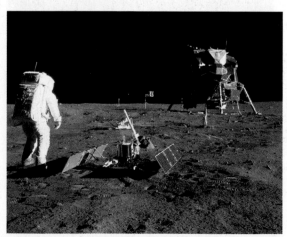

Mission Apollo 11 (1969). En avant-plan, Aldrin et le sismographe Alsep.

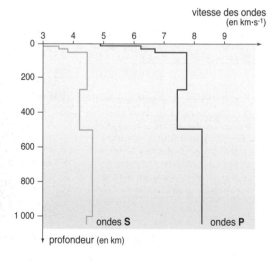

Par analogie avec la structure du globe terrestre déduite des données sismiques, proposez un schéma hypothétique des différentes enveloppes formant la Lune interne.

Utiliser ses capacités expérimentales

10 Une roche énigmatique à la surface de la Terre

Utiliser un microscope polarisant, raisonner, communiquer

■ Problème à résoudre

Dans les Pyrénées, autour de l'étang de Lerz (en Ariège), affleure une roche de couleur rouille qui présente des caractéristiques bien particulières. L'étude de cette roche a surpris les géologues quant à son origine.

Quelles sont les caractéristiques minéralogique et chimique de cette roche ? En quoi la présence de cette roche, en surface de la Terre, est-elle surprenante ?

■ Matériel disponible

– Roche et lame mince de lherzolite.
– Microscope polarisant.
– Fiche de reconnaissance des minéraux (voir **Guide pratique**, p. 344 et 345).

■ Utilisation du matériel à votre disposition

– Observez les échantillons à l'œil nu et au microscope.
– Déterminez la texture et la composition minéralogique de cette roche.

■ Exploitation des résultats

À partir de cette étude et en utilisant les informations issues de la comparaison de la composition chimique des roches, expliquez en quoi la présence de cette roche en surface est surprenante.

L'étang de Lerz (en Ariège).

La lherzolite de l'étang de Lerz.

Lame mince d'une lherzolite observée ► en lumière polarisée-analysée grâce à un microscope polarisant.

Le microscope polarisant est un microscope équipé de deux polariseurs : l'un situé sous la lame (appelé polariseur), l'autre placé au-dessus de la lame (appelé analyseur). L'observation d'une lame mince de roche en lumière polarisée-analysée permet d'identifier les différents minéraux.

Composition chimique (en %) de la lherzolite et de trois roches connues

	SiO_2	TiO_2	Al_2O_3	FeO	Fe_2O_3	MnO	MgO	CaO	Na_2O	K_2O
Lherzolite	44,50	0,15	3,68	6,58	1,92	0,14	39,36	3,18	0,32	0,06
Basalte	47,17	1,33	14,46	7,35	7,66	0,17	7,84	11,22	2,40	0,22
Gabbro	50,86	0,63	16,67	4,21	1,90	0,12	9,73	13,47	2,20	0,11
Péridotite	44,74	0,01	0,93	2,44	6,18	0,07	44,49	1,17	0	0,01

Des DOCUMENTS pour se poser des questions

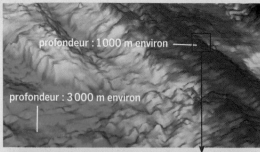

profondeur : 1000 m environ

profondeur : 3000 m environ

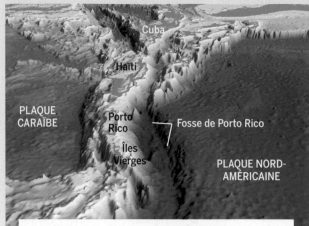

Cuba

Haïti

PLAQUE CARAÏBE

Porto Rico

Îles Vierges

Fosse de Porto Rico

PLAQUE NORD-AMÉRICAINE

L'activité volcanique des dorsales

Au niveau de l'axe des dorsales (ici dans l'est du Pacifique), on observe une activité volcanique intense : émission de laves basaltiques qui forment des « coussins » caractéristiques. D'où proviennent ces épanchements magmatiques ?

Des fosses océaniques profondes

La bordure de certaines plaques océaniques (ici, dans la région caraïbe) est marquée par des fosses allongées particulièrement profondes (8605 m pour la fosse de Porto Rico, la plus profonde de l'Atlantique). Quelle est l'origine de ces remarquables « reliefs en creux » ?

La tectonique des plaques

La partie externe de la Terre est découpée en plaques lithosphériques rigides, mobiles les unes par rapport aux autres. Les plaques s'écartent au niveau des dorsales océaniques, se rapprochent au niveau des fosses océaniques et des chaînes de montagnes. Comment expliquer qu'au niveau d'une même frontière entre deux plaques rigides les vitesses d'écartement ou de rapprochement soient différentes d'un endroit à un autre ?

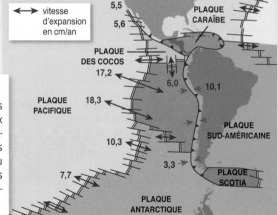

vitesse d'expansion en cm/an

5,5
5,6
PLAQUE CARAÏBE

PLAQUE DES COCOS
17,2
6,0
10,1

PLAQUE PACIFIQUE
18,3

PLAQUE SUD-AMÉRICAINE

10,3

3,3

PLAQUE SCOTIA

7,7

PLAQUE ANTARCTIQUE

LES PROBLÉMATIQUES DU CHAPITRE

- Quelles données scientifiques ont permis de « réhabiliter » la théorie de Wegener ?
- Comment les fonds océaniques ont-ils été étudiés ?
- Comment la connaissance des fonds océaniques a-t-elle permis l'élaboration de la théorie de la tectonique des plaques ?
- Comment les déplacements des plaques ont-ils été précisés ?

Vue satellitale du nord de l'Inde et de l'Himalaya.

De la dérive des continents
à la tectonique des plaques

L'hypothèse d'une expansion océanique

Au lendemain de la Seconde Guerre mondiale, la connaissance des fonds océaniques fait des progrès spectaculaires grâce au développement de nouvelles techniques d'étude. *L'idée d'une expansion océanique devient une hypothèse convaincante et va réactualiser les idées de Wegener.*

A La découverte des fonds océaniques

Les bateaux océanographiques disposent de sondeurs dérivés des sonars utilisés par les navires militaires pour détecter les sous-marins ennemis. Un sonar émet en continu vers le bas un faisceau d'ultrasons qui, après réflexion sur un obstacle, est recueilli par des appareils enregistrant les échos.

Les sondeurs multifaisceaux et les sonars latéraux *(dessin ci-contre)*, utilisés pour réaliser les relevés topographiques des fonds marins, fonctionnent sur ce principe.

Ces relevés présentent un vif intérêt pour les géologues. En effet, l'érosion étant pratiquement inexistante sur les fonds océaniques, l'observation du relief est révélatrice des structures géologiques.

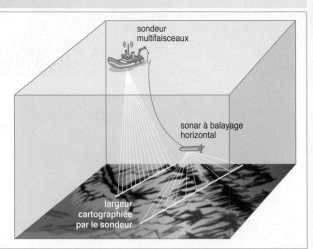

Doc. 1 **Les relevés topographiques des fonds océaniques.**

Dans les années 1960, les études océanographiques effectuées par Tharp, Henzeen et Ewing révèlent une topographie des fonds océaniques remarquable.
La découverte majeure est celle de chaînes de montagnes sous-marines, larges de 2 000 à 3 000 km, les **dorsales océaniques**. La dorsale située au milieu de l'océan Atlantique par exemple *(voir ci-contre)* se prolonge dans l'ensemble des océans ; la longueur totale des dorsales est de l'ordre de 60 000 km.
Une dorsale est entourée de **plaines abyssales**, très peu accidentées et d'une profondeur de 5 000 m.
La bordure immergée des continents forme un **plateau continental** qui, à partir de 200 m de profondeur environ, se poursuit par le **talus continental** ; cette zone, d'une pente de l'ordre de 7 %, est une transition entre le plateau continental et la plaine abyssale.
En outre, les sondages révèlent par endroits des **fosses océaniques** très profondes (jusqu'à 11 000 m).
Enfin, si certaines îles volcaniques sont associées aux dorsales, d'autres ont une localisation différente.
Les connaissances géologiques de l'époque ne fournissent pas un cadre théorique permettant de comprendre l'ensemble de ces données.

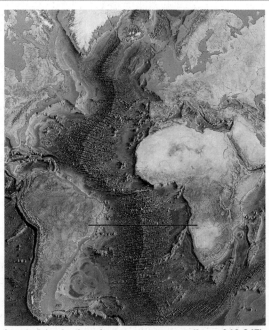

Le relief des fonds océaniques (carte complète p. 346-347).

Doc. 2 **La première carte du relief des fonds océaniques.**

B La naissance de l'idée du « double tapis roulant »

Le **flux géothermique** est la quantité de chaleur d'origine interne évacuée par unité de surface et par unité de temps.

Les premières mesures de ce flux de chaleur effectuées en 1952 conduisent à des conclusions intéressantes :
– le flux de chaleur moyen ne présente pas de différence marquée entre continents et océans ;
– le flux géothermique au niveau des dorsales est très élevé, de même que dans certains bassins situés à l'intérieur des arcs insulaires.

Ces mesures suggèrent l'existence d'inégalités thermiques au sein du manteau terrestre. Elles vont dans le sens des théories qui attribuent un grand rôle à la convection dans le manteau supérieur.

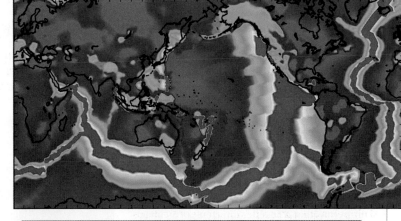

0,03	0,06	0,09	0,12	0,15	0,18	0,21	0,24	0,27	0,3 W/m²

Flux géothermique en watt par mètre carré

Doc. 3 La mesure du flux géothermique.

* par ce figuré, Hess suggère que la croûte et le manteau supérieur sont solidaires.

Schémas théoriques de Hess.

Hess *(photographie ci-dessus)*, géologue américain, développe dans les années 1960 une nouvelle théorie. Selon lui, les dorsales correspondraient à des courants ascendants issus du manteau et les fosses océaniques à des courants descendants dans le manteau. La croûte océanique se formerait au niveau des dorsales et disparaîtrait au niveau des fosses. Ainsi, la croûte océanique serait continuellement recyclée alors que la croûte continentale, plus légère, dériverait en permanence à la surface de la Terre. Les continents se déplaceraient non pas en fendant les fonds océaniques comme le supputait Wegener, mais en étant passivement transportés sur une sorte de double tapis roulant. En 1961, Dietz, géophysicien américain, reprend les idées de Hess et introduit l'expression « *sea floor spreading* » (expansion des fonds océaniques).

Doc. 4 L'hypothèse de Hess en 1962.

Pistes d'exploitation

PROBLÈME À RÉSOUDRE ► Comment des données scientifiques nouvelles ont-elles conduit à l'idée d'une expansion des fonds océaniques ?

Doc. 1 et 2 En vous aidant des informations fournies, proposez un schéma illustrant une coupe transversale de l'océan Atlantique au niveau du trait rouge (doc. 2).

Doc. 3 Quelles « inégalités thermiques », au niveau de manteau, sont suggérées par les mesures de flux géothermique ?

Doc. 4 Comparez la théorie de Hess-Dietz et les idées de Wegener.

Lexique, p. 354

Un apport déterminant : le paléomagnétisme

À la fin des années 1950, on découvre que le magnétisme terrestre peut être enregistré dans certaines roches au moment de leur formation. *L'étude de ce « magnétisme fossile » ou paléomagnétisme va conforter l'hypothèse de déplacements des masses continentales.*

A Le magnétisme terrestre actuel

■ **PROTOCOLE**

– Connectez-vous au site : www.bordas-svtlycee.fr
À la page correspondant au manuel de 1re S, vous trouverez le fichier « magnetisme1S.kmz » vous permettant d'accéder directement à l'image Google Earth.

– Sélectionner les données à afficher.

■ **RÉSULTATS**

Les dernières mesures situent approximativement le pôle Nord magnétique à une latitude de 85° N et une longitude de 131° O. Le pôle Sud magnétique, lui, se trouve, en Antarctique, au large de la Terre Adélie, à 65° S et 138° E environ.
La position du pôle magnétique varie en permanence, même au cours d'une journée ; en un an, ce déplacement peut dépasser les 50 km. Cependant, comme ce déplacement se fait toujours au

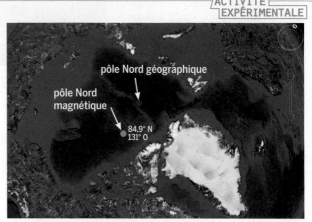

sein d'une zone peu étendue, on peut considérer que les pôles magnétiques constituent des repères globalement stables à l'échelle des temps géologiques.

Doc. 1 La localisation des pôles géographique et magnétique à l'aide de Google Earth.

Le **champ magnétique terrestre** est la conséquence de courants électriques profonds, c'est-à-dire d'écoulements de matière ionisée dans le noyau terrestre.

Ce champ est représenté en tout point par un vecteur qui a pour direction et sens ceux de l'axe SN de l'aiguille aimantée d'une boussole.
Ce vecteur est défini par trois paramètres :
– l'intensité, exprimée en tesla (T) ou en nanotesla (elle varie, par exemple, entre 45 000 et 47 000 nT du sud au nord de la France) ;
– l'inclinaison, angle de ce vecteur avec l'horizontale du lieu ;
– la déclinaison, angle de la composante horizontale du vecteur avec la direction du Nord géographique.

Remarque : Le pôle Nord magnétique terrestre (N_M), nommé ainsi parce qu'il est proche du pôle Nord géographique (N_G), est en réalité un pôle de magnétisme « sud » qui attire le pôle « nord » de l'aimant que constitue l'aiguille de la boussole.

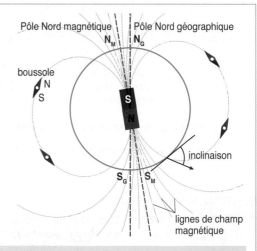

En tout point du globe, l'aiguille d'une boussole pointe en direction du pôle Nord magnétique. Ce lieu est l'endroit où les lignes du champ magnétique terrestre « s'enfoncent » à la verticale (document 1). L'axe magnétique terrestre, défini par les pôles magnétiques Nord et Sud, fait un angle de 11,5° avec l'axe de rotation de la Terre.

Doc. 2 Les caractéristiques du champ magnétique actuel.

B Une preuve magnétique de la dérive des continents

• Les basaltes sont des roches volcaniques formées par refroidissement d'une lave. Au cours de ce refroidissement, les minéraux ferromagnétiques (magnétite, par exemple) contenus dans le basalte s'aimantent selon les caractéristiques du champ terrestre du moment. Cette aimantation est conservée tant que la roche n'est pas portée à une température supérieure au point de Curie (585 °C pour les magnétites). Ainsi, les basaltes gardent « en mémoire » les caractères du magnétisme terrestre du lieu et de l'époque de leur formation.

• Ce magnétisme fossile, ou **paléomagnétisme**, est difficile à mesurer car il est très faible. Les géophysiciens disposent aujourd'hui d'appareils très sensibles, les **magnétomètres** astatiques qui permettent non seulement de mesurer des champs magnétiques extrême-

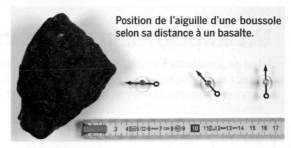

Position de l'aiguille d'une boussole selon sa distance à un basalte.

ment faibles mais aussi de déterminer la direction et le sens du champ magnétique fossilisé dans une roche (à condition que l'échantillon étudié ait fait l'objet d'un repérage spatial très précis au moment de son prélèvement sur le terrain).

Doc. 3 **Des roches gardent en mémoire l'orientation du champ magnétique terrestre existant lors de leur formation.**

L'étude du paléomagnétisme d'une roche permet de retrouver la position qu'occupait un pôle magnétique (Nord ou Sud) à l'époque de la mise en place de cette roche : on détermine ainsi un paléopôle. Lorsque l'on recherche la position du **paléopôle** sur des échantillons anciens de même âge mais prélevés sur des continents différents (**a**), on constate que les paléopôles ne coïncident pas. Or, on considère qu'à une époque

donnée, il n'y a jamais eu qu'un pôle Nord magnétique et que sa position est restée stable tout au long de cette période. Une étude similaire est réalisée à partir de roches d'âges différents et prélevées soit en Afrique soit en Amérique du Sud (**b**). Les deux continents ont été arbitrairement placés dans une position relative telle que les paléopôles déterminés à partir de chacun d'eux coïncident le plus longtemps possible.

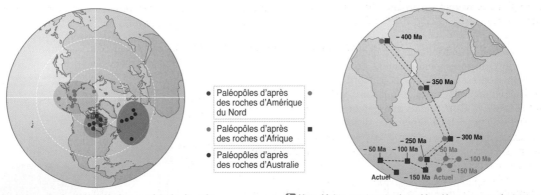

Paléopôles d'après des roches d'Amérique du Nord

Paléopôles d'après des roches d'Afrique

Paléopôles d'après des roches d'Australie

a À la recherche du paléopôle à une période donnée.

b Une dérive apparente du paléopôle au cours du temps.

Doc. 4 **La migration apparente des pôles, une découverte décisive.**

Pistes d'exploitation

PROBLÈME À RÉSOUDRE ► Comment les traces magnétiques présentes dans certaines roches ont-elles permis de confirmer l'idée d'une dérive continentale ?

Doc. 1 Recherchez sur Google Earth la position des pôles Nord géographique et magnétique et estimez leur distance.

Doc. 2 Dans quel sens s'oriente l'aiguille d'une boussole (mobile dans le plan vertical) dans l'hémisphère Nord ? Dans l'hémisphère Sud ?

Doc. 3 et 4 Proposez une interprétation pour chacun des documents **a** et **b** présentés ci-dessus.

Lexique, p. 354

Paléomagnétisme et expansion des fonds océaniques

Lors de l'exploration des fonds océaniques, des relevés de l'intensité du champ magnétique au niveau du plancher océanique sont réalisés dans tous les océans. *Ces études vont apporter des arguments particulièrement convaincants en faveur de l'idée d'une expansion des fonds océaniques.*

A La mesure du champ magnétique au fond des océans

• Au début du xxe siècle, Brunhes mesure, dans le Massif central, le champ magnétique « fossilisé » dans des basaltes provenant de coulées de lave superposées. Il met alors en évidence des **inversions du champ magnétique** de la Terre au cours des temps géologiques : aujourd'hui, le « pôle Nord magnétique » est proche du pôle Nord géographique (polarité normale) ; à d'autres périodes, en revanche, il était proche du pôle Sud géographique (polarité inverse). Ces inversions s'effectuent en quelques milliers d'années seulement.

• À la fin des années 1950, des mesures du champ magnétique sont réalisées en mer à l'aide de magnétomètres très sensibles embarqués sur les navires océanographiques. Les intensités mesurées de ce champ sont soit légèrement plus fortes (anomalie positive) soit légèrement plus faibles (anomalie négative) que la valeur théorique moyenne attendue.

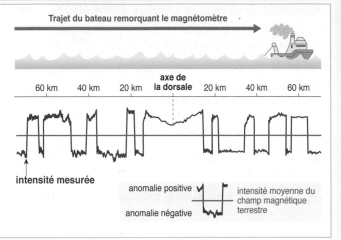

Doc. 1 **La mesure du champ magnétique au niveau des océans.**

ACTIVITÉ
EXPÉRIMENTALE

Le *modèle ci-contre* est composé d'une série d'aimants disposés parallèlement et dont l'orientation est variable (le pôle Nord est repéré par un point rouge). Les aimants sont ici recouverts d'un calque transparent sur lequel sont placés des repères de distance.

■ **PROTOCOLE**

– Déplacer la sonde d'un **teslamètre** le long d'une ligne perpendiculaire à l'orientation des aimants (pour se déplacer en ligne droite, on peut faire glisser la sonde le long d'une règle).

– Noter les valeurs du champ magnétique, tous les 5 cm, par exemple *(tableau ci-dessous)*.

– À l'aide d'un tableur, tracer la courbe des variations du champ magnétique en fonction de la distance.

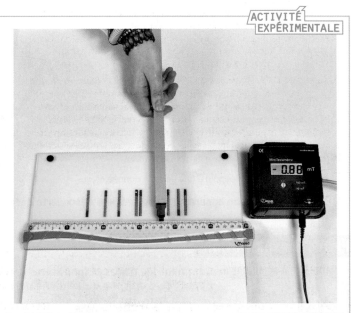

Distance du bord (en cm)	0	5	10	15	20	25	30	35	40	45	50	55	60	...	...	...	...
Valeurs mesurées																	

Doc. 2 **Une modélisation des anomalies magnétiques.**

B La mise en relation de l'ensemble des données du paléomagnétisme

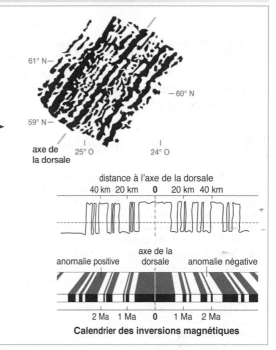

Les anomalies magnétiques forment des bandes parallèles entre elles et symétriques par rapport à l'axe de la dorsale. Leur cartographie dessine une « peau de zèbre ». Cette disposition peut être mise en relation avec d'autres mesures :
– les inversions du champ magnétique mises en évidence par Brunhes ont été répertoriées et datées, ce qui a permis de définir un calendrier de ces inversions ;
– les basaltes du plancher océanique ont été datés (en millions d'années) et mis en relation avec l'ensemble des données précédentes.

Doc. 3 **Des correspondances entre différentes mesures.**

En 1963, deux chercheurs de Cambridge, Vine et Matthews, ont l'idée de rapprocher des faits et des idées qui semblaient alors appartenir à des domaines différents :
– les découvertes des inversions de polarité du champ magnétique terrestre au cours des temps géologiques (doc. 1) ;
– les anomalies magnétiques de la croûte océanique (doc. 1 et 3) ;
– l'hypothèse de Hess d'une expansion des fonds océaniques en « double tapis roulant » (doc. 4, p. 113).

Ils suggèrent qu'en se refroidissant dans l'axe de la dorsale, le magma acquiert une aimantation dont la polarité est la même que celle du champ magnétique terrestre du moment. Cette aimantation « fossile » vient soit se soustraire au champ magnétique actuel (anomalie négative), soit s'ajouter (anomalie positive) d'où l'alternance de bandes inverses d'anomalies magnétiques du plancher océanique. Ces bandes apportent la preuve que le plancher océanique est en perpétuelle expansion, à la manière d'un double tapis roulant.

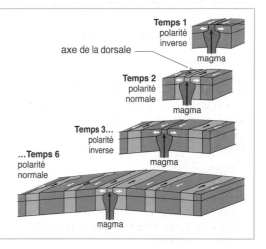

Doc. 4 **L'explication proposée par Vine et Matthews.**

Pistes d'exploitation

PROBLÈME À RÉSOUDRE ▶ Comment les données du paléomagnétisme ont-elles permis de valider l'hypothèse de l'expansion des fonds océaniques ?

Doc. 1 et 2 Comment interprétez-vous l'existence d'une anomalie magnétique (positive ou négative), qu'elle soit enregistrée en mer ou au laboratoire ?

Doc. 3 Comment a-t-il fallu procéder pour obtenir ce type de carte du fond marin ? Estimez la vitesse d'expansion des fonds océaniques dans l'Atlantique Nord (par exemple, vitesse d'éloignement d'un point du plancher par rapport à l'axe de la dorsale).

Doc. 4 Comment varie l'âge du plancher océanique en fonction de la distance à la dorsale ?

Lexique, p. 354

La distinction lithosphère - asthénosphère

La mobilité horizontale des masses continentales est désormais acceptée. Cependant, la distinction entre une lithosphère rigide qui repose sur l'asthénosphère moins rigide n'est pas encore établie. *Il s'agit ici de comprendre comment l'étude des zones de subduction a permis cette distinction.*

A — Les caractéristiques thermiques des zones de subduction

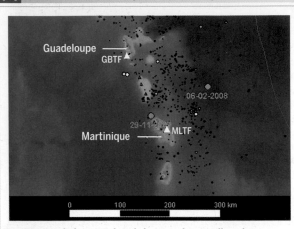

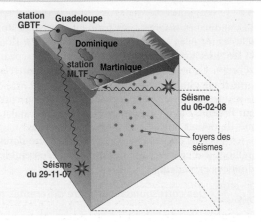

Au niveau de la zone de subduction des Antilles, de nombreux séismes plus ou moins profonds sont enregistrés. Le *document ci-dessus* représente des foyers sismiques ainsi que la localisation de deux stations d'enregistrements : station GBTF (en Guadeloupe) et station MLTF (en Martinique) situées au niveau de l'arc volcanique antillais.

Deux séismes ont été repérés (points oranges) : un séisme relativement superficiel (le 06-02-2008) et un profond (le 29-11-2007). L'analyse des sismogrammes montre des temps d'arrivée des ondes P surprenants.

• Pour le séisme superficiel du 06-02-2008, les ondes P arrivent plus tôt que prévu à **la station MLTF**. Elles ont été accélérées en traversant une zone plus froide. Or, elles sont passées surtout dans la zone de séismes (zone cassante donc rigide). Une zone plus froide au niveau de la fosse (anomalie thermique négative) est ainsi mise en évidence.

• Pour le séisme profond du 29-11-2007, en revanche, les ondes P arrivent plus tard que prévu à **la station GBTF**. Les ondes traversent une zone de roches plus chaudes, ce qui les ralentit. On met ainsi en évidence une zone plus chaude sous l'arc volcanique (anomalie thermique positive).

Doc. 1 — Des anomalies thermiques repérables dans une zone de subduction.

La mesure du **flux thermique** au niveau d'une zone de subduction montre des anomalies importantes. À l'aplomb de la zone volcanique, le flux est très élevé et peut atteindre plus de quinze fois la valeur moyenne des autres régions de la surface terrestre. En revanche, au niveau de la fosse océanique, le flux thermique est très faible. Il redevient normal au fur et à mesure que l'on s'éloigne de ces deux zones.

En utilisant ces différentes données et grâce à des calculs, les géophysiciens peuvent modéliser les variations de la température en profondeur. Ainsi, dans les zones de subduction, les isothermes apparaissent très « déformées » comme si une zone froide plongeait sans avoir le temps de s'équilibrer en température, avec la zone plus chaude dans laquelle elle s'enfonce.

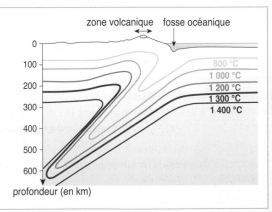

Doc. 2 — Un modèle des isothermes des zones de subduction.

B Les caractéristiques sismiques des zones de subduction

• **L'utilisation d'un logiciel**

À partir d'une importante base de données concernant les séismes, différents logiciels (*Sismolog* ou *Tectoglob* par exemple) permettent de réaliser des coupes dans des régions déterminées et de visualiser la localisation de ces séismes et la profondeur de leur foyer. L'*exemple proposé ci-contre* correspond à l'archipel du Japon.

• **De Wadati-Benioff à aujourd'hui**

– Wadati en 1930, puis Benioff en 1955 avaient noté une disposition remarquable des foyers sismiques dans les bordures océaniques marquées par une fosse profonde : les foyers des séismes se répartissent selon un plan incliné, nommé depuis **plan de Wadati-Benioff**, qui part de la fosse et plonge sous le continent.

– En 1967, Oliver et Isacks interprètent ce plan comme une surface de glissement entre deux plaques lithosphériques, la plaque plongeante étant toujours une plaque océanique qui s'enfonce ainsi dans le manteau. Ces lieux de disparition du plancher océanique (on dira plus tard « zones de subduction ») étaient en accord avec l'hypothèse du « sea floor spreading » de Hess. Oliver et Isacks distinguent alors la **lithosphère**, couche au comportement rigide, de l'**asthénosphère**, couche au comportement **ductile**.

– Aujourd'hui, les géologues considèrent que la limite entre lithosphère et asthénosphère correspond à peu près à l'isotherme 1300 °C.

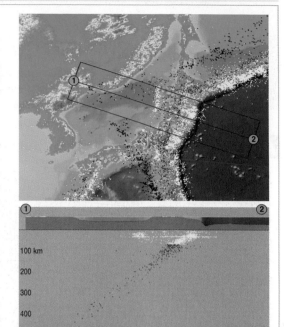

En outre, les techniques de tomographie sismique (voir p. 142-143) permettent de mettre en évidence que la lithosphère plongeante est particulièrement froide (teintes bleues sur l'*image ci-contre*) et donc rigide.

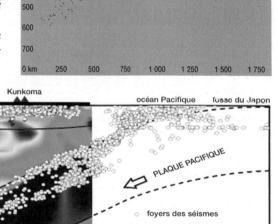

Doc. 3 La répartition des foyers sismiques dans les zones de subduction.

Pistes d'exploitation

PROBLÈME À RÉSOUDRE ► Comment l'analyse d'événements intervenant au niveau des zones de subduction a-t-elle permis de distinguer lithosphère et asthénosphère ?

Doc. 1 et 2 Montrez la correspondance entre données sismiques et géothermiques.

Doc. 3 En quoi les données de ce document plaident-elles en faveur de l'existence, à la surface du globe, d'une couche rigide et froide qui n'est pas exclusivement constituée par la croûte terrestre ?

Lexique, p. 354

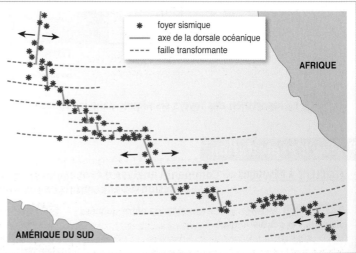

Des plaques rigides qui se déplacent sur une sphère

Le phénomène de l'expansion océanique est désormais admis par la communauté scientifique. *La découverte d'un nouveau type de faille va contribuer à une meilleure compréhension des mécanismes de déplacement relatif des plaques lithosphériques.*

A La découverte des failles transformantes

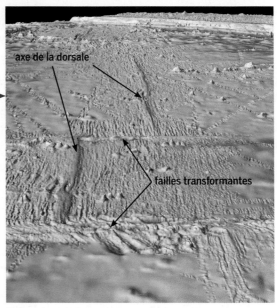

axe de la dorsale

failles transformantes

Vue en perspective

Dans les années 1960, le géologue canadien Wilson constate que les dorsales océaniques sont cisaillées par des dizaines de tranchées profondes, perpendiculaires à leur axe. Il nomme ce type de structure « **faille transformante** ».

Ce sont des zones où il n'y a ni création de lithosphère (comme au niveau de la dorsale elle-même) ni disparition de lithosphère (comme au niveau des fosses océaniques).

Doc. 1 **Des failles à géométrie particulière.**

• Le *document ci-contre* indique la localisation des foyers sismiques au niveau de la dorsale médio-atlantique et au niveau des failles transformantes qui « cisaillent » cette dorsale. Les flèches indiquent le mouvement relatif des plaques africaine et américaine.
L'activité sismique est très intense :
– au niveau de l'axe de la dorsale ;
– au niveau des failles transformantes, sur la partie de ces failles qui décale l'axe de la dorsale.

• La dorsale est une zone de divergence : les deux plaques « s'écartent » l'une de l'autre. La partie sismiquement active des failles transformantes révèle un mouvement de coulissage.

* foyer sismique
── axe de la dorsale océanique
---- faille transformante

AFRIQUE

AMÉRIQUE DU SUD

Doc. 2 **L'activité sismique au niveau des failles transformantes.**

B Les failles transformantes et le déplacement des plaques

■ PROTOCOLE

À l'aide d'un globe terrestre présentant la topographie de la Terre, il est possible de repérer les failles transformantes :

– Sur une feuille de papier calque appliquée sur une dorsale océanique, relever le tracé de trois ou quatre failles transformantes. Les tracés obtenus sont alors des arcs de cercles.

– À l'aide d'un compas, déterminer par tâtonnement le centre de chacun de ces cercles.

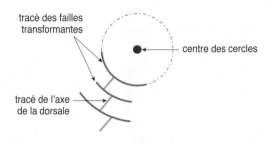

tracé des failles transformantes

centre des cercles

tracé de l'axe de la dorsale

COLUMBUS
WORLD'S FINEST GLOBES AND MAPS

Doc. 3 Une particularité intéressante des failles transformantes à la limite entre deux plaques.

En 1967, Morgan développe la première hypothèse « plaquiste » : il suppose que la lithosphère est découpée en une série de « blocs » parfaitement rigides qui se déplacent les uns par rapport aux autres.

Ces blocs glissant sur la surface sphérique du globe terrestre, on peut démontrer que le déplacement de tous les points d'un bloc rigide correspond à une rotation autour d'un axe, dit axe eulérien, passant par le centre de la Terre. Si la vitesse angulaire de rotation est constante en tout point de la plaque, ce n'est pas le cas de la vitesse linéaire, qui est maximale au niveau de l'équateur eulérien et décroît en direction des **pôles eulériens** où elle est nulle.

Dans le cas particulier d'une divergence de plaques, il est clair que la vitesse d'écartement est d'autant plus grande que le pôle de rotation est éloigné.

Les failles transformantes sont la conséquence de ces différences de vitesse d'écartement. Elles sont parallèles entre elles et décrivent des arcs de cercle centrés sur le même pôle eulérien.

Ainsi, les failles transformantes permettent de déterminer la position du pôle de rotation et donc de reconstituer les déplacements des plaques.

axe de rotation de la Terre

axe de rotation des plaques A et B

Pôle Nord

Pôle eulérien

Plaque A

Plaque B

Plaque C

Animation

· La plaque B, créée au niveau de la zone d'accrétion, disparaît par subduction sous la plaque C (supposée fixe).

· Au niveau de la zone d'accrétion entre les plaques A et B, la zone grisée correspond à la quantité de plancher océanique créée pendant une période donnée.

dorsale (zone d'accrétion)

faille transformante

vitesse d'expansion

zone de subduction

Doc. 4 Failles transformantes, axes et pôles eulériens.

Pistes d'exploitation

PROBLÈME À RÉSOUDRE ► En quoi la découverte des failles transformantes a-t-elle contribué à la construction de la théorie de la tectonique des plaques ?

Doc. 1 et 2 Où sont principalement localisés les séismes au niveau des failles transformantes ? Montrez que cette localisation est en accord avec l'idée que la faille transformante est une zone de coulissage entre deux plaques.

Doc. 3 et 4 Montrez que les failles transformantes sont la conséquence du déplacement de plaques rigides sur une sphère.

Lexique, p. 354

Un premier modèle : la tectonique des plaques

À la fin des années 1960, la théorie de la tectonique des plaques s'impose à la communauté scientifique. *Sa formulation complète et son développement sont le fait de trois jeunes chercheurs de l'époque : Morgan, Mc Kenzie et Le Pichon.*

A La surface terrestre découpée en plaques

En 1967, Mc Kenzie travaille sur les anomalies magnétiques et les séismes et, de façon indépendante, arrive aux mêmes conclusions que Morgan : la partie superficielle du globe est formée de blocs rigides se déplaçant sur une sphère. Il introduit le terme de plaque pour les désigner.

L'année suivante, Le Pichon divise la surface du globe en six plaques lithosphériques dont il détermine les frontières à partir de l'activité tectonique. Il calcule les pôles de rotation de leur mouvement relatif depuis 120 millions d'années. Pour cela, il utilise les rythmes d'expansion déduits des anomalies magnétiques et les données apportées par les failles transformantes. Il établit ainsi que les ouvertures des océans Pacifique, Antarctique, Atlantique et Indien peuvent se ramener à de simples rotations.

Par la suite, ces mêmes procédés permettront, par simple « fermeture » des océans, de reconstituer les positions successives des continents depuis 200 millions d'années.

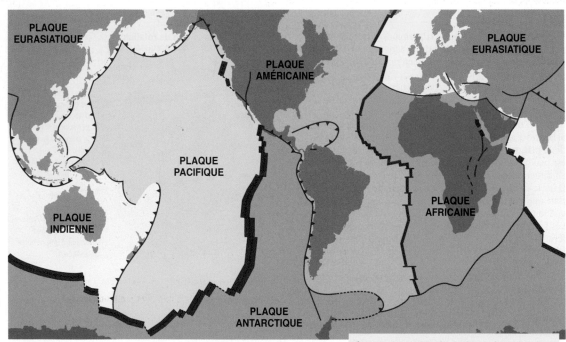

Il faut noter que le terme de « dérive des continents » n'est plus très adéquat puisqu'une plaque est soit exclusivement océanique soit constituée d'un océan et d'un continent.

Par ailleurs, ce n'est pas au niveau de la limite entre croûte et manteau que se font les déplacements des plaques, la croûte étant mécaniquement couplée au manteau supérieur. La limite importante est celle qui sépare la lithosphère de l'asthénosphère ; elle est située entre 70 et 150 km de profondeur et correspondant à l'isotherme 1300 °C.

zones de formation de plancher océanique (dorsales océaniques), avec des mouvements divergents. Ces zones sont découpées par des failles transformantes traduisant des mouvements décrochants.

zones de destruction de plancher océanique (fosses océaniques), avec des mouvements convergents.

Doc. 1 Les six plaques mises en évidence en 1968.

B Les points chauds, en accord avec le modèle ?

À côté du volcanisme typique des dorsales ou des zones de subduction, les géologues définissent un autre type de volcanisme dit de « point chaud ». La plupart de ces volcans sont localisés au cœur même des plaques (volcanisme intraplaque) et non sur leurs limites.

Le Kilauea *(photographie ci-contre)*, volcan de la pointe est de la grande île d'Hawaï, est un des plus connus des volcans de ce type. Apparu il y a environ 200 000 ans, c'est le volcan le plus actif au monde tant par la durée de ses éruptions que par le volume des magmas basaltiques émis.

Doc. 2 Un volcanisme particulier : le volcanisme de **point chaud**.

En 1970, Morgan, qui étudie les alignements d'îles volcaniques dans l'océan Pacifique, propose la théorie des points chauds. Il constate l'existence d'alignements d'îles volcaniques comme celui ci-dessous. Il remarque que, quel que soit l'alignement considéré, l'activité volcanique actuelle se situe à l'extrémité sud-est de la chaîne tandis que les volcans éteints sont d'autant plus anciens que l'on s'éloigne du volcanisme actuel. Pour expliquer ce fait, il postule l'existence dans le manteau de points chauds, pratiquement immobiles, alimentant à leur verticale un volcanisme de surface. La plaque lithosphérique se déplaçant au-dessus est régulièrement perforée, ce qui rend compte des alignements volcaniques.

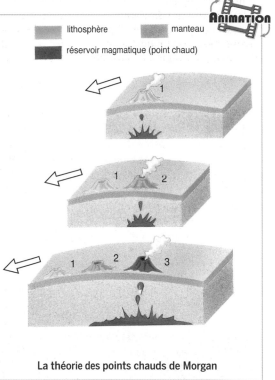

La théorie des points chauds de Morgan

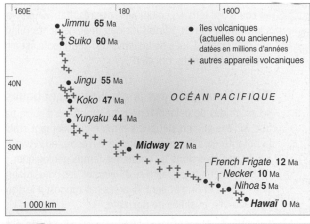

Doc. 3 Des alignements de volcans qui traduisent le déplacement d'une plaque sur un point chaud fixe.

Pistes d'exploitation

PROBLÈME À RÉSOUDRE ► Montrez que des données nouvelles ne s'intégrant pas *a priori* dans le modèle de la tectonique des plaques permettent en fait de l'enrichir.

Doc. 1 Établissez un lien entre les zones sismiques ou volcaniques (voir pages 86 ou 87) et les frontières de plaques.

Doc. 2 En quoi le volcanisme de point chaud ne s'inscrit-il pas *a priori* dans le modèle de tectonique des plaques ?

Doc. 3 Montrez que la théorie de Morgan permet d'intégrer le volcanisme de point chaud au modèle de la tectonique des plaques. Déterminez la direction et estimez la vitesse de déplacement de la plaque Pacifique.

Lexique, p. 354

chapitre 2 De la dérive des continents à la tectonique des plaques

1 L'hypothèse de l'expansion des fonds océaniques

■ La découverte des reliefs des fonds océaniques

Dans les années 1950, les techniques nouvelles d'échosondage permettent de cartographier les fonds océaniques jusque là fort mal connus. Trois structures principales caractérisent la topographie des reliefs sous-marins :
– les **marges continentales**, constituées d'un **plateau** peu profond (de 0 à 200 m), prolongé par un **talus** qui descend jusqu'aux plaines abyssales, ou bordé d'une **fosse** très profonde (de 7 000 à 11 000 m) ;
– les **plaines abyssales** vers 4 000-5 000 m de profondeur ;
– les **dorsales océaniques**, « chaîne de montagnes » sous-marine de plus de 60 000 km de long.

■ Les mesures du flux géothermique

Le **flux géothermique** correspond à la dissipation en surface de la chaleur interne du globe. Si sa valeur moyenne est de 60 mW · m^{-2}, sans différence marquée entre continents et océans, le flux géothermique se révèle particulièrement important à l'aplomb des dorsales. Ces variations révèlent la plus ou moins grande proximité en profondeur de matériaux à haute température.

■ L'hypothèse de Hess

Dans les années 1960, Hess propose une hypothèse explicative pour rendre compte de l'ensemble des observations disponibles à cette date. Selon lui, le manteau terrestre serait animé de **courants de convection** (comme le suggérait Holmes trente ans plus tôt) :
– des courants ascendants au niveau des dorsales seraient à l'origine de la formation de croûte océanique ;
– des courants descendants au niveau des fosses provoqueraient une disparition de cette croûte.

Ainsi, de part et d'autre de chaque dorsale, la croûte océanique serait en permanence recyclée et se comporterait comme une sorte de « **double tapis roulant** ». Un autre géologue, Dietz, traduit ce mécanisme par l'expression « *sea floor spreading* » (expansion des fonds océaniques). Cependant, si ce modèle de fonctionnement des fonds océaniques marque une véritable révolution des Sciences de la Terre, il ne s'impose pas encore à l'ensemble de la communauté scientifique.

2 L'apport du paléomagnétisme

■ Le champ magnétique terrestre actuel et fossile

● Le **champ magnétique terrestre** est la conséquence d'écoulements de matière ionisée (courants électriques) dans le noyau externe liquide. Certaines roches comme les basaltes peuvent conserver les caractéristiques du champ magnétique qui règne à l'époque de leur formation. À l'aide de magnétomètres très sensibles, on peut détecter dans un échantillon de roche la « trace » de ce champ magnétique ancien (ou **champ paléomagnétique**). La position du **paléopôle** magnétique au moment de la formation de la roche peut alors être retrouvée.

● Vers le milieu des années 1950, des études du paléomagnétisme donnent des résultats surprenants :
– des roches de même âge mais prélevées sur trois continents différents « pointent » trois paléopôles différents ;
– des roches prélevées sur un seul continent mais d'âges variés semblent indiquer une « dérive du paléopôle » au cours du temps.

Comme le pôle magnétique est resté stable – et unique – au cours des temps géologiques, ces résultats ne peuvent s'interpréter qu'en admettant des déplacements relatifs des continents. L'idée de la dérive des continents est ainsi réactualisée par ces travaux.

■ La découverte des anomalies magnétiques

● Les études de paléomagnétisme montrent d'autre part que, si l'axe géomagnétique est resté globalement stable, la polarité du champ magnétique terrestre, en revanche, a subi des inversions au cours des temps géologiques : à certaines périodes, qualifiées d'**inverses**, les pôles magnétiques Nord et Sud étaient inversés par rapport à la situation actuelle, qualifiée de **normale**.

Les relevés magnétiques effectués au niveau du plancher océanique montrent des anomalies remarquables : il s'agit de bandes grossièrement parallèles à l'axe de la dorsale et qui présentent alternativement un champ magnétique plus fort que la valeur attendue (anomalie positive) ou plus faible (anomalie négative). Ces bandes, de largeur variable, sont disposées de manière symétrique par rapport à l'axe de la dorsale.

● En 1963, Vine et Matthews mettent en relation ces différentes données et l'hypothèse de Hess-Dietz. Ils proposent alors un modèle de formation du plancher océanique caractérisé par une montée permanente de lave basaltique dans l'axe des dorsales, les basaltes plus anciens étant repoussés de part et d'autre de la dorsale. Le **plancher océanique est donc bien en expansion** à la manière d'un double tapis roulant. Les basaltes mis en place au cours des périodes normales présentent une anomalie magnétique positive (le champ paléomagnétique fossilisé dans les roches s'ajoutant au champ actuel) ; les bandes d'anomalie négative correspondent donc à des basaltes mis en place pendant des périodes inverses.

Le calendrier géologique des inversions paléomagnétiques étant connu, il devient possible de mesurer la vitesse d'expansion de l'océan.

3 La construction d'un modèle global : la tectonique des plaques

■ La distinction lithosphère – asthénosphère

● Au niveau d'une frontière de subduction (l'arc antillais par exemple), l'analyse des vitesses des ondes sismiques révèle la présence d'anomalies : suivant leur trajet, ces ondes sont soit anormalement rapides (elles ont traversé des structures « froides »), soit anormalement lentes (elles ont traversé des structures « chaudes »).

Les mesures du flux géothermique confirment la présence de telles anomalies thermiques ; elles permettent de modéliser la disposition des isothermes en profondeur.

Toutes ces études montrent qu'au niveau d'une zone de subduction, une structure froide semble plonger dans une structure plus chaude.

● Wadati et Benioff constatent qu'au niveau des zones de subduction les foyers des séismes se répartissent selon un plan incliné d'une épaisseur d'environ 100 km et qui plonge plus ou moins brutalement sous la fosse puis sous l'arc volcanique.

Les foyers des séismes, de plus en plus profonds en s'éloignant de cet arc, peuvent atteindre une profondeur maximale de 700 km environ. Ces observations révèlent la présence, jusqu'à une profondeur importante, d'une structure rigide, au comportement cassant.

● Oliver et Isacks en 1967 interprètent ces données par le plongement (ou subduction) d'une plaque froide, rigide de **lithosphère océanique** ; cette plaque cassante plonge

dans un manteau plus chaud, peu rigide et ductile, l'**asthénosphère**. L'isotherme 1 300 °C marque la limite entre ces deux structures.

■ Les failles transformantes et l'énoncé de la théorie de la tectonique des plaques

● Wilson, dans les années 1960, nomme **failles transformantes** de grandes cassures qui décalent l'axe des dorsales océaniques. Ces failles présentent une activité sismique importante qui correspond à des mouvements de coulissage entre les deux plaques en contact.

● En 1967, Morgan remarque que la géométrie des failles transformantes peut s'expliquer si on admet un modèle en plaques rigides qui se déplacent à la surface sphérique du globe. Ce type de déplacement correspond à une rotation autour d'un axe dit eulérien recoupant la surface de la Terre au niveau du **pôle eulérien** de rotation.
Les failles transformantes d'une dorsale sont de petits arcs de cercles tous centrés sur le même pôle eulérien. Leur observation permet donc de localiser ce pôle et de reconstituer le déplacement des deux plaques. Comme le modèle le prévoit, la longueur des failles transformantes augmente en s'éloignant du pôle eulérien.

● À la fin des années 1960, le géologue français Le Pichon propose de diviser la surface du globe en six **plaques lithosphériques** et décrit leurs déplacements relatifs : les plaques divergent au niveau des dorsales, coulissent au niveau des failles transformantes et convergent au niveau des fosses.

■ Les points chauds en accord avec le modèle

En de nombreux endroits du globe, on observe des alignements d'appareils volcaniques qualifiés d' «intra-plaque» car ils sont situés loin d'une frontière de plaque. L'âge de ces volcans est régulièrement croissant d'une extrémité de l'alignement à l'autre, le volcan actuellement actif occupant l'extrémité la plus jeune.

Pour expliquer ces faits, Morgan émet l'hypothèse que ces volcans proviennent de l'activité d'un « **point chaud** » : il s'agit d'un panache de matériel chaud provenant d'une région fixe du manteau profond ; des magmas issus de ce matériel perforent épisodiquement la plaque lithosphérique qui dérive au-dessus de ce point chaud.

Il est ainsi possible de déterminer direction et vitesse de déplacement de la plaque au-dessus du point chaud ; les résultats obtenus sont cohérents avec le modèle global.

De la dérive des continents à la tectonique des plaques

À RETENIR

■ L'hypothèse de l'expansion des fonds océaniques

Dans les années 1950, des campagnes océanographiques révèlent la **topographie** des fonds océaniques.

Les mesures du **flux géothermique** montrent son inégale répartition à la surface de la Terre et notamment sa valeur élevée au niveau des dorsales.

Hess fait la synthèse des données scientifiques disponibles et formule l'hypothèse dite du « **double tapis roulant** » : sous l'action de **courants de convection** circulant dans le manteau terrestre, la croûte océanique se forme au niveau des dorsales, s'en éloigne et finalement disparaît au niveau des fosses.

■ L'apport du paléomagnétisme

Le **champ magnétique terrestre** peut être « fossilisé » dans des roches comme le basalte, qui enregistrent, au moment de leur formation, les caractéristiques du champ.

L'étude du **paléomagnétisme**, enregistré dans des roches d'origines géographiques et d'âges variés, montre que les continents ont subi des **déplacements relatifs**.

Les anomalies magnétiques découvertes au niveau du plancher océanique sont interprétées par Vine et Matthews comme des marqueurs de l'**expansion océanique**.

■ La construction d'un modèle global : la tectonique des plaques

L'étude des caractéristiques thermiques et sismiques des zones de subduction a permis de confirmer que la lithosphère océanique rigide plonge dans le manteau externe ductile (auquel on a donné le nom d'**asthénosphère**).

La découverte des **failles transformantes** est à l'origine de la compréhension du **déplacement** des plaques lithosphériques rigides **sur une sphère**.

Le modèle de la tectonique des plaques, élaboré à partir de données très variées, propose une explication cohérente avec l'ensemble de ces données.

Le volcanisme intra-plaque, ou **volcanisme de point chaud**, peut lui aussi s'expliquer dans le cadre du modèle global.

Mots-clés

- Topographie des fonds océaniques
- Flux géothermique
- Expansion océanique
- Anomalies magnétiques
- Lithosphère rigide ; asthénosphère ductile
- Failles transformantes
- Plaques lithosphériques
- Tectonique des plaques

Capacités et attitudes

▶ Recenser, extraire et organiser des informations pour :

– comprendre comment l'hypothèse de l'expansion océanique a réactualisé l'idée de la dérive des continents et a été ensuite validée ;

– comprendre comment des données thermiques et sismiques ont permis d'imaginer que la lithosphère océanique s'enfonce dans l'asthénosphère au niveau des zones de subduction ;

– comprendre comment le volcanisme intra-plaque s'intègre dans le modèle global de la tectonique des plaques.

▶ Utiliser des données de logiciels pour visualiser la répartition des séismes au niveau des zones de subduction.

L'hypothèse de l'expansion des fonds océaniques

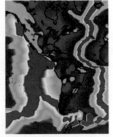

La découverte des reliefs des fonds océaniques et les mesures du flux géothermique conduisent Hess à formuler l'hypothèse de l'expansion des fonds océaniques en « double tapis roulant ».

Expansion du plancher océanique

dorsale — continent

courant de convection du manteau entraînant l'écorce

L'apport du paléomagnétisme

L'hypothèse de Hess et les apports du paléomagnétisme conduisent Vine et Matthews à valider l'hypothèse de l'expansion des fonds océaniques.

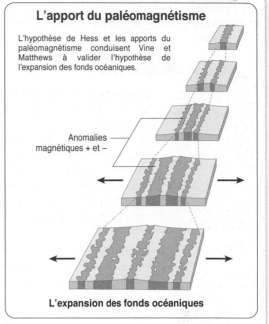

Anomalies magnétiques + et −

L'expansion des fonds océaniques

La construction d'un modèle global : la tectonique des plaques

La distinction lithosphère-asthénosphère

lithosphère continentale

lithosphère océanique

asthénophère

La découverte des failles transformantes

axe de rotation de la Terre

Pôle Nord

axe de rotation des plaques A et B

Pôle eulérien

Plaque A

Plaque B

Plaque C

Les points chauds en accord avec le modèle

plaque océanique — volcans éteints de plus en plus vieux

volcan actif

manteau

manteau chaud

point chaud

noyau

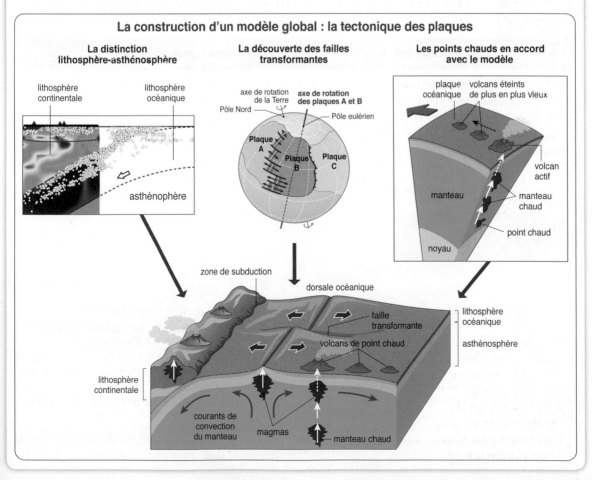

zone de subduction

dorsale océanique

faille transformante

volcans de point chaud

lithosphère océanique

asthénosphère

lithosphère continentale

courants de convection du manteau

magmas

manteau chaud

Volcans, atolls, guyots et tectonique des plaques

Dans l'océan Pacifique, les îles volcaniques sont généralement associées à des formations récifales. En effet, dans la zone intertropicale, les conditions climatiques sont favorables au développement des coraux : eaux chaudes, peu profondes et limpides.

● Parfois, on observe une île dont le pourtour est colonisé par les coraux qui forment un **récif « frangeant »**.
Au large de l'île, les **récifs-barrières (a)** reposent sur le socle volcanique ; ils sont séparés de la côte par un lagon plus ou moins large et peuvent supporter de petites îles coralliennes.

● Les **atolls (b)**, quant à eux, sont des îles coralliennes de haute mer en forme d'anneau plus ou moins continu entourant un lagon. Aucune île volcanique n'est apparente, mais l'atoll repose sur un substrat volcanique plus ou moins profond.

● Enfin, les **guyots** sont des reliefs sous-marins remarquables dont le sommet plus ou moins plat montre qu'ils ont été érodés (donc autrefois émergés).

● Dans différentes zones de l'océan Pacifique, ces différentes structures se succèdent, alignées sur un axe SE - NO (voir page 123).

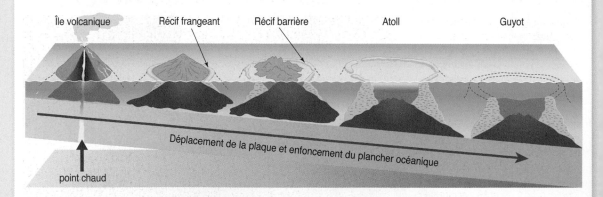

La **tectonique des plaques** permet d'interpréter ces différentes observations. Au sein de la plaque Pacifique, un volcan formé par l'activité d'un point chaud est entraîné avec la plaque. Celle-ci, en s'éloignant de la dorsale qui lui a donné naissance, se refroidit et s'enfonce progressivement (car sa densité augmente).

Le volcan s'enfonce, lui aussi. Grâce à sa croissance, le récif corallien compense cet enfoncement et peut ainsi rester en surface : il y a formation d'une barrière récifale puis, avec le temps (souvent plusieurs millions d'années) d'un atoll proprement dit, lorsque le volcan disparaît sous l'eau. Le guyot représente l'étape ultime de cette évolution.

Des métiers liés à l'étude des océans

Vos goûts et vos points forts
- Aimer voyager
- Aimer l'océan
- Travailler en équipe

Technicien ou ingénieur océanographe
C'est d'une part étudier les océans et les organismes qui y vivent, d'autre part évaluer les ressources minérales et énergétiques exploitables.

Les domaines d'activités potentiels

La tendance actuelle est au travail sur l'**environnement du littoral** (observation et surveillance des pollutions chimiques). Les autres domaines d'étude concernent la **recherche pétrolière** ou la recherche d'**autres ressources**.

Pour y parvenir

On peut accéder aux métiers de l'océanographie par des études courtes pour devenir **technicien** ou plus longues pour devenir ingénieur ou chercheur.

Pour devenir technicien, le CNAM (Centre National des Arts et Métiers) propose un Diplôme de Technicien Supérieur de la mer en deux ans après un bac.

Pour devenir **chercheur** ou **ingénieur**, les formations (4 ou 5 ans après un bac S) ont lieu à l'Université (Aix-Marseille par exemple) ou en écoles comme l'École Supérieure d'Ingénieurs de Marseille (option génie marin) ou l'École Centrale de Paris (option océan).

Les débouchés

Les océanographes peuvent travailler pour des organismes comme les Universités, le CNRS, l'Ifremer, la Météorologie nationale. Ils peuvent aussi travailler dans des secteurs comme la valorisation des produits de la mer, les constructions navales, les sociétés pétrolières, l'environnement, la santé, etc.

■... mieux comprendre l'histoire des sciences

Une découverte fortuite à l'origine d'une hypothèse fondamentale

Durant la Seconde Guerre mondiale, **Harry Hess** commandait un submersible militaire. À l'occasion de ses missions dans l'océan Pacifique, il découvre la présence de **reliefs peu profonds et à sommet plat** sur lesquels il lui arrivait de « poser » son sous-marin. Hess interprète ces structures comme d'**anciennes îles volcaniques** ayant été érodées à l'air libre par l'action des vagues puis submergées à la suite de l'enfoncement progressif du plancher océanique (enfoncement lui-même lié à l'éloignement de la dorsale).

Cette découverte est en grande partie à l'origine de son **hypothèse de l'expansion océanique** en double tapis roulant (voir page 113).

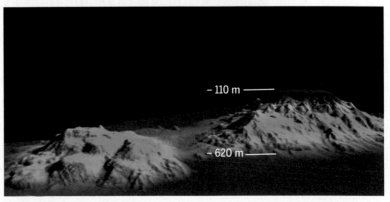

– 110 m

– 620 m

Morphologie typique d'un guyot

Hess nomma « **guyots** » les monts sous-marins qu'il découvrit dans l'océan Pacifique en l'honneur du géographe suisse Arnold Guyot, fondateur du département de géologie de Princeton, l'université d'origine de Hess.

Exercices

1 Définissez les mots ou expressions

Flux géothermique, expansion océanique, anomalie magnétique, asthénosphère, faille transformante, tectonique des plaques.

2 Questions à choix multiples

Choisissez la ou les bonnes réponses parmi les différentes propositions.

1. Le champ magnétique terrestre :
a. présente des inversions de polarité au cours des temps géologiques ;
b. peut être « fossilisé » par des basaltes ;
c. peut être « fossilisé » par toutes les roches.

2. La lithosphère :
a. est une enveloppe terrestre très rigide ;
b. est une enveloppe terrestre ductile ;
c. est limitée par l'isotherme 1 300 °C.

3. Un point chaud :
a. est un volcan en activité au niveau d'une dorsale océanique ;
b. permet d'estimer la vitesse de déplacement d'une plaque lithosphérique ;
c. se déplace en même temps que la plaque.

3 Restitution organisée des connaissances

1. Exposez les faits qui ont permis de fonder l'hypothèse d'une expansion des fonds océaniques et ceux qui l'ont ensuite confirmée.
2. Lithosphère et asthénosphère : définissez ces deux structures du globe terrestre et précisez leurs principales caractéristiques.

4 Vrai ou faux ?

Repérez les affirmations exactes et corrigez celles qui sont inexactes.
a. Hess est à l'origine de l'idée de l'expansion des fonds océaniques.
b. Plus on s'éloigne de la dorsale, plus les basaltes du plancher océanique sont anciens.
c. Les anomalies magnétiques traduisent des inversions de l'intensité du champ magnétique terrestre au cours des temps géologiques.
d. Les séismes affectent les failles transformantes sur toute leur longueur.
e. La présence des points chauds va à l'encontre de la théorie de la tectonique des plaques.

5 Établir des relations historiques

Après avoir relié chaque scientifique à son idée et rétabli l'ordre chronologique de ces découvertes, montrez l'apport de ces différents chercheurs à la théorie de la tectonique des plaques.

Années 1960 : **Hess**		Théorie des points chauds
1968 : **Le Pichon**		Idée de l'expansion océanique
1967 : **Morgan**		6 plaques lithosphériques
1963 : **Vine & Matthews**	?	Failles transformantes
1930 puis 1955 : **Wadati & Benioff**		Lien entre anomalies magnétiques et expansion océanique
Années 1960 : **Wilson**		Subduction

6 Une vitesse d'expansion variable d'un océan à l'autre Exploiter un graphique, raisonner

Le *graphique ci-contre* présente, pour trois dorsales différentes, la relation entre l'âge d'un basalte du plancher océanique (donné ici par le calendrier des inversions magnétiques) et son éloignement à la dorsale.

Choisissez, parmi les différentes propositions, celles qui vous paraissent exactes :
a. La vitesse d'expansion est constante pour une dorsale.
b. La vitesse d'expansion est la même pour toutes les dorsales.
c. La dorsale « Atlantique Nord » est plus rapide que la dorsale « Pacifique Nord-Est ».
d. La dorsale « Pacifique oriental » est la plus rapide.

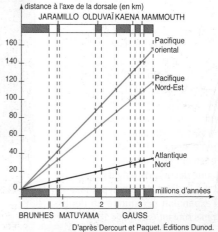

D'après Dercourt et Paquet. Éditions Dunod.

7 Le paléomagnétisme, un marqueur de la mobilité continentale　Extraire des informations, raisonner

- Les trapps du Deccan forment un vaste ensemble de coulées basaltiques situées en Inde (entre 15 et 20° de latitude Nord) et datées de – 65 Ma. Ces roches, riches en oxydes de fer, ont enregistré le champ magnétique qui existait à l'époque de leur formation (voir page 114). Elles conservent ainsi une aimantation dite thermo-rémanente (ATR).

- Sur ce schéma du globe terrestre, le bloc A représente un ensemble rocheux volcanique de formation très récente : par conséquent, le vecteur inclinaison de son ATR est tangent à la ligne de champ magnétique actuel du lieu. Le bloc B représente les trapps du Deccan. Le vecteur ATR de cette formation est représenté en rouge.

- Les géologues pensent que les trapps du Deccan se sont formés à l'aplomb d'un point chaud encore actif aujourd'hui et qui alimente le piton de la Fournaise sur l'île de la Réunion (21° de latitude Sud).

Montrez que le paléomagnétisme constitue un argument à l'appui de cette hypothèse.

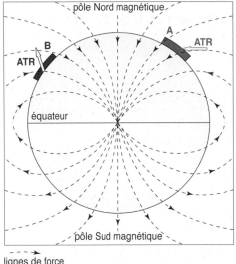

- - - ▸ lignes de force
du champ magnétique terrestre

8 La séparation du bloc corso-sarde et du continent　Extraire des informations, raisonner

- L'ensemble continental constitué par les îles Corse et Sardaigne était encore rattaché au continent il y a 25 Ma. L'ouverture du bassin algéro-provençal (de – 25 à – 15 Ma) a entraîné la séparation de ce bloc de la côte sud-est de la France.

- Des mesures de paléomagnétisme ont été réalisées sur des rhyolites, roches magmatiques du massif de l'Esterel en Provence et du massif de Scandola en Corse.
Les résultats des mesures sont indiqués par les doubles flèches rouges (*document ci-contre*) qui indiquent, pour chacun des massifs, la direction de l'axe passant par les pôles magnétiques à l'époque de la formation des rhyolites (Permien : – 250 Ma).

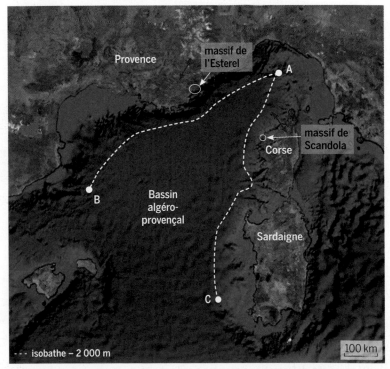

1. Que montrent les mesures paléomagnétiques ?

2. Quelle information apporte le tracé de l'isobathe – 2 000 m ?

3. Déduisez de l'ensemble des informations le mouvement réalisé par le bloc corso-sarde au cours de l'ouverture du bassin algéro-provençal.

9 Une célèbre faille active : la faille de San Andreas — Extraire des informations, communiquer, raisonner

Sun Feb 20 22:20:21 PST 2011
317 earthquakes on this map

La faille de San Andreas est le siège d'une activité sismique permanente : la *carte ci-contre* recense les séismes intervenus en une seule semaine (du 13 au 20 février 2011).

Située en Californie, entre les plaques tectoniques du Pacifique et de l'Amérique du Nord, la faille de San Andreas passe par San Fransisco et Los Angeles. Elle est le siège de nombreux séismes dont certains ont été dévastateurs (la ville de San Francisco a été détruite en 1906).

En attendant le « Big One » apocalyptique, les sismologues estiment, que, chaque année, 1 % de l'énergie sismique mondiale est libérée dans cette zone des États-Unis.

Les géologues distinguent trois grands types de failles : les failles **inverses** associées à des mouvements de compression, les failles **normales** associées à des mouvements en extension et des failles **décrochantes** associées à des mouvements de coulissage.

1. Décrivez les déformations causées par l'activité de la faille de San Andreas et déduisez-en à quel grand type de faille elle appartient.

2. Justifiez le terme de « faille transformante » donné par les géologues à la faille de San Andreas.

Utiliser ses capacités expérimentales

10 Une microplaque dans le Pacifique Utiliser des logiciels scientifiques, communiquer, raisonner

■ **Problème à résoudre**

L'île de Pâques (latitude 27° 10 S, longitude 109°36 O), célèbre pour ses monumentales statues, est située dans une zone du Pacifique Sud où plusieurs plaques tectoniques sont en contact : la plaque Nazca (sur laquelle se trouve l'île de Pâques), la plaque Antarctique et la plaque Pacifique. Cependant, les scientifiques pensent qu'il existe une microplaque au voisinage de l'île de Pâques.

On se propose de rechercher les arguments en faveur de la présence de cette microplaque dans l'océan Pacifique.

■ **Matériel disponible**

– Logiciel Sismolog.
– Google Earth.
– Carte des fonds océaniques (p. 346-347).

■ **Utilisation des potentialités des logiciels**

– Avec le logiciel Sismolog, affichez les foyers sismiques de la région étudiée.
– Avec le logiciel Google Earth, visualisez le relief des fonds océaniques de la région de l'île de Pâques.

■ **Exploitation des résultats**

– Indiquez les caractéristiques topographiques et sismiques de la région étudiée.
– À partir de l'ensemble des données, justifiez l'existence de la microplaque « Île de Pâques » entre la plaque Pacifique et la plaque Nazca.

Les « Moaïs » de l'île de Pâques.

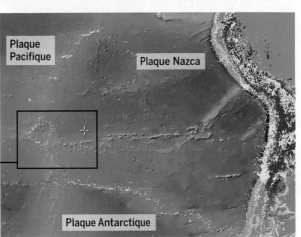

La répartition des foyers sismiques autour de l'île de Pâques avec le logiciel Sismolog (Éd. Chrysis).

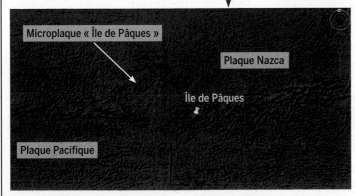

La topographie autour de l'île de Pâques (Google Earth).

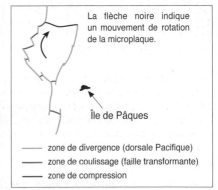

La flèche noire indique un mouvement de rotation de la microplaque.

Île de Pâques

— zone de divergence (dorsale Pacifique)
— zone de coulissage (faille transformante)
— zone de compression

Schéma d'interprétation des structures observées.

Des DOCUMENTS pour se poser des questions

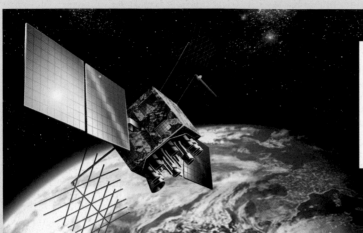

Le système GPS

Depuis quelques années, de multiples applications du positionnement par satellite ont été développées (positionnement des voitures, des bateaux, des personnes...). Ce système est précis à quelques mètres près.

Actuellement, les GPS scientifiques permettent une précision de quelques millimètres.

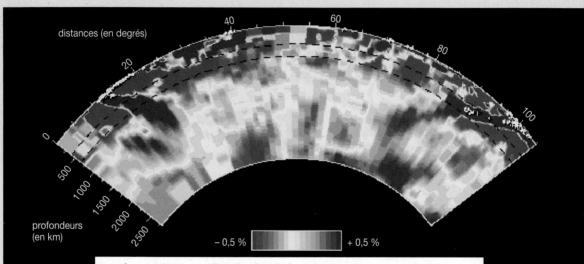

distances (en degrés)

profondeurs (en km)

− 0,5 %   + 0,5 %

La dynamique profonde du globe terrestre

Des techniques modernes telles que la tomographie sismique fournissent des informations sur la dynamique du manteau. La structure thermique du manteau est révélée par les anomalies de vitesse de propagation des ondes sismiques (en rouge, zones chaudes où les ondes sont ralenties ; en bleu, zones froides où les ondes sont accélérées).

LES PROBLÉMATIQUES DU CHAPITRE

- Quels faits nouveaux ont permis de confirmer le modèle de la tectonique des plaques ?
- Quelles techniques permettent de visualiser et de prévoir les déplacements des plaques lithosphériques ?
- Comment s'effectue le renouvellement de la lithosphère océanique ?

L'Islande, un « laboratoire géologique » extraordinaire ; ici, éruption du volcan Eyjafjöll en mars 2010.

La tectonique des plaques :
un modèle qui s'enrichit

L'expansion océanique confirmée par les forages

À partir de 1964, des navires spécialisés permettent de réaliser de nombreux carottages des fonds océaniques. *L'étude directe des sédiments océaniques et du plancher basaltique va confirmer pleinement l'expansion océanique jusqu'alors déduite de mesures géophysiques.*

A L'âge et l'épaisseur des sédiments au contact du basalte

• Des campagnes de forages des fonds océaniques

De 1968 à 1975, 270 forages répartis dans tous les océans ont été réalisés par le navire « Glomar Challenger » (J.O.I.D.E.S Deep Sea Drilling Project). L'objectif de ces forages en mer profonde est de fournir des données concernant le plancher océanique.

Ce plancher est ainsi « carotté » sur une épaisseur qui peut dépasser 1 700 mètres, sous une tranche d'eau parfois supérieure à 3 km. Les carottes obtenues permettent d'étudier les sédiments (**pétrographie**, **stratigraphie**) et de définir l'âge du substrat basaltique.

Le navire Glomar Challenger (**a**) a prélevé des ▶ milliers de carottes de sédiments provenant du fond de l'océan. Les scientifiques à bord du navire (**b**) nettoient et préparent une carotte de 9,5 mètres de long fraîchement retirée du fond océanique. Les carottes sont ensuite découpées en segments plus courts et divisées en deux dans le sens de la longueur (**c**) : une moitié est utilisée pour analyse, l'autre est conservée pour archive.

• Les résultats d'une campagne de forages

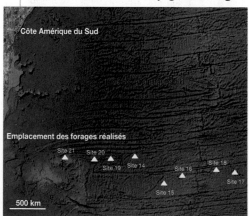

Le Glomar Challenger a notamment réalisé en 1968-1969 les forages numérotés 14 à 21, dans l'océan Atlantique vers 30° de latitude sud *(carte ci-contre)*. Tous ces forages ont atteint le fond basaltique ; les sédiments au contact du basalte ont pu être datés grâce aux fossiles qu'ils contenaient *(tableau ci-dessous)*.

	Site n° 21	Site n° 20	Site n° 19	Site n° 14	Site n° 15	Site n° 16	Site n° 18	Site n° 17
Âge du sédiment en contact avec le basalte (en Ma)	75	65	48	40	23	11	23	35
Distance à la dorsale (en km)	1 700	1 300	1 000	800	400	250	500	750
Épaisseur des sédiments (en m)	3 200	3 000	2 500	2 200	1 100	750	1 200	1 700
Profondeur moyenne du toit du basalte (en m)	−7 200	−6 800	−6 000	−5 700	−4 600	−3 650	−4 700	−5 100

Doc. 1 Des données recueillies par le navire foreur Glomar Challenger en 1968-1969.

B Estimation des vitesses d'expansion

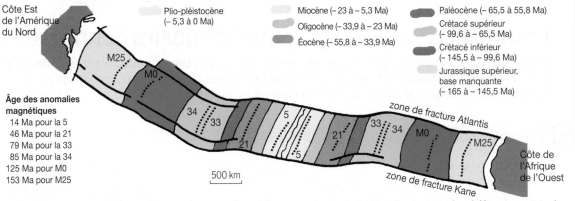

Côte Est de l'Amérique du Nord

Plio-pléistocène (– 5,3 à 0 Ma)
Miocène (– 23 à – 5,3 Ma)
Oligocène (– 33,9 à – 23 Ma)
Éocène (– 55,8 à – 33,9 Ma)
Paléocène (– 65,5 à 55,8 Ma)
Crétacé supérieur (– 99,6 à – 65,5 Ma)
Crétacé inférieur (– 145,5 à – 99,6 Ma)
Jurassique supérieur, base manquante (– 165 à – 145,5 Ma)

Âge des anomalies magnétiques
14 Ma pour la 5
46 Ma pour la 21
79 Ma pour la 33
85 Ma pour la 34
125 Ma pour M0
153 Ma pour M25

zone de fracture Atlantis

zone de fracture Kane

Côte de l'Afrique de l'Ouest

500 km

En exploitant les données relatives aux âges des sédiments et des anomalies paléomagnétiques, il est possible d'estimer la largeur de croûte océanique produite au niveau de la dorsale au cours des différentes périodes et d'en déduire une **vitesse** relative **d'expansion** océanique (« vitesse d'ouverture ») au cours de ces mêmes périodes.

Doc. 2 Des données stratigraphiques et paléomagnétiques cohérentes.

Ci-dessous, la carte de l'âge du fond des océans obtenue par compilation des données de forages réalisés dans les océans Pacifique et Atlantique. L'âge représente celui des plus anciens sédiments en contact avec le basalte.

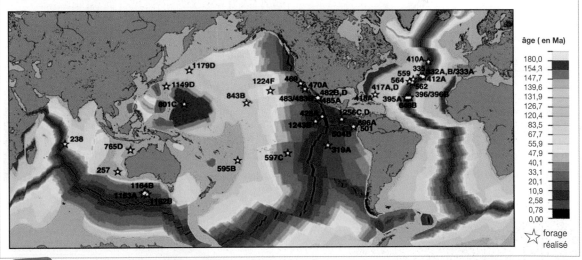

âge (en Ma)
180,0
154,3
147,7
139,6
131,9
126,7
120,4
83,5
67,7
55,9
47,9
40,1
33,1
20,1
10,9
2,58
0,78
0,00

☆ forage réalisé

Doc. 3 Des vitesses d'expansion variables selon les dorsales.

Pistes d'exploitation

PROBLÈME À RÉSOUDRE ▶ Comment l'étude des fonds océaniques a-t-elle permis de confirmer l'expansion océanique ?

Doc. 1 Donnez les caractéristiques des sédiments (âge et épaisseur) à mesure que l'on s'éloigne de la dorsale. Représentez, sous forme d'un schéma légendé, les fonds océaniques en coupe entre les sites 17 et 21.

Doc. 1 et 2 Calculez la vitesse d'ouverture de l'océan Atlantique Nord à l'aide des âges des sédiments (doc. 1) et des inversions paléomagnétiques (doc. 2). Comparez.

Doc. 3 Comparez les vitesses d'ouverture au niveau des différentes dorsales.

Lexique, p. 354

La mobilité des plaques confirmée par les données GPS

À la fin du XXᵉ siècle, grâce à l'utilisation des techniques de positionnement par satellites (GPS), les mouvements des plaques deviennent directement observables. *Nous allons voir comment ces mesures confirment et précisent les estimations précédentes du déplacement des plaques lithosphériques.*

A Le GPS mesure des déplacements absolus

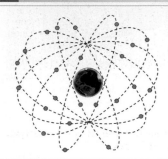

La technique GPS (Global Positioning System) est réalisée à partir de 24 satellites orbitant à 20 000 km d'altitude et disposés de telle façon, qu'à tout instant, au moins quatre d'entre eux sont clairement « visibles » de n'importe quel point à la surface du globe. En captant les signaux codés émis par les satellites « visibles », un récepteur placé au sol indique en temps réel les coordonnées géographiques (latitude, longitude et altitude) du point où il se trouve.

Les GPS utilisés pour les mesures scientifiques ont une précision de quelques millimètres : ils servent notamment à mesurer les déplacements des plaques lithosphériques. Les données GPS permettent d'obtenir le *mouvement absolu d'une station* sur la sphère terrestre.

Doc. 1 **Le principe du géopositionnement par satellite.**

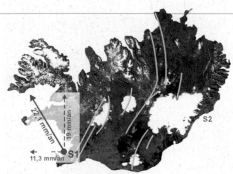

En jaune les failles majeures
En rouge les stations réceptrices
S1 : station REYK (Reykjavik)
S2 : station HÖFN (Höfn)

Le déplacement réel (mouvement absolu) de Reykjavik (vecteur en trait plein) est établi à partir des déplacements en latitude et longitude (vecteurs pointillés) eux-mêmes calculés à partir de mesures *GPS*.

Les *graphiques ci-dessous* représentent les relevés GPS en latitude et longitude pour Reykjavik et Höfn depuis 2000.

La pente est positive pour des déplacements vers le nord (en latitude), ou vers l'est (en longitude). Elle est négative pour des déplacements en sens inverse.

a **Vue satellitale de l'Islande.**

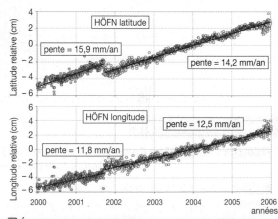

REYK latitude
pente = 23,5 mm/an
pente = 19 mm/an

REYK longitude
pente = – 11,3 mm/an

HÖFN latitude
pente = 15,9 mm/an
pente = 14,2 mm/an

HÖFN longitude
pente = 12,5 mm/an
pente = 11,8 mm/an

b **Évolution de la latitude et de la longitude de Reykjavik entre 2000 et fin 2006.**

c **Évolution de la latitude et de la longitude de Höfn entre 2000 et fin 2006.**

Doc. 2 **Données GPS et déplacements lithosphériques en Islande.**

B Les données du GPS concordent avec les données géologiques

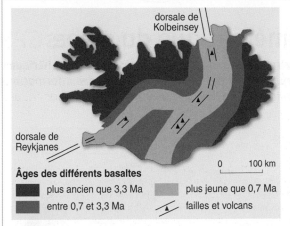

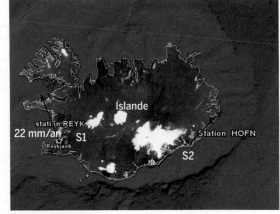

dorsale de Kolbeinsey

dorsale de Reykjanes

Islande

22 mm/an   S1

station REYK

Reykjavik

station HÖFN

S2

Âges des différents basaltes

- plus ancien que 3,3 Ma
- entre 0,7 et 3,3 Ma
- plus jeune que 0,7 Ma
- failles et volcans

0   100 km

Doc. 3 Les données GPS concordent avec l'âge des basaltes océaniques.

Dans l'archipel des îles Hawaï (Pacifique), les âges des principales îles issues du fonctionnement du point chaud sont indiqués sur l'*image satellitale ci-dessous*.

La station GPS HILO a permis d'obtenir les *coordonnées géographiques ci-dessous* depuis 1998.

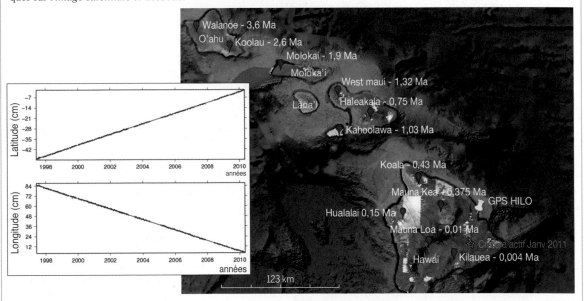

Walanoe - 3,6 Ma
O'ahu   Koolau - 2,6 Ma
Molokaï - 1,9 Ma
Molokaʻi
West maui - 1,32 Ma
Lanaʻi   Haleakala - 0,75 Ma
Kahoolawa - 1,03 Ma
Koala - 0,43 Ma
Mauna Kea - 0,375 Ma   GPS HILO
Hualalai 0,15 Ma
Mauna Loa - 0,01 Ma
Cratère actif Janv 2011
Hawaï   Kilauea - 0,004 Ma
123 km

Doc. 4 Les données GPS concordent avec les données du **volcanisme de point chaud**.

Pistes d'exploitation

PROBLÈME À RÉSOUDRE ► Comment les mesures GPS permettent-elles de confirmer et de préciser le déplacement de plaques ?

Doc. 1 Indiquez les intérêts de l'utilisation du GPS.

Doc. 2 et 3 Montrez comment les données GPS confirment les mouvements déduits des anomalies paléomagnétiques en Islande.

Doc. 4 Retrouvez la vitesse à partir des données GPS acquises depuis la balise Hilo, puis comparez cette vitesse à celles calculées à partir des couples de volcans suivants : West Maui et Haleakala, Walanoe et Koolau, Kahoolawa et Koala. Discutez de l'intérêt respectif de ces deux techniques.

Lexique, p. 354

Une vue globale de la cinématique du globe

Les données GPS ont permis de préciser en temps réel les déplacements des plaques lithosphériques.
À partir des années 1990, des modèles synthétiques globaux, utilisant l'ensemble des informations disponibles, décrivent les caractéristiques de la cinématique des plaques.

A Les mouvements relatifs des plaques

Pour décrire un modèle cinématique global, il faut définir le nombre et la géométrie des plaques lithosphériques. Ce sont les données sismiques et tectoniques qui permettent de caractériser les frontières de plaques.

Ainsi, le modèle initial de 1967, à six grandes plaques (voir page 122), s'est enrichi à onze puis douze plaques principales.

Il a fallu, par ailleurs, calculer les paramètres de leurs déplacements relatifs qui peuvent être décrits comme des rotations sur la surface de la sphère terrestre.

Les 12 grandes plaques lithosphériques

Doc. 1 Le nombre de plaques tectoniques.

• Le modèle cinématique NUVEL 1 (1994) propose une synthèse des déplacements relatifs des plaques à partir de données recueillies dans les océans : l'alternance des bandes d'anomalies magnétiques (depuis – 3 Ma jusqu'à nos jours) et les directions des failles transformantes. La surface produite au niveau des dorsales, parfaitement connue et mesurée, doit être consommée par les zones de subduction.

• Une représentation possible des mouvements des principales plaques consiste à reporter sur une carte les valeurs des déplacements calculés pour des couples de plaques au niveau de leur frontière commune. Il s'agit donc de mouvements relatifs qui ne permettent pas facilement de voir le mouvement « réel » d'une plaque. Sur la carte, en regardant la dorsale Atlantique, il semble que l'Afrique se dirige vers l'est, alors qu'elle semble aller vers l'ouest si l'on regarde la dorsale Est-indienne.

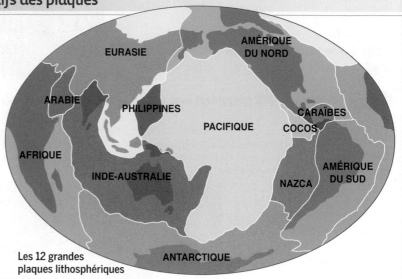

Déplacements relatifs au niveau des frontières de plaques

⟷ frontière divergente
→ ← frontière convergente
↘↖ frontière transformante
1,3 : vitesse associée en cm·an⁻¹

Doc. 2 Carte des mouvements relatifs aux frontières des plaques.

B Le mouvement « réel » des plaques

Grâce aux outils de mesure de **géodésie** spatiale (par exemple le réseau Doris), les données GPS recueillies pendant quatre années sur plus de 50 sites ont permis de mettre au point un modèle global de cinématique géodésique (modèle DORIS).

Ce modèle permet de comparer les vitesses « instantanées » des mouvements des plaques (telles qu'elles sont mesurées par GPS) aux vitesses moyennes estimées grâce aux données océanographiques obtenues sur les deux derniers millions d'années (modèle NUVEL-1).

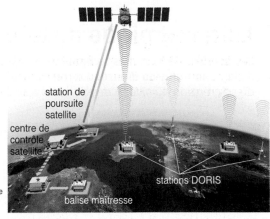

* Centre de contrôle et de traitement des données

station de poursuite satellite

centre de contrôle satellite

stations DORIS

balise maîtresse

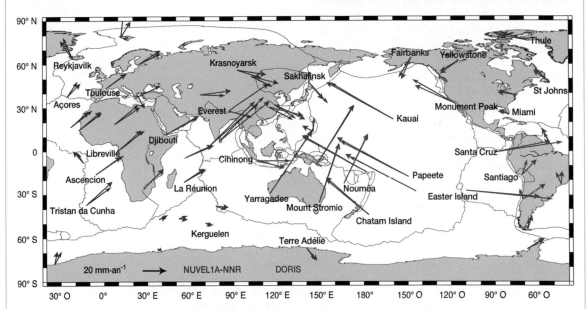

Les données NUVEL-1 ont été calculées par rapport à un repère fixe (point chaud par exemple) puis comparées aux données obtenues par le système DORIS.

Les mouvements sont représentés par des « vecteurs vitesse », flèches indiquant le sens du déplacement et dont la longueur est proportionnelle à la vitesse de ce déplacement.

Doc. 3 **Des déplacements repérés par GPS à l'échelle du globe.**

Pistes d'exploitation

PROBLÈME À RÉSOUDRE ► **Comment les données géologiques et les données géodésiques (GPS) permettent-elles de construire des modèles globaux du déplacement des plaques à la surface du globe ?**

Doc. 1 Identifiez les plaques « nouvelles » qui ont permis de préciser le modèle à six plaques de 1967 (voir p. 122).

Doc. 2 Identifiez quelques mouvements relatifs (direction, sens et vitesse) correspondant aux trois catégories de frontières.

Doc. 2 et 3 Montrez, à l'aide d'un ou deux exemples, que les données géologiques sont confirmées par les données géodésiques (GPS).

Lexique, p. 354

La dynamique de la lithosphère précisée

Depuis 1970, de nouvelles techniques, en particulier la tomographie sismique, fournissent des images de la dynamique du manteau terrestre. *Elles confirment la dynamique de la lithosphère océanique, de sa création au niveau des dorsales à sa disparition au niveau des zones de subduction.*

A | La tomographie sismique : un scanner du globe terrestre

À partir des années 1990, les sismologues ont développé une technique appelée tomographie sismique pour produire des images en 3D de la Terre. Dans ces études, les chercheurs comparent le temps de parcours des ondes sismiques observé suivant une trajectoire donnée avec le temps de parcours théorique des ondes calculé en supposant un manteau homogène. En réalité, si une onde sismique traverse un milieu dont les propriétés physiques (température, densité, etc.) diffèrent de celles du modèle moyen, elle arrivera en retard ou en avance par rapport aux prédictions de ce modèle.

Sur le schéma ci-contre :
Secteur 1 : secteur où les ondes sont accélérées ;
Secteur 2 : secteur où les sondes sont ralenties.

En répétant les mesures pour différentes trajectoires d'ondes et selon de nombreuses directions, les chercheurs peuvent établir un véritable scanner de l'intérieur du globe. La multiplicité des enregistrements ainsi que le traitement mathématique et informatique permettent de visualiser en 3D les structures profondes.

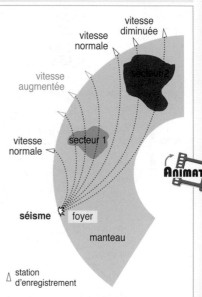

Doc. 1 **La tomographie sismique** est fondée sur les vitesses des ondes sismiques.

• Les vitesses rapides (en bleu) correspondent aux zones froides du manteau alors que les vitesses lentes (en rouge) correspondent aux régions chaudes.

• Les frontières des plaques tectoniques sont indiquées en vert.

• Les cercles verts correspondent aux volcans associés à des points chauds.

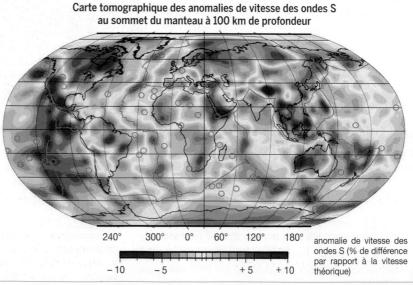

Carte tomographique des anomalies de vitesse des ondes S au sommet du manteau à 100 km de profondeur

240°   300°   0°   60°   120°   180°

anomalie de vitesse des ondes S (% de différence par rapport à la vitesse théorique)

− 10   − 5   + 5   + 10

Doc. 2 **La tomographie permet de repérer des anomalies thermiques au sein du manteau.**

B La tomographie et la dynamique de la lithosphère océanique

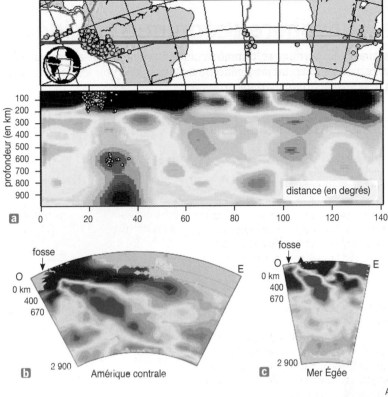

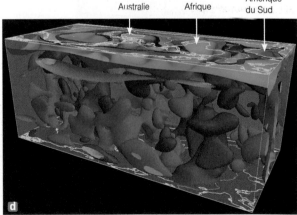

Les résultats tomographiques peuvent être représentés par des coupes verticales en 2D : les couleurs chaudes (tons rouges) révèlent des zones plus chaudes, les couleurs froides (tons bleus), des zones plus froides.

Coupe entre la dorsale Est-Pacifique et l'est de l'Afrique (a).
Coupes de zones de subduction : en Amérique centrale (b) et en mer Égée (c).

Ces anomalies thermiques peuvent être mises en relation avec la dynamique de la lithosphère océanique :
– une zone chaude suggère une montée magmatique (courant ascendant dans le manteau) à l'origine de la création de lithosphère océanique ;
– une zone froide anormalement profonde suggère un enfoncement de la plaque lithosphérique dans le manteau, c'est-à-dire la disparition de plancher océanique au niveau des zones de subduction.

Un traitement informatique des données de ▶ la tomographie sismique permet de modéliser les anomalies thermiques au sein du manteau (les anomalies chaudes sont toujours en rouge et les anomalies froides, en bleu). Sur le *bloc diagramme ci-contre*, où les continents sont repérés dans la partie supérieure, on peut par exemple noter, dans la profondeur du manteau, l'anomalie chaude correspondant à la dorsale médio-atlantique.

Doc. 3 **La tomographie sismique, en accord avec les modèles de la dynamique de la lithosphère océanique.**

Pistes d'exploitation

PROBLÈME À RÉSOUDRE ▶ Comment « voir » l'intérieur du globe et vérifier la dynamique de la lithosphère océanique ?

Doc. 1 et 2 Expliquez sur quel principe est fondée la tomographie sismique. Identifiez sur le document 2 deux zones mantelliques au comportement différent.

Doc. 3 Montrez que la tomographie permet, dans le cas d'une subduction, de préciser la profondeur à laquelle s'enfonce la plaque subduite. En quoi la reconstitution en 3D peut-elle suggérer des mouvements de matière au sein du manteau ?

Lexique, p. 354

L'origine de la lithosphère océanique élucidée

Différentes données géophysiques (géothermiques, tomographiques, gravimétriques) montrent une activité à l'aplomb des dorsales, lieu de l'expansion océanique. *Nous allons voir les conditions permettant la production de cette nouvelle lithosphère océanique.*

A Un plancher océanique stratifié d'origine mantellique

En 1988, le submersible Nautile explore une faille transformante : la faille Vema (**a**). En décalant deux blocs de dorsale (**b**), cette faille permet l'observation directe d'une « tranche » de lithosphère océanique (**c**).

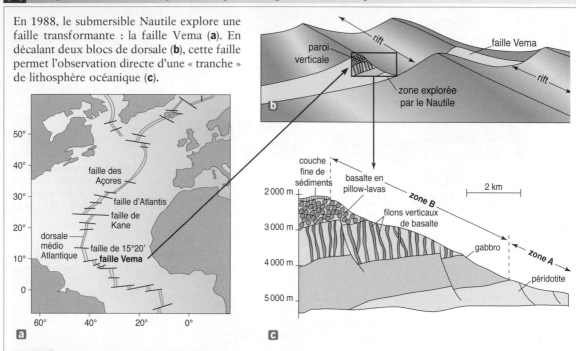

Doc. 1 **La faille Vema, une zone d'observation privilégiée de la lithosphère océanique.**

À la fin des années 1950 est mis au point un dispositif appelé « **presse à enclume de diamant** » permettant d'obtenir des conditions de pression et de température suffisantes pour provoquer une fusion partielle des roches.

Dans le *tableau ci-dessous*, des péridotites broyées sont placées dans ce dispositif. La composition du liquide obtenu est analysée et comparée à celle des roches de la lithosphère océanique (en % d'éléments chimiques).

1 cm

Échantillon de péridotite

		Liquide obtenu par fusion partielle de la péridotite (5, 15 ou 40 % de fusion)			Roches de la lithosphère océanique		
		5 %	15 %	40 %	Basalte	Gabbro	Péridotite
Éléments chimiques	**O**	42,39	43,4	44,97	43,66	43,25	44,3
	Si	21,1	22,33	24,01	22,33	22,59	20,89
	Al	7,1	6,1	4,14	7,58	8,02	1,7
	Mg	5,1	7,2	14,35	7,2	7,15	24,02
	Fe	13,47	9,44	6,56	8,59	8,28	6,71
	Ca	6,32	9,01	5,3	8,59	8,67	2,15
	Na	1,85	1,11	0,59	1,63	1,42	0,15
	K	0,96	0,5	0,08	0,42	0,62	0,08

Doc. 2 **L'origine des roches du plancher océanique.**

B   Les conditions de formation du magma basaltique

● **Simulation des conditions de fusion d'une péridotite**

Le logiciel « Pression, température et formation des roches » *(Jeulin)* permet de simuler le comportement d'un échantillon de roche soumis à des températures et des pressions élevées, comparables à celles qui règnent à l'intérieur du globe *(écran ci-contre)*. Chaque point du graphe représente l'état d'une roche (solide ou partiellement fondue) soumise à une température et une pression correspondant aux coordonnées du point.

On peut ainsi par tâtonnement rechercher le **solidus** de la roche, c'est-à-dire la courbe regroupant les conditions minimales nécessaires au début de sa fusion.

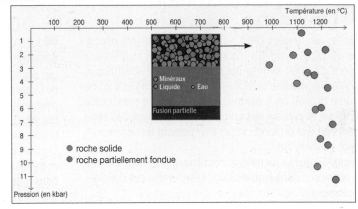

● **Mise en relation du solidus d'une péridotite et des géothermes océaniques**

– Utiliser une fonctionnalité du logiciel pour tracer le solidus correct.
– Superposer un géotherme « théorique » à cette courbe : parmi ceux proposés par le logiciel, choisir par exemple celui correspondant au « contexte géodynamique » étudié, c'est-à-dire celui d'une dorsale océanique.
– Comparer au géotherme moyen océanique (surajouté ici sur la copie d'écran).

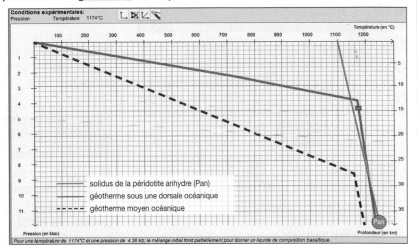

Au niveau d'une dorsale océanique, la remontée locale du manteau asthénosphérique crée les conditions nécessaires à un début de fusion partielle des péridotites. Les gouttelettes, moins denses que l'environnement, migrent vers le haut et se rassemblent pour former des poches de magma puis une chambre magmatique. Au sein de celle-ci, une **cristallisation** lente donne naissance aux gabbros, tandis que les basaltes du plancher océanique sont formés par épanchement en surface du magma basaltique qui cristallise alors rapidement.

Doc. 3   **Utilisation d'un logiciel pour comprendre des conditions de formation du magma.**

Pistes d'exploitation

PROBLÈME À RÉSOUDRE ▶ **Comment est produite la lithosphère océanique ?**

Doc. 1 Indiquez les roches constitutives de la lithosphère océanique.

Doc. 2 Montrez en quoi les données du tableau permettent d'envisager que la péridotite est à l'origine des roches de la croûte océanique.

Doc. 3 Montrez que les péridotites du manteau sont en général à l'état solide. Précisez dans quelles conditions très particulières elles peuvent cependant fondre partiellement, ce qui vous permettra de répondre au problème posé.

Lexique, p. 354

chapitre 3 La tectonique des plaques : un modèle qui s'enrichit

À la fin des années 1960, l'idée d'une lithosphère découpée en plaques rigides mobiles les unes par rapport aux autres est enfin admise par la communauté scientifique. Le premier modèle proposé par Le Pichon en 1968 d'une écorce divisée en 6 plaques va dès lors être sans cesse confirmé et précisé, notamment par les forages des sédiments en eau profonde et par l'avènement du positionnement par satellite.

Le modèle de la « tectonique des plaques » devient le cadre de référence dans lequel s'inscrit l'ensemble des données géologiques.

1 Une confirmation de l'expansion du plancher océanique

■ Les forages profonds : une confirmation de l'expansion océanique

À partir de la fin des années 1960, des **forages** systématiques en mer profonde sont entrepris (projet américain JOIDES). Les techniques permettent désormais de forer à plusieurs milliers de mètres de profondeur et de prélever des carottes de plancher océanique atteignant près de 2 km de longueur. Il s'agit notamment de vérifier que, conformément au modèle, la croûte océanique basaltique est effectivement de plus en plus vieille en s'éloignant de la dorsale. En conséquence, les accumulations sédimentaires doivent être elles-mêmes de plus en plus anciennes et de plus en plus épaisses.

Les données recueillies sont en plein accord avec ces prévisions. **Plus on s'éloigne de la dorsale, plus les sédiments sont épais et plus les couches en contact avec le basalte sont anciennes.** Par exemple, dans l'Atlantique Nord, le plancher océanique le plus ancien (daté du Jurassique, soit 180 Ma environ) se rencontre à la marge continentale (américaine ou européenne) ; en se rapprochant de la dorsale, les basaltes sont de plus en plus récents (Crétacé puis Tertiaire). Quant à la couverture sédimentaire, son épaisseur diminue du bord de l'océan vers son centre pour devenir quasiment nulle à la dorsale.

Toutes ces données, vérifiées dans les autres domaines océaniques, confirment la jeunesse des océans. Celle-ci s'oppose à la vieillesse des continents sur lesquels on peut observer des roches âgées de plusieurs milliards d'années. Ces données océanographiques valident de façon convaincante l'hypothèse de l'**expansion océanique** formulée par Hess, dès 1962.

■ La confrontation des données sédimentaires et paléomagnétiques

Les données sédimentaires recueillies lors des campagnes de forages ont permis d'affiner la datation des événements paléomagnétiques enregistrés sur les planchers océaniques. Connaissant l'âge des sédiments en contact avec le basalte et la distance à la dorsale, on a pu calculer de manière plus précise la **vitesse d'expansion** du plancher océanique. Les résultats obtenus confirment les estimations fondées jusque-là sur les données paléomagnétiques (ou sur l'âge des volcans intra-plaques). On constate que la vitesse d'expansion est variable : de 2 cm par an dans le cas des dorsales lentes (comme la dorsale médio-atlantique) jusqu'à 17 cm par an dans le cas des dorsales rapides (comme la dorsale nord-pacifique).

Au milieu des années 1990, alors que près de mille puits ont été forés, la communauté scientifique considère que la « théorie des plaques » constitue un ensemble de faits scientifiquement démontrés ; elle est devenue le modèle de « la tectonique des plaques ».

2 Une mesure directe par GPS des mouvements des plaques

■ Le GPS, un outil permettant une mesure précise et instantanée

Dès le début des années 1980, le **géopositionnement par satellite (GPS)**, est utilisé dans le domaine de la tectonique des plaques. Ce système de géodésie repose sur l'existence au sol de balises dont la position en longitude, latitude et altitude est mesurée en continu grâce à un ensemble de satellites.

Avant l'avènement d'un tel système, les mesures de déplacement ne pouvaient être réalisées qu'à partir des anomalies paléomagnétiques du plancher océanique ou de l'observation des volcans associés à un point chaud. Ces mesures représentaient donc une estimation moyenne portant sur des périodes de plusieurs millions d'années.

Désormais, il devient possible de mesurer des **vitesses « instantanées »**. La position des balises est enregistrée en permanence et avec une précision telle, que l'on peut mesurer les déplacements brutaux intervenant lors d'un séisme (par exemple, le Japon aurait été déplacé de 2,4 m lors du séisme de mars 2011). Ces mesures confirment par ailleurs aussi bien les vitesses d'expansion océanique de part et d'autre d'une dorsale que les dérives des plaques au-dessus d'un point chaud.

■ Un modèle qui se précise

Les nombreuses mesures réalisées grâce à un réseau très dense de balises ont permis d'**enrichir le modèle initial** à 6 plaques (Afrique, Antarctique, Amérique, Inde, Pacifique et Eurasie).

L'étude fine des déplacements permet de définir avec précision **trois types de frontières de plaques** (divergentes, convergentes et transformantes) et de mesurer les vitesses réelles de ces déplacements. De nouvelles frontières de plaques sont alors définies, tenant compte des mouvements mesurés et des types de séismes enregistrés. De « nouvelles plaques » plus petites sont alors délimitées, comme les plaques de Nazca, des Philippines, des Cocos, d'Arabie, des Caraïbes... Le modèle passe ainsi de 6 à 11 puis à 12 plaques principales.

■ Vers des modèles cinématiques globaux

La multitude des données recueillies et leur traitement informatique ont permis, à partir de 1995, de confronter des **modèles de déplacements** « instantanés » (modèle DORIS) aux modèles de déplacements « moyens » estimés sur les 3 derniers millions d'années à partir des anomalies paléomagnétiques et des données des points chauds (modèle NUVEL-1A). La correspondance entre ces deux types de données confère une bonne fiabilité aux modèles de cinématique des plaques et permet d'envisager des applications en particulier dans la surveillance tectonique de certaines régions à risques. Par exemple, l'implantation de balises DORIS permet de surveiller des zones ayant une grande probabilité d'être affectées par un séisme majeur (magnitude supérieure à 8,5) dans un futur proche.

3 La dynamique de la lithosphère océanique précisée

■ La tomographie sismique : un outil d'observation de l'intérieur du globe

À partir des années 1970, un nouvel outil géophysique, la tomographie sismique, va permettre de « visualiser » l'intérieur du globe. Cette technique consiste à identifier des anomalies de vitesse de propagation des ondes sismiques par rapport à une vitesse prévisible étant donné le chemin parcouru.

La traversée d'une zone anormalement froide se traduit par une accélération relative des ondes et donc par une anomalie de vitesse positive ; à l'inverse, une anomalie négative trahit la traversée d'une zone anormalement chaude. À l'issue de calculs complexes, il devient possible de **cartographier les hétérogénéités à différentes profondeurs du globe** sous la forme de coupes tomographiques.

■ Le renouvellement de la lithosphère océanique

Au niveau des **zones de subduction**, les données tomographiques confirment l'**enfoncement** et la **disparition** de la lithosphère océanique dans l'asthénosphère. La grande lenteur de réchauffement de la lithosphère océanique plongeant dans le manteau plus chaud explique l'anomalie positive de la vitesse de propagation des ondes sismiques observée jusqu'à une profondeur variable.

À l'aplomb des **dorsales**, les relevés tomographiques montrent au contraire l'existence d'une zone d'anomalie négative de vitesse des ondes, ce qui correspond à une **remontée de l'asthénosphère chaude**. C'est le lieu de la création d'une lithosphère océanique nouvelle à partir de matériaux d'origine mantellique.

Actuellement, les données tomographiques sont exploitées et traitées afin d'obtenir des modèles 3D qui permettent de mieux visualiser les déplacements de matière dans le manteau.

■ Le fonctionnement de la dorsale et l'accrétion océanique

Au niveau des dorsales, les données concernant la topographie, le flux géothermique, la tomographie sismique attestent de la création du plancher océanique. La mise en place des roches caractéristiques de la lithosphère océanique ou **accrétion** est due à l'existence d'une remontée de matériaux mantelliques chauds à l'aplomb du rift. La baisse de pression résultant de l'ascension déclenche une **fusion partielle des péridotites**. Les magmas de composition basaltique s'accumulent dans une chambre magmatique puis migrent vers la surface. En se refroidissant plus ou moins rapidement, ils donnent naissance aux gabbros et basaltes qui, avec les péridotites, constituent la lithosphère océanique.

À RETENIR

■ L'expansion confirmée par les roches du plancher océanique

Au milieu des années 1960, les **forages** marins profonds permettent d'avoir accès aux roches du plancher océanique (sédiments et basaltes sous-jacents).

À mesure que l'on s'éloigne de la dorsale, la colonne sédimentaire est **de plus en plus épaisse** et les sédiments au contact du basalte sont **de plus en plus âgés** ; cela **confirme** l'hypothèse de l'**expansion océanique** émise par Hess.

L'exploitation de ces données permet de **vérifier les vitesses d'expansion** déduites notamment des anomalies paléomagnétiques. La « théorie des plaques » devient « le modèle de la tectonique des plaques ».

■ Le géopositionnement par satellite et le mouvement des plaques

À partir de 1980, les systèmes géodésiques de positionnement par satellite (**GPS**) permettent de détecter les **mouvements instantanés** des plaques grâce à un suivi continu de la position en latitude, longitude et altitude de balises au sol.

Les déplacements mesurés permettent de préciser les caractéristiques des **déplacements au niveau des frontières** divergentes, convergentes et transformantes. Ils permettent en outre d'« **enrichir** » le modèle initial à 6 plaques en définissant de nouvelles plaques plus petites. À partir de 1990, la multitude des données géodésiques recueillies permet de construire des **modèles de cinématique globale** des plaques. La confrontation de ces modèles aux modèles fondés sur les données géologiques « classiques » montre une **excellente corrélation**.

■ La dynamique de la lithosphère océanique

À partir de 1970, la **tomographie sismique** permet « d'**ausculter** » l'intérieur du globe. Cette technique est fondée sur la détection d'**anomalies de vitesse** de propagation des **ondes sismiques** par rapport à une vitesse théorique.

Les **anomalies positives** au niveau des zones de subduction traduisent l'enfoncement de la lithosphère océanique **froide** dans le manteau, les **anomalies négatives** à l'aplomb des dorsales traduisent une remontée de matériel mantellique **chaud** à l'origine de la nouvelle lithosphère océanique. La dynamique de la lithosphère océanique est ainsi précisée.

Au niveau des dorsales, la remontée de **péridotites** mantelliques entraînent leur décompression et leur **fusion partielle**. Les magmas issus de cette fusion, de composition basaltique, sont à l'origine du plancher océanique.

Mots-clés

- Âge des sédiments
- Géopositionnement par GPS
- Mouvements instantanés
- Modèle cinématique
- Tomographie sismique
- Accrétion
- Fusion partielle

Capacités et attitudes

▶ Confronter les données de plusieurs méthodes de mesures pour confirmer et préciser le déplacement des plaques.

▶ Exploiter des informations pour représenter en coupe la disposition et l'épaisseur des sédiments océaniques.

▶ Recenser et extraire des informations à partir de cartes, d'images satellitales, de systèmes d'information géographique.

▶ Utiliser un logiciel de simulation pour comprendre l'origine des roches de la lithosphère océanique.

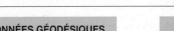
DONNÉES GÉOLOGIQUES

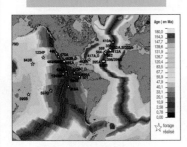

Campagnes de forages :
âge du fond des océans
et expansion océanique

DONNÉES GÉODÉSIQUES

Mesures GPS :
déplacement des plaques
lithosphériques

DONNÉES SISMIQUES

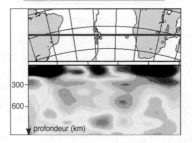

300
600
profondeur (km)

Tomographie sismique :
dynamique du manteau et
de la lithosphère océanique

UN MODÈLE « ENRICHI » À 14 PLAQUES TECTONIQUES

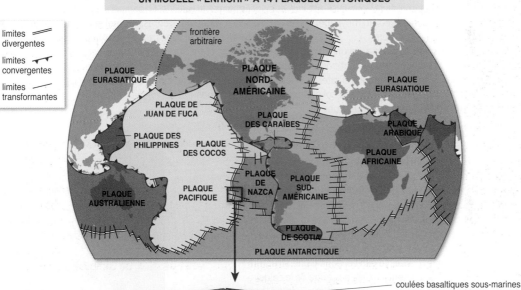

limites divergentes

limites convergentes

limites transformantes

frontière arbitraire

PLAQUE EURASIATIQUE

PLAQUE DE JUAN DE FUCA

PLAQUE DES PHILIPPINES

PLAQUE DES COCOS

PLAQUE AUSTRALIENNE

PLAQUE PACIFIQUE

PLAQUE DE NAZCA

PLAQUE NORD-AMÉRICAINE

PLAQUE DES CARAÏBES

PLAQUE SUD-AMÉRICAINE

PLAQUE DE SCOTIA

PLAQUE ANTARCTIQUE

PLAQUE EURASIATIQUE

PLAQUE ARABIQUE

PLAQUE AFRICAINE

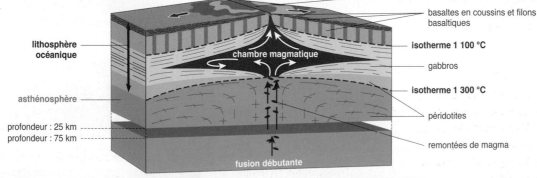

coulées basaltiques sous-marines

basaltes en coussins et filons basaltiques

lithosphère océanique

chambre magmatique

isotherme 1 100 °C

gabbros

isotherme 1 300 °C

asthénosphère

péridotites

profondeur : 25 km

profondeur : 75 km

remontées de magma

fusion débutante

L'ACCRÉTION À L'ORIGINE DE LA LITHOSPHÈRE OCÉANIQUE

Des techniques modernes au service de la surveillance du piton de la Fournaise

• Interférométrie et surveillance du volcan

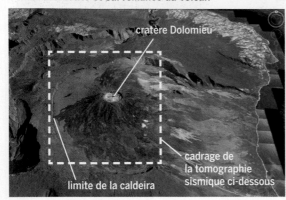

Le piton de la Fournaise

Interférogramme pendant la période éruptive d'avril 2007

Sur l'île de la Réunion, le piton de la Fournaise est l'un des volcans français les plus actifs avec, en moyenne, une éruption de type effusif tous les dix mois.

Les mouvements de magma, à l'intérieur d'un volcan, se traduisent le plus souvent par des gonflements ou des subsidences de la surface du sol. La technique d'interférométrie radar consiste à mesurer la distance entre le sol et un satellite à partir du temps de trajet aller-retour d'une onde radar émise par le satellite. En comparant les images radar acquises à des dates différentes, on met en évidence des « gonflements » de certaines zones sous la poussée du magma (sur l'*image ci-dessus*, au niveau des cercles concentriques). De telles informations sont précieuses pour la surveillance opérationnelle du volcan, mais aussi pour la compréhension du fonctionnement du volcan.

• Tomographie sismique et surveillance du volcan

Un réseau dense de sismomètres permet d'enregistrer de nombreux séismes locaux. À l'aide de ces données, on réalise une tomographie sismique, c'est-à-dire un sondage de la structure interne de l'édifice volcanique. L'analyse des anomalies de propagation des ondes sismiques a conduit à construire un modèle en trois dimensions de la répartition des vitesses d'onde S au sein du volcan. De manière surprenante, cette tomographie révèle la présence d'une anomalie de vitesse élevée, donc d'une structure « froide » (en bleu sur le document), située au centre de la caldeira active. Il s'agit sans doute d'un corps magmatique intrusif, correspondant au refroidissement et à la solidification d'un magma ancien. Cette découverte permet de mieux comprendre la dynamique de la chambre magmatique au cours du temps.

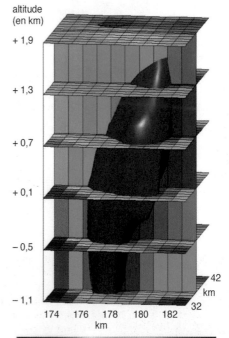

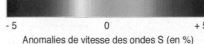

Anomalies de vitesse des ondes S (en %)

Tomographie sismique à l'aplomb de la zone limitée par le carré en tirets (haut de la page)

Un métier lié à la géologie appliquée

Vos goûts et vos points forts
- Aller sur le terrain
- Lire et construire des cartes et des modèles 3D
- Aimer l'informatique
- Travailler en équipe

Géologue cartographe

Les domaines d'activités potentiels

Ce métier est fondé sur la construction en équipe de cartes géologiques ou de modèles géométriques 3D à partir de l'acquisition de données de terrains, de données numériques (base de données géophysiques, imagerie satellitaire). Le géologue cartographe intervient dans des domaines géologiques aussi variés que l'environnement, les risques (mouvements de terrain, risques sismiques ou volcaniques), les ressources (hydrogéologiques, minières, pétrolières).

Pour y parvenir

Des études universitaires au niveau master ou en écoles d'ingénieurs recrutant à l'Université ou après une classe préparatoire sont nécessaires permettent de postuler à des emplois de niveau ingénieur.

Les débouchés

La diversité des débouchés facilite l'insertion professionnelle dans ce secteur. Les étudiants concernés se destinent aussi bien à des carrières d'expert ou d'ingénieur dans les entreprises ou les collectivités locales qu'à la recherche fondamentale ou appliquée dans des structures publiques ou privées.

La forme de la Terre

Pythagore, *buste ci-contre* (569 à 475 avant J.-C.), est le premier à affirmer la sphéricité de la Terre.

Un autre savant grec, **Ératosthène** (276 à 194 av J.-C.), réussit à en calculer la circonférence avec une remarquable précision (erreur de l'ordre de 700 km sur 40 000 km).

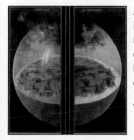

Au **Moyen Âge**, alors que pour l'élite intellectuelle la Terre est une sphère et le ciel une vaste coupole sur laquelle sont fixées les étoiles, le peuple croit encore que la Terre est plate.

◀ La Terre plate dans sa coupole (d'après un tableau de J. Bosch, en 1503).

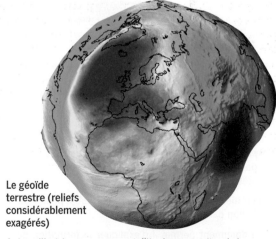

Le géoïde terrestre (reliefs considérablement exagérés)

Aujourd'hui, la mesure par satellite des anomalies de la pesanteur donne cette image étonnante du globe : non seulement ce n'est pas une sphère (elle est aplatie aux pôles et renflée à l'équateur), mais elle présente d'autres déformations dues à des hétérogénéités de répartition des matériaux à l'intérieur du manteau terrestre.

Exercices

Tester ses connaissances

1 Définissez les mots ou expressions

Système GPS, tomographie sismique, fusion partielle, « vitesse instantanée », déplacement relatif, géopositionnement.

2 Questions à choix multiples

Choisissez la ou les bonnes réponses parmi les différentes propositions.

1. Les vitesses d'expansion calculées à partir des données sédimentaires :

a. sont conformes à celles obtenues grâce aux données paléomagnétiques ;

b. sont constantes quel que soit l'âge des sédiments utilisés pour le calcul ;

c. indiquent des vitesses d'ouverture de l'ordre de plusieurs mètres par an.

2. Le système GPS :

a. nécessite le repérage de plusieurs satellites ;

b. mesure uniquement la position en latitude de balises au sol ;

c. transmet des informations sur le déplacement instantané d'une plaque par rapport à un point fixe.

3. Les données géologiques et satellitales permettent :

a. d'identifier dix plaques tectoniques principales ;

b. de définir deux grands types de frontière de plaques ;

c. de réaliser une surveillance de certaines zones sismiquement actives.

3 Vrai ou faux ?

Repérez les affirmations exactes et corrigez celles qui sont inexactes.

a. Plus on s'éloigne de la dorsale, plus l'épaisseur des sédiments du plancher océanique est faible.

b. Les sédiments au contact du basalte sont d'autant plus jeunes que l'on s'éloigne de la dorsale.

c. Les conditions correspondant au géotherme océanique moyen permettent une fusion partielle de la péridotite.

d. Lorsque les conditions correspondant au solidus sont dépassées, la péridotite est totalement fondue, donc à l'état de magma.

4 Argumentez une affirmation

a. Seules certaines conditions minimales de pression et de température permettent la fusion partielle de la péridotite.

b. Il existe une dynamique et un renouvellement de la lithosphère océanique à l'échelle du globe.

5 Restitution organisée des connaissances

1. Présentez les méthodes permettant de déterminer la vitesse de déplacement des plaques tectoniques.

2. Expliquez comment se met en place une lithosphère océanique nouvelle au niveau d'une dorsale océanique.

Utiliser ses compétences

6 Fusion partielle de la péridotite   Exploiter un graphique et formuler un problème

Un important magmatisme existe au niveau des zones de subduction comme au niveau des dorsales océaniques.

Le *document ci-contre* illustre les conditions de fusion d'une péridotite ainsi que les géothermes existant dans différents contextes géologiques.

1. Après avoir rappelé ce que représente un géotherme, comparez les géothermes dans les trois contextes géologiques étudiés ici.

2. Identifiez dans quel contexte une péridotite peut subir une fusion partielle.

3. Ce document permet-il d'expliquer la formation du magma dans les zones de subduction ?

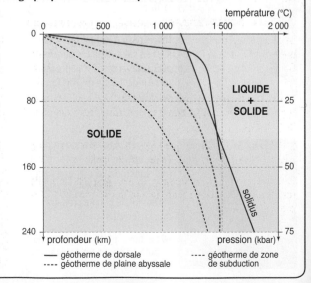

7 │ Les sédiments océaniques et l'expansion de l'Atlantique Nord   **Extraire et exploiter des informations**

Des campagnes de forages ont permis d'analyser des carottes de sédiments prélevées aux points A et B. Leur position par rapport à la dorsale atlantique, leur profondeur et leur composition est donnée dans le *document ci-dessous*.

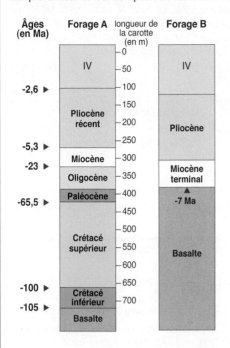

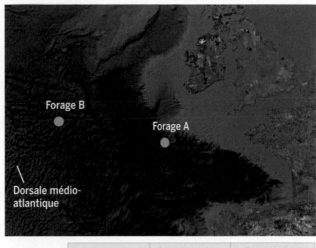

	Distance à la dorsale	Profondeur de l'océan	Longueur de la carotte
Forage A	1 060 km	4 432 m	720 m
Forage B	350 km	3 883 m	399 m

1. Comparez les résultats de ces deux forages.

2. Montrez que ces sondages confirment le modèle de l'expansion océanique.

3. Évaluez la vitesse d'ouverture de l'Atlantique Nord à partir de chacun de ces forages et comparez les résultats obtenus.

8 │ Les roches lunaires   **Utiliser ses connaissances, raisonner**

La *photographie ci-contre* présente un échantillon de roche prélevé à la surface de la Lune lors de la mission Apollo 12. Cet échantillon (référence : 12057.27) a été daté de – 3 Ga.

1. En vous aidant de la clé de détermination du Guide pratique (p. 344 et 345), identifiez quelques minéraux de la lame mince.

2. D'après sa structure, précisez s'il s'agit plutôt d'une roche de surface ou d'une roche de profondeur.

3. En vous référant aux pages 98-99, indiquez de quelle roche terrestre cette roche lunaire vous semble la plus proche.

Observation en lumière polarisée analysée.

9 Le séisme d'Haïti était-il prévisible ? Exploiter et mettre en relation des informations

Le séisme d'Haïti du 12 janvier 2010 correspond à la rupture d'une faille sur une longueur d'environ 60 à 80 km, à une profondeur de l'ordre de 10 à 12 km. Il s'est produit à une vingtaine de kilomètres à l'ouest de la capitale, Port-au-Prince, et a été particulièrement meurtrier.

Ce séisme était-il géologiquement prévisible ? Ces documents vont permettre de répondre à cette question.

Document 1 : Données GPS de la plaque Caraïbe

+ : déplacement vers le nord ou l'est
− : déplacement vers le sud ou vers l'ouest

	Déplacement en latitude (cm · an⁻¹)	Déplacement en longitude (cm · an⁻¹)
SCUB	+ 4,21	− 5,52
JAMA	+ 6,50	+ 7,08
CRO1	+ 13,34	+ 11,17

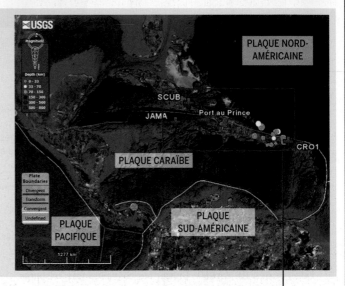

1. À partir du document 1, construisez les vecteurs correspondant au déplacement des trois stations.

2. Quel est le mouvement général de la plaque Caraïbe par rapport à la plaque nord-américaine ? Quels mouvements de la lithosphère sont ici associés aux frontières figurées ?

3. Indiquez dans quelles zones s'accumulent les contraintes et montrez que la zone qui a tremblé en janvier 2010 était bien une zone à risque sismique majeur.

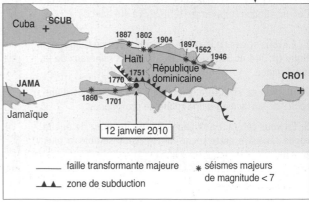

Document 2 : Détail de la zone encadrée du document 1.

10 Dorsale et point chaud   Utiliser un logiciel scientifique, raisonner

■ Problème à résoudre
De l'île de la Réunion jusqu'aux Trapps du Deccan, en Inde, les chapelets d'édifices volcaniques, engendrés par le fonctionnement d'un même point chaud, permettent de reconstituer les mouvements des plaques dans cette région depuis 65 millions d'années. On cherche à reconstituer le fonctionnement actuel de cette région à l'aide des données GPS.

■ Matériel disponible
Logiciel : « Educarte » (Sismos à l'École).

■ Utilisation des potentialités du logiciel
Le logiciel permet :
– de faire apparaître les volcans, les séismes ainsi que les limites de plaques ;
– de tracer des vecteurs « déplacement absolu ».

C'est ainsi que les déplacements des balises SEY1, DGER et REUN visualisent les mouvements absolus des plaques africaine et indienne. Enfin, le logiciel permet de faire apparaître des mouvements relatifs en rendant fixe une balise. Par exemple, en fixant la balise REUN de la Réunion, le déplacement lié au fonctionnement de la dorsale de Carlsberg devient visible.

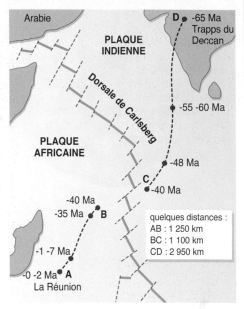

■ Exploitation des résultats
– À l'aide des données GPS « mouvements absolus », caractérisez les mouvements des plaques indienne et africaine (vitesse et direction du déplacement).
– Comparez les caractéristiques actuelles du déplacement de la plaque africaine à celles calculées à partir des points A et B.
– Caractérisez le mouvement relatif de la plaque indienne par rapport à la plaque africaine en imaginant celle-ci fixe.
– Expliquez le rôle de la dorsale de Carlsberg dans le mouvement actuel des plaques.

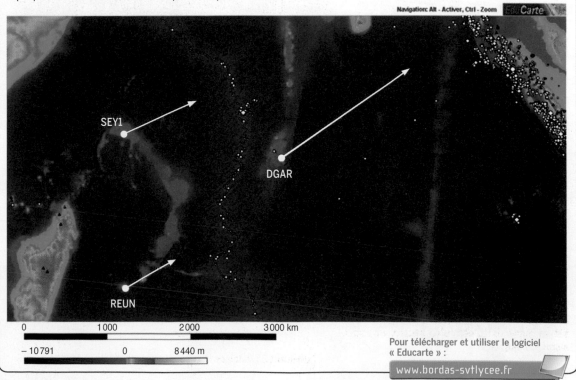

Pour télécharger et utiliser le logiciel « Educarte » :
www.bordas-svtlycee.fr

Partie 3

Enjeux
planétaires contemporains

La composition de la matière vivante

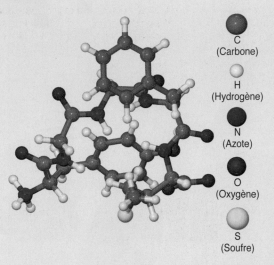

C (Carbone)
H (Hydrogène)
N (Azote)
O (Oxygène)
S (Soufre)

● La matière des êtres vivants est une **matière carbonée riche en eau**.

● Les molécules du vivant (glucides, lipides, protides, ADN, etc.) sont principalement constituées des éléments **carbone**, **hydrogène**, **oxygène** et, dans une moindre mesure, **azote**, **phosphore**, **soufre**.

L'importance de la photosynthèse

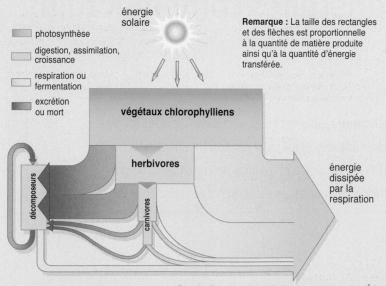

énergie solaire

photosynthèse

digestion, assimilation, croissance

respiration ou fermentation

excrétion ou mort

Remarque : La taille des rectangles et des flèches est proportionnelle à la quantité de matière produite ainsi qu'à la quantité d'énergie transférée.

végétaux chlorophylliens

herbivores

décomposeurs

carnivores

énergie dissipée par la respiration

D'après Purves, *Le monde du vivant*, Flammarion Éd.

● Grâce à la **photosynthèse**, les végétaux chlorophylliens utilisent l'énergie lumineuse pour produire des matières organiques : c'est la **production primaire**.

● Les **animaux**, êtres vivants non chlorophylliens, utilisent la matière produite par les producteurs primaires pour élaborer leur propre matière et assurer leur fonctionnement.

● La matière et l'énergie passent ainsi d'un maillon à l'autre des **chaînes alimentaires**. À chaque maillon, il y a cependant des déperditions considérables : 1/10e seulement est assimilé, le reste étant en grande partie perdu par la respiration.

La formation de combustibles fossiles

● Dans des **conditions particulières**, la matière organique produite par photosynthèse échappe à la décomposition et se transforme progressivement en combustibles fossiles : charbon, **hydrocarbures** (gaz, pétrole).

● Du fait de leur faible densité, les hydrocarbures formés par enfouissement de la matière organique ont tendance à remonter vers la surface. Pour qu'un gisement d'hydrocarbures se forme, il faut donc qu'un **piège** les arrête.

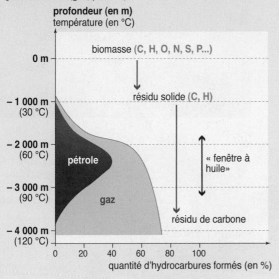

profondeur (en m)
température (en °C)

biomasse (C, H, O, N, S, P...)

0 m

résidu solide (C, H)

− 1 000 m
(30 °C)

− 2 000 m
(60 °C)

pétrole

« fenêtre à huile»

− 3 000 m
(90 °C)

gaz

− 4 000 m
(120 °C)

résidu de carbone

0   20   40   60   80   100

quantité d'hydrocarbures formés (en %)

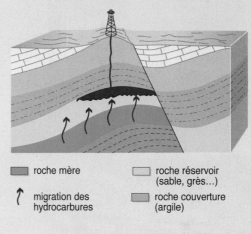

☐ roche mère

☐ roche réservoir (sable, grès…)

↑ migration des hydrocarbures

☐ roche couverture (argile)

La production d'aliments

ÉLEVAGE

CULTURE

Amélioration de la production

· sélection des reproducteurs
· apports nutritifs adaptés
· soins aux animaux

· sélection des variétés
· apports d'engrais contrôlés
· protection des cultures

Respect de l'environnement et de la santé

aliments

aliments

Lait

FARINE

COUVERTURE DES BESOINS DE L'HOMME
sucres lents, sucres rapides, protéines, matières grasses

● L'Homme élève des **animaux** et cultive des **végétaux** pour se procurer des **aliments** qui répondent à ses besoins.

● Il **améliore la production** des élevages et des cultures en agissant sur la **reproduction**, sur les **apports nutritifs** et sur les conditions d'élevage ou de culture.

● Il essaie de pratiquer une agriculture respectueuse de l'**environnement** et de la **santé**.

Des DOCUMENTS pour se poser des questions

Une maison bretonne construite en granite.

Une carrière de gypse dans le Bassin parisien.

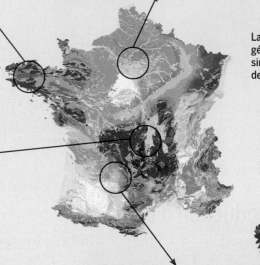

La carte géologique simplifiée de la France

La cathédrale de Clermont-Ferrand construite en roche volcanique sombre.

La géologie locale au service de l'Homme

Dans la mesure du possible, l'Homme privilégie les ressources géologiques locales pour couvrir ses besoins en matériaux de construction, de travaux publics ou autres. La diversité géologique des régions est telle (voir carte ci-dessus) que ces ressources sont inégalement réparties sur le territoire.

Production de granulats dans une carrière de calcaire.

LES PROBLÉMATIQUES DU CHAPITRE

- Comment l'Homme utilise-t-il les ressources géologiques disponibles ?
- Comment une ressource géologique se forme-t-elle ?
- La tectonique des plaques peut-elle expliquer la présence d'une ressource géologique en un lieu donné ?

Le Pont du Gard, célèbre ouvrage romain construit en calcaire local : la « pierre du Gard ».

Tectonique globale
et ressources géologiques locales

Un exemple de ressource géologique : le calcaire

Le sous-sol français présente une grande variété de roches. Certaines sont exploitées par l'Homme et utilisées dans divers domaines. *Nous allons voir que l'Homme utilise depuis très longtemps des roches calcaires.*

A L'utilisation du calcaire par l'Homme

Le ciment est le produit industriel le plus utilisé dans le monde. Il est obtenu à partir d'un mélange de calcaire (80 %) et d'argile (20 %) broyés finement. Ce mélange est ensuite cuit à 1 450 °C. La production française est d'environ 60 000 tonnes par jour.

Carrière et cimenterie d'Orgon, dans les Bouches-du-Rhône.

Près de Clermont-Ferrand, la mine des Rois à Dallet a été exploitée pendant un siècle (de 1884 à 1984) pour son bitume qui a été utilisé pour des revêtements d'asphalte ou pour réaliser des étanchéités. Ce bitume s'est formé au fond des lacs de Limagne au cours de l'Oligocène (de – 34 à – 23 Ma). Il provient de matière organique enfouie dans les sédiments lacustres et transformée en hydrocarbures. Après sa formation, le bitume a migré dans les calcaires qu'il imprègne. Dans la galerie de mine ci-dessous, on voit le bitume qui suinte de la roche.

Notre-Dame de Paris.

La cathédrale, édifiée à partir de 1163, est construite avec un calcaire trouvé à Paris et à proximité. Il s'agit d'un calcaire très dur, déposé au cours de l'ère Tertiaire (étage Lutétien, de – 49 à – 40 Ma). Ce calcaire a également servi à la construction de nombreux autres monuments parisiens.

Du bitume dans du calcaire.

Doc. 1 Des calcaires utilisés de diverses manières.

B Le pont du Gard, une œuvre exceptionnelle à l'épreuve du temps

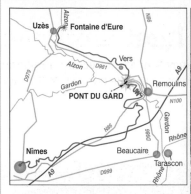

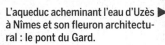

◄ L'aqueduc acheminant l'eau d'Uzès à Nîmes et son fleuron architectural : le pont du Gard.

Le pont du Gard est le plus haut pont-aqueduc connu du monde romain : il domine le Gardon de près de 50 mètres. C'est la partie la plus spectaculaire d'un aqueduc, bâti au Ier siècle, qui permettait de conduire l'eau d'une source, captée près d'Uzès, jusqu'à Nîmes.

Cet aqueduc, de 50 km de long, avait un débit de l'ordre de 40 000 m^3 d'eau par jour. L'ensemble de l'ouvrage révèle une remarquable maîtrise des techniques de construction.

Par exemple, le dénivelé entre les points de départ et d'arrivée n'est que de 12,6 m, soit une pente moyenne générale de 25 cm par km. Du fait du relief, l'aqueduc serpente à travers les petites montagnes et vallées des garrigues d'Uzès et de Nîmes.

Ce monument est inscrit sur la liste du patrimoine mondial de l'Unesco.

Doc. 2 Le site du pont du Gard.

Située au bord du Gardon, à quelques centaines de mètres du pont du Gard, la carrière de l'Estel a fourni la roche pour la construction du pont. Ce matériau est connu localement comme la « pierre de Vers ». C'est une pierre tendre, à grain relativement grossier, de couleur rousse et facile à tailler.

La proximité du cours d'eau a facilité l'exploitation de cette carrière, en permettant le transport des blocs extraits de la carrière vers le chantier tout proche.

La technique d'extraction consistait à isoler des blocs en creusant d'étroites tranchées verticales autour, puis à les détacher à l'aide de coins enfoncés à leur base.

On pense que ce chantier a duré une vingtaine d'années (de 40 à 60 après J.-C.).

Doc. 3 La carrière de l'Estel : le lieu d'extraction de la pierre du pont du Gard.

Pistes d'exploitation

PROBLÈME À RÉSOUDRE ► Comment l'Homme utilise-t-il les roches calcaires ?

Doc. 1 Montrez que les roches calcaires sont diversement utilisées par l'Homme.
Recherchez d'autres utilisations possibles du calcaire.

Doc. 2 et 3 Quels impératifs ont conduit les romains à choisir ce site pour édifier ce pont-aqueduc ?

Lexique, p. 354

L'origine de la pierre du pont du Gard

Le pont du Gard a été construit avec une roche nommée localement « pierre de Vers ». *Il s'agit ici de mieux connaître les éléments qui constituent cette roche et de comprendre dans quelles conditions elle s'est formée.*

A De la roche à la formation géologique

Le site du pont du Gard présente de nombreux aménagements permettant une étude du site et l'observation des roches du pont en toute sécurité.

La « pierre du Gard », utilisée pour la construction du pont, donne une réaction d'effervescence à l'acide chlorhydrique, qui révèle la présence de nombreux débris de coquilles.

Effervescence à l'acide — Observation à la loupe

Doc. 1 **La roche utilisée pour la construction du pont du Gard.**

La *carte ci-contre* a été établie à partir de documents disponibles sur le site InfoTerre du Bureau de Recherches Géologiques et Minières (BRGM).

Quelques affleurements de roches du même âge que le calcaire coquillier utilisé pour la construction du pont du Gard ont été repérés. Ils ne représentent qu'une partie d'un vaste ensemble de roches déposées, il y a une vingtaine de millions d'années, dans la région et qui ont été ensuite érodées ou recouvertes de sédiments plus récents.

On notera l'existence d'accidents tectoniques importants comme la faille des Cévennes et la faille de Nîmes.

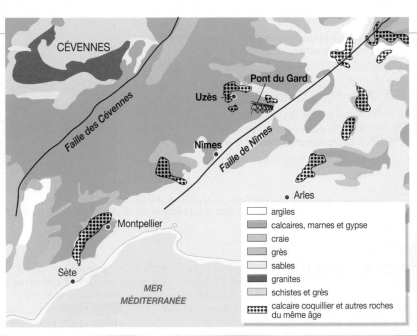

CÉVENNES

Pont du Gard

Uzès

Faille des Cévennes

Nîmes

Faille de Nîmes

Arles

Montpellier

Sète

MER MÉDITERRANÉE

- argiles
- calcaires, marnes et gypse
- craie
- grès
- sables
- granites
- schistes et grès
- calcaire coquillier et autres roches du même âge

Doc. 2 **Dans le sud-est de la France, la répartition des roches contemporaines du calcaire coquillier.**

B Du contenu fossilifère de la roche aux conditions de formation

Oursins et bivalves

L'étude détaillée du contenu fossilifère du calcaire coquillier du pont du Gard montre la présence de divers fragments : coquilles d'huîtres et de chlamys (mollusques bivalves), plaques de balanes (crustacé), tests et piquants d'oursin (échinoderme), le tout brisé et usé par les vagues. Les fossiles photographiés ici sont des fossiles « intacts » de la même époque.

Mode de vie des groupes actuels apparentés

Huître	Vit en eau salée, entre 0 et 80 m de profondeur selon les espèces, dans les fonds meubles ou fixée sur les rochers par sa valve inférieure.
Oursin	Vit en eau salée, entre 0 et 50 m de profondeur ; se déplace sur les fonds et sur les roches où il broute des algues.
Chlamys	Vit en eau salée, libre ou fixé aux rochers entre 0 et 100 m de profondeur selon les espèces.
Balane	Animal marin qui vit fixé aux rochers ou sur des coquilles, de la surface jusqu'à 20 m de profondeur. Le cône est formé par des plaques mobiles.

Balanes

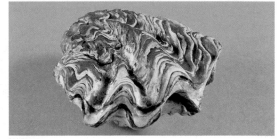

Huître

Doc. 3 Les fossiles à l'origine du calcaire coquillier.

Pistes d'exploitation

PROBLÈME À RÉSOUDRE ► Quelle est l'origine de la pierre du pont du Gard ?

Doc. 1 Justifiez le terme de calcaire coquillier désignant la roche du pont du Gard.

Doc. 2 et 3 En utilisant les informations tirées de l'étude des fossiles, indiquez les conditions de formation des calcaires coquilliers.

Formulez une hypothèse expliquant la répartition des calcaires coquilliers dans le sud-est de la France.

Lexique, p. 354

La tectonique à l'origine des calcaires coquilliers

Les calcaires coquilliers sont présents dans le sous-sol du sud-est de la France et souvent à l'affleurement, d'où leur large utilisation dans la construction de nombreux bâtiments. *La tectonique globale permet d'expliquer la formation de ces calcaires et leur présence actuelle en surface dans cette région.*

A De l'étirement de la marge continentale à la transgression marine

Animation

- **Un étirement de la croûte continentale, il y a 30 Ma**

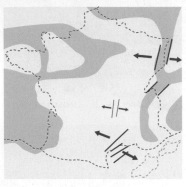

- **La formation de croûte océanique, il y a 20 Ma**

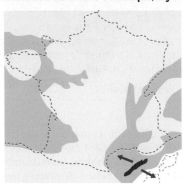

	terres émergées
	zones marines
	croûte océanique
—	failles normales
← →	extension

Remarque :
La portion de continent qui deviendra Corse et Sardaigne est représentée en pointillés verts.

Au cours de l'époque Oligocène (– 34 à – 23 Ma), la croûte continentale de l'est et du sud-est de la France est affectée par de vastes mouvements d'extension avec le fonctionnement de nombreuses failles normales.
Dans la région languedocienne, les failles majeures (faille des Cévennes, faille de Nîmes), associées à de nombreuses autres failles normales plus petites, sont alors très actives. Leur fonctionnement, lié à un étirement nord-ouest / sud-est, aboutit à un amincissement de la croûte continentale vers le sud-est.

Plus tard, **au début du Miocène** (– 23 Ma), c'est le début de l'ouverture du golfe du Lion : la zone d'extension s'est décalée vers le sud-est avec la formation d'une croûte océanique séparant le continent d'un bloc nommé « corso-sarde » (futures Corse et Sardaigne) qui pivotera progressivement pour prendre une orientation nord-sud. Au niveau du littoral languedocien, la phase d'extension est terminée : la croûte continentale n'est donc plus étirée.

Doc. 1 De l'étirement de la croûte continentale du littoral languedocien à l'ouverture du golfe du Lion.

- À l'**Oligocène**, la distension de la croûte a pour conséquence un affaissement de la partie littorale du sud-est de la France. La croûte continentale y est non seulement amincie mais aussi affectée par un réchauffement global, lié à une remontée des **isothermes**.

- Au **Miocène**, les contraintes extensives se déplacent vers le sud-est. En Languedoc, la croûte continentale n'est plus soumise à un étirement et se refroidit lentement. Ce processus entraîne une contraction progressive de la croûte continentale et un enfoncement modéré du littoral languedocien et provençal : on parle de **subsidence thermique**.

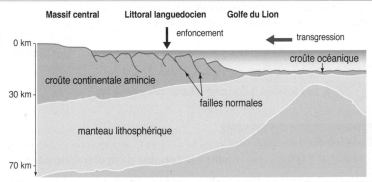

- L'extension dans un premier temps puis la subsidence thermique dans un second temps sont à l'origine d'un abaissement du littoral de 100 à 200 m. La région est ainsi envahie par la mer : c'est la **transgression** du Miocène (*schéma ci-dessus*).

Doc. 2 De l'ouverture du golfe du Lion à la transgression.

B De la formation des calcaires à leur émersion

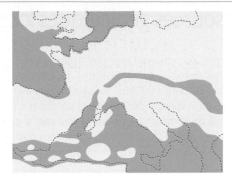

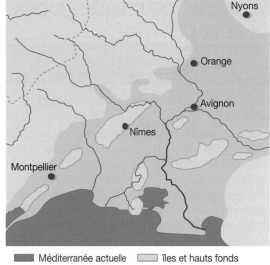

- **Dès le début du Miocène** (− 23 Ma), le niveau général des mers s'élève. Cette élévation, associée au contexte tectonique local, permet à la mer d'envahir le Languedoc et la vallée du Rhône. La limite de cette transgression dans le Languedoc est située au voisinage de la faille de Nîmes. Dans cette mer chaude et peu profonde, se déposent les sédiments à l'origine des calcaires coquilliers.

■ Méditerranée actuelle   □ îles et hauts fonds
□ Transgression Miocène   □ terres émergées

- **À la fin du Miocène**, la mer se retire : c'est une **régression marine**. Cependant, cette régression ne permet pas d'expliquer la présence des calcaires coquilliers souvent au sommet de collines dans le paysage actuel.

Les causes de cette surrection des calcaires coquilliers sont en discussion aujourd'hui. Au niveau du Languedoc, elle pourrait être liée au volcanisme du Massif central *(carte ci-contre)*. En effet, la fin du Miocène correspond à la mise en place des grands massifs volcaniques tels que le Velay (− 11 à − 8 Ma), le Devès (− 8 à − 6 Ma) ou le Cantal dont le paroxysme est situé entre − 9 et − 7 Ma. Les géologues associent ce volcanisme intense à un phénomène mantellique : le manteau plus chaud, à l'origine du magma, se gonfle, avec pour conséquence un soulèvement de la croûte continentale au-dessus et donc l'élévation des calcaires coquilliers.

Doc. 3 **Une influence de la tectonique globale sur la tectonique locale.**

Pistes d'exploitation

PROBLÈME À RÉSOUDRE ► **En quoi la tectonique peut-elle expliquer la présence des calcaires coquilliers accessibles en surface dans le sud-est de la France ?**

Doc. 1 Décrivez les événements tectoniques qui affectent le sud-est de la France.

Doc. 1 et 2 En quoi la tectonique locale a-t-elle favorisée une transgression dans le sud-est de la France ?

Doc. 1 à 3 Établissez une relation entre la tectonique et la mise en place des calcaires coquilliers.

Lexique, p. 354

167

chapitre 1 Tectonique globale et ressources géologiques locales

1 L'utilisation d'une ressource géologique locale

■ Le calcaire, une roche aux utilisations multiples

Les affleurements de roches calcaires sont présents dans de nombreuses régions françaises, en particulier dans les grands bassins sédimentaires (Bassin parisien, Bassin aquitain, Bassin rhodanien…). Ces roches constituent une ressource géologique importante très utilisée par l'Homme. C'est ainsi que les calcaires résistants et faciles à tailler sont utilisés dans la construction (de nombreux monuments ont été construits en calcaire). Associés à l'argile, ils sont à la base de la fabrication des ciments. Ils peuvent aussi, après concassage, devenir des granulats utilisés en travaux publics.

■ Le pont du Gard, un monument à l'épreuve du temps

Près de Nîmes, le pont du Gard est un ouvrage remarquable édifié au cours du premier siècle de notre ère par les romains. Il permet à l'aqueduc amenant l'eau depuis Uzès jusqu'à Nîmes de franchir le Gardon. La roche utilisée pour la construction de ce pont est un calcaire local qui a été extrait d'une carrière située à proximité immédiate du site. La construction de ce pont et la réalisation de l'ensemble de l'aqueduc montrent un savoir-faire remarquable des maîtres d'œuvre romains.

2 Les caractéristiques de la ressource

■ La roche du pont du Gard : un calcaire coquillier

La roche utilisée est un calcaire contenant de nombreux fragments d'animaux divers : coquilles d'huître, de chlamys, de balanes, tests et piquants d'oursins. Il s'agit de calcaires coquilliers datés de 20 Ma.

■ Les conditions de formation du calcaire coquillier

On admet que les espèces fossiles trouvées dans la « pierre du Gard » vivaient dans des milieux comparables à ceux occupés actuellement par des espèces apparemment proches (principe de l'actualisme). Le calcaire coquillier du pont du Gard s'est donc formé dans une mer peu profonde, au voisinage plus ou moins immédiat d'un rivage. Il s'agit de comprendre comment une mer a pu envahir le sud-est de la France il y a 20 Ma et dans quelles conditions les calcaires se retrouvent aujourd'hui en surface, voire même sur des reliefs.

3 La tectonique des plaques permet de comprendre l'existence de la ressource géologique locale

■ Une extension dans le sud-est il y a 30 Ma

Au cours de l'époque Oligocène (– 34 à – 23 Ma), l'est et le sud-est de la France ont subi des contraintes tectoniques en distension. Ainsi, la croûte continentale a été fracturée par le jeu de nombreuses failles normales. Une des conséquences a été l'étirement et l'amincissement de la croûte continentale vers le sud-est du littoral languedocien et provençal et donc un enfoncement de ce littoral (100 à 200 m).

■ Une transgression marine il y a 20 Ma

Au début de l'époque Miocène (il y a environ 20 Ma) intervient une élévation générale du niveau des mers. Ce phénomène, associé à l'enfoncement du littoral, a entraîné une transgression marine dans le sud-est de la France. C'est dans cette mer peu profonde que se sont formés les calcaires coquilliers.

■ Une régression marine et un soulèvement il y a 10 Ma

La seconde partie de l'époque Miocène est marquée par une régression marine. La mer se retire du sud-est de la France. S'ajoutent, à ce retrait, des phénomènes tectoniques qui ont permis aux calcaires coquilliers d'être, aujourd'hui, accessibles en surface et parfois en relief à différents endroits. Les causes de cette élévation sont encore en discussion au sein de la communauté scientifique.

L'utilisation d'une ressource géologique locale

Le pont du Gard fut construit par les Romains avec des roches calcaires environnantes et nommées localement « pierre du Gard ».

Les caractéristiques de la ressource

La pierre du pont du Gard est un calcaire coquillier présent dans le sud-est de la France. Il s'est formé dans une mer peu profonde il y a 20 Ma.

La tectonique des plaques permet de comprendre l'existence d'une ressource géologique locale

Il y a 30 Ma

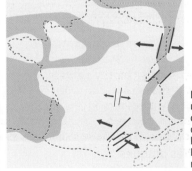

L'extension entraîne un amincissement de la croûte continentale : le littoral sud-est de la France s'effondre modérément.

Il y a 20 Ma

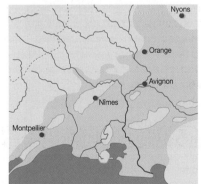

Nyons

Orange

Avignon

Nîmes

Montpellier

Une mer peu profonde envahit le sud-est de la France et permet le dépôt des calcaires coquilliers.

Aujourd'hui

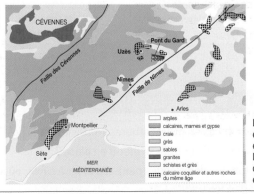

CÉVENNES

Faille des Cévennes

Pont du Gard

Uzès

Nîmes

Faille de Nîmes

Arles

Montpellier

Sète

MER MÉDITERRANÉE

argiles
calcaires, marnes et gypse
craie
grès
sables
granites
schistes et grès
calcaire coquillier et autres roches du même âge

La régression marine et le soulèvement entraînent les calcaires coquilliers en surface et en relief.

Des DOCUMENTS pour se poser des questions

L'or noir, un trésor à prospecter

« Mère nature » n'a pas donné à tous les continents les mêmes ressources en hydrocarbures. Le pétrole est ainsi très inégalement réparti à la surface du globe. Déterminant à l'heure actuelle pour les activités humaines, c'est une ressource très convoitée, un véritable « or noir » qu'il faut prospecter coûte que coûte.

Sous le désert d'Arabie, les plus grands gisements pétroliers

L'Arabie Saoudite était encore au siècle dernier un désert très pauvre. Elle est devenue après les années 1950, après quelques dizaines d'années de prospection et d'exploitation intensive, la zone la plus riche de la planète grâce au « trésor » contenu dans son sous-sol.

Tectonique des plaques et prospection du pétrole

Grâce à la tectonique des plaques qui a permis de mieux comprendre les conditions de formation des gisements pétroliers, les géologues savent où chercher de nouvelles ressources.

LES PROBLÉMATIQUES DU CHAPITRE

- Comment les ressources en hydrocarbures sont-elles réparties ?
- Comment un gisement de pétrole se met-il en place ?
- Comment la tectonique des plaques peut-elle aider à savoir où se trouvent les gisements d'hydrocarbures ?

Incendies des innombrables puits de pétrole au Koweït, lors de la Seconde Guerre du Golfe, en 1991.

Tectonique des plaques
et recherche d'hydrocarbures

Des gisements pétroliers inégalement répartis

Le pétrole est une forme d'énergie non renouvelable à l'échelle humaine. Très inégalement répartie à la surface du globe, cette ressource énergétique majeure est très convoitée. *Où se trouvent localisés les principaux gisements et à quelles périodes géologiques se sont-ils formés ?*

A Une inéquitable répartition des gisements

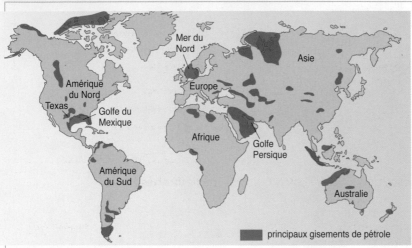

principaux gisements de pétrole

Les principales réserves de pétrole connues dans le monde.

Il est difficile d'évaluer les réserves mondiales de pétrole : l'estimation varie selon des facteurs techniques, économiques ou même politiques. Les chiffres ci-dessous proviennent d'une étude américaine de 2008.

La position prépondérante de la péninsule arabique est particulièrement nette. Le plus grand bassin pétrolier du monde (Al Ghawar) est situé en Arabie et le plus important gisement de gaz naturel (North Dome) se trouve au Qatar.

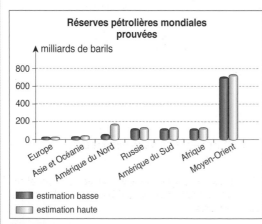

Des réserves très variables d'un continent à l'autre.

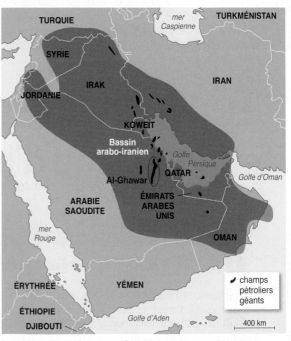

La péninsule arabique, un véritable « cadeau » géologique.

Doc. 1 La localisation des principaux gisements pétroliers.

B Gisements pétroliers et événements géologiques globaux

Les roches mères des principaux gisements pétroliers ont été datées. Leurs âges géologiques peuvent être mis en relation avec ceux des variations du niveau marin sur l'ensemble du globe (**variations eustatiques**).

Ces variations correspondent soit à des avancées de la mer sur le continent (**transgressions**), soit à des reculs de la mer du continent vers le bassin océanique (**régressions**).

De telles variations ont affecté les rivages de l'ensemble de la planète sur de grandes échelles de temps. Or, les gisements pétroliers se sont essentiellement formés dans ces zones de bordure continentale.

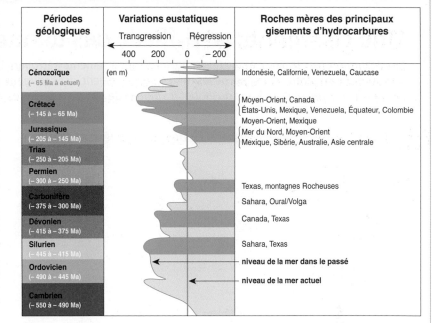

Doc. 2 **Une relation intéressante entre gisements pétroliers et variations du niveau marin.**

Lorsque l'activité magmatique au niveau des dorsales est maximale, la dorsale augmente de volume sous l'effet de la chaleur du magma, un peu à la manière d'un « soufflé » : on parle d'**intumescence thermique**. Inversement, lorsque l'apport de magma diminue, la dorsale moins échauffée diminue de volume (**détumescence thermique**).

En faisant varier le volume du bassin océanique disponible pour l'eau de mer, ces modifications d'activité magmatique sont à l'origine de variations du niveau de la mer sur de grandes échelles de temps.

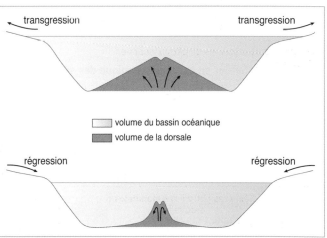

Doc. 3 **Activité des dorsales océaniques et variations eustatiques.**

Pistes d'exploitation

PROBLÈME À RÉSOUDRE ▶ **Comment les gisements pétroliers sont-ils répartis dans l'espace et le temps ?**

Doc. 1 Quelles sont les différentes régions pétrolifères ? Où sont localisés les gisements pétroliers de la péninsule arabique ? Quelle est leur importance au niveau mondial ?

Doc. 2 Quelles sont les principales périodes de formation des roches mères pétrolifères ?

Doc. 3 Quel lien pouvez-vous établir entre la variation d'activité des dorsales océaniques et la formation des roches mères pétrolifères ?

Lexique, p. 354

Une conservation difficile des dépôts organiques

Pour comprendre l'origine de l'inégale répartition des gisements pétroliers, il faut tout d'abord connaître les conditions de formation des roches mères. *Actuellement, des sédiments riches en matière organique se déposent à certains endroits du globe : il s'agit ici de comprendre les conditions de leur préservation.*

A Des sédiments plus ou moins riches en matière organique

Durant les années 1960-1970, les océanographes ont procédé à une analyse systématique des sédiments marins superficiels. Ils ont ainsi pu faire les constats suivants :
– au niveau des **marges continentales**, les sédiments les plus riches en matière organique sont les argiles, les calcaires présentant une teneur plus réduite ;
– les sédiments du domaine océanique profond montrent des valeurs nettement plus faibles.

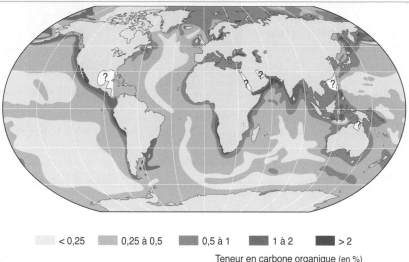

< 0,25   0,25 à 0,5   0,5 à 1   1 à 2   > 2

Teneur en carbone organique (en %)

Doc. 1 La teneur en carbone organique des sédiments marins superficiels.

La **productivité primaire** des océans est estimée à partir de diverses techniques comme les mesures par satellite des variations de concentration de la chlorophylle.
Cette productivité, maximale au niveau de certaines régions côtières, décroît fortement vers les bassins océaniques.
Parmi les facteurs qui favorisent la production de biomasse au niveau des côtes, on peut retenir :
– l'apport de nutriments par les fleuves ;
– la remontée d'eaux profondes, froides, bien oxygénées et riches en substances nutritives (phénomène d'**upwelling** qui caractérise certaines côtes).

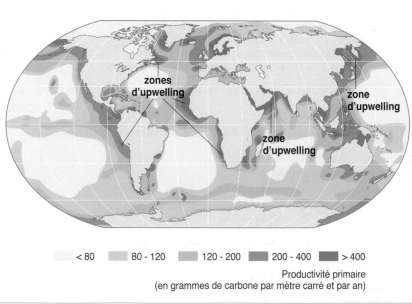

< 80   80 - 120   120 - 200   200 - 400   > 400

Productivité primaire
(en grammes de carbone par mètre carré et par an)

Doc. 2 La productivité primaire des océans.

B Deux conditions à la préservation des dépôts organiques

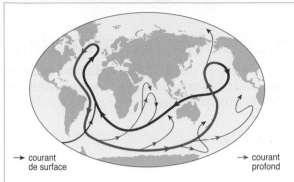

→ courant de surface
→ courant profond

Les eaux du domaine océanique sont brassées par de grands courants : courants de surface surtout liés au régime des vents mais aussi courants profonds très lents. C'est ainsi que les eaux superficielles froides et oxygénées plongent aux hautes latitudes, circulent lentement en profondeur puis remontent en surface avant de replonger. On estime qu'une molécule d'eau parcourt l'ensemble du « circuit » en 1 000 ans.

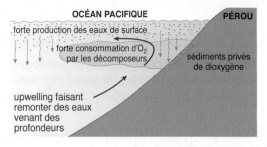

OCÉAN PACIFIQUE
PÉROU
forte production des eaux de surface
forte consommation d'O₂ par les décomposeurs
sédiments privés de dioxygène
upwelling faisant remonter des eaux venant des profondeurs

Au niveau des zones d'upwelling (document 2), la production primaire des eaux de surface est très importante. La dégradation de matière organique par les bactéries minéralisatrices (décomposeurs) y est donc elle-même intense et consomme beaucoup de dioxygène. Cette consommation épuise le dioxygène disponible si bien qu'au niveau des sédiments déposés au fond règnent des conditions anaérobies (milieu très pauvre en dioxygène). Cela favorise la préservation de la matière organique enfouie dans les sédiments.

Doc. 3 **Des courants marins plus ou moins favorables à la préservation de la matière organique.**

Les **marges continentales passives** ont enregistré les premiers stades de la naissance d'un océan par déchirure et effondrement de la lithosphère continentale. Ainsi, ces marges sont fracturées par des **failles normales** légèrement concaves qui ont provoqué le basculement des blocs de croûte continentale. Au creux de ces **blocs basculés**, des sédiments ont pu s'accumuler sur des épaisseurs importantes.

La matière organique ainsi enfouie a pu échapper à une destruction par les décomposeurs et être ultérieu-

Profil sismique au niveau d'une marge passive

10 km

PR
BU
SR
SR
AR
sédiments
failles normales
croûte continentale

rement portée à une température qui a permis sa transformation en hydrocarbures.

Ces marges sont donc particulièrement propices à la formation des roches mères pétrolifères.

Doc. 4 **Une tectonique qui permet l'enfouissement des dépôts organiques.**

Pistes d'exploitation

PROBLÈME À RÉSOUDRE ► Dans quels contextes et sous quelles conditions les sédiments organiques sont-ils préservés ?

Doc. 1 et 2 En choisissant plusieurs exemples précis, dites si les zones de plus forte productivité primaire sont forcément les zones où l'on trouve, dans les sédiments, la plus forte teneur en matière organique.

Doc. 1, 2 et 3 À l'aide des informations apportées par le document 3, expliquez les différences observées précédemment.

Doc. 3 Expliquez le rôle joué par les upwellings dans la formation des roches mères pétrolières.

Doc. 4 Expliquez le rôle joué par la tectonique dans la formation des bassins pétrolifères.

Lexique, p. 354

Un exemple de gisement pétrolier remarquable

Le bassin de Ghawar est le plus grand gisement de pétrole du monde. Exploité à partir du début des années 1950, il a fourni près de 65 % du pétrole produit en Arabie Saoudite. *Ces deux pages permettent de comprendre les principales caractéristiques d'un bassin pétrolifère.*

A Le champ pétrolifère de Ghawar (Arabie Saoudite)

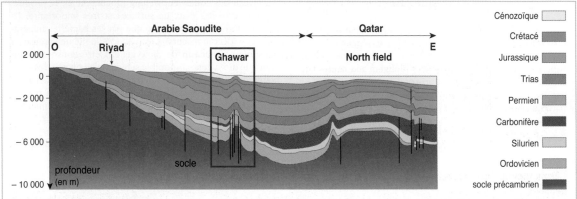

Le bassin de Ghawar, en Arabie Saoudite (voir page 166), s'étend sur 280 km de long et 30 km de large. C'est le gisement pétrolier le plus productif au monde : sa production représente plus de deux fois la consommation d'un pays comme la France.

Il s'agit d'un ancien bassin sédimentaire où se sont déposées, pendant des centaines de millions d'années, des séries de roches variées (document 3). L'ensemble a subi des fracturations et des plissements à différentes époques.

Doc. 1 Un champ pétrolifère remarquable : le gisement de Ghawar.

Un profil sismique a été réalisé au niveau du bassin de Ghawar (dans la zone correspondant au rectangle rouge du document 1). Il met en évidence la superposition des différentes strates sédimentaires du bassin.

Il révèle par ailleurs l'existence d'accidents tectoniques ayant affecté cette série :
– d'anciennes failles normales caractéristiques d'une distension tectonique ;
– un plissement plus récent qui évoque, lui, une compression de la région.

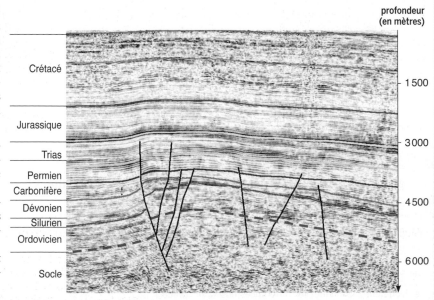

Doc. 2 Un profil sismique qui révèle une longue histoire géologique.

B Les roches caractéristiques d'un champ pétrolifère

Dans la série sédimentaire du bassin de Ghawar, le gisement de pétrole est bien localisé dans les strates datées du Jurassique. Les documents suivants présentent le détail de cette formation où se concentre « l'or noir ».

• **Détail du Jurassique du bassin de Ghawar**

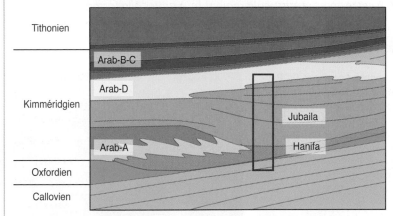

• **Teneur en matière organique des roches du Jurassique de Ghawar**

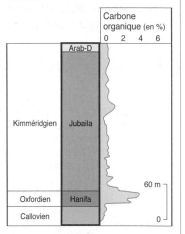

• **Trois roches du gisement pétrolifère**

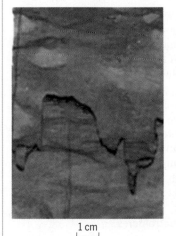

1 cm

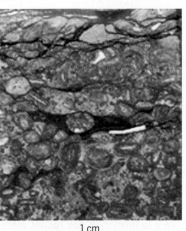

1 cm

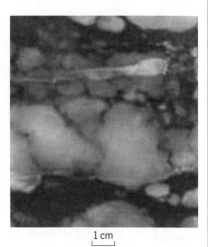

1 cm

ⓐ **Formation Hanifa** : calcaire formé d'éléments très fins en lamelles superposées.

ⓑ **Formation Arab** : calcaire grossier formé de grains plus ou moins jointifs ; roche très poreuse.

ⓒ **Formation du Tithonien** : évaporite compacte et imperméable.

Doc. 3 Les roches du champ pétrolifère de Ghawar.

Pistes d'exploitation

PROBLÈME À RÉSOUDRE ► Quelles sont les caractéristiques d'un bassin pétrolifère ?

Doc. 1 Décrivez le champ pétrolifère de Ghawar. En quoi est-ce un bassin sédimentaire ?

Doc. 1 et 2 Quels accidents tectoniques le bassin de Ghawar présente-t-il ? Comment expliquez leur présence ?

Doc. 3 Quelle est la roche mère du pétrole de Ghawar ? Quelle est la roche réservoir ? Quelle est la roche couverture ? Reliez les caractéristiques de ces roches à leur rôle dans la formation du gisement.

Mise en place des gisements et tectonique globale

**Les champs pétrolifères de la péninsule arabique se sont formés au cours d'une période « précise »
de l'histoire géologique (ère Mésozoïque).** *La tectonique des plaques permet d'expliquer en quoi les
conditions géologiques ont été, à cette époque, particulièrement favorables à la formation du pétrole.*

A Une tectonique favorable à la formation des roches mères

Au cours de l'ère Mésozoïque, un immense continent (la Pangée) se fracture : un domaine océanique s'ouvre puis s'élargit.
C'est la Téthys, vaste océan qui sépare le Gondwana au sud
des autres masses continentales (Laurasia).
La future péninsule arabique occupe alors l'emplacement d'une
marge passive de cet océan *(voir la carte ci-dessous).*

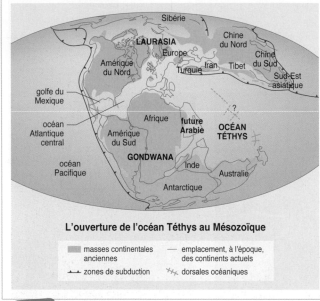

L'ouverture de l'océan Téthys au Mésozoïque

- masses continentales anciennes
- — emplacement, à l'époque, des continents actuels
- zones de subduction
- dorsales océaniques

Phytoplancton

Durant cette période, l'activité intense des dorsales océaniques s'accompagne de grandes transgressions marines. Sur les plateformes continentales envahies par les eaux, se développe un
abondant plancton *(photographie ci-dessus).*

Ce développement est facilité par le fort taux
de CO_2 atmosphérique, lié en partie à la production intense de ce gaz par les dorsales. Ce taux
de CO_2 renforce l'effet de serre (et réchauffe
donc le climat) d'une part, accentue la photosynthèse d'autre part.

Doc. 1 Une histoire géologique favorable à la formation des roches mères pétrolifères.

La *carte ci-contre* est une modélisation de la circulation océanique supposée au Jurassique supérieur. Elle prend en compte :
– la position estimée des continents ;
– l'absence de glaces aux pôles ;
– l'absence probable, à cette époque, de courants
marins profonds assurant un brassage et une oxygénation des eaux profondes (voir page 175). Les
courants sont alors principalement superficiels
même si des upwellings sont possibles le long
de certaines côtes.

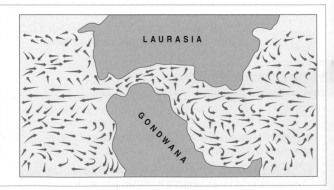

Doc. 2 Une conservation des dépôts organiques favorisée.

B Une tectonique favorable à la mise en place du gisement

Animation

La fermeture de l'océan Téthys au Cénozoïque

Fin du Mésozoïque (– 95 Ma)

océan Arctique • Eurasie • Amérique du Nord • golfe du Mexique • océan Atlantique Nord • Chine • océan Pacifique • Arabie • future mer des Caraïbes • Afrique • OCÉAN TÉTHYS • Amérique du Sud • Inde • Madagascar • océan Atlantique Sud • Australie • Antarctique

Fin du Cénozoïque (– 15 Ma)

Groenland • Amérique du Nord • Europe • Asie • océan Atlantique Nord • Plateau tibétain • Arabie • Inde • océan Pacifique • Afrique • Indonésie • Amérique du Sud • océan Indien • océan Atlantique Sud • Australie • Antarctique

| masses continentales anciennes | emplacement, à l'époque, des continents actuels |
| zones de subduction | dorsales océaniques |

À la fin du Crétacé, la Téthys commence à se refermer progressivement, le plancher océanique disparaissant par subduction. Cette fermeture est totale à la fin de l'ère Cénozoïque ; l'océan Téthys a disparu et les anciennes marges passives qui le bordaient sont désormais compressées et déformées.

Doc. 3 **La fermeture de l'océan Téthys au cours du Cénozoïque.**

La fermeture de l'ancienne Téthys aboutit à la collision des masses continentales qui la bordaient et à la formation d'une immense chaîne de montagnes, des Alpes à l'Himalaya en passant par les montagnes d'Iran.

L'Arabie Saoudite se trouve juste à l'arrière de la zone de suture. Contrairement à l'Iran, elle est peu affectée par la collision des plaques. Toutefois, la tectonique en compression a créé de gigantesques pièges à hydrocarbures comme, ci-dessous, le plus grand gisement de gaz naturel du monde, le « North Dome », entre l'Iran et le Qatar.

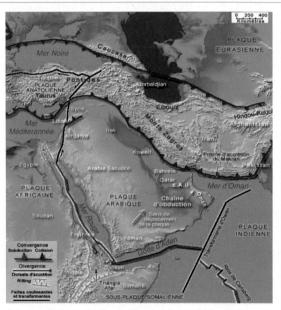

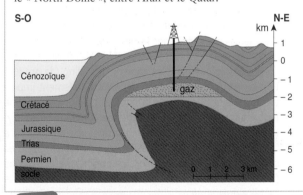

Carte tectonique du Proche-Orient et coupe du gisement de « North Dome ».

Doc. 4 **Une tectonique compressive à l'origine des pièges à hydrocarbures.**

Pistes d'exploitation

PROBLÈME À RÉSOUDRE ▶ Comment un gisement pétrolier peut-il se mettre en place ?

Doc. 1 et 2 En quoi la tectonique des plaques a-t-elle favorisé la formation de roches mères pétrolières au cours du Jurassique et du Crétacé dans la région qui est aujourd'hui l'Arabie ?

Doc. 2 En quoi la fermeture de l'océan Téthys a-t-elle favorisé la formation de pièges à hydrocarbures en Arabie ?

Doc. 1 à 4 Établissez une synthèse résumant toutes les conditions tectoniques nécessaires à la formation de gisements pétroliers.

Lexique, p. 354

chapitre 2 Tectonique des plaques et recherche d'hydrocarbures

L'économie mondiale est particulièrement dépendante du pétrole et de ses produits dérivés. La consommation augmente inexorablement, notamment suite au développement rapide des puissances « émergentes » (Chine, Inde, Brésil notamment). Face à cette demande croissante, les experts estiment que la production mondiale atteint probablement un sommet et risque donc de décroître dans l'avenir. La recherche de nouveaux gisements ou la mise en exploitation de champs pétroliers jusque-là négligés sont donc des impératifs.

Actuellement, les scientifiques connaissent bien dans quelles conditions et à quelles époques géologiques les grands gisements de pétrole se sont constitués. Ils savent que ces ressources sont non seulement rares mais aussi non renouvelables à l'échelle humaine. Ils ont enfin pu établir que leur histoire n'est pas indépendante des grands événements géologiques ayant affecté la planète. Nous allons voir que nos connaissances sur la tectonique des plaques permettent de comprendre la très inégale répartition des ressources en hydrocarbures. Elles peuvent nous aider à optimiser la prospection de nouveaux gisements.

1 Une tectonique favorable au dépôt et à la préservation de la matière organique

■ Tectonique des plaques et conditions de la production primaire

L'histoire d'un futur gisement de pétrole commence par **l'accumulation de matière organique, surtout végétale**. Tout facteur stimulant la production primaire, et notamment le développement du phytoplancton, est donc potentiellement favorable à une telle accumulation de biomasse. Parmi ces facteurs indispensables à la photosynthèse, citons une température suffisante, le dioxyde de carbone, un approvisionnement en sels minéraux, des milieux liquides peu profonds donc bien éclairés.

Or, l'activité des dorsales océaniques (et plus généralement l'activité volcanique) libère de grandes quantités de **dioxyde de carbone, gaz à effet de serre**. Ainsi, en période d'intense activité volcanique, le renforcement de cet effet de serre conduit à un **réchauffement climatique**.

Par ailleurs, sous une dorsale très active, les remontées de magma provoquent une **dilatation thermique de la dorsale**, ce qui tend à élever le niveau marin. L'eau du bassin océanique déborde et envahit les zones basses des continents : c'est une **transgression** marine, épisode propice au développement du plancton sur les marges continentales et donc à la production de biomasse.

Enfin, en modifiant la forme des continents, la tectonique influence aussi les courants marins. Elle peut, ou non, faciliter des remontées d'eaux froides et très nutritives le long des bordures continentales. Ces **courants d'upwelling** favorisent eux aussi le développement du phytoplancton.

■ Tectonique des plaques et sédimentation organique

Normalement, la matière organique produite dans un écosystème est finalement reminéralisée par les décomposeurs. Il faut des conditions particulières pour qu'une partie de la biomasse échappe à ce destin. Par exemple, lorsque la production primaire est intense et que les capacités de minéralisation par les décomposeurs sont dépassées, des **sédiments riches en matières organiques** s'accumulent alors.

C'est le cas dans les zones littorales ou dans les mers peu profondes installées sur le continent lors des transgressions. C'est aussi le cas dans les zones d'upwelling : la production primaire des eaux de surface y est tellement importante que la dégradation de la matière organique consomme tout le dioxygène disponible. Cette consommation du dioxygène par les bactéries minéralisatrices est supérieure à la capacité d'oxygénation des eaux par les courants : les sédiments « bénéficient » alors de **conditions anoxiques** (absence de dioxygène) favorables à la préservation de la matière organique.

Suivant les périodes, la tectonique des plaques peut ou non favoriser ce genre de situation. Par exemple, lorsque les bassins océaniques sont tels qu'une circulation des eaux océaniques entre les régions polaires est possible, des **courants marins profonds** peuvent s'établir : les eaux polaires froides et riches en dioxygène plongent puis parcourent lentement le fond des bassins océaniques. De tels courants dans l'océan Atlantique actuel dispersent les sédiments et expliquent la faible teneur en matière organique des sédiments de l'Atlantique sud malgré l'immense apport du fleuve Amazone.

En revanche, si, comme à l'époque de la Pangée, les continents occupent une position telle que ces courants profonds et oxygénés ne peuvent pas s'établir, les conditions sont plus favorables à une sédimentation de la matière organique.

2 Une tectonique « d'extension » favorable à la formation du pétrole

■ L'enfouissement de la matière oganique dans des bassins sédimentaires subsidents

La matière organique enfouie dans des sédiments ne peut **se transformer en hydrocarbures** qu'à condition de subir des transformations physico-chimiques complexes, notamment sous l'action d'une température suffisante. Cela n'est possible que si l'enfouissement est suffisamment profond, comme c'est le cas dans les **bassins sédimentaires**. Ces structures géologiques s'installent dans les zones où le socle s'enfonce progressivement (phénomène de **subsidence**). Cette situation s'observe sur les plateformes continentales périodiquement envahies par la mer (exemple du Bassin parisien) ou au niveau des **marges continentales passives**.

C'est lors de l'ouverture d'un océan que ces marges apparaissent. La **tectonique d'extension** qui « déchire » le continent s'accompagne de la fracturation de la marge continentale par des **failles normales** incurvées ; elles délimitent des blocs de croûte qui basculent lentement les uns par rapport aux autres. Ainsi, se créent des bassins sédimentaires dans lesquels des sédiments se déposent sur de grandes épaisseurs.

■ La transformation de la matière organique en hydrocarbures

Au cours de cet enfouissement, les sédiments sont transformés en **roches sédimentaires** (calcaires, marnes, argiles) qui sont plus ou moins riches en matière organique. L'élévation de la température provoque, par « cuisson », une dégradation plus ou moins complète de cette matière organique, c'est-à-dire une simplification moléculaire et la formation de résidus riches en carbone. Les fluides ainsi produits imprègnent les roches sédimentaires qui constituent les **roches mères** des hydrocarbures. L'ensemble de ces processus peut durer des dizaines, voire des centaines de millions d'années.

3 Une tectonique compressive favorable à la mise en place des gisements d'hydrocarbures

■ Un nécessaire piégeage des hydrocarbures

Les hydrocarbures (pétrole, gaz) inclus dans les roches mères ont tendance à migrer vers la surface où ils sont alors rapidement détruits. Un gisement d'hydrocarbures ne se constitue que si ces fluides migrants sont piégés.

Il faut pour cela que des structures imperméables à ces fluides s'intercalent entre les roches mères et la surface. La **tectonique compressive** consécutive à la fermeture d'un océan et à la formation des chaines de montagnes facilite la création de tels pièges à pétrole. Elle est en effet à l'origine de **plissements**, de **failles inverses**, de **chevauchements**, qui peuvent ainsi amener au-dessus des roches mères pétrolifères des barrières infranchissables ; on désigne ces barrières sous le nom de **roches couverture**. Les hydrocarbures s'accumulent alors dans les roches poreuses immédiatement situées sous cette couverture : ce sont les **roches réservoir** qui constituent le gisement pétrolier.

■ Des conditions tectoniques favorables rarement réunies

La formation d'un gisement pétrolier suppose donc que de nombreuses conditions ont été successivement réunies : production d'une biomasse importante, préservation de la matière organique formée avant son enfouissement puis sa transformation en hydrocarbures, piégeage et accumulation de ces derniers.

La coïncidence de tous ces paramètres est rare, ce qui explique la très inégale répartition des ressources pétrolières à la surface du globe mais aussi au cours des temps géologiques : 75 % des réserves mondiales sont ainsi regroupées dans l'ancien domaine de l'**océan Téthys**. Ce domaine est apparu suite à la dislocation d'une masse continentale, la **Pangée**. Il s'est agrandi (phase extensive) au cours de l'ère Mésozoïque (de – 250 Ma à – 65 Ma) puis refermé (phase compressive) à l'ère Cénozoïque (de – 65 Ma à aujourd'hui). De nombreux gisements pétroliers se sont alors constitués. C'est la péninsule arabique qui a hérité de la plus grande partie de ce trésor enfoui.

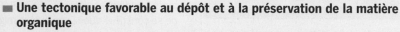

chapitre **2** **Tectonique des plaques et recherche d'hydrocarbures**

À RETENIR

■ **Une tectonique favorable au dépôt et à la préservation de la matière organique**

L'histoire d'un futur **gisement de pétrole** commence par l'**accumulation de matière organique**, surtout végétale. Les zones géographiques, ainsi que les périodes géologiques favorables à une telle accumulation peuvent être reliées à la **tectonique des plaques**.

L'activité des **dorsales océaniques** a des conséquences sur le climat (augmentation de l'**effet de serre**), sur les courants marins, sur l'étendue des marges continentales et sur l'ampleur des invasions marines lors des **transgressions**.

La matière organique produite en abondance doit en outre échapper au recyclage naturel : elle doit se déposer dans des **milieux pauvres en oxygène** et être rapidement enfouie.

■ **Une tectonique favorable à l'enfouissement de la matière organique**

La formation des **roches mères pétrolifères** peut être mise en relation avec la tectonique des plaques. En effet, les zones soumises à une distension tectonique comme les **marges continentales passives** sont propices à une telle formation : à ce niveau se forment des **bassins sédimentaires subsidents** où sont enfouis profondément des sédiments riches en matière organique.

Cet enfouissement permet la **dégradation thermique** de la matière organique et sa **transformation en hydrocarbures**.

■ **Une tectonique favorable à la mise en place des gisements d'hydrocarbures**

En revanche, c'est une **tectonique en compression** qui, en créant des **plis** ou des **failles inverses**, facilite le piégeage des fluides pétroliers dans des **roches réservoir** et la formation de **gisements d'hydrocarbures**.

La **tectonique des plaques permet de comprendre** l'inégale répartition des gisements pétroliers dans l'espace et le temps. Les conditions de leur formation sont en effet multiples et rarement réunies. En connaissant mieux ces conditions de formation, on améliore la **prospection** de nouvelles ressources.

Mots-clés

- Transgression
- Upwelling
- Marge passive
- Failles normales
- Subsidence
- Tectonique de compression
- Piégeage des hydrocarbures

Capacités et attitudes

▌ Recenser et organiser des informations pour comprendre le contexte géologique à l'origine d'un gisement d'hydrocarbure.

▌ Utiliser des profils de sismique réflexion, des coupes, des cartes, pour découvrir les structures favorables à la formation de gisements d'hydrocarbures.

▌ Utiliser des coupes géologiques, des profils sismiques, observer des échantillons, pour caractériser un bassin et des roches sédimentaires.

▌ Extraire et mettre en relation des informations pour comprendre l'inégale répartition des ressources pétrolières.

La tectonique conditionne les dépôts organiques

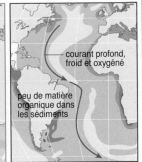

zones à forte productivité

courant profond, froid et oxygéné

peu de matière organique dans les sédiments

Productivité de matière organique dans les océans : de plus en plus forte du vert clair au vert foncé.

Teneur en matière organique des sédiments : de plus en plus forte du mauve clair au mauve foncé.

Tectonique des plaques
↓
Géographie des bassins océaniques
↓
Trajet des courants marins profonds
↓
Conservation ou non de la matière organique qui sédimente

La tectonique permet l'enfouissement

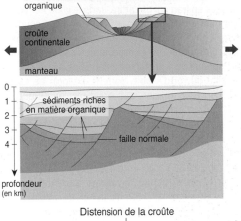

enfouissement de la matière organique

croûte continentale

manteau

0
1
2
3
4
profondeur (en km)

sédiments riches en matière organique

faille normale

Distension de la croûte
↓
Création de zones de subsidence
↓
Accumulation de grandes quantités de sédiments riches en matière organique

La tectonique permet la formation des gisements

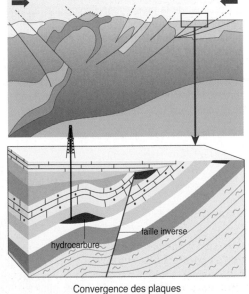

hydrocarbure

faille inverse

Convergence des plaques
↓
Compression
↓
Formation de failles inverses et de plis
↓
Piégeage des hydrocarbures

Des conditions rarement réunies

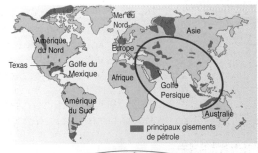

Mer du Nord

Asie

Amérique du Nord

Europe

Texas

Golfe du Mexique

Afrique

Golfe Persique

Amérique du Sud

Australie

■ principaux gisements de pétrole

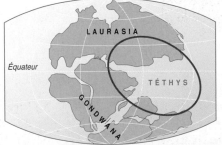

LAURASIA

Équateur

TÉTHYS

GONDWANA

Au Mésozoïque (– 250 à – 65 Ma), autour de la Téthys :

Transgressions marines, climat chaud, forte productivité primaire, pas de courants profonds nord-sud
↓
Conditions favorables à la formation de gisements

Les débuts de l'or noir en Arabie

Au début du XXᵉ siècle, ce sont les grands plissements de surface en Iran qui ont attiré, dans le golfe Persique, les premiers chercheurs d'or noir. L'Arabie Saoudite, immense pays trop plat, n'attire pas, dans un premier temps, l'attention des prospecteurs. Il faut attendre 1933 pour que deux géologues américains, à la demande pressante du roi d'Arabie, partent explorer ce vaste désert. Après deux ans d'observations minutieuses, ils mettent en évidence les premières grandes structures géologiques pouvant recéler du pétrole. Les premiers forages sont infructueux mais, enfin, en 1938, le pétrole jaillit ! Il faudra encore vingt années de progrès techniques dans la prospection géophysique pour que l'extraordinaire structure de Ghawar soit découverte. Elle était pourtant là, « comme le nez au milieu de la figure », diront les géologues, au beau milieu du pays, sur près de 200 km de long.

La théorie de la tectonique des plaques apportera dans les années 1960-70 un éclairage éclatant à la présence de ce pétrole en Arabie.

Le premier site producteur de pétrole en Arabie Saoudite dans les années 1950.

Grâce aux progrès de la prospection géologique, à ceux des techniques de forage et d'exploitation, de nombreux gisements seront mis au jour en Arabie au cours de la seconde moitié du vingtième siècle.

Ce pays, jadis pauvre et peuplé essentiellement de tribus nomades, comporte aujourd'hui plus de vingt millions d'habitants. Il est le premier producteur mondial de pétrole et sa capitale Riyad (photographie ci-contre) est l'une des plus riches du monde.

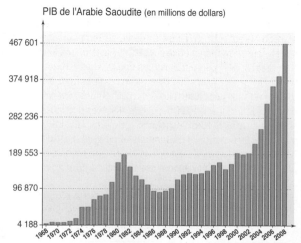

PIB de l'Arabie Saoudite (en millions de dollars)

Travailler dans le domaine de l'énergie

Vos goûts et vos points forts
- Travailler sur le terrain
- Monter des projets
- Travailler en équipe

Les domaines d'activité potentiels

L'exploitation pétrolière ne connaît pas encore de ralentissement, la demande est forte et la production toujours importante. Les sociétés pétrolières emploient donc une large gamme de personnes, de l'ingénieur au technicien et ce à tous les niveaux, de la recherche de gisements à leur exploitation. Néanmoins les perspectives et le souci d'un développement durable conduisent à développer les secteurs d'activité associés aux énergies renouvelables.

Pour y parvenir

Pour les techniciens, une large gamme de BTS ou de DUT sont spécialisés dans le domaine de l'énergie, voire même, plus particulièrement, dans celui des énergies renouvelables. Des licences ou des masters professionnels existent aussi. Pour les postes d'ingénieurs, de nombreuses écoles dans le domaine de la chimie, de la biologie ou de la géologie mènent à ce domaine d'activité.

Les débouchés

Pour la plupart, les employeurs sont les grandes sociétés pétrolières. Pour les énergies renouvelables, de nombreuses petites structures se développent dans un marché plus ouvert au territoire national.

Technicien en raffinerie

Technicien dans les énergies renouvelables

... aller plus loin

L'épuisement des ressources

Les conditions de formation des gisements d'hydrocarbures sont nombreuses et difficiles à réunir. Le temps nécessaire à leur formation s'étale sur des dizaines de millions d'années. Le pétrole n'est donc pas une ressource renouvelable à l'échelle humaine. Ainsi, nous consommons des ressources rares et épuisables. L'estimation des réserves disponibles, problématique, dépend de données politiques, économiques mais aussi techniques. De même, l'évolution de la demande des pays (notamment émergents) est difficile à cerner. Même s'il est délicat de prédire l'avenir, on peut penser que nous allons vers un pic de production pétrolier au cours des années 2010.
À partir de 2020, la production ne dépassera plus la demande ; il convient donc de se préparer en recherchant et en développant des solutions alternatives au pétrole.

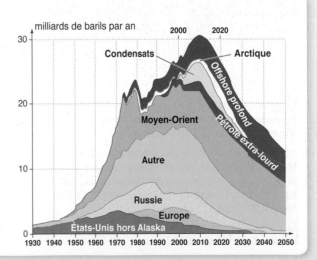

Exercices

1 **Définissez les mots ou expressions**

Hydrocarbures, upwelling, faille normale, roche mère pétrolifère, subsidence, gisement, conditions anoxiques.

2 **Questions à choix multiples**

Choisissez la ou les bonnes réponses.

1. Un gisement de pétrole se forme :
a. au sein d'anciennes marges passives océaniques ;
b. principalement au cœur des chaînes de montagnes ;
c. en période de baisse du niveau marin.

2. La tectonique des plaques :
a. influence les conditions climatiques ;
b. explique à elle seule l'existence des courants marins ;
c. modifie le niveau des mers.

3. Les dépôts organiques dans les sédiments sont conservés :
a. facilement dans les zones d'upwelling ;
b. lorsque les échanges thermiques entre les océans se font par des courants profonds ;
c. lorsqu'il n'y a pas de glace aux pôles et que les continents sont en position plutôt « latitudinale ».

3 **Vrai ou faux ?**

Repérez les affirmations exactes et corrigez celles qui sont inexactes.
a. L'Arabie Saoudite est une ancienne marge passive océanique.

b. Une tectonique compressive n'est jamais en cause dans la formation d'un gisement pétrolier.
c. Un calcaire grossier et poreux est une bonne roche couverture dans un gisement pétrolier.
d. Un calcaire grossier et poreux est une bonne roche réservoir dans un gisement pétrolier.

4 **Questions à réponse courte**

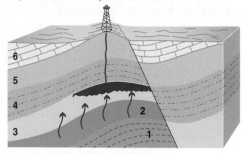

a. Quelle est la roche mère pétrolifère ?
b. Quelle est la roche réservoir ?
c. Quelle est la roche couverture ?
d. Dans quel contexte tectonique la faille s'est-elle formée ?
e. Expliquez la formation du gisement de pétrole.

5 **Le pétrole de la mer du Nord** Raisonner à partir d'une image

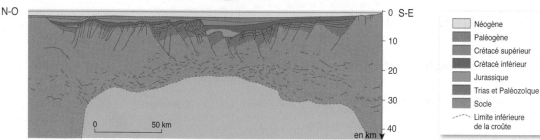

La mer du Nord est une mer épicontinentale, ce qui signifie qu'elle repose sur une lithosphère continentale et non océanique ; c'est une mer très peu profonde.

Les roches sédimentaires du plancher marin renferment des réserves d'hydrocarbures non négligeables formées à partir de roches mères pétrolifères, datées du Jurassique. Les gisements sont exploités depuis les années 1970 par des forages off-shore.

La prospection pour localiser de nouveaux champs pétroliers continue encore aujourd'hui.

Choisissez parmi les réponses suivantes celles qui vous paraissent appropriées :
a. La croûte continentale est épaissie dans le secteur de la mer du Nord.
b. Le secteur de la mer du Nord a été étiré dans une direction nord-ouest / sud-est.
c. Les nouveaux gisements pétroliers doivent être recherchés dans les roches datées du Jurassique.
d. La lithosphère continentale a été étirée au Trias.
e. La lithosphère continentale n'est plus étirée depuis le Crétacé supérieur.

6 Le pétrole du bassin de l'Orénoque au Venezuela   Saisir des informations à partir d'une coupe géologique

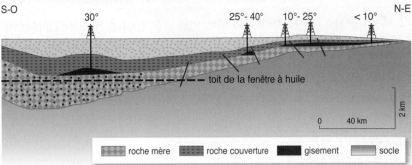

toit de la fenêtre à huile

2 km

0   40 km

roche mère   roche couverture   gisement   socle

Le Venezuela possède de très importantes réserves en hydrocarbures (pétrole et gaz). Il déclare même des réserves considérables (supérieures à celles de l'Arabie Saoudite !) : 235 milliards de barils seraient ainsi stockés dans le bassin du fleuve Orénoque.

Les roches mères, datées du Mésozoïque (fin du Jurassique et Crétacé, soit – 180 à – 65 Ma), se sont formées lors de l'ouverture de l'océan Atlantique.

1. Quels indices suggèrent que le secteur de l'Orénoque correspond à un bassin sédimentaire de type marge passive ?

2. Retrouvez ce qu'est la « fenêtre à huile » puis expliquez la localisation des gisements d'hydrocarbures au sein de ce bassin.

3. Dites pourquoi les huiles (pétrole) extraites n'ont pas la même température au niveau des différents forages.

7 Activité des dorsales et formation des pétroles   Saisir des informations à partir d'un graphique

Le *graphique ci-contre* présente l'évolution, au cours des 150 derniers millions d'années, de quatre « paramètres » :
– le volume de croûte océanique produite au niveau des dorsales (par million d'années),
– les variations du niveau général des mers,
– les variations de la température moyenne (paléotempératures),
– la quantité d'hydrocarbures produite par million d'années.

1. Montrez que ces différents paramètres sont liés.

2. À l'aide de vos connaissances, proposez une explication.

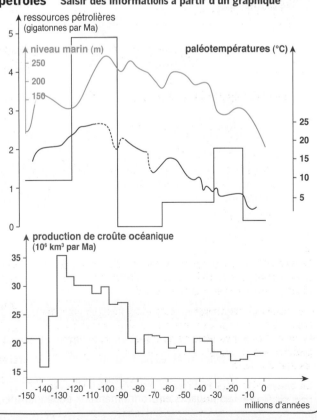

Des DOCUMENTS pour se poser des questions

Un hectare de ce champ produit dix tonnes de blé par an

Les céréaliculteurs français pratiquent une agriculture si intensive qu'un seul travailleur peut produire de quoi nourrir 1 200 personnes pendant une année.

G. MICHNIK

Des aliments mondialisés

Des produits de l'agriculture et de l'élevage du monde entier se rencontrent dans votre hamburger : bœuf de France ou d'Argentine, blé français, huile de palme indonésienne, tomates marocaines...

27 traitements chimiques pour produire une pomme !

La France est le premier pays européen pour l'utilisation de pesticides. Ce sont ainsi 63 000 tonnes de produits chimiques, contenant 300 molécules différentes, qui sont répandues dans les champs français chaque année.

LES PROBLÉMATIQUES DU CHAPITRE

- Comment matière et énergie circulent-elles dans un écosystème ?
- Quelles sont les particularités des écosystèmes cultivés ?
- Quels impacts l'agriculture intensive peut-elle avoir sur l'environnement ?
- Les impacts environnementaux dépendent-ils du type d'agriculture pratiquée ?

Maîtriser l'environnement pour produire des aliments (Boumalne, Maroc).

Pratiques agricoles
et gestion de l'environnement

Le fonctionnement d'un écosystème naturel

La photosynthèse réalisée par les végétaux chlorophylliens produit des matières organiques, source de nourriture pour les autres êtres vivants. *Il s'agit de montrer qu'au sein d'un écosystème naturel, les réseaux trophiques font circuler matière et énergie.*

A Les écosystèmes, des structures complexes et dynamiques

Pour les biologistes, une forêt est un **écosystème** qui résulte de l'interaction de deux grandes composantes : une **biocénose**, communauté de tous les êtres vivants présents dans la forêt et un **biotope**, ensemble des caractéristiques non biologiques (climat, nature des roches, pente, altitude…) de ce milieu de vie. Ces facteurs physiques ou chimiques déterminent, au moins en partie, quelles espèces sont capables d'occuper un milieu. À la diversité des biotopes répond ainsi une diversité des biocénoses. Mais les êtres vivants modifient en retour les conditions physiques et chimiques de leur habitat : les écosystèmes sont donc des structures extrêmement complexes, au sein desquelles s'établissent de subtils équilibres.

Strate arborescente et arbustive
- Arbres et arbustes : *hêtres, chênes, houx, lierre…*
- Oiseaux : *chouettes, mésanges, pics, buses…*
- Arthropodes : *papillons, mouches, guêpes…*
- Mammifères : *écureuils, chauves-souris, martres…*

Strate herbacée
- Végétaux : *fougères, plantes à fleur, mousses…*
- Oiseaux : *rouges-gorges, merles, geais…*
- Arthropodes : *araignées, pucerons, coccinelles…*
- Reptiles : *lézards, couleuvres, vipères…*
- Batraciens : *grenouilles, salamandres…*
- Mammifères : *cerfs, lapins, renards, mulots, blaireaux…*

Litière et sol
- Végétaux : *racines, feuilles en décomposition…*
- Arthropodes : *fourmis, carabes, collemboles, acariens, cloportes…*
- Nématodes, lombrics…
- Champignons : *bolets, chanterelles, lactaires, pezizes…*
- Bactéries

En été, dans cette forêt, moins de 20 % de la lumière solaire atteint le sol. 50 % des précipitations sont interceptées par les feuillages et les troncs.
Par rapport à un milieu découvert, l'humidité est augmentée de 10 %, la température moyenne à midi est diminuée de 1 à 2 °C, la vitesse du vent près du sol est divisée par 10. Chaque mètre carré de sol reçoit annuellement de 3 à 8 kg de poussières atmosphériques.

Doc. 1 **Biotope et biocénose : de puissantes interactions entre monde vivant et inerte.**

B Les transferts de matière et d'énergie dans un écosystème

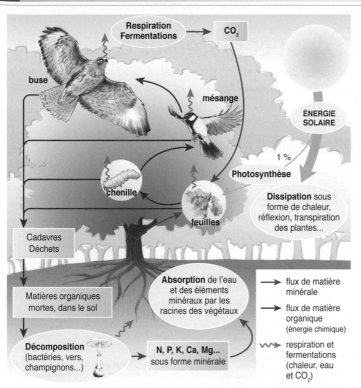

Grâce à la photosynthèse, les végétaux convertissent 1 % environ de l'énergie lumineuse en énergie chimique. Les molécules organiques élaborées sont utilisées, pour 90 % d'entre elles, comme source d'énergie pour les besoins de la plante. C'est finalement 0,1 % environ de l'énergie solaire qui se retrouve sous forme de nouvelles feuilles, tiges, racines, fruits et graines : c'est la **productivité primaire nette** de l'écosystème.

Les autres êtres vivants se nourrissent directement (herbivores) ou indirectement (carnivores et décomposeurs) de cette énergie chimique, au travers de **réseaux trophiques** complexes.

La matière et l'énergie passent ainsi d'un maillon à l'autre des chaînes alimentaires. L'efficacité des transferts est cependant très faible, la majeure partie de la matière produite par un **niveau trophique** étant dissipée sous forme de chaleur par la respiration du niveau suivant. Quant à la matière, elle est au contraire presque intégralement recyclée, soit dans l'écosystème lui-même, soit à l'échelle planétaire.

Doc. 2 L'écosystème « carbure » à l'énergie solaire et recycle ses déchets.

Pour qu'un super prédateur comme le faucon pèlerin grossisse de 1 kg (poids adulte), il doit consommer 50 kg de carnivores de premier ordre (mésanges, chauves-souris, reptiles…). Pour produire ces 50 kg, ces carnivores auront dû consommer 2 500 kg d'herbivores (insectes, limaces, lapins…). Pour produire ces 2 500 kg, ces herbivores auront consommé auparavant 50 000 kg de végétaux…

Ainsi, l'énergie chimique produite par un écosystème peut être schématisée sous la forme d'une pyramide écologique dont la base est constituée par la productivité primaire nette (résultat de la photosynthèse).

Carnivores de 2e ordre

Carnivores de 1er ordre

Herbivores

Végétaux — Productivité primaire nette

Doc. 3 La pyramide écologique, une réalité incontournable.

Pistes d'exploitation

PROBLÈME À RÉSOUDRE ▶ Comment la matière et l'énergie circulent-elles entre les différents acteurs d'un écosystème ?

Doc. 1 Montrez que les êtres vivants de cet écosystème modifient leur biotope.

Doc. 1 et 2 Que se passerait-il si l'on récoltait, année après année, les feuilles et branches mortes tombées au sol ?

Doc. 3 Calculez, en pourcentage, la part de matière qui passe d'un niveau trophique au niveau suivant.

Doc. 3 Justifiez la représentation des productivités sous forme d'une pyramide.

Lexique, p. 354

Les agrosystèmes : des écosystèmes cultivés

Les agriculteurs modifient des écosystèmes, plus ou moins profondément, dans le but d'y récolter aliments et autres produits utiles. *Ces documents montrent que la productivité primaire des agrosystèmes repose sur une gestion par l'agriculteur des flux de matière et d'énergie.*

A Un agrosystème est un écosystème transformé dans un but productif

Dans la plaine de Limagne, en Auvergne, les Hommes ont, depuis plus de 5 000 ans, remplacé la forêt (écosystème naturel) par des cultures, ou **agrosystèmes**. Les champs de maïs y sont aujourd'hui nombreux.

1 Fin avril

Le sol est désherbé (chimiquement ou mécaniquement), sa surface est travaillée et un **engrais** azoté est apporté. Le semis (10 graines/m²) est réalisé avec des graines généralement traitées avec des **pesticides**, et appartenant à des variétés issues de décennies d'améliorations génétiques.

2 Durant le printemps et l'été

L'agriculteur contrôle la progression de sa culture. Il traite avec des herbicides pour limiter la croissance des autres plantes (**adventices**) qui pourraient concurrencer le maïs pour l'accès à l'eau, aux nutriments, au soleil.
Il traite à plusieurs reprises avec des pesticides pour minimiser les dégâts provoqués par les champignons parasites et les insectes ravageurs du maïs.

6 Novembre

Sur la parcelle, le sol est habituellement retourné sur 25 cm de profondeur (labour). Les herbes et résidus de récolte sont enfouis et des engrais organiques (fumier, lisier) ou minéraux (potasse, phosphore) sont apportés.

4 Fin août : maïs ensilage

L'agriculteur récolte la totalité des parties aériennes des plants de maïs (15 t/ha). Broyés, ils serviront à l'alimentation des bovins.

OU

5 Octobre : maïs grain

Les grains arrivent à maturité dans les épis. Ils sont récoltés (10 t/ha) et serviront à l'alimentation humaine ou animale. Les résidus de récolte ne sont pas exportés.

3 Juillet et août

Pour exprimer tout son potentiel productif, le maïs a besoin de beaucoup d'eau : 1 kg de grains de maïs nécessite 700 litres d'eau. L'**irrigation** du maïs est donc indispensable à la réussite technique et économique de cette culture.

Doc. 1 Un exemple d'agrosystème : le champ de maïs.

B Une recherche permanente de productivité

Les lentilles d'eau sont des plantes aquatiques à croissance très rapide et aux exigences simples.

On se propose de modéliser l'évolution de la productivité primaire d'un agrosystème, en cultivant des lentilles d'eau et en pesant les récoltes successives.

■ **MODÈLE À METTRE EN ŒUVRE**

– Ensemencer le milieu de culture avec cinq lentilles. Optimiser leurs conditions de croissance en contrôlant le biotope.
– Après deux semaines, récolter toutes les lentilles. Peser la récolte sauf cinq lentilles.
– Ajuster le niveau de l'eau avec de l'eau distillée.
– Renouveler les récoltes et pesées toutes les deux semaines.

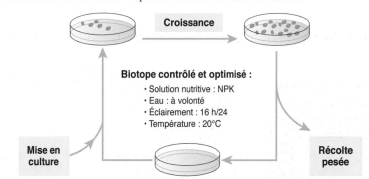

Biotope contrôlé et optimisé :
· Solution nutritive : NPK
· Eau : à volonté
· Éclairement : 16 h/24
· Température : 20°C

Schéma de la mise ▶ en culture à la récolte

Doc. 2 Modéliser un agrosystème en classe.

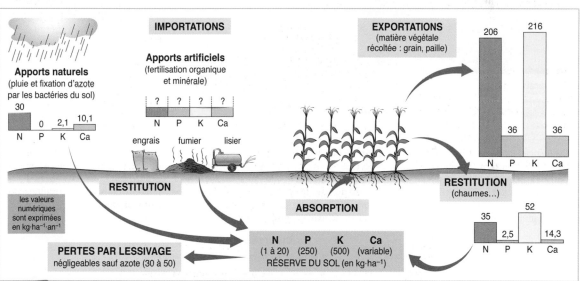

les valeurs numériques sont exprimées en kg·ha⁻¹·an⁻¹

Doc. 3 Les exportations doivent obligatoirement être compensées pour maintenir la fertilité.

Protocole détaillé :
www.bordas-svtlycee.fr

Pistes d'exploitation

PROBLÈME À RÉSOUDRE ▶ Par quels moyens l'agriculteur assure-t-il la productivité de ses cultures ?

Doc. 1 Repérez les actions de l'agriculteur visant à réduire la biodiversité de son champ et à favoriser l'espèce cultivée.

Doc. 2 Comment devrait évoluer la biomasse récoltée si l'on effectue de nombreux cycles culturaux ? Proposez une explication à ce phénomène.

Doc. 3 Comment l'agriculteur doit-il intervenir pour maintenir artificiellement la fertilité du sol dans le cas de cette culture de maïs « ensilage » ?

Lexique, p. 354

Pratiques culturales et environnement

La recherche d'une productivité toujours plus élevée a conduit, depuis une soixantaine d'années, la plupart des agriculteurs des pays riches à utiliser massivement engrais et pesticides. *Cette agriculture intensive présente, nous le verrons, des dangers pour l'environnement et pour les humains.*

A Fertilisation et pollution des eaux

Prolifération d'algues vertes sur une plage bretonne.

« L'agriculture intensive apporte trop d'azote sur les sols. C'est ce qui ressort du bilan de l'azote établi pour l'année 2001. Il compare l'azote apporté par les engrais minéraux et les effluents d'élevage à celui prélevé par les cultures et les prairies. Ces calculs montrent que 715 000 tonnes d'azote, soit 19 % des quantités apportées par l'agriculture, restent dans le sol. Une fois transformées en nitrates, elles risquent d'être entraînées en partie par les eaux de ruissellement ou d'atteindre les nappes phréatiques par **lixiviation** ».

D'après Scees, ministère de l'Agriculture.

Les nitrates constituent une nourriture idéale pour les plantes et algues aquatiques, qui se mettent alors à proliférer : c'est l'**eutrophisation**. Ces végétaux, en mourant, alimentent les bactéries qui prolifèrent à leur tour et consomment le dioxygène de l'eau. Ne pouvant plus respirer, la faune aquatique (poissons, mollusques, crustacés) disparaît.

Doc. 1 Le devenir des engrais non utilisés par les plantes.

Des logiciels permettent aujourd'hui de modéliser les interactions très complexes qui s'établissent au sein de l'agrosystème entre la plante, le sol, le climat et les techniques culturales. Le logiciel STICS (INRA) permet ainsi de simuler les effets d'un apport plus ou moins important d'engrais azoté (ammonitrate) sur le rendement d'une culture de maïs et sur la richesse des grains en azote (le revenu de l'agriculteur dépend directement de ces deux résultats). Le logiciel modélise aussi les éventuelles pertes d'azote par lixiviation.

Les graphes ci-dessous rendent compte des résultats du modèle, sur deux types de sol (argileux ou sableux) qui ne diffèrent que par leurs teneurs en argile (22 % ou 5 %).

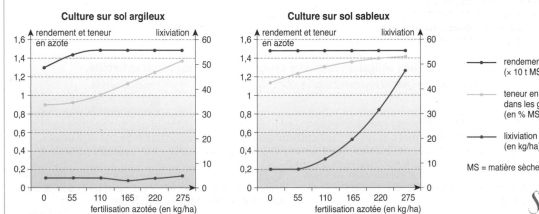

Doc. 2 Modéliser un agrosystème pour mieux comprendre la pollution par les nitrates.

Pour utiliser le logiciel STICS :
www.bordas-svtlycee.fr

B La dissémination des pesticides dans l'environnement et ses effets

Le chlordécone est un insecticide qui a été utilisé, entre 1952 et 1993, aux Antilles et dans de nombreux pays tropicaux pour protéger les cultures de bananes, de manioc, de tabac, d'agrumes…

Cette molécule est aujourd'hui interdite car elle présente de graves inconvénients :

– Une forte **rémanence** : le chlordécone ne se dégrade que très lentement dans l'environnement. Retenu par les poussières, les sols, les sédiments et les matières organiques, il diffuse alors lentement dans les milieux. Il contamine les eaux souterraines, les rivières et le milieu marin.

– Une faible **spécificité** : le chlordécone ne tue pas que les insectes. Il est aussi très toxique pour les végétaux en particulier le phytoplancton ainsi que pour les animaux (y compris les humains). Il perturbe le système nerveux, le foie, les régulations hormonales et la reproduction. Une étude récente, réalisée en 2007, a montré que le chlordécone augmente le risque d'apparition du cancer de la prostate.

Le chlordécone est très peu biodégradable : il n'est ni détruit ni éliminé par les êtres vivants. Il les contamine pourtant et se concentre dans les cultures légumières, ainsi que dans la végétation naturelle, terrestre ou aquatique.

Du fait de son affinité pour les lipides, il se concentre dans les graisses des herbivores, puis davantage encore dans celles des carnivores… Cette **bioaccumulation** est une conséquence directe du fonctionnement pyramidal des écosystèmes.

Près de 9 500 tonnes de poissons et 650 tonnes de mollusques et crustacés sont pêchés tous les ans en Guadeloupe.

Le chlordécone, et plus généralement les pesticides rémanents exportés vers le milieu marin, peuvent donc avoir non seulement un impact sur la santé des écosystèmes marins côtiers, mais aussi sur celle des populations humaines.

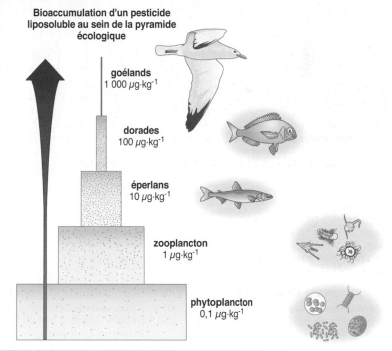

Bioaccumulation d'un pesticide liposoluble au sein de la pyramide écologique

goélands
1 000 μg·kg^{-1}

dorades
100 μg·kg^{-1}

éperlans
10 μg·kg^{-1}

zooplancton
1 μg·kg^{-1}

phytoplancton
0,1 μg·kg^{-1}

Doc. 3 **La contamination de l'environnement par le chlordécone.**

Pistes d'exploitation

PROBLÈME À RÉSOUDRE ► Quels problèmes l'agriculture intensive pose-t-elle pour la santé humaine et celle de l'environnement ?

Doc. 1 Quelles sont les causes et les conséquences de l'eutrophisation ?

Doc. 2 Identifiez deux facteurs qui favorisent la pollution des nappes phréatiques par les nitrates.

Doc. 3 Expliquez pourquoi le chlordécone se concentre tout au long des chaînes alimentaires.

Doc. 3 Quels risques le chlordécone fait-il courir aux populations antillaises ?

Lexique, p. 354

Pratiques agricoles et développement durable

Les pratiques agricoles locales dépendent de multiples facteurs naturels, sociaux, économiques... *Nous verrons qu'il existe de ce fait des agrosystèmes diversifiés, aux conséquences environnementales différentes.*

A Le système agro-artisanal de proximité

Aux Antilles, le jardin créole est une petite parcelle située à proximité immédiate de la maison. Les bananiers sont des composants de base de ce jardin : ils constituent des zones ombragées favorables à la culture d'autres espèces comme les ignames, les choux de Chine, les choux caraïbes, les patates douces, les pois et haricots...

Chaque espèce végétale peut être présente sous plusieurs variétés, adaptées aux conditions et traditions locales : ainsi, à côté des bananiers à vocation alimentaire (fruits ou légumes), d'autres variétés sont à vocation textile, médicinale ou encore cérémonielle...

Les produits du jardin sont utilisés pour les besoins de la famille (cultures vivrières) et pour le marché local. Dans les restaurants, on sert par exemple des bananes bouillies, grillées, frites, en beignets... autant de recettes en relation directe avec les traditions culinaires antillaises.

Doc. 1 Un exemple d'agriculture paysanne : le jardin créole.

« Le genre humain a parfaitement les moyens d'assumer un développement durable, de répondre aux besoins du présent sans compromettre la possibilité pour les générations à venir de satisfaire les leurs.

La notion de développement durable implique certes des limites : celles qu'imposent l'état actuel de nos techniques et de l'organisation sociale ainsi que de la capacité de la biosphère à supporter les effets de l'activité humaine. Le développement durable signifie la satisfaction des besoins élémentaires de tous et, pour chacun, la possibilité d'aspirer à une vie meilleure.

Pour satisfaire les besoins essentiels, il faut faire en sorte que les plus démunis puissent bénéficier de leur juste part des ressources qui permettent cette croissance. L'existence de systèmes politiques garantissant la participation populaire à la prise de décisions et une démocratie plus efficace dans la prise de décisions internationales permettraient à cette justice de naître.

Les nantis doivent adopter un mode de vie qui respecte les limites écologiques de la planète. Le développement durable n'est donc possible que si la démographie et la croissance évoluent en harmonie avec le potentiel productif de l'écosystème. »

D'après le rapport Brundtland, ONU, 1987.

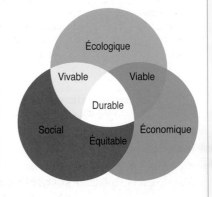

Un développement durable doit concilier les aspects économiques, sociaux et environnementaux.

Doc. 2 Une notion essentielle : le développement durable.

B Le système agro-industriel mondialisé

Les bananes que nous consommons en Europe sont en général cultivées sur des parcelles de plusieurs milliers d'hectares appartenant à des sociétés multinationales. Sur ces parcelles, on ne plante que des bananiers, tous de la même variété. Le travail est réalisé par des ouvriers agricoles salariés.

Les bananes sont récoltées alors qu'elles sont encore vertes et dures, transportées vers un hangar d'emballage. Les régimes sont alors découpés en grappes de 5 à 8 fruits. Celles-ci sont lavées, traitées avec un **fongicide**, triées, avant d'être emballées. Dans les 48 heures qui suivent, elles sont chargées sur des bateaux, réfrigérées à 12,5 °C et ventilées afin de favoriser leur conservation. Lorsqu'elles arrivent au port de destination, elles sont expédiées vers des chambres de mûrissement maintenues entre 15 et 20 °C.

Elles rejoignent ensuite les rayonnages des supermarchés, à moins qu'elles n'entrent dans la composition de produits alimentaires agro-industriels : farines et petits pots pour bébés, pâtisseries, boissons, glaces…

► Une bananeraie industrielle au Costa Rica.

Doc. 3 Un exemple de culture agro-industrielle : la plantation bananière.

Le jardin créole	La bananeraie industrielle
• Nombreuses espèces cultivées et nombreuses variétés (polyculture).	• Une seule espèce cultivée et une seule variété (monoculture).
• Des rendements faibles mais une grande diversité de récoltes.	• Des rendements élevés (plus de 20 tonnes à l'hectare) mais un seul produit récolté.
• Plantes arrosées au pied : l'eau entre dans le sol, près des racines, là où elle est utile.	• Parcelles irriguées par aspersion, ce qui génère un important gaspillage d'eau par évaporation et favorise les champignons parasites.
• Pas ou peu de pesticides chimiques : utilisation de plantes répulsives, de plantes pièges, de préparations végétales ou minérales.	• Des pesticides chimiques sont utilisés à la plantation et en cours de culture pour lutter contre les vers, les insectes et champignons parasites.
• Sol toujours couvert de végétation ou d'une litière : protection contre la chaleur et la pluie (protège du tassement et de l'érosion).	• Sol nu (désherbé par des herbicides) exposé à la pluie et au soleil (la chaleur excessive diminue l'activité biologique du sol).
• Sols à forte activité biologique, non compactés, travail du sol superficiel à l'aide d'outils manuels.	• Sols à faible activité biologique devant être décompactés par le labour motorisé.
• Les déchets végétaux sont consommés par les animaux d'élevage ou compostés. Fumier, compost, cendres fertilisent les sols.	• La fertilisation se fait à l'aide d'engrais chimiques (apports d'azote, de phosphore et de potasse).

Doc. 4 Des pratiques agricoles très différentes.

Pistes d'exploitation

PROBLÈME À RÉSOUDRE ► Sur quoi repose la diversité des agrosystèmes ? Ont-ils tous la même valeur en termes de développement durable ?

Doc. 2 Recherchez les définitions de : viable, vivable, équitable. En quoi ces trois notions s'appliquent-elles à l'idée de développement durable ?

Doc. 1 à 4 Identifiez les points forts et les points faibles de chacun des deux systèmes agricoles en termes de développement durable.

Lexique, p. 354

chapitre 3 Pratiques agricoles et gestion de l'environnement

1 Complexité et équilibre des écosystèmes naturels

■ De fortes interactions entre les êtres vivants et leur milieu

Un **écosystème** est un milieu dans lequel les conditions de sol, de température, d'humidité, d'ensoleillement... sont relativement homogènes. Ces caractéristiques physico-chimiques constituent le **biotope** de l'écosystème.

Les êtres vivants capables d'occuper le biotope forment la **biocénose**. La forte biodiversité qui caractérise la plupart des écosystèmes naturels repose sur des interactions complexes entre espèces et au sein des espèces (compétition pour l'accès à la nourriture, coopération contre un prédateur, par exemple). Des interactions s'établissent aussi entre les êtres vivants et leur biotope : c'est ainsi que la forêt limite la vitesse du vent ou les variations de température, créant des conditions propices à son propre maintien.

■ Le fonctionnement d'ensemble d'un écosystème est permis par la productivité primaire

Au cours de la photosynthèse, les végétaux chlorophylliens convertissent l'énergie solaire en énergie chimique. Ils utilisent cette énergie chimique pour produire des molécules organiques grâce aux molécules minérales puisées dans l'atmosphère (CO_2) et dans le sol (eau, ions minéraux). Cette conversion a un rendement très faible, si bien que la **productivité primaire nette** représente environ 0,1 % de l'énergie solaire reçue par l'écosystème.

La biomasse végétale constitue le premier niveau du **réseau trophique** : les **herbivores** l'utilisent pour fabriquer leur propre matière vivante, puis les carnivores font de même en consommant les herbivores. Enfin, les **décomposeurs** se nourrissent des restes des autres êtres vivants et recyclent les molécules organiques en molécules minérales, utilisables par les végétaux. Au sein d'un écosystème naturel, la matière est donc en majeure partie recyclée localement.

Il n'en va pas de même pour l'énergie : on estime qu'à chaque fois qu'un être vivant se nourrit d'un autre, environ 90 % de l'énergie prélevée est utilisée pour la respiration, et donc dissipée sous forme de chaleur. Ainsi, pour fabriquer 1 kg de carnivores de premier niveau, il faut environ 10 kg d'herbivores, qui eux-mêmes ont nécessité 100 kg de végétaux pour se former. À mesure que l'on s'élève dans les **niveaux trophiques**, la quantité d'énergie qui peut être stockée sous forme de molécules organiques (productivité secondaire)

décroît donc fortement. C'est pour cela que, du point de vue énergétique, le réseau trophique peut être représenté sous la forme d'une **pyramide des productivités**.

2 Les agrosystèmes sont des écosystèmes transformés par l'Homme

■ Modifier l'écosystème pour produire des aliments

L'agriculture repose sur la constitution d'**agrosystèmes** gérés dans le but de fournir des produits (dont les aliments) nécessaires à l'humanité. L'intervention humaine concerne aussi bien la biocénose que le biotope. L'installation d'un agrosystème nécessite le plus souvent d'éliminer la végétation naturelle et le reste de la biocénose, afin de favoriser la plante cultivée pour l'accès à la lumière, à l'eau et aux ions minéraux du sol. La biodiversité végétale est ainsi maintenue **artificiellement** à un niveau très bas par différentes pratiques : déforestation, désherbage mécanique ou chimique, travail du sol, paillage... Le développement des herbivores (insectes, mollusques...) et des champignons parasites est maîtrisé par l'utilisation de **pesticides**.

Le biotope est lui aussi modifié de multiples façons : le sol est travaillé pour favoriser l'installation du système racinaire ; selon les régions et les plantes cultivées, l'**irrigation** peut permettre à la plante de satisfaire ses besoins en eau.

L'ensemble de ces pratiques vise à maximiser la production des organes végétaux que l'on souhaite récolter (racines, fruits, graines, ou plante entière).

■ Exportations et importations doivent se compenser

L'agriculture moderne est qualifiée d'**intensive** : elle utilise de nombreux **intrants industriels** : **semences** sélectionnées et traitées, **pesticides**, **énergies fossiles** pour faire fonctionner des machines agricoles, produire les engrais... La productivité obtenue est souvent remarquable : des rendements de plusieurs tonnes de matière sèche par hectare sont courants. Une telle production suppose des prélèvements importants d'ions minéraux dans le sol. Ces éléments sont ensuite **exportés** au moment de la récolte, et quittent définitivement l'agrosystème.

Sans une compensation de ces exportations, les réserves nutritives du sol s'épuiseraient en quelques années et les récoltes suivantes seraient compromises. C'est pourquoi l'agriculture intensive ne peut se passer des **engrais**. Il peut s'agir de matières **organiques** (fumiers, lisiers) mais la majeure partie des engrais est aujourd'hui de nature **minérale**. Les principaux éléments apportés sont l'**azote**, le **phosphore** et la **potasse**.

3 Certaines pratiques culturales menacent l'environnement

■ La dissémination des engrais dans l'environnement et ses conséquences

Les engrais sont le plus souvent apportés sans chercher à adapter très précisément leur nature et leur dose aux besoins réels de la culture, qui dépendent de nombreux paramètres : nature du sol, culture précédente, état sanitaire des plantes, objectifs de rendements...

En conséquence, les éléments nutritifs apportés ne sont pas toujours consommés par les plantes et peuvent être entraînés vers les eaux superficielles (rivières, lacs...) ou vers les nappes phréatiques. Le problème se pose surtout pour les **nitrates** et les **phosphates**. En excès dans les eaux superficielles, ils provoquent la prolifération des végétaux aquatiques. Lorsque ceux-ci meurent, leur décomposition consomme le dioxygène contenu dans l'eau, entraînant la mort de la plupart des animaux, ce qui ne fait qu'aggraver encore le problème : c'est le phénomène d'**eutrophisation**.

L'augmentation du coût des engrais (lié à celui des énergies fossiles), le développement des outils de gestion de la fertilisation (analyses de sols, logiciels...) et la prise de conscience collective de l'importance des enjeux environnementaux devrait favoriser une utilisation plus **raisonnée** des engrais et limiter les pollutions qu'ils provoquent.

■ La dissémination des pesticides dans l'environnement et ses conséquences

Les pesticides représentent un risque important pour l'environnement lorsqu'il s'agit de produits pas ou peu **biodégradables**. On les retrouve alors dans tous les milieux (atmosphère, eau, sols...) et parfois à des centaines de kilomètres de leur lieu d'émission. Ces polluants se transmettent alors d'un niveau à l'autre des réseaux trophiques et subissent une **bioaccumulation** : comme il faut en moyenne 10 kg de matière d'un niveau trophique pour produire 1 kg

du niveau suivant, 1 kg de consommateur contient tous les résidus de pesticides présents dans 10 kg de sa nourriture. Les molécules actives des pesticides et leurs dérivés constituent dans les organismes vivants des cocktails d'une grande toxicité, responsables de cancers, de dérèglements hormonaux, nerveux, hépatiques...

4 Pratiques agricoles et développement durable

Le concept de développement durable postule que les générations actuelles ont le **droit** de satisfaire leurs besoins, mais aussi le **devoir** de ne pas compromettre le droit des générations futures de satisfaire les leurs. Il s'agit donc d'un principe de responsabilité vis-à-vis de l'humanité de demain. Un tel développement doit nécessairement concilier les dimensions sociales, économiques et écologiques.

Les agrosystèmes actuels sont très diversifiés, et répondent plus ou moins bien aux critères du développement durable. L'**agriculture intensive** moderne est grande consommatrice d'engrais minéraux, de pesticides, d'eau, d'énergies fossiles, de technologies... Un tout petit nombre d'espèces et de variétés végétales sont cultivées dans ce type d'agrosystème. La productivité y est très forte, si bien que les récoltes font l'objet d'un commerce mondialisé. Si cette agriculture intensive a probablement évité que se produisent de nombreuses famines au cours du XXᵉ siècle, elle pose cependant des problèmes d'équité sociale et d'environnement.

Dans certaines régions mal adaptées à l'agriculture intensive et dans les pays pauvres, l'**agriculture paysanne** est encore très pratiquée. Sa productivité est limitée, si bien que les récoltes sont principalement consommées par la famille, le surplus éventuel faisant l'objet d'un commerce de proximité. Une grande diversité d'espèces et de variétés végétales sont cultivées grâce à des savoirs et savoir-faire traditionnels permettant par exemple d'économiser l'eau, de lutter sans pesticides chimiques contre les ravageurs, de préserver la fertilité du sol sans engrais minéraux... Ces agrosystèmes paysans consomment peu de technologies et d'énergies fossiles. S'ils sont socialement plus équitables et plus respectueux de l'environnement, ils ne sauraient à eux seuls subvenir aux besoins alimentaires d'une humanité de plus en plus nombreuse et urbaine.

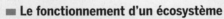

chapitre 3 — Pratiques agricoles et gestion de l'environnement

À RETENIR

■ **Le fonctionnement d'un écosystème**

Un **écosystème** est un milieu dans lequel les conditions physico-chimiques sont relativement homogènes. Elles constituent le **biotope** de l'écosystème. Les êtres vivants de l'écosystème forment la **biocénose**. Les végétaux utilisent une partie des molécules organiques produites par la photosynthèse pour accroître leur biomasse. Cette **productivité primaire nette** alimente en énergie tous les autres êtres vivants de l'écosystème. Au sein d'un écosystème naturel, les matières organiques et minérales sont pour l'essentiel recyclées localement. La quantité d'énergie qui peut être stockée décroît fortement d'un niveau à l'autre du réseau trophique ; celui-ci peut être décrit sous la forme d'une **pyramide des productivités**.

■ **Des écosystèmes transformés par l'Homme**

Dans un **agrosystème**, la biocénose et le biotope naturels sont transformés pour satisfaire au mieux les besoins de la plante cultivée et maximiser les récoltes.

L'agriculture moderne est qualifiée d'**intensive** : elle utilise de nombreux **intrants industriels**, qui permettent d'obtenir des rendements très élevés.

L'**exportation d'éléments minéraux** au moment de la récolte doit être compensée pour maintenir la fertilité du sol. C'est le rôle des **engrais**, organiques ou minéraux.

■ **Des conséquences pour l'environnement**

Apportés en excès, les nitrates et les phosphates provoquent l'asphyxie des eaux de surface : c'est le phénomène d'**eutrophisation**.

Les **pesticides** peu biodégradables contaminent l'environnement et subissent une **bioaccumulation** dans les réseaux trophiques, qui accroît fortement leur toxicité.

Le concept de **développement durable** postule que les générations actuelles ont le **droit** de satisfaire leurs besoins, mais aussi le **devoir** de ne pas compromettre le droit des générations futures de satisfaire les leurs.

■ **Une diversité des pratiques agricoles**

L'**agriculture intensive** moderne consomme beaucoup d'intrants industriels. Elle pose des problèmes d'équité sociale et d'environnement. Sa très forte productivité permet, de nourrir une population humaine de plus en plus nombreuse et urbaine.

L'**agriculture paysanne** traditionnelle consomme peu d'intrants industriels. Socialement plus équitable et plus respectueuse de l'environnement, elle est cependant peu productive.

Mots-clés

- Écosystème naturel, agrosystème
- Biotope, biocénose
- Pyramide des productivités
- Intrant, engrais, pesticides
- Eutrophisation, bioaccumulation
- Développement durable
- Agriculture intensive, agriculture paysanne

Capacités et attitudes

▶ Exploiter des informations pour établir des bilans de matière et d'énergie.

▶ Comparer écosystème naturel et agrosystème.

▶ Utiliser des logiciels et mettre en œuvre un protocole pour modéliser une culture et établir ses bilans.

▶ Faire preuve d'esprit critique quant à l'impact environnemental des agrosystèmes.

Animation

Des écosystèmes au fonctionnement très différent

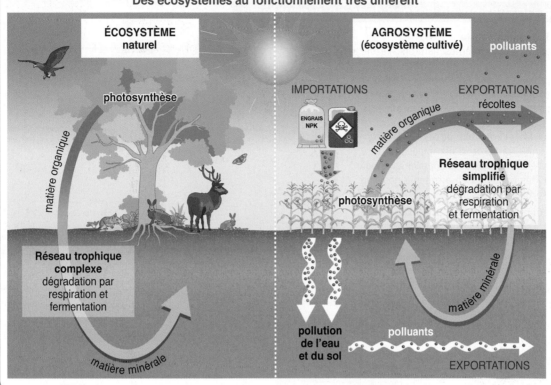

ÉCOSYSTÈME naturel

AGROSYSTÈME (écosystème cultivé)

polluants

photosynthèse

IMPORTATIONS

EXPORTATIONS récoltes

ENGRAIS NPK

matière organique

matière organique

Réseau trophique simplifié
dégradation par respiration et fermentation

photosynthèse

Réseau trophique complexe
dégradation par respiration et fermentation

matière minérale

matière minérale

pollution de l'eau et du sol

polluants

EXPORTATIONS

Les conséquences des pratiques culturales et agricoles

utilisation de pesticides	utilisation d'engrais	polyculture vivrière	monoculture intensive
productivité accrue risques pour la santé risques pour l'environnement		rendements faibles besoins minimes impact limité	rendements élevés besoins élevés impact important

La circulation de l'azote dans un écosystème

● Le cycle de l'azote

Dans les écosystèmes naturels, l'azote tourne pratiquement en circuit fermé.
Les plantes absorbent les nitrates du sol et les transforment en molécules organiques : **acides aminés**, **nucléotides**... Les animaux, et finalement les décomposeurs du sol, se nourrissent à leur tour de ces matières azotées. Au terme de la décomposition, il se forme de l'ammoniac. Ce dernier est oxydé par des bactéries en nitrates à nouveau absorbable par les plantes.

À côté de cette **boucle principale** établie entre sol et êtres vivants, il existe aussi des **échanges avec l'atmosphère** (composée à 78 % de diazote) : des bactéries « dénitrifiantes » dégradent les nitrates du sol et libèrent du diazote, qui rejoint l'atmosphère. Inversement, d'autres bactéries vivant dans le sol **fixent le diazote gazeux**, et le convertissent en azote organique.

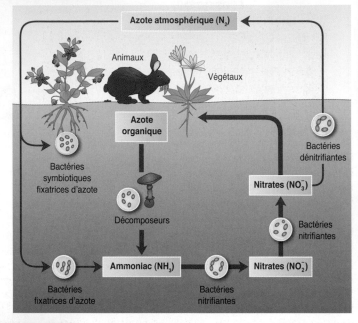

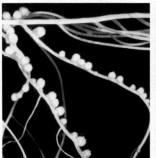 

Des nodosités fixatrices d'azote atmosphérique.

● L'union fait la force !

Les **bactéries du genre _Rhizobium_**, abondantes dans la plupart des sols, pénètrent dans les racines des **légumineuses** et y établissent des colonies (nodosités). Elles se nourrissent alors des sucres produits par la plante. Il ne s'agit pourtant pas d'une forme de parasitisme mais bien d'une **symbiose** : ces bactéries possèdent une enzyme, la nitrogénase, capable de catalyser la transformation du **diazote atmosphérique** en ammoniac. Celui-ci est ensuite mis à la disposition du partenaire végétal, couvrant ainsi jusqu'à 90 % de ses besoins en azote !

● Légumineuses et agriculture

Jusque dans les années 1950, les légumineuses étaient très cultivées en France : luzerne, vesce, trèfle constituaient une source essentielle de **protéines** pour le bétail, tandis que les pois, haricots, fèves jouaient le même rôle pour les humains. Les légumineuses **enrichissaient le sol en azote**, stimulaient son activité biologique et amélioraient sa porosité. Elles limitaient le développement des « mauvaises » herbes et des ravageurs des autres cultures...

Tous ces avantages ont été oubliés au profit de l'utilisation des **engrais azotés** et des pesticides, de la monoculture de céréales, et de l'importation de soja américain pour nourrir notre bétail...

Aujourd'hui, le développement de l'agriculture et de l'élevage biologiques, mais aussi la hausse du prix des engrais remettent à l'honneur ces plantes pleines de qualités.

La culture en association d'une céréale et d'une légumineuse : une tradition qui a de l'avenir !

Les métiers de l'agronomie

Vos goûts et vos points forts
- Les sciences du vivant et de l'environnement
- Résoudre des problèmes complexes
- Être au contact du milieu rural
- Voyager et pratiquer plusieurs langues
- Encadrer une équipe, coordonner des actions

Ingénieur agronome
C'est effectuer des recherches et faire le lien entre sciences et monde agricole.

Les domaines d'activité potentiels
L'**agronomie** désigne l'ensemble des sciences appliquées à l'agriculture. Cette discipline intègre les dimensions économiques et sociales. C'est donc une discipline aux multiples facettes, recouvrant **différentes spécialisations** : protection des cultures, machinisme agricole, gestion de l'eau, étude des sols, productions animales, santé des animaux, industries alimentaires, valorisation et recyclage des déchets…

Un agronome travaille en général sur un projet, réalise des expertises. C'est aussi un homme (ou une femme) de **terrain**.
Il peut être employé par le secteur public : Institut National de la Recherche Agronomique (INRA), Écoles Nationales Supérieures Agronomiques (ENSA) ; mais aussi par le privé (coopératives agricoles, industries…).

Pour y parvenir
Les agronomes sont en général titulaires d'un **diplôme d'ingénieur** (bac + 5). L'accès en écoles d'ingénieurs se fait sur concours, après le bac ou bac + 2, bac + 3, après une classe préparatoire.
Les agronomes issus de l'Université sont titulaires d'un master de recherche ou professionnel ou d'un doctorat en sciences et technologies.

... mieux comprendre des faits historiques

Science, guerre, et agriculture : les liaisons dangereuses

L'histoire des engrais chimiques et des pesticides est terrible bien que ces substances rendent d'incontestables services à l'agriculture et évitent bien des famines. Mais elles sont nées et se sont développées avec la guerre, et souvent pour la guerre.
En 1904, Fritz Haber, brillant chimiste allemand et fervent nationaliste, élabore la synthèse de l'**ammoniac** à partir de l'azote de l'air. Il ouvre ainsi la voie à la production industrielle des **engrais azotés**, mais aussi à celle de l'acide nitrique, **explosif des bombes** de la Première Guerre mondiale. Pour la première fois, on utilise des gaz de combat à base de chlore qui feront des millions de victimes.
En 1918, l'industrie chimique devenue très puissante réoriente ses activités. On assiste à l'invention des premiers **pesticides chlorés**, héritiers directs des **gaz de combat**. Initialement destinés à tuer les « pestes » agricoles, ils trouvent au cours de la Seconde Guerre mondiale de sinistres applications : le zyklon B, inventé par Haber et utilisé par les nazis dans les chambres à gaz, fera six millions de morts en trois ans.
À partir de 1945, les pesticides chlorés puis phosphorés connaissent un succès agricole planétaire. Parallèlement, la guerre chimique n'a cessé de faire des victimes à travers le monde. C'est ainsi que le terrifiant « **agent orange** », utilisé pendant la guerre du Vietnam, n'était autre

« Science sans conscience n'est que ruine de l'âme ». François Rabelais, 1532.

qu'un mélange de deux **herbicides défoliants**, le 2,4-D et le 2,4,5-T. 83 millions de litres ont été déversés sur la forêt et les villages (*photographie ci-dessus*), provoquant jusqu'à aujourd'hui, des centaines de milliers de victimes.

Exercices

Tester ses connaissances

1 **Définissez les mots ou expressions**

Biotope, biocénose, pyramide des productivités, agrosystème, engrais, eutrophisation.

2 **Questions à choix multiple**

Choisissez la ou les bonnes réponses.

1. Dans un écosystème naturel :
a. l'énergie est constamment recyclée ;
b. la photosynthèse permet la productivité primaire ;
c. la plupart des matières organiques sont exportées.

2. Dans un réseau trophique :
a. la biomasse des herbivores est supérieure à celle des carnivores ;
b. la quantité totale d'énergie est conservée ;
c. le nombre de niveaux trophiques est limité.

3. Dans un agrosystème :
a. l'agriculteur modifie les flux de matière ;
b. de l'énergie est apportée sous forme de pesticides ;
c. les engrais améliorent la qualité des récoltes.

4. Les pollutions agricoles :
a. résultent d'une utilisation excessive des engrais ;
b. sont moins fréquentes sur sols sableux ;
c. constituent un danger pour la santé humaine.

5. Une production agricole durable :
a. nécessite d'éliminer les ennemis des cultures ;
b. doit pratiquer une utilisation raisonnable des intrants chimiques ;
c. ne doit pas chercher à augmenter ses rendements.

3 **Questions à réponses courtes**

a. Qu'appelle-t-on bioaccumulation d'un pesticide ? Expliquez les conséquences d'un tel phénomène.

b. Décrivez les principales opérations réalisées par un cultivateur de céréales au cours d'un cycle cultural.

c. Quels facteurs l'agriculteur doit-il prendre en compte pour apporter la « bonne » dose d'engrais sur sa culture ?

4 **Vrai ou faux ?**

Repérez les affirmations exactes et corrigez celles qui sont inexactes.

a. Les êtres vivants subissent les conditions de l'environnement dans lequel ils vivent, sans les modifier d'aucune manière.

b. La biodiversité des agrosystèmes est en général très inférieure à celle des écosystèmes naturels.

c. Les agrosystèmes industriels consomment surtout des intrants naturels, produits sur place.

5 **Restitution organisée de connaissances**

1. Après avoir défini la notion de développement durable, vous expliquerez, en vous appuyant sur des exemples, comment elle s'applique au cas des pratiques agricoles.

2. À partir de deux exemples, comparez le fonctionnement d'un écosystème naturel et celui d'un agrosystème de production végétale.

Utiliser ses compétences

6 **Des effets des pesticides sur la procréation humaine**   Extraire des informations d'un document

Plusieurs études scientifiques menées sur des urbains et des ruraux ont permis de mettre en évidence des effets des pesticides agricoles sur la santé humaine.

À partir des informations disponibles dans le tableau de résultats ci-dessous, montrez qu'une forte exposition aux pesticides peut altérer la fonction de procréation.

Paramètres étudiés	Individus urbains (peu exposés aux pesticides)	Individus ruraux (exposés aux pesticides)
Spermatozoïdes par mL de sperme (en millions)	106,4	23,9
Nombre de spermatozoïdes mobiles (en %)	56,4	46,5
Fréquence des naissances prématurées	1 %	3,1 %
Fréquence des naissances de faible poids	1 %	2,6 %

Swann et al., 2003 ; Longnecker et al., 2001.

7 | Une pratique agricole : la fertilisation azotée

Extraire des informations, les mettre en relation avec des connaissances

À partir de l'analyse des documents ci-dessous et de vos connaissances, indiquez les caractéristiques de la fertilisation azotée pratiquée par les agriculteurs de trois régions : Bourgogne, Centre et Île-de-France. Expliquez-en les raisons.

Document 1 : Une pratique souvent très répandue.

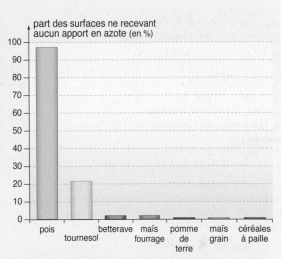

a. Les effets d'une fertilisation azotée
Dans ce champ expérimental, seuls les plants en haut à droite ont reçu un engrais azoté adapté à leurs besoins.

b. Surfaces agricoles ne recevant aucun apport d'azote (en % de la surface totale consacrée à chaque culture)

Document 2 : Différents types de fertilisation azotée.

Jusqu'à la fin de la Seconde Guerre mondiale, la plupart des fermes françaises pratiquaient à la fois culture et élevage. La fertilisation des champs était assurée par des engrais organiques fabriqués sur place : fumiers des écuries, étables et poulaillers, lisiers des porcheries...
Après-guerre, l'industrie des engrais minéraux s'est très fortement développée. Aujourd'hui, 75 % des surfaces en grandes cultures reçoivent de l'azote exclusivement minéral. Cette proportion est cependant variable selon le type de culture considéré.

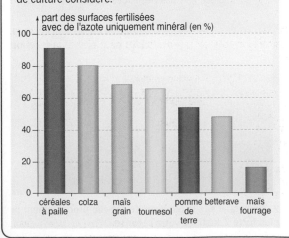

Documents 3 : Une forte spécialisation régionale des activités agricoles.

Le passage à une agriculture industrielle après-guerre a entraîné une spécialisation régionale : la Normandie, la Bretagne et les Pays de Loire se sont consacrés principalement à l'élevage des bovins, porcins et volailles, tandis que le centre du pays (régions Centre, Bourgogne et Île-de-France) se spécialisait dans les grandes cultures (céréales à paille, colza, maïs grain et tournesol). Dans les régions d'élevage, prédominent aujourd'hui les cultures destinées à l'alimentation animale (maïs fourrage).

Part des surfaces fertilisées avec de l'azote uniquement minéral

En % de la surface en grande culture

- de 85 à 90
- de 75 à 85
- de 50 à 75
- de 40 à 50
- pas de données

Source : Agreste - Enquête Pratiques culturales 2006

Exercices

8 L'agriculteur face à la pénurie d'eau

Percevoir le lien entre sciences et techniques

Lorsque la nutrition minérale est suffisante, c'est bien souvent le niveau de satisfaction des besoins en eau qui détermine le rendement de la culture. Dans un contexte où l'eau est de plus en plus rare et coûteuse, les agriculteurs doivent chercher à valoriser au mieux cette ressource, qu'ils pratiquent ou non l'irrigation.

C'est ainsi que leur choix peut se porter sur des espèces tolérantes à la sécheresse. Il s'agit principalement de cultures aptes à prélever l'eau en profondeur ou tolérant mieux le manque d'eau par des mécanismes d'adaptation (réduction de la surface des feuilles au profit des graines, par exemple).

Document 1 : Variations du rendement de quatre types de cultures en fonction du niveau de satisfaction des besoins en eau.

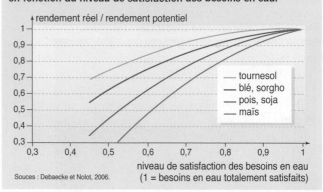

Souces : Debaecke et Nolot, 2006.

1. À partir du document 1, déterminez la perte de rendement que subit chacune des cultures lorsqu'elle ne reçoit que six dixièmes de ses besoins en eau.

2. D'après les résultats précédents, quelles espèces un agriculteur, installé dans une région sèche, doit-il semer préférentiellement ?

3. En vous appuyant sur les deux documents, expliquez les différences d'utilisation de l'eau d'irrigation pour la culture du tournesol et du maïs, puis pour celles du pois et du soja.

Document 2 : Utilisation de l'eau d'irrigation pour différentes espèces de grande culture en France.

	Blé d'hiver	Pois	Maïs grain	Sorgho	Soja	Tournesol
Taux d'irrigation (en % de surfaces cultivées)	0,5	14,5	44,5	3	40,5	2
Volume moyen d'irrigation (m³/ha)	400	650	1300	600	900	600
Période d'irrigation	avril-mai	mai	juin-août	juillet	juillet-août	juillet

Debaeke et Nolot, 2006.

9 Comparer deux paysages agricoles

Communiquer graphiquement et raisonner

1. Réalisez un schéma de ces deux paysages. Légendez les différentes zones que l'on peut observer.

2. Dans quel site la biodiversité est-elle probablement la plus forte ? Justifiez votre réponse.

Utiliser ses capacités expérimentales

10 Le pilotage d'une culture sous contrainte hydrique — Utiliser un logiciel de modélisation

■ Problème à résoudre

Vous êtes agriculteur dans la région Midi-Pyrénées, et vous souhaitez vous lancer dans la culture du soja. Votre objectif est d'obtenir un rendement d'au moins 3,2 t de grains à l'hectare, mais l'eau est chère et pour que votre travail soit rentable, vous souhaitez que la quantité totale d'eau apportée sur la culture ne dépasse pas 100 mm, soit 1000 m^3/ha.

À vous de trouver la meilleure combinaison de pratiques culturales pour maximiser la récolte sans dépenser trop d'eau !

■ Matériel disponible

– Logiciel de modélisation de cultures 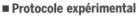.
– Mode d'emploi de ce logiciel.
– Fichiers de paramètres du soja (plante, sol, climat, itinéraire technique).
– Tableur-grapheur.

Soja cultivé sur un paillage de mil.

■ Protocole expérimental

– Vous ne pourrez modifier que les paramètres suivants de l'itinéraire technique du soja : apports d'eau, techniques particulières (paillage du sol).
– Formulez des hypothèses concernant les éventuels effets d'une modification de ces paramètres sur la récolte.
– Visualisez l'itinéraire technique par défaut, et décidez des valeurs modifiées de chaque paramètre (vous vous limiterez à trois valeurs par paramètre, au maximum).
– Préparez un tableau de résultats.
– Modifiez l'itinéraire technique du soja.
– Faites fonctionner le modèle de culture en utilisant successivement chacun des itinéraires techniques construits.
– Après chaque modélisation, consignez les performances en termes de rendement des grains et de consommation d'eau dans le tableau de résultats (exemples ci-contre).

■ Exploitation des résultats

Collectez des résultats et comparez-les afin d'aboutir à un choix pratique.

– Pour chaque itinéraire technique calculez l'efficacité de l'eau d'irrigation, en mètres cubes d'eau apportée par tonne de grains produits.
– Comparez les résultats du point de vue de l'efficacité de l'eau d'irrigation et identifiez la meilleure solution.
– Expliquez pourquoi cet itinéraire technique est plus performant que les autres.

Exemples de résultats obtenus pour des cultures de soja sans paillage

Apports d'eau (en mm)	65	86	90
Rendement (en t de grains/ha)	3,04	3,18	3,23
Efficacité de l'eau (en m^3/t de grains)	21,4	27	27,9

Pour utiliser le logiciel STICS :

www.bordas-svtlycee.fr

Des DOCUMENTS pour se poser des questions

Montre-moi ce que tu manges, je te dirai où tu vis...

La famille Natomo vit à Kouakourou, au Mali. Elle comprend 6 adultes et 9 enfants. Ils nous présentent les aliments qu'ils consomment chaque semaine. Leurs dépenses alimentaires hebdomadaires s'élèvent à 20 euros...

... La famille Revis, de Raleigh (États-Unis), nous présente elle aussi ses repas de la semaine. Ronald, Rosemary et leurs enfants dépensent 252 euros pour leur nourriture hebdomadaire.

Un Français consomme en moyenne 80 kg de viande par an

Sur une vie entière, cela correspond à ingurgiter 7 bœufs, 33 cochons et 1200 poulets... soit deux fois plus que les quantités consommées par nos grands-parents.

LES PROBLÉMATIQUES DU CHAPITRE

- L'agriculture mondiale pourra-t-elle nourrir durablement 9 milliards d'humains ?
- Pourquoi la consommation de produits animaux constitue-t-elle un enjeu planétaire ?
- Comment faire progresser consommateurs et agriculture mondiale dans une perspective de développement durable ?

Épandage d'herbicide sur une culture de soja transgénique destiné à l'alimentation animale, en Arkansas (États-Unis).

Pratiques alimentaires
et perspectives globales

Le défi alimentaire mondial

Nourrir une population de bientôt neuf milliards d'humains est un défi majeur. *La satisfaction des besoins alimentaires des populations, aussi bien quantitatifs que qualitatifs, nécessite une amélioration des pratiques agricoles qui s'accompagne d'une demande croissante en matières premières.*

A Croissance et mutation des besoins alimentaires mondiaux

L'interrogation de la base de données statistiques de l'Organisation des Nations Unies (FAO) révèle l'envolée des productions agricoles, qui accompagne celle de la population mondiale, depuis cinquante ans.

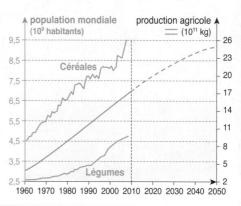

Doc. 1 Croissances mondiales de la population et de la production alimentaire.

Lorsqu'une population passe de la pauvreté à l'opulence, on constate une transformation du régime alimentaire individuel. Les changements sont d'abord quantitatifs (on cherche à manger à sa faim) puis qualitatifs : on passe des aliments de base (céréales, féculents), assurant la simple survie, aux aliments de luxe (matières grasses, viandes…), assurant, en plus des besoins biologiques, plaisir et statut social.

Disponibilité en énergie alimentaire d'origine végétale et animale dans trois pays (en kJ par personne et par jour)

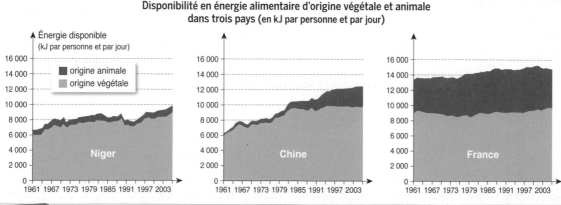

Doc. 2 Développement économique et changements alimentaires.

B Une demande croissante de matières premières agricoles

Les engrais minéraux (azotés, phosphatés et potassiques) représentent aujourd'hui une part importante des dépenses des agriculteurs soit plus de 30 % du coût des **intrants** pour les grandes cultures en France.

Selon la FAO, la demande en engrais devrait être augmentée par la nécessité d'assurer la sécurité alimentaire d'une population mondiale croissante, ainsi que par l'élévation du niveau de vie.

En effet, les réserves de terres cultivables étant limitées, le seul accroissement des surfaces cultivées ne permettra pas une hausse suffisante de la production alimentaire.

Il faudra donc améliorer encore les rendements pour permettre l'augmentation de la production agricole.

Le phosphate utilisé dans les engrais est issu de l'exploitation de gisements géologiques non renouvelables.

• **Consommation de phosphate (P$_2$O$_5$) en 2008**

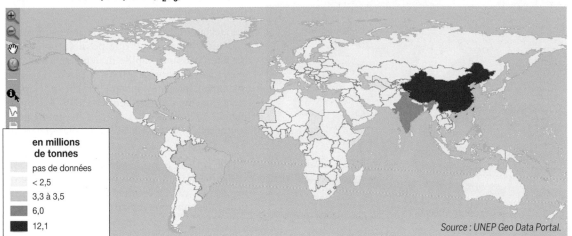

en millions de tonnes
- pas de données
- < 2,5
- 3,3 à 3,5
- 6,0
- 12,1

Source : UNEP Geo Data Portal.

• **Les réserves de phosphate et leur exploitation**
(en millions de tonnes de minerai)

	Extraction en 1990	Extraction en 2009	Réserves en 2010
Chine	21,6	55	3 700
Inde	0,7	1,2	6,1
Brésil	3	6	260
États-Unis	46,3	27,2	1 100
Russie	33,5	9	200
Maroc	21,4	24	5 700
Monde	162	158	16 000

Source : USGS

• **Indice du prix des engrais (base 100 en 2005)**

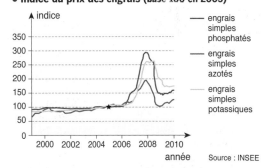

— engrais simples phosphatés
— engrais simples azotés
— engrais simples potassiques

Source : INSEE

Doc. 3 Exemple d'une matière première stratégique : les engrais phosphatés.

Pour utiliser les banques de données :

www.bordas-svtlycee.fr

Pistes d'exploitation

PROBLÈME À RÉSOUDRE ▶ Quels sont les besoins de l'agriculture mondiale en ce début de XXIe siècle ?

Doc. 1 et 2 À l'aide du site FAOSTAT, complétez le graphe du document 1 en représentant l'évolution de la consommation mondiale en viandes. Expliquez les variations constatées.

Doc. 1 à 3 Quel lien peut-on faire entre les changements démographiques et sociaux d'une part, et l'augmentation récente du prix des engrais d'autre part ?

Lexique, p. 354

Les élevages, des agrosystèmes peu efficaces

Dans les agrosystèmes comme dans les écosystèmes naturels, les animaux occupent les étages supérieurs de la pyramide des productivités. *Ces documents permettent de comparer quelques conséquences écologiques des cultures et des élevages.*

A Sur la terre ferme : des élevages d'herbivores

Les animaux d'élevage (bovins, ovins, porcins, volailles…) sont des producteurs secondaires : pour produire leur propre matière organique, ils consomment celle produite par les végétaux (producteurs primaires).

Les éleveurs doivent apporter une nourriture végétale aussi nourrissante que possible pour assurer une croissance rapide de leurs animaux. Les jeunes vaches photographiées ci-contre reçoivent un aliment préparé industriellement (principalement, luzerne : 29 % ; betterave : 29 % ; son de blé : 21 % ; orge : 4 % ; maïs : 4 % ; tourteau de tournesol : 4 %) dont la valeur énergétique est de 5 675 kJ par kg.

Il faut environ 8 kg de cet aliment pour qu'une vache produise 1 kg de poids vif, soit 390 g de viande. La valeur énergétique de la viande de bœuf ainsi obtenue est de 6 300 kJ par kg.

Doc. 1 L'efficacité énergétique des élevages est inférieure à celle des cultures.

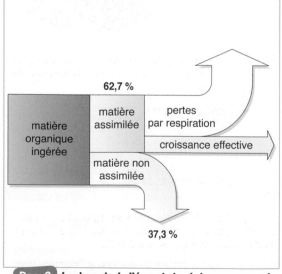

Doc. 2 Le devenir de l'énergie ingérée par une vache élevée au pré.

La production d'1 kg de …	utilise un volume d'eau de …	pour une valeur énergétique de …
pomme de terre	100 L	3 470 kJ
blé	1 160 L	14 770 kJ
riz	1 400 L	14 840 kJ
lait	790 L	2 760 kJ
œufs	2 700 L	5 930 kJ
porc	4 600 L	6 120 kJ
volaille	4 100 L	4 970 kJ
bœuf	13 500 L	6 300 kJ

Doc. 3 Eau nécessaire pour produire divers aliments.

B En mer : des élevages de carnivores

Le saumon atlantique a été pêché en Europe pendant des milliers d'années. Pour faire face à l'effondrement de ses populations, on a commencé son élevage dans les années 1960. Celui-ci a connu un développement technique et économique remarquable : aujourd'hui, 94 % du saumon atlantique consommé provient d'élevages !

Un élevage typique est constitué de parcs (cages flottantes), installés à proximité de la côte. Chacun contient 50 000 saumons, ce qui correspond à des densités comprises entre 15 et 40 kg/m³ ! Une telle concentration de poissons nécessite un suivi technique sans faille, sur les plans sanitaire et alimentaire. Les saumons sont nourris plusieurs fois par jour avec des granulés déshydratés composés de farines de poisson (40 %), d'huiles dc poisson (25 %) et de produits végétaux issus de l'agriculture

(35 %). Les farines et huiles de poisson sont issues de la pêche industrielle de poissons gras (sardines, harengs, maquereaux…). On estime qu'il faut environ 6 kg de ces « poissons fourrages » pour fabriquer 1 kg de granulés pour saumon.

Ces conditions permettent une croissance des saumons d'élevage trois fois plus rapide que celle des saumons sauvages : il faut seulement un an pour qu'un saumon atteigne son poids commercial, soit en moyenne 5 kg.

Quantités de granulés à distribuer aux saumons selon la température de l'eau (en kg / 100 kg de biomasse / jour)

Masse du poisson (en g)	Durée moyenne (en jours)	Masse de granulés distribués		
		eau à 7 °C	eau à 9 °C	eau à 11 °C
15 à 40	3	1,1	1,4	1,7
40 à 100	4	0,9	1,2	1,5
100 à 300	13	0,9	1,2	1,4
300 à 500	14	0,8	1,1	1,3
500 à 1 000	33	0,7	0,9	1,1
1 000 à 2 000	67	0,6	0,8	0,9
2 000 à 5 000	231	0,5	0,65	0,8

La taille et la composition des granulés sont adaptées au fur et à mesure de la croissance des saumons.

Doc. 4 L'élevage de saumons mobilise de grandes quantités de biomasse marine.

Pistes d'exploitation

PROBLÈME À RÉSOUDRE ▶ Pourquoi produire du blé, des poissons ou de la viande bovine n'a-t-il pas le même impact sur l'environnement ?

Doc. 1 et 2 Calculez la part d'énergie consacrée à la croissance effective de l'animal et celle que l'on retrouve dans la viande.

Doc. 3 Calculez la quantité d'eau nécessaire à la production d'un kilojoule de chaque aliment.

Doc. 4 À l'aide d'un tableur, évaluez la quantité de « poissons fourrages » nécessaire pour produire 1 kg de saumon commercialisable, dans une eau à 9 °C.

Doc. 1 à 4 Pourquoi peut-on dire que les élevages sont des agrosystèmes peu efficaces ?

Lexique, p. 354

Pratiques alimentaires et environnement global

Aller au supermarché, acheter les aliments dont on a besoin et envie sont des activités qui font partie de notre quotidien. *À travers quelques exemples, nous verrons comment nos habitudes individuelles peuvent avoir de graves conséquences planétaires.*

A Alimentation et changement climatique

Le dérèglement climatique actuel est dû à l'accumulation dans l'atmosphère de gaz à effet de serre (CO_2, N_2O, CH_4...) libérés par les activités humaines. Environ 30 % de ces gaz sont liés à la production de nos aliments : fabrication des engrais et pesticides, fonctionnement des engins agricoles, respiration et fermentation des cultures et élevages, transports, transformation des produits agricoles, emballages, commercialisation... Le bilan carbone d'une activité, d'un produit, ou encore d'un territoire, est l'estimation de la quantité de gaz à effet de serre qu'il libère. La mesure s'exprime en grammes de CO_2.

Le bilan carbone d'une glace aux fruits

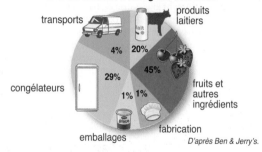

transports 4%
produits laitiers 20%
fruits et autres ingrédients 45%
fabrication 1%
emballages 1%
congélateurs 29%

D'après Ben & Jerry's.

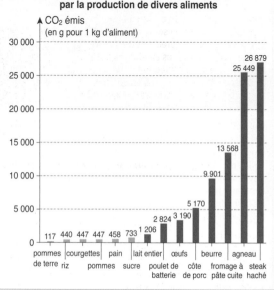

Émissions de gaz à effet de serre provoquées par la production de divers aliments

CO_2 émis (en g pour 1 kg d'aliment)

pommes de terre 117 · riz 440 · courgettes 447 · pommes 447 · pain 458 · sucre 733 · lait entier 1 206 · poulet de batterie 2 824 · œufs 3 190 · côte de porc 5 170 · beurre 9 901 · fromage à pâte cuite 13 568 · agneau 25 449 · steak haché 26 879

Doc. 1 L'impact climatique de nos aliments.

Pour estimer son « bilan carbone » :

www.bordas-svtlycee.fr

Chacun peut réaliser son bilan carbone personnel sur Internet, grâce à des sites spécialisés.

Il s'agit, entre autres, d'une estimation de la quantité de gaz à effet de serre émise en moyenne chaque année dans l'atmosphère par notre alimentation.

Quatre jeunes hommes se sont prêtés à cet exercice. Leurs besoins alimentaires sont pratiquement identiques et la couverture de ces besoins est satisfaisante pour les uns comme pour les autres. Pourtant, leurs habitudes alimentaires sont bien différentes : Yvan mange à peu près de tout, tandis que les trois autres sont végétariens. Tristan et Maxime ne mangent jamais de fruits et légumes exotiques ou hors saison, contrairement à Paul. Maxime est le seul des quatre à consommer exclusivement des aliments issus de l'**agriculture biologique**.

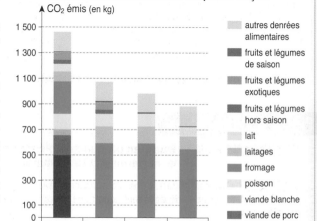

Bilans « carbone alimentaire » de quatre Français

CO_2 émis (en kg)

Yvan · Paul · Tristan · Maxime

- autres denrées alimentaires
- fruits et légumes de saison
- fruits et légumes exotiques
- fruits et légumes hors saison
- lait
- laitages
- fromage
- poisson
- viande blanche
- viande de porc
- viande rouge

Doc. 2 Calculer l'impact climatique de nos habitudes alimentaires.

B Alimentation et destruction des écosystèmes naturels

Notre consommation de viande demande une surface de soja de 385 m² par habitant.

Chaque année, la France importe, du Brésil et de l'Argentine, 4,7 millions de tonnes de soja : les **tourteaux** de soja sont utilisés pour les élevages **intensifs** car ils favorisent, à faible coût, une croissance rapide des animaux.

Du fait de la demande croissante en viande, la **monoculture** de soja est en pleine expansion, d'où une déforestation croissante de l'Amazonie qui a déjà perdu près d'un cinquième de sa surface. Le Brésil, en brûlant ainsi ses forêts, est le 4ᵉ plus grand émetteur mondial de dioxyde de carbone.

De plus, la culture du soja (majoritairement OGM) pose de nombreux problèmes :
– sanitaires du fait des épandages toxiques de produits phytosanitaires ;
– appauvrissement et érosion des sols ;
– perturbation des ressources hydriques : ruissellement, ensablement des rivières, pollution de l'eau.

D'après une étude du WWF.

Doc. 3 **Manger de la viande et détruire les forêts tropicales ?**

« Les chalutiers industriels sont apparus dans les années 1950. Ces véritables usines flottantes sont capables de pêcher des centaines de tonnes de poissons par jour. Cette industrialisation sans précédent s'est d'abord traduite par une augmentation massive des prises à l'échelle planétaire. Estimées à environ 5 millions de tonnes par an à la fin du XIXᵉ siècle, elles ont culminé à 86 millions de tonnes à la fin des années 1980. Elles déclinent depuis lors parce que les stocks ont atteint leurs limites.

Les réseaux alimentaires marins ont tous été fortement modifiés. On a d'abord commencé à décimer les populations de poissons carnivores situés au sommet de la chaîne trophique, comme la morue et le mérou. Quand leurs stocks se sont épuisés, on est descendu d'un rang et l'on a alors pêché leurs proies, des animaux plus petits tels que les capelans ou les harengs. Pendant des années, ces mangeurs de plancton ont été transformés en aliments pour les poissons d'élevage. Mais aujourd'hui, les industriels n'arrivent plus à satisfaire la demande de l'aquaculture et de l'agriculture, si bien que la pression sur ces populations de petits poissons continue d'augmenter. »

D'après D. Pauly, R. Watson, V. Christensen, *La Recherche*, 2007.

Doc. 4 **Manger du poisson et vider l'océan mondial ?**

Pistes d'exploitation

PROBLÈME À RÉSOUDRE ▶ Quel lien peut-on faire entre nos comportements alimentaires individuels et l'environnement global ?

Doc. 1 et 2 Quelles pratiques alimentaires sont à favoriser pour lutter contre le dérèglement climatique ? Expliquez pourquoi.

Doc. 3 Quels liens peut-on faire entre le steak que nous mangeons et la pollution des sols amazoniens ?

Doc. 4 Quel est notre niveau trophique lorsque nous mangeons du poisson d'élevage ?

Quelles sont les conséquences de cette pratique sur les biocénoses marines ?

Lexique, p. 354

Quelles agricultures pour demain ?

Certaines pratiques agricoles et certaines habitudes alimentaires, répétées à grande échelle, font peser de graves menaces sur notre environnement. *Nous verrons que des solutions émergent et pourraient assurer la durabilité de notre alimentation.*

A Vers une agriculture industrielle de haute technologie ?

Les progrès conjugués des technologies et des sciences de la Vie révolutionnent la production des semences.

Pendant des millénaires, les agriculteurs amérindiens ont sélectionné dans leurs champs les meilleurs épis de maïs pour en semer les grains. Ce patient travail de sélection est à l'origine de très nombreuses variétés dites « de pays », en Amérique puis en Europe. Mais ces variétés paysannes sont peu productives et leurs caractéristiques ne sont pas stables.

Depuis 1950, les chercheurs occidentaux produisent de nouvelles variétés de maïs en croisant entre elles des variétés paysannes. Ils obtiennent des plantes génétiquement stables, réalisent des croisements entre elles, et obtiennent ainsi des **variétés hybrides** performantes : ce travail a permis de multiplier les rendements par 6 en 60 ans ! Mais les agriculteurs doivent à présent acheter leurs semences auprès de l'agro-industrie. De plus, la biodiversité des hybrides ayant été fortement réduite, ces plantes sont devenues très sensibles aux aléas (parasites, sécheresse…). Pour que ces variétés expriment leurs potentiels génétiques, l'agriculteur doit leur apporter en quantité engrais, eau et pesticides…

Quelques géants de l'agro-industrie préparent et commercialisent une nouvelle génération de semences, génétiquement modifiées. Les maïs de **variétés transgéniques** sont par exemple rendus résistants aux parasites, à la sécheresse ou aux herbicides. Ces innovations de haute technologie sont prometteuses en termes de rendements, mais suscitent aussi beaucoup de craintes quant à leurs impacts sur la biodiversité, l'environnement et la santé.

Doc. 1 L'innovation peut puiser ses racines dans la science : exemple de l'amélioration génétique du maïs.

Cette cabine de moissonneuse batteuse est équipée d'un système de cartographie du rendement. La position de la machine est calculée par **GPS** avec une précision métrique. Les quantités de grains qui entrent dans la moissonneuse sont mesurées en continu par un capteur. Ainsi, l'agriculteur sait avec une grande précision quelles zones de la parcelle ont été les moins performantes et peut en rechercher les causes.

Des techniques comparables lui permettent alors de moduler très précisément les apports d'engrais, d'eau, de pesticides, pour améliorer les futurs rendements tout en limitant l'utilisation des intrants.

Doc. 2 L'agriculture de précision : amélioration des rendements et respect de l'environnement.

B Vers une agriculture paysanne et écologique ?

Au cours du XXe siècle, la **motorisation** et l'**intensification** des pratiques culturales ont condamné des millions d'arbres auparavant associés aux cultures : haies, fruitiers, arbres dispersés dans les parcelles... Ces arbres rendaient de multiples services : bois, fruits, protection contre le vent et le ruissellement, habitat pour des espèces utiles (insectes, oiseaux, etc.). Aujourd'hui, les chercheurs de l'INRA (projet SAFE) démontrent qu'il est encore possible de faire cohabiter arbres et grandes cultures *(photographie ci-contre)*, mais aussi que l'association se révèle très bénéfique sur de nombreux plans.

• **Un exemple**
– 113 merisiers plantés par hectare, en Franche-Comté.
– Cultures alternées de blé et de colza entre les arbres.

Résultats moyens sur 60 années :
– *Productivité des cultures* : – 40 %.
– *Productivité totale* (biomasse des cultures et des arbres) : + 60 %.
– *Stockage de carbone* (troncs, racines...) : + 106 t/ha.
– *Érosion des sols* : – 60 %.
– *Fertilisation azotée* : – 50 %.
– *Pertes par lixiviation* : – 65 %.
– *Éléments semi-naturels* (haies, talus...) dans le paysage : + 35 %.

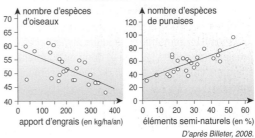

D'après Billeter, 2008.

Effets des pratiques culturales sur la biodiversité

Doc. 3 **L'innovation peut puiser ses racines dans la tradition : exemple de l'agroforesterie.**

Issues d'initiatives comparables menées au Japon puis aux États Unis, les AMAPP françaises sont des Associations pour le Maintien d'une Agriculture Paysanne de Proximité. La première a été créée en 2001 et il en existe déjà plus d'un millier en 2011.

L'AMAPP du Gâtinais, la première en région Centre, présente ainsi ses principes fondateurs :

« Le but de l'AMAPP est double : d'une part vous offrir des produits bio, savoureux, de saison, frais, sains et variés et d'autre part soutenir, maintenir les producteurs-paysans locaux. Comment ?
Les consommateurs s'engagent à financer à l'avance une part de la production et à venir la chercher lors des distributions. Ils participent aux aléas auxquels sont soumis les producteurs, notamment en acceptant le retard de certaines livraisons.
De leur côté, les agriculteurs (soigneusement choisis) informent les consommateurs sur leurs techniques de production, respectueuses de l'environnement ; ils partagent avec eux leur expérience. Le prix de vente de leurs produits est équitable.
En rapprochant consommateurs et producteurs, l'AMAPP a pour but de maintenir (et même d'inciter à l'installation) les exploitations locales pratiquant une agriculture durable. Elle contribue au développement d'une économie solidaire entre ville et campagne. »

Doc. 4 **Les AMAPP, un nouveau partenariat entre producteurs et consommateurs.**

Pistes d'exploitation

PROBLÈME À RÉSOUDRE ▶ Quelles pistes producteurs et consommateurs peuvent-ils explorer pour assurer la durabilité de notre alimentation ?

Doc. 1 Dresser un tableau comparatif des variétés paysannes, hybrides et transgéniques.

Doc. 2 Quelles sont les avantages de l'agriculture « de précision » par rapport à l'agriculture classique ?

Doc. 3 Quels effets environnementaux peut-on attendre du développement de l'agroforesterie ?

Doc. 4 Les AMAPP remplissent-elles les critères du développement durable ?

Lexique, p. 354

chapitre 4 Pratiques alimentaires et perspectives globales

1 Le défi alimentaire mondial

■ Des besoins croissants et en mutation

Au cours du XXe siècle, la population mondiale a été multipliée par 4, passant de 1,5 à 6 milliards d'habitants. Elle devrait s'accroître encore pour atteindre 9 milliards vers 2050. Cette extraordinaire **croissance démographique** se produit surtout dans les pays pauvres, et s'accompagne d'une **sous-nutrition** et d'une **malnutrition** chronique des populations. La demande en produits alimentaires de base (céréales, tubercules...) ne peut donc qu'augmenter à un rythme au moins égal à celui de l'accroissement démographique.

Les besoins des humains ne s'arrêtent pas à la satisfaction de leurs besoins vitaux. Lorsque la survie est assurée, la demande se porte vers des aliments plus diversifiés, au premier rang desquels figurent les produits animaux. En France par exemple, les produits animaux représentent environ 35 % de la ration alimentaire quotidienne.

■ Des ressources de plus en plus limitées et convoitées

Pour répondre aux attentes de la population humaine, il faudra mettre de nouvelles terres en culture et augmenter encore la productivité des surfaces cultivées en mobilisant de nouvelles ressources en eau et en éléments nutritifs. Or, les réserves en terres cultivables et en eau sont limitées et inégalement réparties. Leur mise en valeur agricole ne saurait se faire sans accentuer la pression sur les écosystèmes naturels. L'**intensification** de l'agriculture provoque un **épuisement des sols** qui ne pourra pas indéfiniment être compensé par l'utilisation d'engrais minéraux : leur production consomme beaucoup d'**énergies fossiles et autres ressources minières**. Or, ces ressources se raréfient et le coût de leur exploitation devrait donc croître à moyen terme.

Les terres cultivables, l'eau, le pétrole subissent de plus la pression d'autres demandes qui entrent en **concurrence** avec leur utilisation pour l'agriculture vivrière : production d'agrocarburants, infrastructures routières et industrielles, habitat, réserves naturelles...

La croissance quantitative et qualitative de la demande alimentaire d'une part, la raréfaction et la dégradation de ressources non renouvelables d'autre part, font craindre une aggravation des crises alimentaires et écologiques.

2 Nos habitudes alimentaires ont des conséquences environnementales

■ Les élevages sont des agrosystèmes peu efficaces

Dans les écosystèmes naturels comme dans les élevages, il faut en moyenne 10 kg de nourriture pour que la masse d'un consommateur s'accroisse d'1 kg. Il faut donc l'équivalent de 10 kg de végétaux pour obtenir 1 kg de bœuf. De même, 100 kg de végétaux sont nécessaires pour produire les 10 kg de « poissons fourrages » qui permettront à un poisson d'élevage de grossir de 1 kg. La demande en produits animaux augmente donc considérablement la **pression exercée sur les ressources naturelles** : les sols, l'eau, le pétrole, servent à produire des végétaux dont l'énergie est à 90 % dissipée par la respiration des animaux d'élevage. Il ne s'agit pas d'un phénomène marginal : 45 % des céréales produites dans le monde sont actuellement destinées à l'alimentation animale.

■ Comportements individuels et environnement planétaire

Les aliments produits localement ont un **bilan carbone**, c'est-à-dire une contribution au réchauffement climatique, meilleur que celui de denrées provenant de pays lointains, le **transport** par avion ou par camion libérant de grandes quantités de gaz à effet de serre. Le stockage et la **conservation** des produits par le froid, par déshydratation ou par stérilisation dégradent aussi le bilan carbone des aliments si on les compare aux mêmes produits consommés à l'état frais et en saison. Enfin, les pratiques agricoles les plus respectueuses de l'environnement, l'**agriculture biologique** par exemple, consomment moins d'énergies fossiles et le bilan carbone des aliments produits s'en trouve amélioré.

La forte demande en produits animaux a des effets environnementaux négatifs : la production d'un kilogramme de steak haché libère environ soixante fois plus de gaz à effet de serre que celle d'un kilogramme de pain. De plus, les besoins des élevages industriels sont tels qu'ils utilisent des aliments produits sur des terres récemment mises en culture, au détriment d'écosystèmes naturels tropicaux. En milieu marin, la pêche destinée à la consommation humaine a provoqué au cours du XXe siècle l'**effondrement des populations de poissons** et le déséquilibre des réseaux trophiques. Le développement depuis deux décennies des **élevages de poissons carnivores**, nourris à partir de « poissons fourrages », aggrave encore ces problèmes.

Il revient donc à chacun d'entre nous de prendre conscience que ses **habitudes alimentaires individuelles**, conjuguées à celles de milliards d'autres personnes, peuvent aggraver ou atténuer le réchauffement climatique global, la destruction des écosystèmes naturels, la baisse de la biodiversité sur les continents et dans les océans.

3 Quelles agricultures pour demain ?

Pour assurer la **durabilité** de notre développement, il est nécessaire de rechercher comment améliorer la production de nos aliments et nos habitudes alimentaires. Les enjeux sont à la fois environnementaux, sociaux et économiques. C'est pourquoi l'innovation est le fait de scientifiques, mais aussi d'autres acteurs de la société : agriculteurs, consommateurs... Les pistes explorées sont multiples : certaines se placent dans le prolongement de l'**agriculture intensive** et puisent dans les **savoirs scientifiques** et les **hautes technologies** ; d'autres se placent dans le prolongement de l'**agriculture paysanne** et puisent dans les **savoirs et savoir-faire traditionnels**. La plupart d'entre elles pourraient se révéler compatibles, et contribuer ensemble à relever le défi alimentaire mondial.

■ Vers une agriculture industrielle de haute technologie ?

L'atout majeur de l'agriculture intensive est sa grande productivité, qui la rend apte à nourrir une population urbaine importante. Différentes voies sont envisagées pour réduire ses conséquences écologiques et augmenter encore ses performances : la modification génétique des plantes et la mise en œuvre de technologies modernes.

● La **modification génétique des plantes** cultivées peut-elle être porteuse d'espoirs ? On peut l'utiliser pour rendre les cultures plus résistantes aux maladies et aux ravageurs (et ainsi réduire l'utilisation de pesticides), moins sensibles au froid, à la sécheresse ou à la salinité (ce qui permettrait de valoriser de nouvelles terres et ressources en eau). Cette voie pourrait aussi permettre d'améliorer certaines qualités des aliments, comme leurs capacités de conservation ou leur teneur en vitamines. Toutefois, les plantes transgéniques ne participeront effectivement à un développement durable que si leur utilisation s'inscrit dans un commerce équitable des semences et des produits agricoles et si ces cultures respectent l'environnement et la biodiversité.

● Des **technologies modernes** permettent de rendre l'agriculture intensive moins consommatrice d'intrants. Grâce à des capteurs disposés dans le sol, embarqués sur les machines agricoles ou sur des satellites, l'agriculteur peut suivre de façon très précise le comportement de ses cultures. Cette **agriculture de précision** permet d'adapter en permanence les pratiques aux besoins de la culture, de façon à maximiser les rendements, tout en diminuant gaspillages et pollutions.

■ Vers une agriculture paysanne et écologique ?

L'agriculture paysanne est plus respectueuse de l'environnement. Bien que sa productivité soit faible et ses débouchés surtout locaux, elle produit aujourd'hui encore l'essentiel des denrées agricoles à l'échelle mondiale. Riche de pratiques traditionnelles dont certaines sont plus que jamais pertinentes, cette agriculture est aussi capable d'adaptations et d'innovations.

● Dans la plupart des cas, l'agriculture paysanne associe étroitement les cultures de céréales, de légumes et de fourrages aux cultures d'arbres fruitiers et forestiers. Cette **agroforesterie** présente de nombreux avantages : en Europe, 65 millions d'hectares sévèrement exposés au risque d'érosion des sols ou de lixiviation de l'azote pourraient être préservés grâce à l'agroforesterie. Plusieurs centaines de tonnes de carbone par hectare seraient ainsi stockés dans le bois produit, contribuant à la lutte contre le changement climatique et à la protection des forêts tropicales. Le retour des arbres et des haies dans le paysage aurait aussi un impact positif sur la biodiversité naturelle végétale et animale.

● L'agriculture paysanne innove dans les domaines de la distribution : peu compétitive en termes de prix par rapport à l'agriculture intensive, elle mise aujourd'hui sur l'**image de qualité** que véhiculent ses produits, perçus par les consommateurs comme plus sains, plus savoureux, plus écologiques. Elle trouve des débouchés commerciaux sur les marchés périurbains, ou même en vente directe à la ferme. Elle assure alors sa viabilité économique, renforce les liens de solidarité entre villes et campagnes et participe à la protection de l'environnement.

Pratiques alimentaires et perspectives globales

À RETENIR

■ Un défi mondial à relever

L'accroissement de la population mondiale et les modifications des habitudes alimentaires provoquent une **hausse de la demande en produits alimentaires**, particulièrement en **produits animaux**. Pour répondre aux attentes de la population humaine, il faudra **augmenter les surfaces cultivées** et la **productivité des cultures** ce qui accentuera la pression sur les écosystèmes naturels. L'intensification des pratiques agricoles repose sur l'utilisation d'**énergies fossiles et autres ressources non renouvelables**. Cela accentue la **concurrence** entre la production vivrière et d'autres activités utilisant ces mêmes ressources.

■ Les conséquences de nos choix alimentaires

La demande en produits animaux augmente considérablement la pression exercée sur les sols, l'eau, le pétrole : en effet, la production d'1 kilogramme de viande nécessite la consommation de 10 kilogrammes de végétaux.

Selon l'origine géographique, le mode de production et de conservation de nos aliments, leur contribution au réchauffement climatique, ou **bilan carbone**, est plus ou moins élevé.

Le bilan carbone des produits animaux est très défavorable par rapport à celui des produits végétaux. De plus, les **élevages** industriels participent à la **dégradation des écosystèmes** continentaux et océaniques.

Nos **habitudes alimentaires individuelles**, conjuguées à celles de milliards d'autres personnes, peuvent aggraver ou atténuer la dégradation de l'environnement planétaire.

■ Quelles solutions ?

L'**amélioration génétique des plantes** cultivées pourrait permettre de réduire l'utilisation de pesticides, de valoriser de nouvelles terres et ressources en eau ou encore d'améliorer certaines qualités des aliments.

L'**agriculture de précision**, fondée sur l'utilisation de hautes technologies, pourrait permettre de maximiser les rendements, tout en diminuant les gaspillages et pollutions.

L'**agroforesterie**, fondée sur des pratiques traditionnelles modernisées, pourrait permettre de lutter contre l'érosion des sols et le changement climatique, de protéger les forêts et la biodiversité naturelle.

L'**agriculture paysanne** pourrait renforcer les liens de solidarité entre villes et campagnes, produire des aliments plus sains et participer à la protection de l'environnement.

Mots-clés

- Croissance démographique
- Produits animaux
- Ressources non renouvelables
- Bilan carbone, réchauffement climatique
- Habitudes alimentaires, développement durable
- Agroforesterie, agriculture de précision, amélioration des plantes

Capacités et attitudes

- ▌ Mettre en relation les pratiques locales et leurs implications globales.
- ▌ Utiliser des systèmes d'information géographique (SIG).
- ▌ Recenser, extraire et exploiter des informations sur les recherches actuelles permettant d'améliorer la production végétale dans une logique de développement durable.

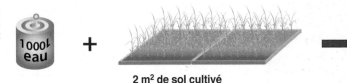

Des choix lourds de conséquences

S'alimenter à partir de produits issus de l'agriculture ou à partir de viande n'a pas le même impact écologique...

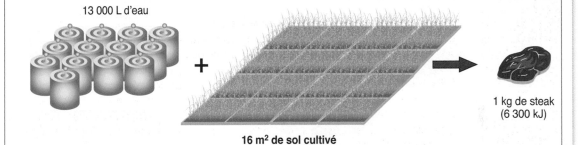

1000 L eau

2 m² de sol cultivé

1 kg de riz (15 000 kJ)

13 000 L d'eau

16 m² de sol cultivé

1 kg de steak (6 300 kJ)

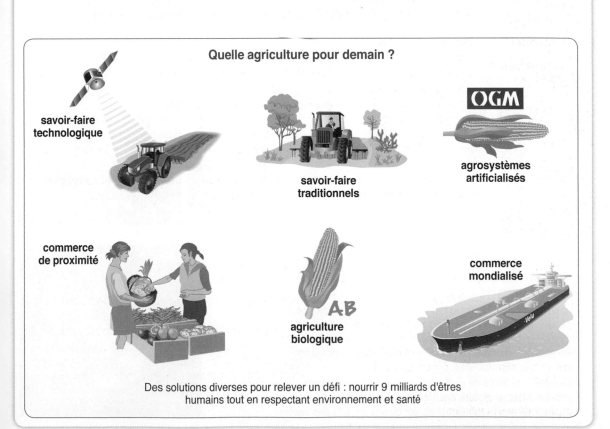

Quelle agriculture pour demain ?

savoir-faire technologique

savoir-faire traditionnels

OGM

agrosystèmes artificialisés

commerce de proximité

agriculture biologique A.B

commerce mondialisé

Des solutions diverses pour relever un défi : nourrir 9 milliards d'êtres humains tout en respectant environnement et santé

Café et commerce (in)équitable

● **Brève histoire d'une célèbre boisson**

Le **caféier** est un petit arbre originaire d'Afrique de l'Est. Après torréfaction, ses graines permettent de préparer une boisson aromatique et stimulante : le café. Connu au moins depuis le XVe siècle au Yémen, le café arrive en Europe un siècle plus tard, avec les navires parcourant la route des épices. Son succès auprès des européens est tel qu'à partir du XVIIIe siècle, la production de café gagne de nombreux pays tropicaux : c'est alors une culture de vastes **plantations coloniales**, dans lesquelles le travail est effectué par des **esclaves**.

Aujourd'hui, le commerce mondial du café ne repose plus sur l'esclavage, mais reste très défavorable aux producteurs : 70 % des plantations sont familiales et de taille très modeste. Elles emploient **25 millions de personnes** au Brésil, au Vietnam, en Colombie... (**a**). Quatre sociétés de négoce achètent près de la moitié de la production mondiale (**b**), puis trois grandes firmes en assurent la torréfaction (**c**). L'essentiel de la distribution repose sur une trentaine d'enseignes de stature mondiale (**d**), qui fournissent en café **500 millions de consommateurs** ! Au final, alors que le kilogramme de café est payé moins d'un euro au producteur, nous l'achetons au supermarché environ dix euros...

● **« Un prix plus juste pour notre café »**

Des producteurs de café mexicains, regroupés au sein de la coopérative Uciri, ont été, en 1988, les premiers agriculteurs à mettre en œuvre les principes du **commerce équitable**.

« Le commerce équitable nous permet (...) de satisfaire nos besoins fondamentaux avec moins d'angoisses, davantage de liberté et de dignité. Nous sommes parvenus à nous organiser autour d'un objectif constructif visant à modifier les règles du commerce qui nous asphyxient depuis de nombreuses années.»
F. Van der Hoff, 2005.

Aujourd'hui, la filière de café est l'une des plus concernées par le commerce équitable. Mais, si le café équitable est présent dans tous les supermarchés français, il ne représente actuellement qu'environ **1 % des ventes**.

L'amélioration génétique des plantes cultivées

• La domestication des plantes cultivées

Les plantes aujourd'hui cultivées sont bien différentes des variétés sauvages dont elles sont pourtant issues. En effet, depuis **plusieurs millénaires**, l'Homme cultive des plantes et a sélectionné, récolte après récolte, certaines caractéristiques génétiquement déterminées.

Moisson du blé avec faucille à dents et ramassage des épis égarés (tombe de Sennedjem, vers 1250 avant J.-C.).

• Des programmes de sélection génétique

La découverte des lois de l'hérédité à la fin du **XIXe siècle** a ouvert la voie à des programmes de sélection génétique. En réalisant des croisements entre deux variétés possédant chacune un caractère intéressant, on essaie d'obtenir une nouvelle variété hybride cumulant les gènes d'intérêt (voir page 216).

La *photographie ci-contre* montre un champ de production de semences hybrides de tournesol : la variété pollinisatrice (en fleur) est plantée en alternance avec une autre variété.

• Préserver la biodiversité génétique

Pour beaucoup de plantes (céréales, fruits, légumes), la disparition de variétés ancestrales et la culture à grande échelle d'un nombre très limité de variétés font craindre une perte irrémédiable de caractéristiques génétiques potentiellement intéressantes.

Ouvert officiellement depuis le **26 février 2008**, le *Svalbard Global Seed Vault* est une chambre forte creusée dans le sol gelé de l'île du Spitzberg.

Parfois surnommé « arche de Noé », ce « bunker » est destiné à conserver en sécurité des graines de toutes les plantes vivrières de la planète.

Exercices

1 **Définissez les mots ou expressions**

Intrants, bilan carbone, variété hybride, agroforesterie, agriculture de précision, agroécologie.

2 **Questions à choix multiple** **QCM**

Choisissez la ou les bonnes réponses.

1. Au cours des 40 prochaines années :
a. la population mondiale va encore croître ;
b. la consommation de viande devrait diminuer ;
c. les engrais seront de moins en moins chers.

2. Le défi démographique impose :
a. d'augmenter encore les rendements agricoles ;
b. de convertir l'agriculture mondiale aux OGM ;
c. de mieux considérer les conséquences écologiques de nos habitudes de consommation.

3. Les élevages :
a. sont très consommateurs de terre et d'eau ;
b. constituent une solution durable pour nourrir l'humanité ;
c. ne posent pas de problème s'ils sont réalisés loin de chez nous.

4. Aujourd'hui, il est impossible :
a. de nourrir correctement tous les humains ;
b. de concilier production alimentaire et respect de l'environnement ;
c. de lutter individuellement contre le réchauffement climatique.

3 **Questions à réponses courtes**

a. Donnez des exemples de conséquences que peuvent avoir nos habitudes de consommation.
b. Comment les chercheurs procèdent-ils pour améliorer les variétés de plantes cultivées ?
c. Expliquez pourquoi l'élevage de poissons carnivores n'est pas une solution pour protéger les écosystèmes marins.

4 **Vrai ou faux ?**

Repérez les affirmations exactes et corrigez celles qui sont inexactes.

a. Consommer de la viande ou des céréales présente les mêmes inconvénients pour l'environnement.
b. Nos consommations alimentaires ne sont pas une cause majeure de réchauffement climatique.
c. Les réserves géologiques permettant de fournir l'agriculture en phosphates sont renouvelables.

5 **Restitution de connaissances**

1. En vous fondant sur des exemples précis, montrez que des habitudes alimentaires individuelles peuvent avoir des conséquences sur l'environnement global.

2. Décrire quelques innovations susceptibles de contribuer à nourrir durablement l'humanité dans le domaine de l'agriculture et de la distribution des denrées alimentaires.

6 **Évolution de la consommation alimentaire en France** Exploiter des données sous forme numérique et graphique

1. Calculez la quantité totale d'aliments consommés annuellement pour chacune des dates. Que constatez-vous ?

2. Distinguez, dans le calcul précédent, les produits d'origine animale et ceux d'origine végétale. À l'aide d'un tableur, représentez ces nouveaux résultats par des graphiques en secteurs.

3. Pour chaque aliment, calculez le pourcentage de variation de la consommation entre 1803 – 1812 et 2005.

4. Quels changements majeurs ont affecté l'alimentation des Français depuis 1803 ?

Évolution de la consommation de quelques aliments en France
(en kg/personne/an)

Produits	Moyenne 1803-1812	Moyenne 1960-1964	1970	2005
pain	145	96	81	54
pommes de terre	21	110	96	72
fruits et légumes	60	210	219	235
huiles	1	11	8	10
sucre	1	31	20	7
poisson	3	12	10	11
viande	20	79	86	95
œufs	3	11	12	14
lait	42	108	95	54
fromage	2	11	14	18
beurre	2	8	9	8

D'après Rastouin, 2010.

7 Combien de kilomètres dans mon assiette ?

Manifester de l'intérêt pour les grands enjeux de la société

Un fabricant allemand de yaourts nous renseigne sur les trajets parcourus par les matières premières pour atteindre son usine de Stuttgart, puis par ses produits pour atteindre la table des consommateurs.

• **Le pot de verre :** du sable est acheminé de Cologne à Neubourg pour être transformé en pots de verre. De là, les pots gagnent Stuttgart (708 km).

• **Le lait** est récolté dans plusieurs fermes avant d'être envoyé à Stuttgart (45 km).

• **Les fraises** sont récoltées en Pologne puis transformées en confiture à Aix-la-Chapelle avant d'être acheminées à l'usine de Stuttgart (1 497 km).

• **Le sucre de betterave :** les betteraves sont cultivées près de Stuttgart puis envoyées à la raffinerie de Offenau. Le sucre est alors envoyé chez le fabricant (113 km).

• **Les ferments lactiques** viennent de Niebüll (849 km).

• **Le couvercle en aluminium :** l'aluminium vient de Cologne, est transformé à Weiden puis expédié à Stuttgart (828 km).

• **L'étiquette :** le papier vient d'Uetersen, il est imprimé à Kulmbach (901 km).

• **La colle** vient de Düsseldorf. L'étiquette est collée à Stuttgart (410 km).

• **L'emballage :** les pots sont conditionnés dans un emballage en carton produit à Varel (657 km) puis sont emballés dans du film plastique provenant de France (712 km).

• **Les cartons de transport** sont importés d'Autriche (655 km) et le papier d'emballage de Frechen (314 km). Ils sont transformés à Offenau avant d'être expédiés à Stuttgart (68 km). La colle est fabriquée à Lunebourg à partir de matières premières provenant de Hambourg. Les cartons sont collés à Stuttgart (690 km).

• **La distribution et la consommation :** le parcours moyen de l'usine à un consommateur du sud de l'Allemagne est de 668 km. Une fois dans le réfrigérateur, il est fréquent que l'on tarde à finir le pack de yaourts et que celui-ci se périme. C'est ainsi qu'un yaourt sur quatre finit... à la poubelle !

1. Calculez le nombre de kilomètres parcourus pour que ce yaourt aux fraises arrive sur la table du consommateur.

2. Quel problème fait apparaître votre résultat ?

3. Que proposeriez-vous pour contribuer à limiter l'impact de ce problème ?

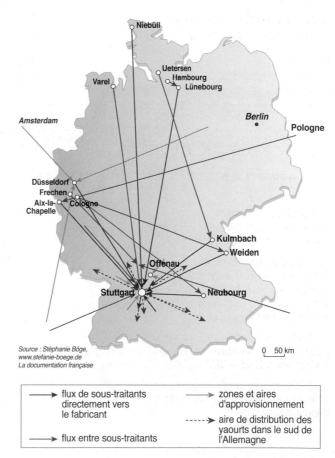

Source : Stéphanie Böge,
www.stefanie-boege.de
La documentation française

0 50 km

→ flux de sous-traitants directement vers le fabricant	→ zones et aires d'approvisionnement
	----→ aire de distribution des yaourts dans le sud de l'Allemagne
→ flux entre sous-traitants	

Partie 4

Corps humain
et santé

L'appareil reproducteur de l'homme

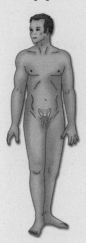

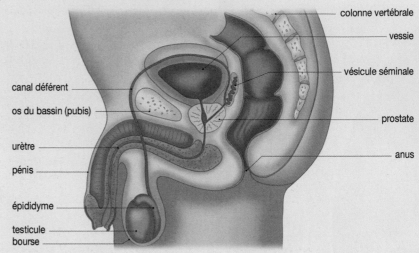

- colonne vertébrale
- vessie
- vésicule séminale
- prostate
- anus

- canal déférent
- os du bassin (pubis)
- urètre
- pénis
- épididyme
- testicule
- bourse

- **Testicules :** glandes produisant les spermatozoïdes.
- **Épididyme :** organe dans lequel les spermatozoïdes acquièrent leur mobilité.
- **Canal déférent :** canal conduisant les spermatozoïdes jusqu'à la prostate.

- **Vésicules séminales :** glandes produisant une partie du sperme.
- **Prostate :** glande produisant une autre partie du sperme et permettant son expulsion grâce à ses contractions.
- **Pénis (ou verge) :** organe érectile contenant l'urètre, canal permettant d'évacuer l'urine et le sperme.

L'appareil reproducteur de la femme

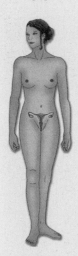

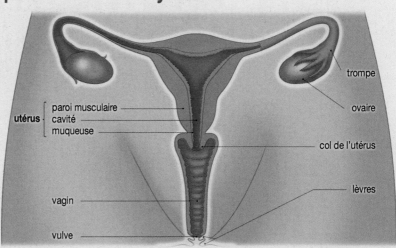

- trompe
- ovaire
- col de l'utérus
- lèvres

utérus
- paroi musculaire
- cavité
- muqueuse

- vagin
- vulve

- **Ovaires :** glandes qui produisent des ovules.
- **Trompes utérines :** conduits assurant une communication entre ovaires et utérus.
- **Vagin :** conduit permettant l'écoulement des règles, la sortie du bébé mais aussi l'organe permettant les relations sexuelles.

- **Utérus :** organe dans lequel peut se développer un embryon.
- **Vulve :** organes génitaux externes de la femme.
- **Clitoris :** petit organe allongé (5 à 10 mm) situé à la partie supérieure de la vulve. Très sensible, c'est l'homologue de la verge du garçon.

Le fonctionnement cyclique de l'appareil génital féminin

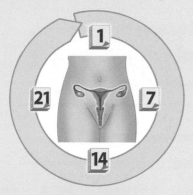

- Les **règles** reviennent en moyenne tous les 28 jours : c'est la durée du cycle féminin.

- Conventionnellement, un cycle débute le premier jour des règles.

- **J1 à J5 :** La muqueuse utérine saigne et se détruit au cours des règles.

- **J14 :** Un ovule est expulsé dans la trompe par l'un ou l'autre des ovaires : c'est **l'ovulation**.

- **J21 :** La muqueuse utérine, qui s'est reconstituée à la fin des règles, est maintenant à son maximum de développement et elle est prête à accueillir un embryon.

- **J28 :** Si l'ovule n'a pas été fécondé, les règles surviennent à nouveau. S'il y a eu fécondation, les règles sont interrompues.

Les premiers instants d'un nouvel être humain

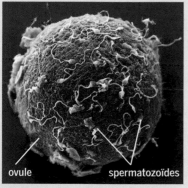

ovule   spermatozoïdes

 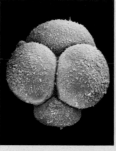 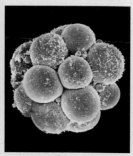

❶ **La fécondation :** un seul spermatozoïde pénètre dans l'ovule.

❷ **Le début du développement de l'embryon :** la cellule œuf se divise.

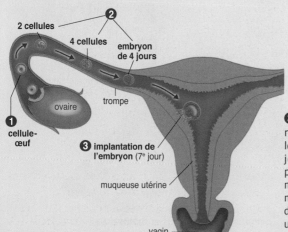

2 cellules

4 cellules

❷

embryon de 4 jours

ovaire

trompe

❶

cellule-œuf

❸ **implantation de l'embryon** (7ᵉ jour)

muqueuse utérine

vagin

❸ **La nidation** environ 7 jours après la fécondation, le jeune embryon, petite sphère d'un millimètre de diamètre, s'implante dans la muqueuse utérine.

Les transformations du corps à la puberté

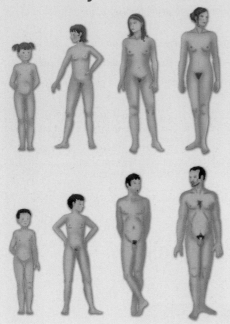

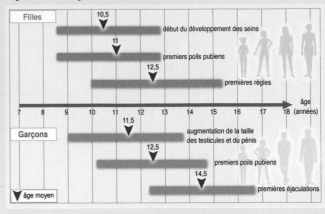

● Dès la naissance, un garçon et une fille se distinguent par leurs organes génitaux : ces différences sont appelées **caractères sexuels primaires**.

● Au cours de la **puberté**, des modifications physiques spécifiques à chaque sexe apparaissent. Ces modifications physiques constituent les **caractères sexuels secondaires**.

Les hormones et les transformations pubertaires

Évolution des taux sanguins hormonaux

● **Hormones sécrétées par les glandes génitales**

À la puberté, on observe une augmentation très importante de la sécrétion de **testostérone** (hormone sécrétée par le **testicule**) chez le garçon et d'**œstrogènes** (hormones sécrétées par l'**ovaire**) chez la fille.

● **Hormones sécrétées par l'hypophyse**

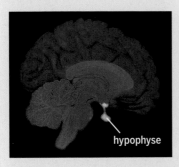

hypophyse

L'hypophyse est une glande de la taille d'un petit pois située à la base du cerveau. Elle fabrique de nombreuses hormones.
Certaines d'entre elles, appelées **gonadostimulines**, stimulent le fonctionnement des glandes génitales.

À la puberté, aussi bien chez la fille que chez le garçon, on observe une forte augmentation de la sécrétion des **gonadostimulines hypophysaires**.

Le mode d'action des hormones

Une hormone est une substance, fabriquée par une glande hormonale, libérée dans le sang et qui agit sur le fonctionnement d'un ou de plusieurs organes.

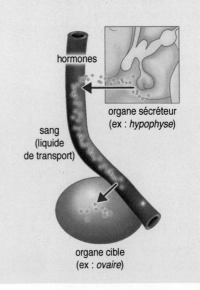

hormones

organe sécréteur
(ex : *hypophyse*)

sang
(liquide
de transport)

organe cible
(ex : *ovaire*)

La détermination génétique du sexe

Le caryotype de la femme	Le caryotype de l'homme

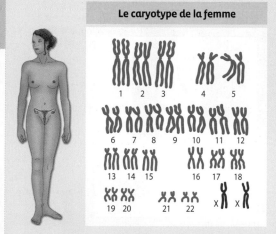

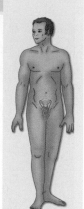

- Dans l'espèce humaine, chaque cellule possède **23 paires de chromosomes** : ce bagage chromosomique est appelé **caryotype**. La 23ᵉ paire ou **chromosomes sexuels** est différente selon le sexe : **XX** pour les individus de sexe féminin, **XY** pour ceux de sexe masculin.

- Les **cellules reproductrices** (ovule ou spermatozoïde) ne contiennent que **23 chromosomes**, un de chaque paire. Ainsi, l'**ovule** contient obligatoirement un chromosome sexuel **X** alors que le **spermatozoïde** contient **X ou Y**. Selon le spermatozoïde qui va féconder l'ovule, on obtiendra donc **soit XX** (une fille), **soit XY** (un garçon).

Chromosomes, gènes et informations génétiques

Un chromosome est le support de nombreux gènes

Le caryotype
(des paires de
chromosomes)

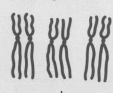

Une paire
de chromosomes

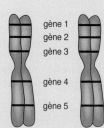

gène 1
gène 2
gène 3

Nombreux gènes sur un chromosome

gène 4

Même position des gènes sur les deux chromosomes d'une paire

gène 5

Un gène est le support d'une information génétique

Chaque gène gouverne un **caractère héréditaire**. Par exemple, il existe un gène (trait bleu ou trait jaune sur le dessin) qui, lorsqu'il est défectueux, est responsable du développement d'une maladie, la mucoviscidose.

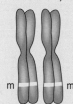

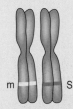

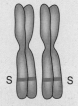

deux allèles identiques	deux allèles différents	deux allèles identiques
malade	**sain**	**sain**

Un gène peut présenter des versions différentes, nommées **allèles**, qui correspondent à des différences au niveau de la molécule d'ADN. Sur les deux chromosomes d'une même paire, les allèles d'un gène peuvent être identiques ou différents. Dans le cas de la mucoviscidose, il faut deux allèles malades (m) pour être atteint. L'allèle m est donc récessif, et l'allèle sain (S) dominant.

Habitudes de vie et santé

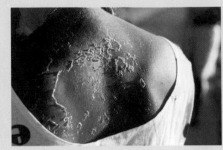

Les coups de soleil répétés favorisent le développement de cancers de la peau.

Un cancer de la peau ou mélanome.

● Une alimentation trop riche en graisses et en sucres favorise l'apparition de **maladies cardiovasculaires** (par exemple l'infarctus) et de diabète.

● Les habitudes de vie jouent un rôle important dans le développement des **cancers**. Par exemple, le cancer de la peau ou mélanome est favorisé par une exposition trop importante au soleil.

Infections bactériennes et antibiotiques

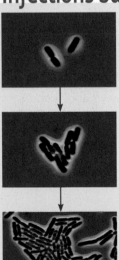

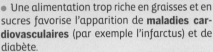

Dans des conditions optimales de développement, une cellule bactérienne grandit et se divise en deux toutes les 20 minutes.

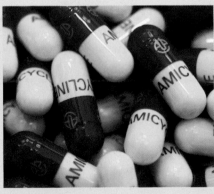

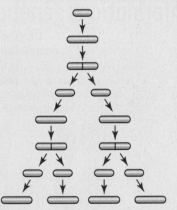

● De nombreuses **bactéries** sont présentes dans notre environnement. Certaines peuvent pénétrer dans notre organisme où elles trouvent des conditions favorables à leur prolifération (température, humidité, nourriture). Si le système immunitaire ne parvient pas à juguler cette infection, les conséquences pour la santé peuvent être très graves.

● La lutte contre les bactéries se joue à plusieurs niveaux :
– l'**asepsie** qui vise à limiter les contaminations (par exemple, se laver les mains) ;
– l'**antisepsie** qui vise à détruire les micro-organisme (par exemple, désinfecter une plaie) ;
– l'utilisation d'**antibiotiques** (*photographie ci-dessus*) que l'on administre à une personne infectée dans le but d'empêcher la prolifération (et parfois de détruire) des bactéries responsables de cette infection.
Rappelons que les antibiotiques sont inefficaces contre les infections virales.

Une communication assurée par le système nerveux

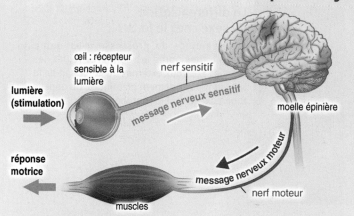

œil : récepteur sensible à la lumière

nerf sensitif

lumière (stimulation)

message nerveux sensitif

moelle épinière

réponse motrice

message nerveux moteur

muscles

nerf moteur

- De nombreuses **stimulations** provenant de notre environnement sont perçues par l'organisme. Elles peuvent engendrer une **réponse motrice**.

- Les **organes sensoriels** (œil, oreille, etc.) sont capables de détecter une stimulation extérieure.

- Des messages nerveux sont transmis des organes sensoriels aux centres nerveux par des **nerfs sensitifs**.

- Des messages nerveux moteurs sont transmis des centres nerveux aux muscles par des **nerfs moteurs**.

Le système nerveux : des réseaux de neurones

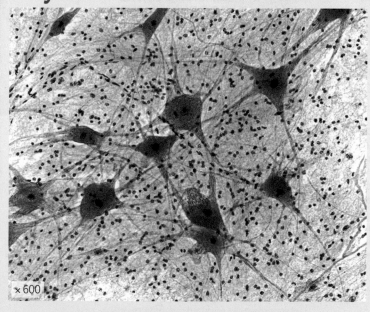

× 600

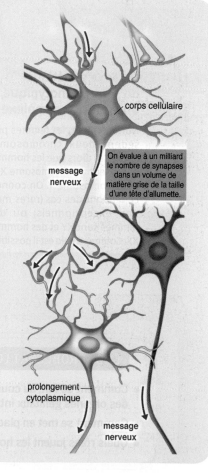

corps cellulaire

message nerveux

On évalue à un milliard le nombre de synapses dans un volume de matière grise de la taille d'une tête d'allumette.

prolongement cytoplasmique

message nerveux

- Un centre nerveux, comme le cerveau, comporte des milliards de cellules nerveuses appelées **neurones**.

- Un neurone est une cellule spécialisée, constituée d'un **corps cellulaire** (contenant le noyau) muni de plusieurs **prolongements cytoplasmiques** très fins, pouvant être très longs.

- Les neurones sont en relation les uns avec les autres et forment un **réseau** très complexe.

- Les **messages nerveux circulent** le long des prolongements fins des neurones et peuvent être transmis d'un neurone à l'autre au niveau de leur connexion.

L'origine commune d'appareils génitaux différents

À la naissance, le bébé, fille ou garçon, possède un appareil génital différencié qui deviendra fonctionnel à la puberté. *En fait, ces deux appareils génitaux proviennent d'ébauches identiques, présentes très tôt chez l'embryon, que celui-ci soit de sexe masculin ou de sexe féminin.*

A Des appareils génitaux différents

La détermination du sexe par échographie est possible dans 85 % des cas dès la 13e semaine d'**aménorrhée**, mais, classiquement, ce n'est que vers la 14e ou 15e semaine que le médecin est certain du sexe de l'enfant à naître.

L'échographie ci-contre est celle d'un fœtus de sexe masculin âgé de 15 semaines (c'est-à-dire 17 semaines d'aménorrhée).

1 : fesses.
2 : membres inférieurs vus de dessous.
3 : sexe identifiable, ici un garçon.

Doc. 1 **La détermination du sexe par échographie chez le fœtus.**

Sur les deux schémas ci-dessous :
● les reins et les uretères ne sont pas représentés ;
● les couleurs utilisées sont à mettre en relation avec les couleurs des ébauches et de leur différenciation figurant sur la page de droite.

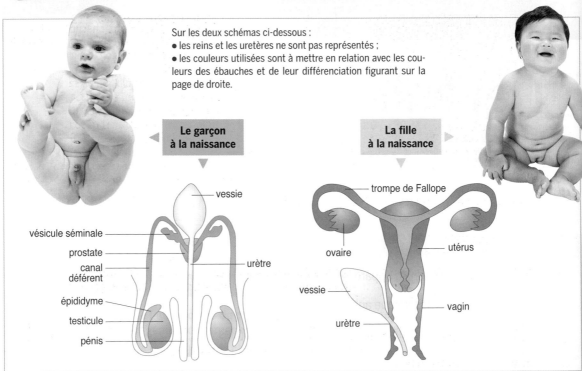

Le garçon à la naissance

vessie
vésicule séminale
prostate
urètre
canal déférent
épididyme
testicule
pénis

La fille à la naissance

trompe de Fallope
ovaire
utérus
vessie
vagin
urètre

Doc. 2 **Des appareils génitaux différents à la naissance.**

B La différenciation sexuelle au cours du développement embryonnaire

Avant la 8e semaine de grossesse

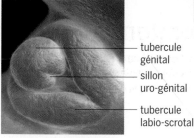

Jusqu'à la 8e semaine, les organes génitaux externes ont le même aspect dans les deux sexes.

- tubercule génital
- sillon uro-génital
- tubercule labio-scrotal

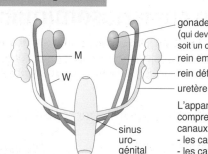

- M
- W
- gonade indifférenciée (qui deviendra soit un testicule, soit un ovaire)
- rein embryonnaire
- rein définitif
- uretère
- sinus uro-génital

L'appareil génital indifférencié comprend deux paires de canaux :
- les canaux de Wolff (W)
- les canaux de Müller (M)

Après la 8e semaine de grossesse

Fille

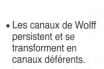

- ovaires
- M
- W
- trompe utérine
- vessie
- urètre
- utérus
- vagin

- Les canaux de Wolff disparaissent.
- Les canaux de Müller se différencient en trompes de Fallope, utérus, vagin.

- Les canaux de Wolff persistent et se transforment en canaux déférents.
- Les canaux de Müller régressent et disparaissent.

Garçon

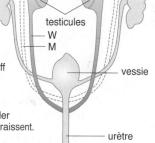

- testicules
- W
- M
- vessie
- urètre

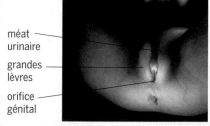

- méat urinaire
- grandes lèvres
- orifice génital

Différenciation des organes génitaux externes féminins : le tubercule génital donne naissance au clitoris.

- orifice uro-génital
- pénis
- bourse

Différenciation des organes génitaux externes masculins : le tubercule génital se développe pour former le pénis. Deux mois avant la naissance, les testicules descendent dans les bourses.

Doc. 3 Des ébauches évoluant très différemment chez la fille et le garçon.

Pistes d'exploitation

PROBLÈME À RÉSOUDRE ▶ Expliquez comment des ébauches communes peuvent, au cours du développement embryonnaire, évoluer vers des appareils génitaux différents chez la fille et le garçon.

Doc. 1 à 3 Pourquoi dit-on, qu'avant huit semaines de grossesse, le sexe est « indifférencié » ? Indiquez quelles sont, pour chacun des deux sexes, les principales étapes de la formation des appareils génitaux.

Doc. 2 et 3 Montrez les homologies, c'est-à-dire les correspondances, qui existent entre les appareils génitaux de l'homme et de la femme.

Lexique, p. 354

Du sexe chromosomique au sexe gonadique

Avant la 8e semaine de grossesse, l'embryon possède une gonade indifférenciée. *Il s'agit dans un premier temps de comprendre comment les chromosomes sexuels (XY chez le garçon, XX chez la fille) orientent la différenciation de cette gonade soit vers un testicule, soit vers un ovaire.*

A Chromosomes sexuels et apparence sexuelle

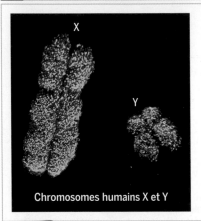

Chromosomes humains X et Y

Caryotype	Apparence sexuelle	Gonades	Observations cliniques et fréquence dans la population
46, XX	féminine	ovaires fonctionnels	–
46, XY	masculine	testicules fonctionnels	–
47, XXX	féminine	ovaires fonctionnels	une femme sur 500 (fertilité)
45, X0	féminine	régression des ovaires après leur différenciation	syndrome de Turner (nanisme, impubérisme, stérilité) : une femme sur 2 700
47, XXY	masculine	petits testicules sans spermatogonies	syndrome de Klinefelter (stérilité) : un homme sur 700
47, XYY	masculine	testicules fonctionnels	un homme sur 500 (fertilité)

Doc. 1 Le déterminisme chromosomique du sexe.

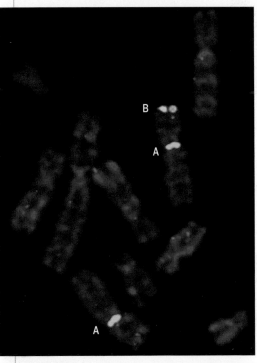

On sait, depuis 1964, qu'il existe des hommes d'apparence normale possédant un caryotype XX : ces individus (1 sur 20 000) sont dépourvus de chromosome Y. On a émis l'hypothèse que ces hommes possédaient probablement un fragment du chromosome Y accroché sur un de leurs chromosomes X. Cet échange a pu être vérifié en 1984 à l'Institut Pasteur sur une femme de caryotype XY et trois hommes de caryotype XX. Grâce à des sondes moléculaires *(photographie ci-contre)*, il a été possible d'analyser finement leur ADN et la réalité de tels remaniements chromosomiques a pu être démontrée.

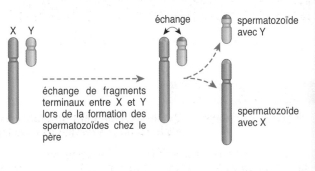

échange de fragments terminaux entre X et Y lors de la formation des spermatozoïdes chez le père

Chromosomes d'un homme XX
A : sonde spécifique du centromère du chromosome X.
B : sonde spécifique d'un fragment du chromosome Y.

Doc. 2 Des informations prouvent l'existence de femmes XY et d'hommes XX.

B L'existence d'un gène de la masculinité

En 1991, des chercheurs ont démontré qu'un seul gène, situé sur le bras court du chromosome Y, suffisait à induire la différenciation sexuelle mâle : après avoir reçu ce gène, des embryons de souris XX ont développé des testicules, des glandes mâles annexes et un pénis. Ce gène, appelé SRY (pour Sex-determining Region of Y) a été identifié chez tous les mammifères.
Le gène SRY s'exprime dans la gonade indifférenciée et l'oriente vers un destin testiculaire. En son absence, la gonade indifférenciée évolue en ovaire.

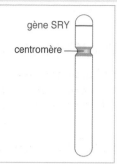

gène SRY

centromère

Doc. 3 Le gène SRY, gène de la masculinité.

Le gène SRY code pour une protéine, le facteur de détermination testiculaire (ou « protéine TDF », parfois appelée par extension « protéine SRY ») qui peut se lier à l'ADN. Cette fixation activerait ainsi l'expression d'autres gènes situés en divers endroits du génome et participant à la différenciation sexuelle mâle. Toutefois, aucune cible directe de la protéine TDF n'a encore été identifiée à ce jour. Sur l'*image ci-dessous*, la protéine TDF entoure la molécule d'ADN et provoque sa courbure, ce qui activerait la transcription.

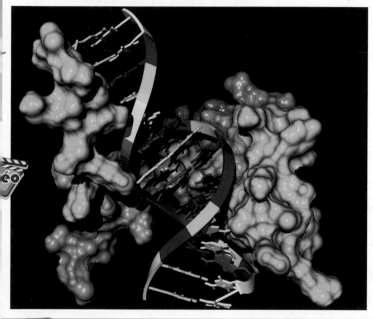

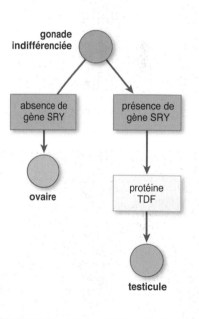

Doc. 4 Le gène SRY oriente le destin de la gonade indifférenciée.

Pistes d'exploitation

PROBLÈME À RÉSOUDRE ► Quelle relation peut-on établir entre le caryotype et le développement d'ovaires ou de testicules chez l'embryon ?

Doc. 1 Quelle relation peut-on établir entre la présence des chromosomes X ou Y et l'apparence sexuelle ?

Doc. 2 Schématisez les chromosomes sexuels reçus par un garçon XX et une fille XY. Quelle fonction peut-on supposer pour le fragment du chromosome Y échangé ?

Doc. 3 et 4 Expliquez comment le chromosome Y oriente le développement embryonnaire de l'appareil génital. Comment est déterminé le développement sexuel féminin ?

Lexique, p. 354

Sexe gonadique et développement des voies génitales

Après la huitième semaine de grossesse, les voies génitales vont évoluer soit vers le type féminin, soit vers le type masculin selon que la gonade est un ovaire ou un testicule. *Il s'agit maintenant de comprendre comment la gonade oriente cette différenciation des voies génitales.*

A Le testicule influence le développement des voies génitales

Chez le lapin, il existe un stade gonadique indifférencié jusqu'à 19 jours de développement embryonnaire. Après cette date, la gonade évolue soit vers un ovaire, soit vers un testicule, selon les chromosomes sexuels de l'embryon. En 1947, afin de vérifier si les gonades jouent ou non un rôle dans la différenciation sexuelle de l'appareil génital, Jost castre des fœtus de lapin **in utero** au stade indifférencié de 19 jours.

Neuf jours plus tard, il observe les voies génitales des castrats qui ont poursuivi leur développement dans l'utérus maternel *(dessin ci-dessous).*

Remarque : La culture in vitro de voies génitales d'embryon de rat, en l'absence de gonades, donne le même type de résultat. L'évolution dans le sens femelle des embryons castrés maintenus in utero ne peut donc pas s'expliquer par l'intervention d'hormones sexuelles maternelles.

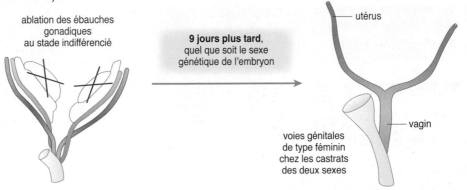

ablation des ébauches gonadiques au stade indifférencié

9 jours plus tard, quel que soit le sexe génétique de l'embryon

utérus

vagin

voies génitales de type féminin chez les castrats des deux sexes

Doc. 1 Étude expérimentale du rôle des gonades embryonnaires dans la différenciation des voies génitales.

• Les observations de Lillie (1916)
On appelle « free-martin » des génisses nées d'une grossesse gémellaire avec un mâle. Elles ont un poitrail de taureau et une puissance musculaire supérieure à celle d'une vache normale. Si elles possèdent des organes génitaux externes femelles et des mamelles, elles se révèlent stériles car leur appareil génital présente diverses anomalies :
– les ovaires sont très petits, parfois partiellement masculinisés, le sexe de la gonade étant même inversé dans la moitié des cas ;
– l'utérus est souvent mal formé et atrophié ;
– certains organes masculins, comme les vésicules séminales, peuvent être présents.

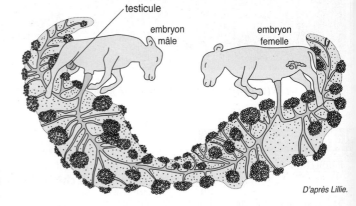

testicule

embryon mâle

embryon femelle

D'après Lillie.

• L'interprétation de Lillie
Lors de la grossesse, des liaisons sanguines se sont formées au niveau du placenta commun aux deux jumeaux. Lillie suggère donc que les anomalies du free-martin sont dues à l'action sur la femelle d'une hormone testiculaire produite par le jumeau mâle et ayant des effets masculinisants.

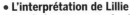

Doc. 2 Des informations apportées par une anomalie du développement de l'appareil génital chez la vache.

B Le rôle du testicule dans la mise en place du sexe phénotypique mâle

En 1947, Alfred Jost effectue des expériences dans le but de comparer l'action du testicule fœtal et de la testostérone sur les voies génitales de fœtus femelles de lapin.

Pour cela, il greffe un testicule ou implante un cristal de testostérone au voisinage d'un ovaire d'embryon âgé de 20 jours, c'est-à-dire au début de sa différenciation.

Expériences	Résultats
Embryon femelle qui a reçu, à l'âge de 20 jours, une greffe de testicule fœtal de même âge.	• Développement des canaux de Wolff • Régression des canaux de Müller
Embryon femelle qui a reçu, à l'âge de 20 jours, un cristal de testostérone implanté à la même place que la greffe de testicule fœtal de l'expérience précédente.	• Développement des canaux de Wolff • Pas de régression des canaux de Müller

Doc. 3 Le testicule n'agit pas uniquement par l'intermédiaire de la testostérone.

À la suite des expériences du document 3, Jost postule l'existence d'une seconde hormone testiculaire responsable de la régression des canaux de Müller. Cette hormone est aujourd'hui purifiée : on la nomme **Hormone Anti-Müllérienne** ou **AMH**.

Si l'on ajoute de l'AMH purifiée à une culture in vitro de canaux de Wolff et de Müller de rat, on observe une régression des canaux de Müller alors que les canaux de Wolff se développent normalement *(photographies ci-dessous)*.

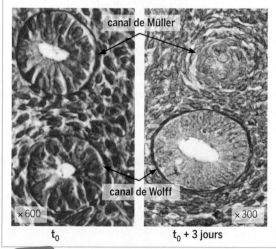

canal de Müller

canal de Wolff

× 600 × 300

t$_0$ t$_0$ + 3 jours

Doc. 4 La découverte d'une deuxième hormone testiculaire.

Chanteuse de jazz américaine atteinte de ce syndrome

● **Description de l'anomalie**

Les personnes atteintes du syndrome d'insensibilité totale aux androgènes ont un phénotype typiquement féminin à la naissance, mais, à la puberté, il n'y a ni développement des pilosités axillaire et pubienne ni apparition de règles.

Un examen plus détaillé révèle que ces femmes sont de génotype XY et qu'elles possèdent des testicules (souvent en position intra-abdominale). Ces derniers sécrètent les hormones d'un testicule normal.

En revanche, ces femmes ne possèdent ni trompes ni utérus et leur vagin est plus court que la normale.

● **Les causes de l'anomalie**

On sait aujourd'hui que cette anomalie est due à la fois :

– à une non-masculinisation du fœtus suite une insensibilité de ses cellules à la testostérone (cette insensibilité est due à l'absence de récepteurs à cette hormone dans les cellules de l'organisme qui y sont normalement sensibles, en particulier les cellules des canaux de Wolf) ;

– à un non-développement des structures dérivant des canaux de Müller (trompes, utérus).

Doc. 5 L'analyse d'un cas médical : le syndrome d'insensibilité totale aux androgènes.

Pistes d'exploitation

PROBLÈME À RÉSOUDRE ► Quelle est l'influence de la gonade dans la féminisation ou la masculisation des voies génitales ?

Doc. 1 Quelle particularité étonnante présente la différenciation des voies génitales dans le sens femelle ?

Doc. 2 et 3 En quoi ces expériences démontrent-elles que le testicule agit par voie hormonale ?

Doc. 4 et 5 Chez les personnes atteintes du syndrome d'insensibilité totale aux androgènes, expliquez, d'une part, pourquoi il n'y a pas de masculinisation alors qu'elles sont de génotype XY, d'autre part, pourquoi il n'y pas de développement des trompes et de l'utérus.

Lexique, p. 354

La mise en place des caractères sexuels de l'adulte

À la puberté, d'importantes transformations morphologiques, physiologiques et psychologiques se réalisent. *Ces transformations, qui sont à mettre en relation avec les sécrétions hormonales, aboutissent à la mise en place du phénotype sexuel de l'adulte.*

A Les transformations de la puberté sous influence hormonale

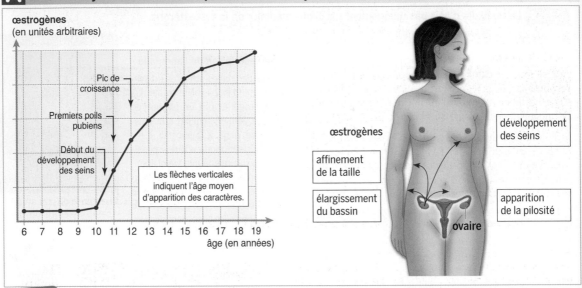

Doc. 1 **La sécrétion des hormones ovariennes (œstrogènes) et l'apparition des caractères sexuels secondaires féminins au moment de la puberté.**

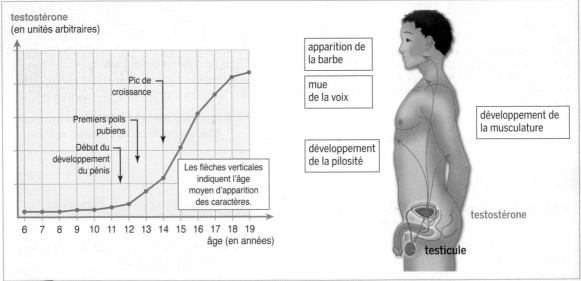

Doc. 2 **La sécrétion de l'hormone testiculaire (testostérone) et l'apparition des caractères sexuels secondaires masculins au moment de la puberté.**

B Le jeune adulte devient capable de transmettre la vie

Ovaire	Testicule

• **Avant la puberté**

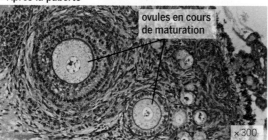

des milliers de pré-ovules qui n'évoluent pas pour donner un ovule fécondable

×300

• **Avant la puberté**

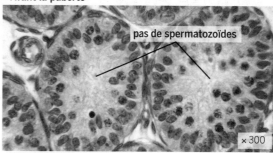

pas de spermatozoïdes

×300

• **Après la puberté**

ovules en cours de maturation

×300

• **Après la puberté**

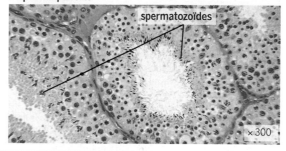

spermatozoïdes

×300

Doc. 3 Ovaires et testicules commencent à produire des cellules reproductrices.

• Lors de la puberté, la psychologie des adolescents change : la plupart d'entre eux ressentent alors une attirance sexuelle pour d'autres personnes. Si cette attirance est, comme pour les caractères sexuels secondaires, sous l'influence des hormones sexuelles, il existe cependant de nombreux autres facteurs qui jouent sur le comportement (voir p. 266). Par exemple, le partenaire ou le moment du premier rapport sexuel sont des choix individuels.

• La maturité sexuelle, atteinte à la fin de la puberté, marque l'entrée dans la vie adulte (du point de vue biologique).
L'adolescent, garçon ou fille, produit des gamètes et devient donc capable de se reproduire ; la jeune fille peut alors être enceinte. Une responsabilité nouvelle apparaît alors car un rapport sexuel non protégé peut avoir des conséquences importantes comme une grossesse non désirée ou la transmission de maladies (IST, voir p. 264).

Des relations qui s'installent à l'adolescence.

Doc. 4 Des transformations psychologiques et l'entrée dans le monde adulte.

Pistes d'exploitation

PROBLÈME À RÉSOUDRE ► **Quelles sont les principales caractéristiques des transformations constatées à la puberté ?**

Doc. 1 et 2 Établissez une relation entre transformations pubertaires et sécrétions hormonales.

Doc. 3 À quoi reconnaît-on que les glandes génitales deviennent fonctionnelles ?

Doc. 4 Montrez que la puberté est la dernière étape dans la construction du phénotype sexuel.

Lexique, p. 354

chapitre 1 Devenir homme ou femme

On sait depuis plus d'un demi-siècle que le bagage héréditaire reçu par la cellule-œuf au moment de la fécondation définit le sexe génétique. Le problème est donc de savoir quels mécanismes conduisent, au cours du développement embryonnaire, à la formation du sexe phénotypique masculin ou du sexe phénotypique féminin en fonction du bagage chromosomique reçu à la fécondation.

1 L'existence d'un stade phénotypique indifférencié

Au début du développement embryonnaire, aucune différence n'est visible entre les régions génitales des embryons mâles et celles des embryons femelles : c'est ce que l'on appelle le **stade phénotypique indifférencié**.

Les glandes génitales commencent à se former durant la 5e semaine du développement embryonnaire, mais elles apparaissent alors comme des masses indifférenciées qui pourront ultérieurement évoluer soit vers un testicule soit vers un ovaire.

Parallèlement à la mise en place des **ébauches gonadiques** se forment deux paires de canaux qui débouchent dans une même cavité appelée sinus uro-génital. Il s'agit :
– des **canaux de Müller** qui seront à l'origine des futures voies génitales féminines (oviductes, utérus, partie supérieure du vagin) ;
– des **canaux de Wolff** qui formeront les futures voies génitales masculines (spermiductes, vésicules séminales et prostate).

Les étapes détaillées de la formation des appareils génitaux ne sont pas au programme de Première. On peut néanmoins retenir que c'est la même ébauche du stade indifférencié, appelée tubercule génital, qui donnera le pénis chez le garçon et le clitoris chez la fille. Une autre ébauche, appelée tubercules labio-scrotaux, donnera les bourses chez le garçon et les grandes lèvres chez la fille.

2 Du sexe génétique au sexe gonadique

■ Le déterminisme chromosomique du sexe

Dans l'espèce humaine comme chez tous les mammifères, le sexe génétique est déterminé au moment de la fécondation, c'est-à-dire lors de la fusion d'un spermatozoïde et d'un ovule.

Nous savons depuis le collège que, parmi les 46 chromosomes présents dans la cellule-œuf, deux déterminent le sexe :
– **XX chez la fille** ;
– **XY chez le garçon**.

Nous savons aussi que l'ovule contient obligatoirement un chromosome X alors que le spermatozoïde contient, avec une égale probabilité, soit un chromosome X soit un chromosome Y. Ainsi, lorsqu'un spermatozoïde introduit un chromosome Y dans l'ovule, l'œuf produit donnera un garçon ; si c'est un chromosome X qui est apporté par le spermatozoïde, l'œuf donnera une fille.

■ L'importance de la formule chromosomique

Dans l'espèce humaine, on connaît de nombreuses anomalies du caryotype portant sur les chromosomes sexuels.

Certaines filles possèdent un seul chromosome X, d'autres en ont trois, voire même parfois davantage. Toutes sont de sexe féminin mais, celles qui ont un seul chromosome X ont des ovaires non fonctionnels et ne présentent pas de puberté.

Certains garçons possèdent un seul chromosome X et deux chromosomes Y (formule XYY) ; d'autres ont deux X (ou davantage) et un seul chromosome Y (XXY, XXXY...). Les premiers ont un phénotype masculin, les seconds présentent un sexe phénotypique plus ou moins altéré mais néanmoins globalement de type masculin.

Ainsi, on constate l'importance de la **présence d'un chromosome Y** pour la détermination du sexe **masculin**. Le développement sexuel **féminin** requiert, quant à lui, l'**absence de chromosome Y** et la présence de deux chromosomes X.

■ L'existence d'un gène de la masculinité

La différenciation de l'ébauche gonadique en testicule ou en ovaire est l'événement le plus précoce affectant l'appareil génital de l'embryon. Elle se produit vers la 7e semaine de développement embryonnaire chez le garçon, vers la 8e chez la fille.

Le fait que la différenciation vers le sexe masculin nécessite la présence d'un chromosome Y a conduit à rechercher sur ce chromosome un gène de détermination testiculaire.

Par ailleurs, l'examen de cas cliniques où le sexe gonadique ne correspond pas au sexe chromosomique (des filles XY et des garçons XX) a permis de montrer que ces anomalies étaient dues à des « accidents » affectant le chromosome X et le chromosome Y : perte (délétion) d'une région de Y ou translocation (transfert) de cette région de Y sur le chromosome X.

C'est ainsi qu'en 1990 on a pu caractériser dans la partie terminale du bras court de Y un **gène de la masculinité** appelé **SRY** (Sex determining Region of the Y Chromosome). Ce gène est l'initiateur majeur de la masculinisation des gonades. La preuve en a été faite par des expériences de transgénèse : en effet, l'introduction de ce gène dans le matériel génétique de cellules-œuf de souris femelles conduit à la masculinisation des embryons transgéniques.

■ Le gène SRY agit sur l'expression d'autres gènes

Chez le mâle, l'expression du gène SRY entraîne la synthèse d'une protéine, nommée **TDF** (Testis Determining Factor). Cette protéine, également nommée **protéine SRY**, possède un domaine capable de se lier spécifiquement à une région de l'ADN et d'activer ainsi, en cascade, de nombreux autres gènes. Cette activation aboutit à la différenciation de la gonade indifférenciée en testicule. C'est donc à ce moment-là, et à ce moment-là seulement, que la formule chromosomique intervient dans la différenciation de sexe.

En l'**absence de chromosome Y** (donc en l'absence de gène SRY et de protéine TDF), la **gonade se transforme en ovaire**.

3 Du sexe gonadique au sexe phénotypique

■ La mise en évidence d'un contrôle hormonal

Des observations déjà anciennes avaient suggéré que les testicules embryonnaires agissent par voie hormonale. En effet, lorsqu'une vache a des jumeaux de sexes différents, le mâle se développe normalement et devient un taureau fertile. La femelle en revanche, appelée « free-martin », est le plus souvent stérile et possède des ovaires masculinisés et de petite taille. Ses voies génitales sont également atrophiées : le vagin et l'utérus demeurent rudimentaires mais des organes mâles (vésicules séminales, épididymes et canaux déférents) présentent un certain développement. L'observation des placentas fusionnés, avec des connexions sanguines entre eux, a conduit à l'idée que le testicule fœtal du jumeau mâle élabore au moins une **hormone** véhiculée par le sang et affectant le développement des gonades chez le jumeau femelle.

■ Deux hormones masculinisantes distinctes

● Des fœtus castrés (ablation de l'ébauche gonadique) au stade indifférencié ont des voies génitales qui évoluent systématiquement vers le type femelle quel que soit le sexe génétique de ces fœtus. On peut donc en conclure qu'en l'absence de « signal » en provenance des gonades, toutes les structures du tractus génital ont un programme de différenciation de type féminin.

● Chez le fœtus mâle, ce programme est contrecarré par deux hormones testiculaires distinctes :
– la **testostérone** qui permet le maintien des canaux de Wolff et masculinise les organes génitaux externes ;
– l'**hormone anti-müllérienne** (ou **AMH**) qui est responsable de la régression des canaux de Müller chez le mâle.

● L'effet des hormones sur les structures sexuelles a lieu pendant une période limitée appelée phase de sensibilité, ou phase critique. En effet, si la castration des fœtus est trop tardive (après 19 jours chez le lapin), elle n'empêche pas les organes mâles à peine ébauchés de continuer à se développer.

4 La puberté

● La puberté (du latin *pubescere*, se couvrir de poils) constitue la dernière étape dans la mise en place du sexe phénotypique de l'adulte. Elle débute entre 8 et 13 ans chez la fille, entre 10 et 14 ans chez le garçon. Période de la vie où l'individu acquiert la faculté de procréer, la puberté est marquée par un ensemble de transformations morphologiques, physiologiques et psychologiques.

● Les transformations morphologiques constituent les caractères sexuels secondaires :
– chez le garçon, augmentation du volume des testicules et de la verge, développement de la pilosité faciale et corporelle, mue de la voix suite à la croissance du larynx, augmentation importante de la musculature ;
– chez la fille, développement des seins ainsi que de la pilosité axillaire et pubienne, apparition des règles...

● Ces transformations sont provoquées par une augmentation importante de la sécrétion des hormones sexuelles au début et tout au long de la puberté : **testostérone** chez le garçon, **œstrogènes** chez la fille.

En l'absence d'une sécrétion hormonale normale, la puberté est grandement perturbée. En effet, si la mise en place du sexe phénotypique féminin au cours du développement embryonnaire ne nécessite pas l'intervention des hormones femelles, ces dernières sont indispensables à l'acquisition de la fonctionnalité de l'appareil génital féminin au moment de la puberté.

chapitre 1 — Devenir homme ou femme

À RETENIR

Chez les mammifères, les structures et la fonctionnalité des appareils génitaux sont acquises en quatre étapes au cours du développement.

■ **Le stade phénotypique indifférencié**

La première étape est la mise en place, au début du développement embryonnaire, d'un **stade phénotypique indifférencié** comportant les **mêmes ébauches** génitales chez un embryon mâle et chez un embryon femelle : une gonade indifférenciée, des canaux de Müller et des canaux de Wolff.

■ **Du sexe génétique au sexe gonadique**

La deuxième étape est la **différenciation de la gonade** en fonction du sexe génétique de l'embryon. Si ce dernier est génétiquement masculin (chromosomes XY), un gène situé sur le chromosome Y (le **gène SRY**) est activé et gouverne alors la synthèse d'une protéine nommée TDF.

La **protéine TDF** constitue le signal de développement de la gonade indifférenciée en testicule. En l'absence de chromosome Y (donc chez un embryon ayant deux chromosomes X), la gonade se transforme en ovaire.

■ **Du sexe gonadique au sexe phénotypique**

La troisième étape est, après l'acquisition du sexe gonadique, la mise en place du **sexe phénotypique différencié**, c'est-à-dire de voies génitales de type **masculin** (par maintien des canaux de Wolff et régression des canaux de Müller) ou de type **féminin** (maintien des canaux de Müller et régression des canaux de Wolff).

La différenciation du **sexe masculin** se fait sous l'action des **hormones testiculaires** : testostérone et hormone anti-müllérienne. Celle du **sexe féminin** s'effectue en l'**absence de ces hormones**.

■ **La mise en place du sexe phénotypique de l'adulte**

La quatrième étape est l'acquisition de la **fonctionnalité des appareils génitaux** ainsi que des **caractères sexuels secondaires** au moment de la puberté.

Cette acquisition se fait sous le contrôle des **hormones sexuelles** (testostérone chez le garçon, œstrogènes chez la fille).

Mots-clés

- Gonade indifférenciée
- Sexe génétique
- Canaux de Wolff, de Müller
- Gène et protéine SRY
- Testostérone
- Hormone anti-müllérienne
- Œstrogènes
- Puberté

Capacités et attitudes

▸ Exploiter des informations pour identifier les différences anatomiques, physiologiques et chromosomiques entre les deux sexes.

▸ Exploiter des données expérimentales pour expliquer les étapes de la différenciation des appareils sexuels.

▸ Réaliser des schémas fonctionnels pour traduire les mécanismes étudiés.

PREMIÈRE ÉTAPE

L'appareil génital indifférencié

(avant la 8ᵉ semaine de grossesse, quel que soit le sexe génétique de l'embryon)

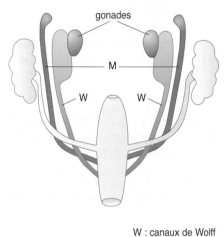

W : canaux de Wolff
M : canaux de Müller

DEUXIÈME ÉTAPE

Du sexe chromosomique au sexe gonadique

gonade indifférenciée

gène SRY

absence de gène SRY

présence de gène SRY

ovaire

protéine TDF

testicule

TROISIÈME ÉTAPE

Du sexe gonadique au sexe phénotypique

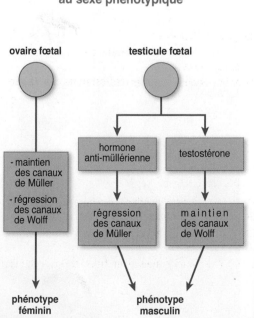

ovaire fœtal

testicule fœtal

hormone anti-müllérienne

testostérone

- maintien des canaux de Müller
- régression des canaux de Wolff

régression des canaux de Müller

maintien des canaux de Wolff

phénotype féminin

phénotype masculin

QUATRIÈME ÉTAPE

La puberté

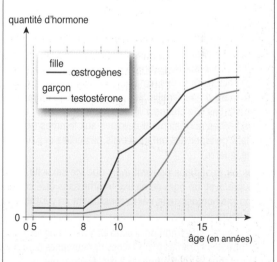

quantité d'hormone

fille œstrogènes
garçon testostérone

âge (en années)

- développement des caractères sexuels secondaires
- acquisition de la fonctionnalité de l'appareil génital

X et Y pour tout le monde ?

• Si chez l'**Homme**, le sexe est déterminé par les chromosomes sexuels X et Y, cette détermination ne se fait pas toujours ainsi dans le monde animal.

• Chez les **oiseaux** par exemple, c'est la femelle qui possède deux chromosomes sexuels différents (nommés ZW) alors que le mâle possède deux chromosomes identiques (ZZ).

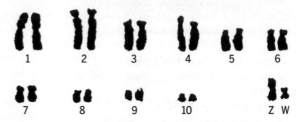

▲ Extrait du caryotype d'un oiseau femelle montrant la paire de chromosomes sexuels.

• Chez d'autres espèces, comme le crocodile du Nil *représenté ci-contre*, il n'y a pas de chromosomes sexuels et c'est la **température d'incubation** qui contrôle l'évolution sexuelle ! À basse température (30 °C), ce sont des femelles qui se développent ; à haute température (35 °C), ce sont des mâles.

Les œufs étant pondus en groupe et enterrés dans le sable, la température varie entre le centre et la périphérie du nid. Donc, si la femelle enterre trop ses œufs ou pas assez, la couvée risque d'être à 100 % femelle ou mâle.

◀ Éclosion de crocodiles du Nil.

Un troisième genre en Polynésie

Gauguin a peint le tableau ci-contre alors qu'il vivait en Polynésie française. Il représente un « mahu », c'est-à-dire un individu qui, selon la tradition, n'est considéré ni comme un homme ni comme une femme. Plusieurs sociétés polynésiennes reconnaissent ce **troisième genre** ; il s'agit d'hommes élevés dès la naissance comme des femmes. Aux îles Tonga, le troisième enfant mâle d'une famille, élevé comme les « mahu », est nommé là-bas « fa'afafine ». Historiquement, il devait accomplir les tâches normalement dévolues aux femmes (ménage, cuisine, s'occuper des enfants) mais pas celles des hommes (pêche, guerre).

Mahus ou fa'afafines peuvent avoir une vie sexuelle et être en couple avec un homme ou une femme sans être considérés comme homosexuels, car ils constituent un véritable troisième genre.

À l'origine de cette tradition, il pourrait y avoir une volonté de soustraire des hommes à des tâches dangereuses pour assurer les tâches quotidiennes du foyer. Aujourd'hui, mahus et fa'afafines existent encore, mais de façon moins systématique.

Marquisien à la cape, Paul Gauguin, 1902. ▶

Exercices

Tester ses connaissances

1 Définissez les mots ou expressions

Stade indifférencié, hormone anti-müllérienne, gène SRY, puberté, canaux de Müller, canaux de Wolff.

2 Questions à choix multiples

Choisissez la ou les bonnes réponses parmi les différentes propositions.

1. Un individu avec un caryotype XY :
a. présente un caryotype normal ;
b. présente généralement un phénotype sexuel masculin ;
c. ne peut jamais présenter un phénotype sexuel féminin.

2. Lors de la construction du phénotype sexuel féminin :
a. un gène situé sur le chromosome X contrôle la mise en place de l'ovaire ;
b. les voies génitales évoluent en utérus et vagin grâce à l'intervention d'hormones sexuelles ;
c. les canaux de Wolff disparaissent.

3. Lors de la construction du phénotype sexuel masculin :
a. un gène situé sur le chromosome Y contrôle la mise en place du testicule ;
b. Les voies génitales évoluent spontanément en canaux déférents ;
c. les canaux de Müller régressent sous l'effet de la sécrétion de testostérone par le testicule embryonnaire.

4. Au moment de la puberté :
a. les ovaires commencent à produire des ovules ;
b. la sécrétion de testostérone par les testicules augmente ;
c. les ovaires ne produisent pas d'hormones, contrairement aux testicules.

3 Vrai ou faux ?

Repérez les affirmations exactes et corrigez celles qui sont inexactes.

a. La testostérone est la seule hormone contrôlant la mise en place du phénotype sexuel chez l'homme.

b. Il existe un gène masculinisant sur le chromosome Y.

c. Un sujet présentant un caryotype anormal du type 44 chromosomes + XXY est de sexe féminin car il possède deux chromosomes X.

d. Chez l'embryon, il existe un stade où les organes génitaux sont identiques quel que soit son sexe génétique.

4 Argumentez une affirmation

a. La puberté est sous contrôle hormonal.

b. La construction du phénotype sexuel se fait en plusieurs étapes.

c. Il existe un contrôle génétique du phénotype sexuel.

d. Des signaux hormonaux sont indispensables à la différenciation embryonnaire du sexe masculin.

5 Restitution organisée des connaissances

1. La construction du phénotype sexuel masculin

Après avoir décrit l'appareil génital indifférencié d'un embryon, expliquez les mécanismes qui, chez un individu de caryotype XY, conduisent à la formation du phénotype masculin à la naissance.

2. Sexe gonadique et sexe phénotypique

Présentez et expliquez quelques exemples où le sexe phénotypique ne correspond pas au sexe génétique.

Utiliser ses compétences

6 Comprendre une expérimentation   Extraire des informations, raisonner

● Dans des œufs fécondés de souris, on a injecté l'ADN du **gène SRY**. Les œufs obtenus ont été ensuite réimplantés dans l'utérus de femelles gestantes ; **158 embryons** se sont développés. Quelques dizaines d'embryons ont été prélevés en cours de gestation ; parmi eux, **2 embryons XX** présentaient des **testicules**. Parmi les 93 souriceaux nés, un souriceau XX était de **sexe mâle**.

● L'ADN de trois souris (**a**, **b**, **c**) est alors prélevé ; une technique complexe permet de repérer, à l'aide de « sondes », des régions chromosomiques précises.

Les résultats sont présentés dans le tableau ci-contre.

1. Quelle est la preuve que le gène SRY injecté dans les œufs fécondés a parfois été incontestablement intégré au génome ?

caryotype ▶	XY	XX	XX
phénotype ▶	mâle	femelle	mâle
gène SRY ▶	—		—
fragment d'ADN de contrôle* ▶	—	—	—
fragment d'ADN spécifique de Y (différent de SRY) ▶	—		
* il permet de vérifier que la technique d'analyse de l'ADN a été correcte	ADN a	ADN b	ADN c

2. D'après le texte ci-dessus et vos connaissances, expliquez le phénotype des trois souris a, b, c.

7 Le contrôle hormonal du phénotype sexuel masculin

Exploiter des résultats expérimentaux, raisonner avec rigueur

En 1947, Jost réalise les expériences suivantes :

● **Expérience 1**

Implantation d'un testicule fœtal à proximité d'un ovaire chez un embryon femelle de lapin âgé de 20 jours.

Le *schéma ci-contre* traduit l'observation réalisée 8 jours plus tard. Dans cette expérience, l'action du testicule s'exerce dans un rayon limité (dans une seule moitié de l'appareil génital).

● **Expérience 2**

Pose d'un implant de testostérone à la même place que le testicule dans l'expérience précédente.

Jost constate alors que les embryons développent les voies génitales des deux sexes.

1. Quel rôle de la testostérone est mis en évidence par ces expériences ?

2. Montrez que ces expériences révèlent l'intervention d'une autre hormone testiculaire. Précisez son rôle.

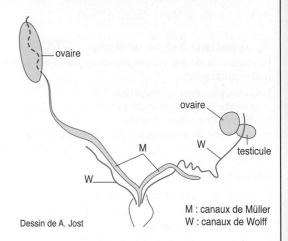

Dessin de A. Jost

M : canaux de Müller
W : canaux de Wolff

8 Des hommes à utérus !   Raisonner avec rigueur

Certains hommes présentent, en plus de testicules fonctionnels, un utérus situé dans l'abdomen. Cet utérus n'est pas relié à l'extérieur et l'homme présente un phénotype masculin typique avec une fertilité normale. Le caryotype montre 46 chromosomes avec X et Y comme chromosomes sexuels. Comment un utérus a-t-il pu se développer chez ces hommes ?

En utilisant les documents présentés ici et vos connaissances, proposez une explication au fait que ces hommes, bien que fertiles, possèdent un utérus.

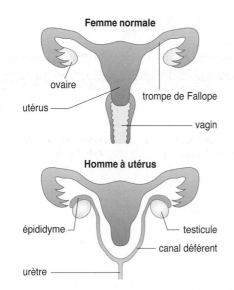

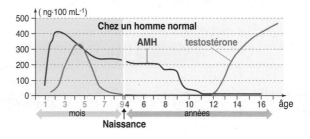

Concentrations plasmatiques de testostérone et d'AMH

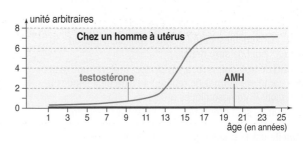

Utiliser ses capacités expérimentales

ACTIVITÉ EXPÉRIMENTALE

9 Une anomalie du phénotype sexuel   Utiliser un logiciel, modéliser, raisonner

■ Problème à résoudre

Le gène SRY fait partie de la catégorie des gènes du développement : en effet, la protéine pour laquelle il code (protéine TDF) peut se fixer sur d'autres gènes, situés sur divers chromosomes, et activer ainsi leur expression.

Des études ont montré que l'activation de l'expression d'un gène par la protéine TDF s'exerce si la protéine TDF parvient à provoquer une torsion de l'ADN proche de 90° (cette courbure permet le rapprochement de facteurs activant la transcription du gène).

On cherche ici à comprendre l'origine d'un cas rare de féminisation de l'appareil génital chez des sujets XY.

■ Matériel disponible

– Logiciel de visualisation moléculaire.
– Modèle moléculaire montrant la protéine TDF associé à l'ADN chez cette patiente.
– Logiciel de comparaison de séquences.
– Séquences des protéines TDF d'un homme ne présentant pas d'anomalie et de la patiente.

■ Protocole expérimental

– Affichez le modèle moléculaire.
– Mesurez l'angle de torsion exercé sur l'ADN.
– Comparez les deux séquences protéiques.
– Recherchez sur le modèle moléculaire le (ou les) acide(s) aminé(s) modifié(s).

■ Exploitation des résultats

– Communiquez l'ensemble des résultats obtenus sous la forme d'un tableau.
– À l'aide de ces résultats, proposez une explication aux anomalies constatées chez la patiente.

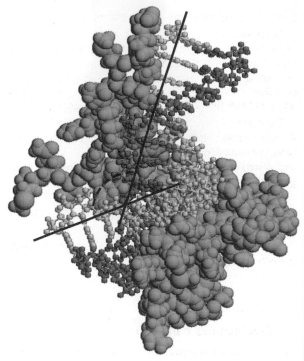

Document 1 : Protéine TDF associée à l'ADN (seule la partie de la protéine liée à l'ADN est représentée).

Document 2 :
Comparaison (partielle) de la séquence des protéines TDF.

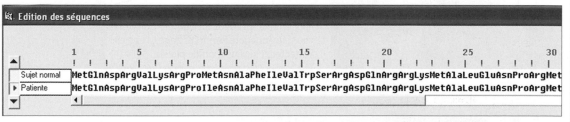

Pour télécharger les modèles moléculaires et les séquences :

www.bordas-svtlycee.fr

Des DOCUMENTS pour se poser des questions

La maîtrise de la procréation

Aujourd'hui, en France, la pilule contraceptive est la méthode de contrôle des naissances la plus sûre et la plus utilisée. Elle agit sur les cycles sexuels féminins en les perturbant suffisamment pour empêcher une grossesse.

La fonction de reproduction

Chez l'homme comme chez la femme, le fonctionnement de l'appareil reproducteur, contrôlé par des systèmes hormonaux, se caractérise par la production de gamètes. Cette fonction est toutefois plus complexe chez la femme : existence de cycles (hormonaux, ovariens, utérins...), grossesse, allaitement...

Maternité (Auguste Renoir, 1885, Musée d'Orsay)

Le plaisir sexuel

Le cerveau humain est un organe complexe possédant des zones spécialisées dans telle ou telle fonction. Parmi ces zones, l'une est affectée à la sensation de plaisir.

LES PROBLÉMATIQUES DU CHAPITRE

- Comment est régulée la fonction de reproduction ?
- Sur quel principe est fondée la contraception par la prise de la pilule ?
- Comment peut-on aider un couple infertile à concevoir un enfant ?
- Quelles sont les bases physiologiques du plaisir sexuel ?

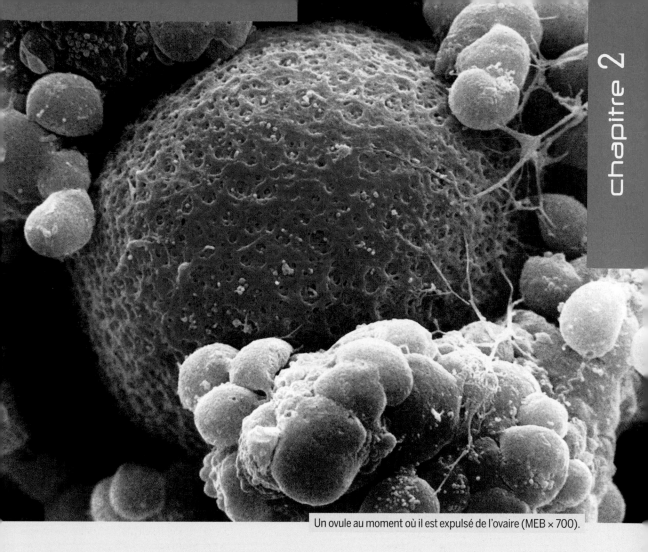

Un ovule au moment où il est expulsé de l'ovaire (MEB × 700).

Sexualité et procréation

LES ACTIVITÉS DU CHAPITRE

La double fonction des glandes génitales

Les glandes génitales (ovaires chez la femme et testicules chez l'homme) ont pour fonction la production des gamètes (ovules et spermatozoïdes). *Nous allons voir ici que ces glandes sont également productrices des hormones sexuelles.*

A Le testicule

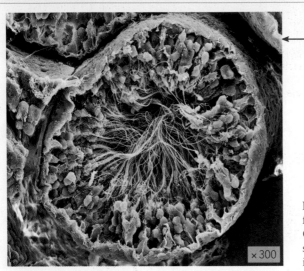

testicule

épididyme

tubes séminifères

canal déférent

Le testicule contient 250 mètres de tubes séminifères pelotonnés, d'un diamètre de 150 à 300 µm. C'est dans la paroi de ces tubes que se forment les spermatozoïdes. Ils gagnent ensuite l'épididyme où ils sont stockés.

Doc. 1 Le testicule produit des spermatozoïdes.

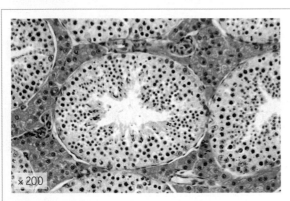

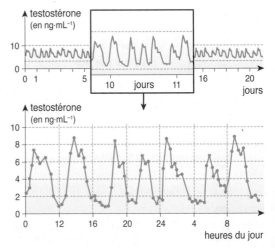

La testostérone est produite dans le testicule par des cellules spécialisées nommées cellules de Leydig. Sur la *photographie ci-dessus*, elles sont colorées en rose. Comme elles sont situées entre les tubes séminifères, on leur donne également le nom de cellules interstitielles.

Le taux sanguin de testostérone est globalement constant. Cette **hormone** a deux fonctions essentielles :
– stimuler la production de spermatozoïdes par les tubes séminifères ;
– développer et maintenir les caractères sexuels secondaires.

Doc. 2 Le testicule produit également une hormone : la testostérone.

B L'ovaire

Coupe microscopique d'un ovaire de femme (× 2,5).

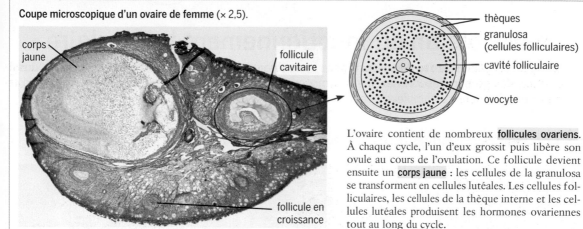

L'ovaire contient de nombreux **follicules ovariens**. À chaque cycle, l'un d'eux grossit puis libère son ovule au cours de l'ovulation. Ce follicule devient ensuite un **corps jaune** : les cellules de la granulosa se transforment en cellules lutéales. Les cellules folliculaires, les cellules de la thèque interne et les cellules lutéales produisent les hormones ovariennes tout au long du cycle.

Doc. 3 Le follicule ovarien évolue au cours du cycle sexuel féminin.

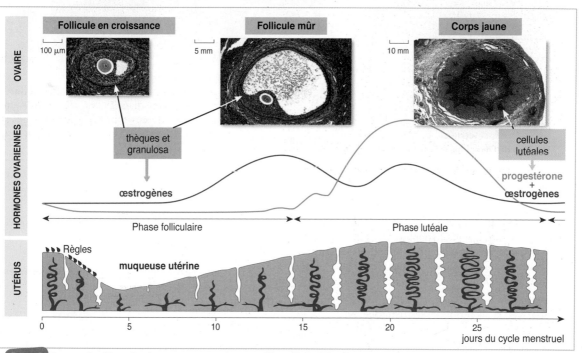

Doc. 4 La production des hormones ovariennes dépend de l'évolution du follicule ovarien.

Pistes d'exploitation

PROBLÈME À RÉSOUDRE ➤ Mettre en évidence la double fonction des glandes sexuelles : production de gamètes et production d'hormones.

Doc. 1 Indiquez et décrivez la fonction du testicule mise en évidence ici.

Doc. 2 Décrivez la fonction hormonale du testicule (lieu de production, taux, cellules cibles).

Doc. 3 Décrivez comment l'ovaire produit un ovule par cycle.

Doc. 4 Décrivez la fonction hormonale de l'ovaire (lieu de production, taux, cellules cibles).

Lexique, p. 354

La régulation du fonctionnement testiculaire

La production constante de testostérone chez l'homme induit une spermatogenèse elle aussi constante. *Il faut à présent chercher à comprendre comment le taux de testostérone est régulé et identifier ici le rôle du complexe hypothalamo-hypophysaire.*

A L'action des hormones de l'hypophyse sur le testicule

L'hypophyse est une petite glande hormonale située sous le cerveau. Elle produit entre autres des gonadostimulines (la **LH** et la **FSH**) : ce sont des hormones qui stimulent les gonades, ovaires ou testicules.

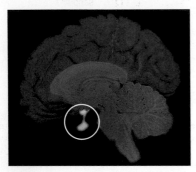

Position de l'hypophyse dans le cerveau.

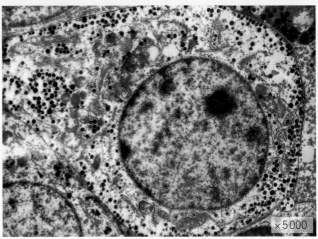

×5000

Coloration en pourpre des hormones LH et FSH dans une cellule hypophysaire.

Doc. 1 L'hypophyse produit des gonadostimulines.

La sécrétion des hormones dans l'organisme n'est pas constante : par exemple, les cellules hypophysaires à LH ou FSH « déchargent » périodiquement dans le sang une partie des hormones stockées dans leur cytoplasme. La sécrétion s'interrompt ensuite jusqu'à la décharge suivante.

Le *graphe ci-dessous* permet de mettre en relation les décharges de LH avec la sécrétion de testostérone.

- La **LH** stimule la production de testostérone par les cellules interstitielles ou cellules de Leydig.

- La **FSH** stimule la spermatogenèse dans les tubes séminifères.

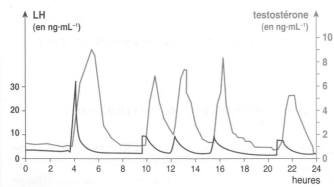

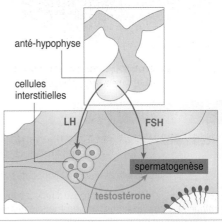

Doc. 2 L'action des gonadostimulines sur le testicule.

B Le contrôle des sécrétions hypophysaires

• Le fonctionnement de l'hypophyse n'est pas autonome : il dépend notamment de messages provenant de **l'hypothalamus**, centre nerveux situé juste au-dessus de la glande et auquel elle est reliée par la tige hypophysaire.

• Un système spécifique de capillaires sanguins relie les deux organes *(schéma ci-contre)*. Dans l'hypothalamus, des amas de neurones particuliers ont leurs axones qui se terminent au contact des capillaires sanguins de la tige hypophysaire. Ces neurones libèrent à ce niveau non pas un neurotransmetteur mais une hormone, la **GnRH**. Cette hormone libérée par des neurones est qualifiée de **neurohormone**.

• La GnRH déclenche la libération des gonadostimulines par les cellules hypophysaires. En l'absence de ce signal, ces cellules produisent FSH et LH mais ne les libèrent pas dans le sang.

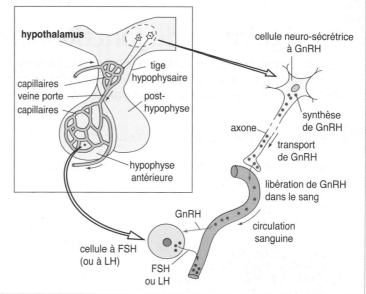

Doc. 3 Un contrôle hypothalamique des sécrétions hypophysaires.

• **Expérience 1**

La *photographie ci-dessous* représente des neurones de l'hypothalamus d'une souris. On a réalisé une injection de testostérone radioactive, puis une autoradiographie qui révèle la localisation des particules radioactives (en noir).

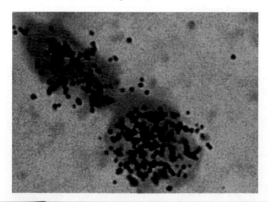

• **Expérience 2**

Pour comprendre l'effet d'une baisse du taux de testostérone sur la production de LH, une équipe a travaillé sur des cerfs. Ils ont mesuré les taux de LH chez un cerf avant castration (taux de testostérone normal) et après (taux de testostérone proche de 0).
Le *graphique ci-dessous* présente les résultats obtenus.

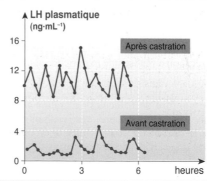

Doc. 4 Mise en évidence expérimentale d'un **rétrocontrôle** exercé par la testostérone sur le complexe hypothalamo-hypophysaire.

Pistes d'exploitation

PROBLÈME À RÉSOUDRE ► **Chez l'homme, comment est maintenue une production constante de testostérone ?**

Doc. 1 et 2 Décrivez l'action de l'hypophyse sur le testicule.

Doc. 3 et 4 Montrez l'existence d'un contrôle hypothalamique et d'un rétrocontrôle exercé par la testostérone sur le fonctionnement de l'hypophyse.

Doc. 1 à 4 Construisez un schéma de la régulation du fonctionnement testiculaire chez l'homme.

Lexique, p. 354

La régulation du fonctionnement ovarien

Chez la femme, au cours de chaque cycle sexuel, il y a production d'un ovule et la muqueuse utérine se développe, permettant ainsi l'accueil d'un éventuel embryon. *En effet, le système de régulation du fonctionnement ovarien se traduit par une ovulation qui se produit vers le milieu de chaque cycle.*

A L'action de l'hypophyse sur l'ovaire

Le complexe hypothalamo-hypophysaire fonctionne de façon comparable chez la femme et chez l'homme : la production de GnRH par l'hypothalamus déclenche la libération de LH et de FSH par l'hypophyse (voir p. 257). Cependant, une différence importante est à noter : les taux plasmatiques, constants chez l'homme, varient cycliquement chez la femme.

Le *graphique ci-contre* montre, en ▶ parallèle, les variations cycliques du taux sanguin des gonadostimulines et celles des hormones ovariennes.

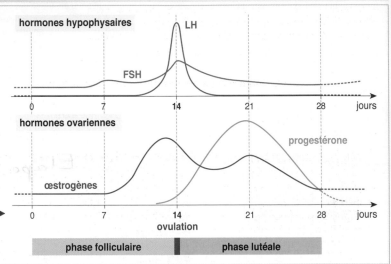

Doc. 1 **L'hypophyse sécrète de manière cyclique deux gonadostimulines.**

• Le développement folliculaire

Pour comprendre l'action de FSH sur le développement des follicules, on a réalisé une expérience sur des rates. Après avoir enlevé l'hypophyse, on leur a injecté des doses croissantes de FSH (de 0 à 320 µg). On a ensuite compté le nombre de follicules de grande taille, présentant une cavité folliculaire. Les résultats sont présentés sur le *graphique ci-dessous*.

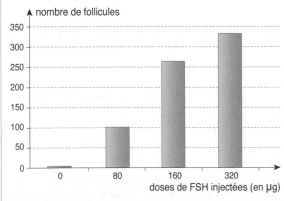

• Le déclenchement de l'ovulation

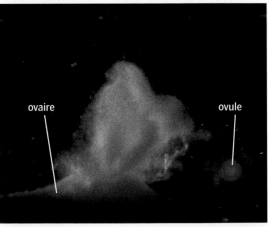

Chez la femme comme chez toutes les femelles de mammifères, c'est le pic de LH qui déclenche l'ovulation. Ce phénomène correspond à la rupture du follicule arrivé à maturité avec libération de l'ovule dans la trompe.

Doc. 2 **Les deux hormones hypophysaires ont des rôles bien précis.**

B Le déclenchement de l'ovulation

Progestérone et **œstradiol** peuvent, comme la testostérone, se fixer sur les cellules de l'hypothalamus et de l'hypophyse et moduler leur activité.

La progestérone exerce le même effet que la testostérone et freine la production de LH et de FSH.

Les effets de l'œstradiol sont plus complexes et dépendent de son taux plasmatique. Pour les comprendre, une expérience a été menée sur une guenon ovariectomisée (dont les ovaires ont été ôtés). Des injections d'œstradiol sont réalisées selon le protocole suivant :
– du temps t_0 jusqu'à la fin de l'expérience, perfusion d'œstradiol qui maintient le taux à une valeur basse de 60 pg·mL^{-1} ;
– au temps t_1 : injection supplémentaire d'une forte dose d'œstradiol.

Les résultats sont présentés sur le *graphique ci-contre*.

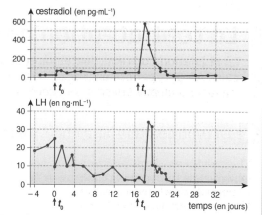

Doc. 3 **Il existe plusieurs rétrocontrôles différents chez la femme.**

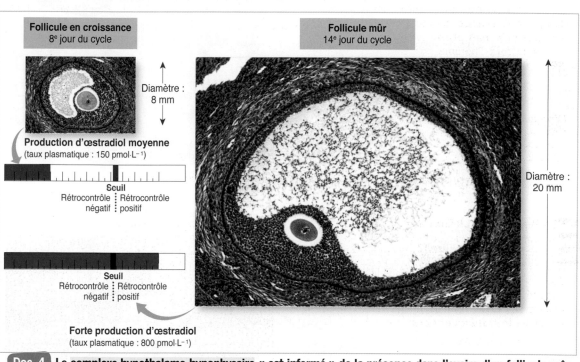

Follicule en croissance
8e jour du cycle

Diamètre : 8 mm

Production d'œstradiol moyenne
(taux plasmatique : 150 pmol·L^{-1})

Seuil
Rétrocontrôle : Rétrocontrôle
négatif : positif

Seuil
Rétrocontrôle : Rétrocontrôle
négatif : positif

Forte production d'œstradiol
(taux plasmatique : 800 pmol·L^{-1})

Follicule mûr
14e jour du cycle

Diamètre : 20 mm

Doc. 4 **Le complexe hypothalamo-hypophysaire « est informé » de la présence dans l'ovaire d'un follicule mûr.**

Pistes d'exploitation

PROBLÈME À RÉSOUDRE ► Comment la régulation des sécrétions hormonales chez la femme peut-elle conduire à une ovulation à chaque cycle ?

Doc. 1 et 2 Indiquez comment les hormones hypophysaires sont sécrétées au cours du cycle sexuel féminin, puis décrivez leur action.

Doc. 3 Indiquez quels sont les rétrocontrôles exercés par la progestérone et l'œstradiol.

Doc. 4 Expliquez comment le complexe hypothalamo-hypophysaire est informé de la présence d'un follicule mûr dans l'ovaire.

Doc. 1 à 4 Construisez un schéma expliquant comment les rétrocontrôles ovariens sur le complexe hypothalamo-hypophysaire peuvent conduire à l'ovulation.

Lexique, p. 354

La contraception hormonale chez la femme

La régulation de la fonction de reproduction chez la femme est à présent bien connue, en particulier le rôle des hormones sexuelles. *Les documents proposés ici montrent comment ces connaissances ont pu être utilisées pour développer des moyens de* **contraception** *efficaces pour les femmes.*

A La contraception hormonale préventive

• Les pilules classiques associent deux hormones de synthèse : un œstrogène et un dérivé de la progestérone (progestatif). Chaque plaquette contient 21 pilules. La prise débute le premier jour des règles et se poursuit, une par jour, de préférence à la même heure. On attend 7 jours avant de commencer la deuxième plaquette. Pendant les 7 jours d'arrêt, les règles surviennent (la contraception reste efficace pendant cet arrêt).

• Certaines pilules œstroprogestatives, les plus récentes et les moins dosées, se prennent en continu (l'absence de jours d'arrêt évite les oublis) : chaque plaquette comporte 28 pilules dont 4 sont dépourvues d'hormones pour permettre la venue des règles.

• En cas d'oubli, la protection n'est plus assurée.

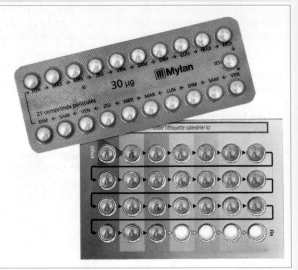

Doc. 1 La pilule classique ou pilule œstroprogestative.

Sur les *graphes ci-contre*, seuls figurent les taux sanguins des hormones naturelles. Les taux sanguins des hormones ovariennes de synthèse contenues dans les pilules ne sont pas représentés.

En plus d'avoir une action sur les taux sanguins des hormones ovariennes et hypophysaires, la pilule contraceptive exerce également une action sur le col de l'utérus. Sous l'effet des progestatifs de synthèse, le mucus sécrété par les cellules de ce col devient alors visqueux et ne laisse plus passer les spermatozoïdes.

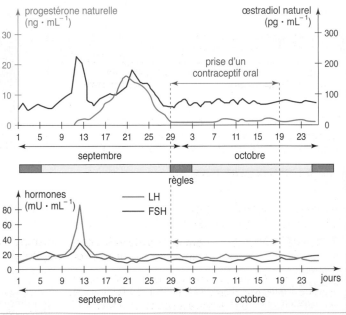

Doc. 2 Effets de la prise d'un contraceptif oral œstroprogestatif sur les sécrétions hormonales.

B La contraception hormonale d'urgence

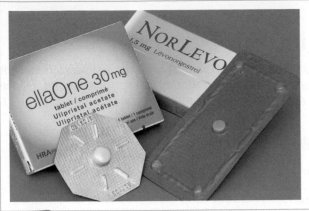

• La « pilule du lendemain » la plus courante en France se présente sous la forme d'un comprimé contenant 1,5 milligramme d'un dérivé de la progestérone, le lévonorgestrel. Ce comprimé doit être pris le plus tôt possible après un rapport sexuel mal ou non protégé, idéalement dans les 12 heures suivant ce rapport, mais au plus tard 72 heures après.

• La «pilule du surlendemain», mise sur le marché en octobre 2009, contient comme molécule active de l'acétate d'ulipristal ; elle présente l'avantage d'être efficace pendant cinq jours au lieu de trois.

L'efficacité de la prise du contraceptif d'urgence se manifeste dans les deux cas par la venue des règles (parfois très légèrement retardées).

Doc. 3 **La « pilule du lendemain » et la « pilule du surlendemain ».**

• Une étude a évalué les effets du lévonorgestrel sur l'ovulation. Le taux de LH a été mesuré chez des femmes proches de l'ovulation (à partir du 12e jour du cycle) et n'ayant pas pris de pilule. Les mêmes mesures ont ensuite été faites chez des femmes ayant pris une pilule du lendemain deux jours avant l'ovulation présumée. Les résultats sont donnés sur le *graphique ci-dessous (d'après Marions, 2002).*

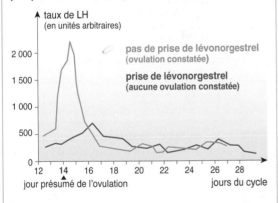

• Cette pilule pourrait également agir sur le mucus du col utérin en bloquant le transport des spermatozoïdes, diminuant ainsi la probabilité de fécondation.

Doc. 4 **Action du lévonorgestrel.**

Comme le lévonorgestrel, l'acétate d'ulipristal bloque l'ovulation si celle-ci n'a pas eu lieu.

Par ailleurs, on a constaté que l'administration d'acétate d'ulipristal à des femelles macaques provoque des règles plus précoces et un développement moins important de la muqueuse utérine. Cet effet s'explique par le fait que l'acétate d'ulipristal est une molécule qui se fixe sur les récepteurs de la progestérone, empêchant ainsi cette hormone de se fixer sur les cellules utérines (condition indispensable à la survie de la muqueuse). Cette fixation est possible grâce à une similitude de forme d'une partie des deux molécules.

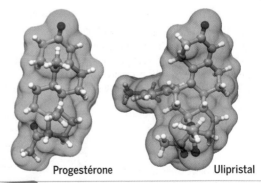

Doc. 5 **Action de l'acétate d'ulipristal.**

Pistes d'exploitation

PROBLÈME À RÉSOUDRE ► Comment utiliser les connaissances sur les hormones ovariennes et hypophysaires pour développer des moyens de contraception ?

Doc. 1 et 2 Expliquez les effets de la pilule œstroprogestative sur les productions de LH et FSH. Quelles sont les conséquences sur la sécrétion des hormones ovariennes ?

Doc. 3 Pourquoi parle-t-on ici de contraception d'urgence ?

Doc. 4 et 5 Comparez le mode d'action de ces deux molécules.

Lexique, p. 354

La prévention contre les IST

Autrefois appelées maladies vénériennes, les IST (Infections Sexuellement Transmissibles) connaissent aujourd'hui une importante progression. *L'objectif est ici de montrer que certaines pratiques permettent de réduire fortement les risques de contracter de telles maladies.*

A Certaines méthodes contraceptives protègent aussi des IST

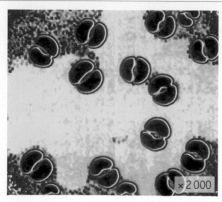

Gonocoques

×2 000

Pour trouver des précisions sur ces différentes infections :
www.bordas-svtlycee.fr

Transmises par les contacts sexuels, génitaux, oro-génitaux ou ano-génitaux, les **IST** sont des maladies extrêmement contagieuses qui sont dues à des microbes, bactéries, virus ou champignons. Un seul rapport peut suffire à contaminer une personne.

- **Infections bactériennes**
  – la **gonorrhée** ou « chaude-pisse », due au gonocoque ;
  – la **chlamydiose**, due à la bactérie *Chlamydia* ;
  – la **syphilis** ou « vérole », due au tréponème.

- **Infections virales**
  – l'**herpès génital**, dû au virus de l'herpès ;
  – les **condylomes génitaux**, dus au *Papillomavirus* ;
  – les **hépatites B ou C**, dues à des virus du même nom ;
  – le **SIDA**, dû au VIH.

- **Infections à protozoaires**
  – la **trichomonase**, due à un protozoaire flagellé, le *Trichomonas*.

- **Infections à champignons**
  – la **mycose génitale**, due à la levure *Candida albicans*.

Doc. 1 Les IST sont dues à des agents variés.

Les préservatifs masculin et féminin représentent une barrière contre les agents des IST en empêchant le contact entre les fluides corporels des deux partenaires. Cette barrière n'est efficace que s'il y a une utilisation correcte : préservatif bien mis en place, à usage unique et jeté aussitôt après usage.

préservatif féminin

préservatif masculin

Des **études épidémiologiques** sur le terrain montrent une efficacité variable du préservatif selon la maladie.

- Une étude mondiale menée sur plusieurs milliers de sujets a estimé que l'usage du préservatif réduisait de 80 % le risque de transmission du VIH, le virus responsable du SIDA. Le chiffre est même sans doute plus important si on ne tient compte que des personnes l'utilisant régulièrement et correctement. Ce rôle protecteur se retrouve pour l'hépatite B et la gonorrhée.

- L'efficacité est moindre pour l'herpès et les chlamydioses (la transmission dans ces cas se faisant aussi par contact cutané).

- Il y a peu d'efficacité pour protéger contre le papillomavirus, la transmission se faisant alors par contact cutané entre une lésion et une zone saine.

Doc. 2 Les préservatifs masculin et féminin ont un rôle à jouer dans la prévention contre les IST.

B La vaccination contre certaines IST

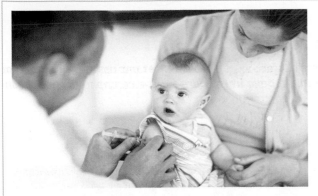

Efficacité du vaccin contre l'hépatite B à Taïwan

La **prévalence** de l'hépatite B à Taïwan, au début des années 1980, était très importante, supérieure à 10 % (en France, elle était de 0,65 % en 2004). Une campagne de vaccination systématique des nourrissons et des enfants a donc été lancée. En parallèle du taux de couverture du vaccin, le nombre de décès dus à un cancer hépatique a été suivi.

Les résultats sont présentés sur le *graphique ci-dessous* :

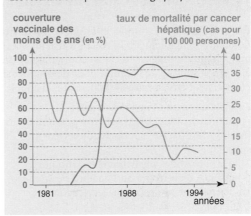

• Le virus de l'hépatite B qui infecte les cellules du foie est extrêmement contagieux (50 à 100 fois plus que le VIH). Il se transmet par contact sexuel mais aussi lors de transfusions sanguines ou par utilisation de seringues non stériles. Si l'organisme se défend seul la plupart du temps, on peut voir s'installer une hépatite chronique qui évolue vers des affections plus graves comme une cirrhose ou un cancer hépatique.

• L'absence de traitements véritablement efficaces contre l'hépatite B conduit les autorités de santé à préférer une démarche préventive fondée sur l'usage de préservatifs et d'une vaccination des nourrissons.

Doc. 3 **Une vaccination ciblée des nourrissons contre l'hépatite B.**

• Une infection par le papillomavirus peut évoluer en cancer de l'utérus (voir p. 289). On compte ainsi en France environ 3 000 cas par an et près de 1 000 décès.
Un dépistage systématique de cette infection a été mis en place et il concerne aujourd'hui environ 80 % de la population. Il a permis de diviser par deux le nombre de cas de cancer en 30 ans en favorisant une prise en charge précoce.

• Depuis 2006, il existe un vaccin contre le papillomavirus. Proposé systématiquement aux adolescentes, il protège contre cette infection et contribue ainsi à réduire le nombre de cas de cancers de l'utérus. Cependant, ce vaccin n'est efficace qu'à 70 % car il ne protège pas contre toutes les formes de papillomavirus. C'est pourquoi les autorités de santé mettent actuellement en place un plan national de dépistage, chez les femmes entre 25 et 65 ans, qui s'ajoutera à la campagne de vaccination.

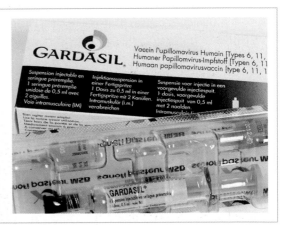

Doc. 4 **Une vaccination des femmes avant le début de leur vie sexuelle.**

Pistes d'exploitation

PROBLÈME À RÉSOUDRE ► Quelles pratiques adopter pour limiter la propagation des IST et leurs conséquences sur la santé ?

Doc. 1 et 2 Indiquez l'intérêt et les limites de l'utilisation du préservatif dans la prévention des IST.

Doc. 1 et 3 Expliquez pour quelles raisons les autorités sanitaires françaises recommandent la vaccination contre le virus de l'hépatite B.

Doc. 3 et 4 Décrivez la stratégie adoptée pour lutter contre les infections par le papillomavirus et ses conséquences. Expliquez ces choix.

Lexique, p. 354

L'infertilité et l'aide à la procréation

En France, 14 % des couples ont des difficultés à obtenir une grossesse et ont recours à la procréa-tion médicalement assistée. *Chaque situation appelle une réponse adaptée impliquant des techniques plus ou moins lourdes.*

A Recherche des causes de l'infertilité

En présence d'un couple infertile, le médecin demande généralement la réalisation d'un **sper-mogramme**, examen médical au cours duquel on analyse le sperme de l'homme pour déterminer si celui-ci peut être la cause de l'infertilité du couple.

Exemple de spermes non fécondants :
– spermatozoïdes absents ou trop peu nombreux (moins de 20×10^6 spermatozoïdes par mL de sperme) ;
– spermatozoïdes insuffisamment mobiles ;
– présence d'un trop grand nombre de spermato-zoïdes présentant des anomalies structurales.

a Spermatozoïdes normaux   b Spermatozoïdes anormaux

Doc. 1 Quelques causes d'**infertilité** chez l'homme.

• Troubles de l'ovulation

Chez certaines femmes, peu de cycles conduisent à une ovulation. Des tests urinaires, qui détec-tent le pic de LH, permettent de savoir s'il y a ou non une ovulation. S'il y a ovulation, un rapport sexuel le jour ou le lendemain du pic a davantage de chances d'être fécondant.

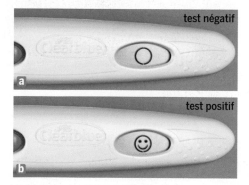

test négatif

a

test positif

b

• Obstruction des trompes

Cette obstruction est la cause de plus de 40 % des cas d'infer-tilité féminine. Des infections par le chlamydia au cours d'un rapport sexuel (voir p. 262) en sont souvent responsables. L'obs-truction est détectée par radiographie **(c)** : un liquide opaque aux rayons X est injecté dans la cavité utérine. Ce liquide doit normalement traverser les trompes et diffuser dans l'abdomen.

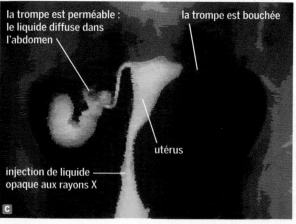

la trompe est perméable : le liquide diffuse dans l'abdomen

la trompe est bouchée

utérus

injection de liquide opaque aux rayons X

c

• Troubles au niveau de l'utérus
Le développement de la muqueuse peut être anor-mal et empêcher toute nidation.

Doc. 2 Quelques causes d'**infertilité** chez la femme.

B Un exemple d'aide à la procréation : la FIVETE

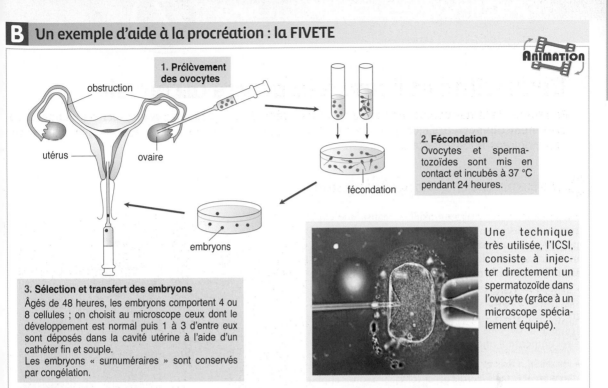

1. Prélèvement des ovocytes

obstruction

utérus — ovaire

2. Fécondation
Ovocytes et spermatozoïdes sont mis en contact et incubés à 37 °C pendant 24 heures.

fécondation

embryons

3. Sélection et transfert des embryons
Âgés de 48 heures, les embryons comportent 4 ou 8 cellules ; on choisit au microscope ceux dont le développement est normal puis 1 à 3 d'entre eux sont déposés dans la cavité utérine à l'aide d'un cathéter fin et souple.
Les embryons « surnuméraires » sont conservés par congélation.

Une technique très utilisée, l'ICSI, consiste à injecter directement un spermatozoïde dans l'ovocyte (grâce à un microscope spécialement équipé).

Doc. 3 La **FIVETE** est la méthode d'aide à la procréation la plus utilisée en France (14 000 naissances en 2008).

• Les principes de la FIVETE (fécondation *in vitro* et transfert embryonnaire) reposent sur des connaissances scientifiques, en particulier sur le rôle des hormones.
Avant toute FIVETE, on pratique une stimulation hormonale des ovaires : on injecte quotidiennement (à partir du troisième jour du cycle) une hormone proche de la FSH qui stimule la croissance folliculaire. On obtient ainsi la maturation de plusieurs follicules (contenant chacun un ovocyte) et non d'un seul comme au cours d'un cycle normal. Lorsque le développement folliculaire est jugé suffisant, on peut alors déclencher l'ovulation grâce à une injection d'une hormone qui mime un pic de LH : l'ovulation se produisant en général 37 à 40 heures après une telle injection, les ovocytes sont ponctionnés 36 heures après l'injection.
• De telles stimulations hormonales peuvent également être réalisées, en dehors du cadre de la FIVETE, chez des femmes dont les sécrétions hormonales sont insuffisantes pour assurer la maturation des follicules.

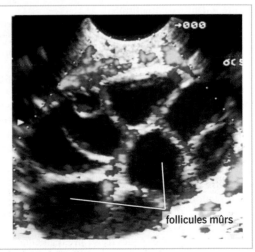

follicules mûrs

Doc. 4 Une utilisation des hormones fondée sur la connaissance de leur rôle.

Pistes d'exploitation

__PROBLÈME À RÉSOUDRE__ ► Sur quelles connaissances s'appuie la procréation médicalement assistée ?

Doc. 1 et 2 Identifiez quelques causes d'infertilité masculine et féminine.

Doc. 3 et 4 À l'aide de ces documents d'une part, de vos connaissances et de vos recherches personnelles d'autre part, montrez la variété des connaissances biologiques nécessaires pour réussir une FIVETE (anatomie, commande hypophysaire des ovaires, fonctionnement de l'ovaire et de la muqueuse utérine, caractéristiques des gamètes...).

Lexique, p. 354

Sexualité et bases biologiques du plaisir

De nombreux facteurs influencent le comportement sexuel humain ; parmi eux interviennent évidemment des facteurs biologiques. *L'objectif est ici de mettre l'un d'entre eux en évidence : le système de récompense associé à la recherche de plaisir.*

A L'activation des circuits de la récompense

• En 1938, le psychologue Skinner réalise une expérience intéressante. Un rat est placé dans une cage qui possède un dispositif délivrant une petite quantité d'aliments chaque fois que l'animal appuie sur une pédale. En explorant sa cage, le rat appuie accidentellement sur la pédale et obtient alors une boulette de nourriture. La première fois, le geste est fait par hasard mais, très vite, l'action est renouvelée et se produit avec une fréquence de plus en plus grande grâce à l'effet de « récompense » que constitue la nourriture obtenue.

• En 1954, Olds et Milner renouvellent le même type d'expérience, mais, cette fois-ci, lorsque la souris appuie sur la pédale, elle reçoit un léger choc électrique par l'intermédiaire d'une microélectrode implantée dans son cerveau *(dessin ci-contre)*. C'est une expérience dite « d'autostimulation ».
Ces chercheurs font alors une constatation surprenante : lorsque la microélectrode est implantée dans certaines régions du cerveau, l'animal renouvelle ses appuis sur la pédale de manière compulsive, jusqu'à 6 000 fois par heure ! Cette réaction n'a pas lieu lorsque l'électrode est implantée dans d'autres zones du cerveau.

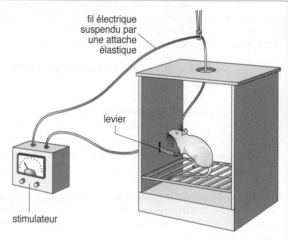

Ils en déduisent l'existence de zones cérébrales qui, lorsqu'elles sont activées (ici, par la stimulation électrique), génèrent une sensation de « plaisir ». Ce système, qui a été mis en évidence chez tous les mammifères, est nommé système de récompense / renforcement car toute action qui le stimule a tendance à être répétée.

Doc. 1 **La mise en évidence du système de récompense/renforcement chez l'animal.**

Comme chez tous les mammifères, il existe dans le cerveau humain des neurones faisant partie d'un système nommé « circuits de la récompense ». Leur activation est responsable d'une sensation de plaisir.
Ce circuit est complexe, mais une partie importante est constituée par un ensemble de connexions nerveuses entre des neurones situés dans l'aire tegmentale ventrale (ou ATV) et ceux d'autres régions du cerveau (notamment le noyau accumbens et différentes zones du cortex cérébral). Le messager chimique (neurotransmetteur) qui assure ces connexions est la **dopamine**. Lorsque la quantité de dopamine augmente dans ces structures, quelle qu'en soit la raison, nous ressentons du plaisir. Les zones du cerveau responsables de la mémoire étant aussi activées, cela permet de comprendre que nous avons tendance à reproduire les actions qui s'accompagnent d'une sensation de plaisir.

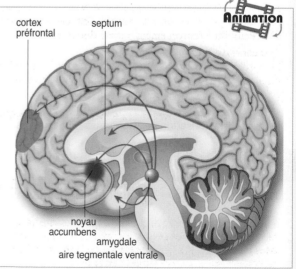

Doc. 2 **L'existence de circuits de la récompense dans le cerveau humain.**

B Le comportement sexuel humain

Des études précises faites au niveau du cerveau montrent que la **dopamine** semble bien être le moteur du désir :

• La dopamine n'est pas spécifique du type de signal déclencheur. Sa libération par le système de récompense est constatée aussi bien en association avec le plaisir sexuel qu'avec celui de boire, manger ou encore chez les toxicomanes.

• Un niveau minimal permanent de dopamine dans le cerveau est nécessaire, faute de quoi le sujet éprouve une sensation de souffrance.

• Lors d'un apprentissage, des neurones à dopamine sont activés à deux reprises : une première fois lors du signal annonçant une récompense, sorte d'anticipation du plaisir à venir, et une deuxième fois, mais par un autre territoire du cerveau, au moment de la satisfaction du désir.

• Les neurones à dopamine sont activés systématiquement lorsqu'on présente à un animal une nouveauté, surtout si elle est agréable.

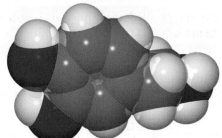

Molécule 3D d'une molécule de dopamine

Doc. 3 Désir et plaisir : l'amour avec un grand D ?

• **Le « comportement de reproduction »**
Chez la plupart des mammifères, comme chez les autres animaux, l'accouplement est strictement lié à la procréation. À la période de reproduction, généralement limitée dans le temps, les partenaires sont soumis à l'influence de leurs hormones sexuelles ; en outre, des **phéromones**, substances émises dans l'air par les partenaires, jouent un rôle fondamental dans l'attraction sexuelle. Mâle et femelle réalisent alors une série de comportements stéréotypés qui aboutissent à l'acte sexuel.

• **Le « comportement érotique »**
En revanche, le comportement sexuel humain (comme d'ailleurs celui des primates hominoïdes) n'est pas strictement lié à l'acte reproducteur. De nombreux aspects du comportement amoureux (caresses, baisers…) semblent plutôt orientés vers la stimulation de zones « érogènes » dans le but d'obtenir et de procurer du plaisir.

Le rôle des hormones et des phéromones n'est donc plus aussi exclusif. L'apprentissage du comportement érotique peut s'interpréter comme la mise en jeu des mécanismes cérébraux du « renforcement » (voir document 1).

• **Le contexte culturel et social**
Le système de récompense n'est pas le seul mécanisme impliqué dans le comportement sexuel de l'Homme. La complexité du cerveau humain permet de développer une

Le baiser (sculpture d'Auguste Rodin)

mémoire, un langage, et une pensée abstraite. L'Homme peut ainsi développer des sentiments envers certains de ses semblables. Le contexte social et culturel joue également un rôle majeur. Il suffit pour s'en convaincre, de comparer les comportements amoureux dans différentes régions du monde.

Doc. 4 Le comportement sexuel humain est contrôlé par de multiples facteurs.

Pistes d'exploitation

PROBLÈME À RÉSOUDRE ► Montrez que le système de récompense est impliqué dans le comportement sexuel chez l'Homme.

Doc. 1 et 2 Définissez ce que l'on appelle « système de récompense/renforcement » chez les mammifères, puis dites quelle peut être la conséquence de l'existence d'un tel système sur le comportement sexuel.

Doc. 3 Expliquez pourquoi la dopamine est considérée comme un moteur de comportement sexuel ?

Doc. 4 Montrez la complexité des facteurs influençant le comportement sexuel humain.

Lexique, p. 354

chapitre 2 Sexualité et procréation

1 Contrôle du fonctionnement de l'appareil reproducteur chez l'homme

■ Le testicule a une double fonction

Au cours de la vie adulte, la paroi des **tubes séminifères** assure une production continue de **spermatozoïdes**. Par ailleurs, les cellules de **Leydig** situées entre les tubes séminifères sécrètent l'hormone mâle ou **testostérone**. Cette hormone, indispensable à la spermatogenèse, est également responsable du maintien des caractères sexuels mâles. Malgré une série de pics de sécrétion au cours de la journée, le taux plasmatique de testostérone est globalement constant.

■ Le testicule est stimulé par le complexe hypothalamo-hypophysaire

Ce complexe est constitué d'un centre nerveux, l'**hypothalamus**, relié à une glande endocrine, l'**hypophyse antérieure**, par des capillaires sanguins.

L'hypophyse stimule le fonctionnement testiculaire grâce à deux hormones, les **gonadostimulines FSH et LH** : LH déclenche la sécrétion de testostérone et FSH stimule la spermatogenèse.

La sécrétion des gonadostimulines hypophysaires est elle-même déclenchée par une **neurohormone (GnRH)** sécrétée dans le sang par certains neurones hypothalamiques.

■ Le fonctionnement de l'appareil reproducteur est contrôlé par un dispositif autorégulé

Stimulé par les gonadostimulines, le testicule exerce en retour un contrôle sur la sécrétion de ces hormones : c'est ce que l'on appelle un **rétrocontrôle**. En effet, une hausse du taux de testostérone ayant tendance à freiner l'activité du système de commande, ce rétrocontrôle est qualifié de **négatif**. La propriété d'un tel dispositif est de corriger automatiquement les écarts : par exemple, une élévation du taux de testostérone accentue le freinage hypothalamo-hypophysaire qui stimule donc moins le testicule. Un tel système est **autorégulé**.

2 Contrôle du fonctionnement de l'appareil reproducteur chez la femme

■ Le fonctionnement de l'appareil reproducteur féminin est cyclique

De la puberté à la ménopause, le fonctionnement de l'appareil reproducteur féminin se caractérise par une succession de cycles utérins et ovariens synchronisés.

● Le **cycle ovarien**, d'une durée approximative de 28 jours, correspond au développement d'un follicule (phase folliculaire) qui, après l'ovulation (14e jour environ), se transforme en corps jaune (phase lutéale).

Pendant cette évolution, l'ovaire produit deux hormones : l'**œstradiol** et la **progestérone**. En phase folliculaire, le follicule ovarien produit de plus en plus d'**œstradiol**. En phase lutéale, le corps jaune produit de la **progestérone** et de l'œstradiol.

● Le **cycle utérin** est sous le contrôle des hormones ovariennes. Ces dernières stimulent le développement de la muqueuse utérine qui est maximal dans la deuxième partie du cycle, après l'ovulation (la muqueuse est alors prête à accueillir un embryon en cas de fécondation). En fin de cycle, la chute des taux hormonaux (liée à la régression du corps jaune) entraine l'élimination partielle de la muqueuse utérine (menstruation ou règles).

■ Ce fonctionnement est soumis à des rétrocontrôles complexes

Comme chez l'homme, l'activité ovarienne est stimulée par les gonadostimulines hypophysaires FSH et LH (elles-mêmes sécrétées sous l'action de la GnRH) ; les **hormones ovariennes** exercent un **rétrocontrôle généralement négatif** sur leur système de commande.

Toutefois, le fonctionnement est plus complexe et évolue de façon cyclique au cours du temps.

● En phase folliculaire, FSH stimule le développement d'un des follicules : la production d'œstradiol augmente et, à l'approche du 14e jour, dépasse une **valeur seuil**. Le **rétrocontrôle** exercé par l'ovaire, jusque-là négatif, devient **positif** et le système « s'emballe » : le pic de LH qui en résulte déclenche ovulation et formation du corps jaune.

● En phase lutéale, les hormones du corps jaune (action de la progestérone, renforcée par la présence d'œstradiol) freinent à nouveau le système de commande et, vers la fin du cycle, le corps jaune cesse progressivement de fonctionner.

3 Des méthodes de contraception préventives ou d'urgence

■ Des méthodes basées sur la connaissance des mécanismes hormonaux

● **La contraception hormonale féminine** est utilisée par une majorité de femmes en France. Elle consiste à administrer des progestatifs ou des œstrogènes à faibles doses, le plus souvent sous forme de pilules contraceptives ou d'implants sous-cutanés. Ces hormones exercent un **rétro-contrôle négatif** sur le complexe hypothalamus-hypophyse qui est ainsi maintenu au repos. Non stimulé, l'ovaire reste lui aussi au repos : pas de croissance folliculaire ni d'ovulation. S'ajoutent également des **effets sur la muqueuse utérine** (rendue impropre à la nidation) et sur la glaire cervicale (imperméable aux spermatozoïdes).

● **La contraception d'urgence (« pilule du lendemain »)** est une pilule à prendre dans les 3 ou 5 jours suivant un rapport sexuel non protégé. Elle contient des molécules bloquant l'ovulation ou modifiant la muqueuse utérine (celle-ci est alors partiellement éliminée comme au cours des règles). Certaines pilules du lendemain peuvent être délivrées par les infirmières scolaires.

● **La contraception hormonale masculine** est encore à l'étude. On pourrait ainsi utiliser des progestatifs pour imposer un rétrocontrôle négatif, ce qui freinerait la production de spermatozoïdes et rendrait le sperme non fécondant. De la testostérone serait nécessaire pour maintenir les caractères sexuels secondaires et la libido.

■ Certaines méthodes contraceptives assurent une protection contre des IST

Les IST **(infections sexuellement transmissibles)** représentent un problème de santé publique majeur. Une bonne utilisation des préservatifs masculin et féminin assure à la fois une contraception fiable et une bonne protection contre certaines IST (SIDA, gonococcies...). En revanche, l'efficacité est moindre pour des agents infectieux comme le papillomavirus ou le virus de l'hépatite B. Des **campagnes de vaccination** visent à limiter la propagation de ces maladies. De telles campagnes menées sur l'hépatite B et le papillomavirus ont obtenu des résultats très intéressants.

4 La procréation médicalement assistée

■ Des causes multiples d'infertilité d'un couple

Chez l'homme, le **pouvoir fécondant** du sperme peut être insuffisant (quantité trop faible de spermatozoïdes, propor-

tion de gamètes anormaux trop importante...). Un spermogramme permet de repérer ces anomalies.

Chez la femme, une **obstruction des trompes** (souvent liée à une infection par une IST) est une cause fréquente d'infertilité. Cette dernière peut également être la conséquence de **difficultés d'ovulation** liées à des troubles hormonaux d'origine ovarienne ou hypophysaire.

■ De nombreux traitements possibles

Suivant le cas, le médecin peut proposer :
– un **traitement hormonal** pour stimuler l'ovulation ;
– une **insémination artificielle** en cas de sperme peu fécondant (le sperme est alors déposé directement dans les voies génitales de la femme) ;
– une **fécondation *in vitro* avec transfert d'embryon (FIVETE)** après récupération des ovocytes et des spermatozoïdes.

Dans ce dernier cas, l'embryon est obtenu en laboratoire, puis réimplanté dans l'utérus. Cette solution permet le recours au don d'ovocyte, de sperme ou d'embryon. Une variante, nommée **ICSI**, utilise un seul spermatozoïde, implanté directement dans l'ovocyte par un manipulateur. Ces techniques complexes ne sont cependant pas systématiquement couronnées de succès.

5 Sexualité et bases biologiques du plaisir

L'activité sexuelle est associée au plaisir et, selon des enquêtes, il semblerait même que ce soit le plaisir le plus intense qui puisse être ressenti. Des études scientifiques ont montré que le plaisir sexuel est associé à l'activation de zones précises du cerveau. Ces zones, interconnectées par des circuits de neurones, forment ce que l'on appelle les « **systèmes de récompense** » car leur activation par divers facteurs (vision, odeurs, sons, sensations tactiles...) produit automatiquement une sensation de plaisir.

Le comportement sexuel humain est sous-tendu, au moins en partie, par le désir de retrouver des sensations agréables liées à l'activation de ce système complexe. Mais dans l'espèce humaine, la sexualité repose avant tout sur le désir de partager une relation avec un partenaire.

chapitre 2 Sexualité et procréation

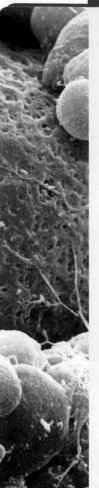

À RETENIR

■ **Le contrôle du fonctionnement de l'appareil reproducteur chez l'homme**

Le fonctionnement du testicule est contrôlé par un **dispositif neuro-endocrinien**. L'**hypothalamus**, grâce à une **neurohormone** (nommée **GnRH**), déclenche la sécrétion par l'**hypophyse** de deux hormones, les **gonadostimulines FSH et LH**. Ces hormones hypophysaires stimulent le fonctionnement du testicule.

La **testostérone** exerce un **rétrocontrôle négatif** (freinage) sur son système de commande ce qui assure une **autorégulation** du dispositif, c'est-à-dire une stabilité des taux hormonaux.

■ **Le contrôle du fonctionnement de l'appareil reproducteur chez la femme**

Le fonctionnement de l'ovaire est également commandé par le **complexe hypothalamo-hypophysaire** : par exemple, FSH stimule la croissance du follicule ovarien et le pic de LH déclenche l'ovulation.

Les **hormones ovariennes** (œstrogènes en phase folliculaire, œstrogènes et progestérone en phase lutéale) exercent un rétrocontrôle sur cette commande. Le **rétrocontrôle est négatif** sauf en fin de phase folliculaire : à ce moment-là, l'œstradiol sécrété à haute dose par le follicule mûr stimule alors le complexe hypothalamo-hypophysaire. Ce **rétrocontrôle positif** est à l'origine du **pic de LH** qui déclenche l'**ovulation**.

■ **Des méthodes de contraception préventives ou d'urgence**

La connaissance des mécanismes de contrôle des taux hormonaux a permis de mettre au point des **méthodes de contraception préventives** (pilules contraceptives variées) et d'**urgence** (pilule du « lendemain »).

Il existe d'autres méthodes contraceptives, parmi lesquelles le préservatif qui offre en plus une protection contre certaines IST.

■ **La procréation médicalement assistée**

L'**infertilité** au sein d'un couple peut avoir des causes variées (sperme peu fécondant, trompes obstruées, troubles de l'ovulation...).

Différentes techniques médicales existent pour aider ces couples : **insémination artificielle, FIVETE, ICSI.**

■ **Sexualité et bases biologiques du plaisir**

La sensation de plaisir est liée à l'activation dans le cerveau des « **systèmes de récompense** ».

L'activité sexuelle est en partie associée à une recherche de plaisir, mais d'autres facteurs comme le contexte social, les capacités cognitives jouent également un rôle majeur.

Mots-clés

- Gonades, hormones sexuelles
- Hypothalamus, neurohormone
- Hypophyse, gonadostimulines
- Rétrocontrôles
- Méthodes contraceptives
- IST
- Procréation médicalement assistée
- Système de récompense

Capacités et attitudes

▶ Traduire les mécanismes de contrôle de l'activité gonadique par un schéma fonctionnel.

▶ Mettre en œuvre une méthode pour expliquer le mode d'action de différentes pilules contraceptives.

▶ Extraire et exploiter des données pour relier la prévention contre les IST à la vaccination et à l'utilisation du préservatif.

▶ Argumenter, débattre sur des problèmes éthiques posés par certaines pratiques médicales.

▶ Mettre en évidence le rôle du système de récompense.

Animation

Le fonctionnement de l'appareil reproducteur est contrôlé par un mécanisme neuro-hormonal

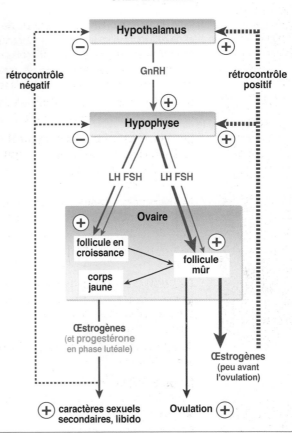

CHEZ L'HOMME

Hypothalamus

GnRH

rétrocontrôle négatif

Hypophyse

LH   FSH

Testicule

cellules de Leydig

tubes séminifères

Testostérone

caractères sexuels secondaires, libido

production de spermatozoïdes

⊕ stimulation   ⊖ inhibition (freinage)

CHEZ LA FEMME

Hypothalamus

GnRH

rétrocontrôle négatif

rétrocontrôle positif

Hypophyse

LH FSH   LH FSH

Ovaire

follicule en croissance

corps jaune

follicule mûr

Œstrogènes
(et progestérone en phase lutéale)

Œstrogènes
(peu avant l'ovulation)

caractères sexuels secondaires, libido

Ovulation ⊕

Des méthodes contraceptives

• **Des méthodes basées sur les rétrocontrôles hormonaux :**

– la pilule contraceptive préventive ;

– la pilule contraceptive d'urgence.

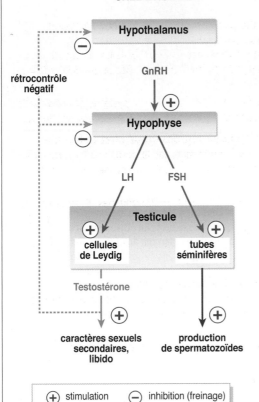

• **D'autres méthodes qui protègent aussi contre les IST :**

– le préservatif masculin ou féminin.

L'aide médicale à la procréation

• **Des causes variées d'infertilité :**
– chez l'homme : sperme non fécondant ;
– chez la femme : troubles de l'ovulation, trompes bouchées…

• **Des techniques médicales adaptées à chaque cas :** insémination artificielle, traitements hormonaux, FIVETE, ICSI…

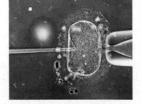

• **Des problèmes éthiques :**
– des pratiques qui doivent être encadrées par la loi, mais des disparités importantes selon les pays.

Cycle menstruel et cycle lunaire

Sans doute depuis l'aube de l'humanité, l'apparente coïncidence entre deux événements périodiques, pourtant *a priori* sans rapport entre eux, a-t-elle frappé les imaginations : la durée moyenne du **cycle lunaire** est en effet de 29,5 jours alors que le **cycle menstruel**, même s'il peut varier notablement, se répète tous les 28 jours environ. Le besoin qu'a l'esprit humain de proposer à tout prix une explication aux phénomènes incompris a probablement été à l'origine des nombreux mythes qui associent la Lune et la nature féminine.

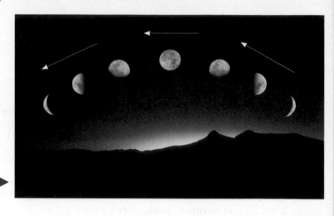

Un cycle lunaire de 29,5 jours ▶
d'une nouvelle lune à la suivante

Découverte en 1911 sur le site de Laussel, dans la région des Eyzies (Dordogne), la **Vénus de Laussel** a été gravée sur un gros bloc de calcaire (plus de 50 cm de haut). Les experts lui attribuent un âge de l'ordre de 25 000 ans. Elle représente une femme aux formes féminines très exagérées (comme c'est le cas pour les autres vénus du paléolithique). Elle tient une corne (de bison ?) qui présente **13 entailles bien visibles**. Il est tentant d'interpréter ces marques comme une évocation des douze ou treize cycles (lunaires ou menstruels) que compte une année.

◀ La Vénus de Laussel (musée d'Aquitaine, à Bordeaux)

Dans de nombreuses mythologies, la Lune apparaît comme une divinité féminine, souvent bienveillante et le Soleil est souvent présenté comme son frère ou son mari.

Ainsi, pour les Grecs, Séléné, la déesse de la Lune, s'élançait dans le ciel dès qu'Hélios, le Soleil, avait fini sa course. Endymion, un berger, fut un de ses nombreux amants.

Chez les Incas, Quilla, la Lune, suit dans le ciel son époux et frère Inti, le Soleil.

Un mythe africain évoque la Lune, Mawa (principe féminin qui est la déesse de la nuit, de la sagesse) ; le Soleil, Lisa, est le principe masculin qui détient force et pouvoir. Lorsqu'ils s'accouplent, une éclipse se produit.

Cette similitude de mythes présents dans des cultures très différentes, dispersées à la surface du globe, est remarquable.

Selene et Endymion ▶
(Ubaldo Gandolfi, vers 1770)

Des métiers liés aux médicaments

**Vos goûts
et vos points forts**
- Manipuler, expérimenter
- Le travail de précision
- Être utile aux autres

Les domaines d'activité potentiels

La mise au point des **médicaments**, notamment celle des **pilules contraceptives**, se fait dans des laboratoires pharmaceutiques. Il faut expérimenter, tester, mettre en production, vérifier la qualité, puis vendre ces produits, ce qui fait appel à de nombreux corps de métiers comme des pharmaciens, des techniciens chimistes, des ingénieurs, des visiteurs médicaux...

Pour y parvenir

Un **pharmacien** devra suivre une formation universitaire et choisir une option Industrie à l'issue de la cinquième année. De nombreux **DUT** (hygiène, sécurité, environnement...), licences, masters et écoles d'ingénieurs donnent accès à des postes dans l'industrie pharmaceutique.

Les débouchés

Les laboratoires pharmaceutiques ont connu des restructurations récentes, ils offrent moins de postes et sont plus exigeants sur le niveau de formation.

Pharmacien dans l'industrie
C'est suivre la mise au point d'une molécule et sa commercialisation.

Responsable qualité sécurité environnement
C'est vérifier la qualité de la production, former et conseiller sur les questions de sécurité.

... aller plus loin

L'utilisation d'ovocytes congelés

En novembre 2010, des jumeaux ont vu le jour, en France, suite à une fécondation *in vitro* et ce, en utilisant des ovocytes congelés. Une telle technique a déjà été réalisée à l'étranger avec des ovocytes rapidement congelés dans l'azote liquide (vitrification). Elle est interdite telle quelle en France (car assimilée par le législateur à une manipulation de l'embryon). Le professeur Frydman a donc utilisé des ovocytes congelés lentement (technique plus complexe, mais légale). Il souhaite par ce geste voir évoluer la législation et pouvoir proposer aux couples infertiles des banques d'ovocytes, tout comme il existe des banques de sperme. Cela éviterait à de nombreux couples d'être contraints d'aller à l'étranger pour obtenir des ovocytes, dans des conditions parfois hasardeuses.

Le professeur René Frydman montrant les jumeaux nouveau-nés obtenus à partir d'ovocytes congelés.

◀ Les ovocytes congelés peuvent être utilisés plus tard par la femme qui les a fournis ou être donnés à des couples infertiles.

Exercices

1 Définissez les mots ou expressions

Hypophyse, gonadostimulines, GnRH, rétrocontrôle, contraception hormonale, contraception d'urgence, infertilité, fécondation *in vitro*, IST.

2 Questions à choix multiples

Choisissez la ou les bonnes réponses parmi les différentes propositions.

1. L'ovulation est déclenchée :
a. par un pic de LH ;
b. par un pic de progestérone ;
c. par une chute du taux des gonadostimulines.

2. La production de testostérone chez un homme adulte :
a. est très variable d'un jour à l'autre ;
b. est régulée par les tubes séminifères ;
c. est contrôlée par l'hypothalamus et l'hypophyse.

3. Identifiez les méthodes de contraception régulières :
a. RU 486 ;
b. pilule contraceptive ;
c. pilule du lendemain ;
d. implant hormonal.

3 Vrai ou faux ?

Repérez les affirmations exactes et corrigez celles qui sont inexactes.

a. Les hormones ovariennes exercent en permanence un rétrocontrôle négatif sur la sécrétion de LH.
b. Les rétrocontrôles permettent la régulation en continu des taux d'hormones dans le sang.
c. La pilule contraceptive reproduit l'action des hormones LH et FSH sur l'ovaire.

d. La pilule du lendemain ne doit être utilisée que comme une méthode contraceptive exceptionnelle.
e. Le préservatif est le seul moyen de prévention contre les IST.

4 Complétez un schéma

Reproduisez trois fois le schéma ci-dessous pour illustrer les mécanismes régulateurs intervenant à trois moments du cycle sexuel : phase folliculaire, ovulation, phase lutéale. Complétez ces schémas en y plaçant les noms des hormones ainsi que des signes + ou – à l'extrémité des flèches selon qu'il s'agit d'une stimulation ou d'une inhibition.

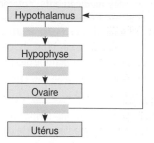

5 Restitution organisée des connaissances

1. Le déclenchement de l'ovulation
Après avoir défini ce qu'est l'ovulation, vous expliquerez comment les modifications des follicules ovariens peuvent conduire à son déclenchement.

2. Les méthodes contraceptives hormonales
Montrez que ces méthodes sont fondées sur la connaissance des mécanismes de régulation de la fonction de reproduction.

6 PMA, éthique et législation   Manifester de l'intérêt pour les enjeux de société, argumenter

La « gestation pour autrui », c'est-à-dire le recours à ce que l'on appelle communément une « mère porteuse », va-t-elle être autorisée dans certaines circonstances en France ?

> La législation actuelle est très variable suivant les pays :
> – En **France**, le code pénal sanctionne « *le fait de s'entremettre entre une personne ou un couple désireux d'accueillir un enfant et une femme acceptant de porter en elle cet enfant en vue de leur remettre* ».
> – En **Belgique**, il n'existe pas de cadre juridique interdisant cette pratique. En cas de recours à une mère porteuse, c'est donc la femme qui accouche qui est légalement la mère de l'enfant.
> – Au **Royaume-Uni**, la gestation pour autrui est autorisée depuis 1985, mais est encadrée par une loi très précise, autorisant l'adoption par le couple demandeur, mais interdisant toute rémunération. Au moins un des deux membres du couple doit être parent génétique de l'enfant et domicilié au Royaume-Uni.

Choisissez parmi les différentes propositions celles qui vous semblent exactes. Argumentez chacun de vos choix

a. Un couple français peut recourir à la gestation pour autrui en Belgique mais cet enfant restera de nationalité belge.
b. Un couple français peut facilement recourir à la gestation pour autrui au Royaume-uni.
c. L'existence de lois différentes suivant les pays risque de créer des problèmes difficiles à résoudre.
d. La « gestation pour autrui » pose des problèmes juridiques mais aucun problème éthique.

7 Régulation de la production de testostérone — Exploitation de documents en relation avec les connaissances

Le testicule produit de la testostérone de façon constante grâce à un système de régulation.
À partir de l'étude des documents ci-dessous et de vos connaissances, expliquez comment la production de testostérone peut être maintenue constante.

Document 1 : Effets de la LH sur les cellules de Leydig.

Des cellules de Leydig sont extraites de testicules de porc et cultivées *in vitro*. On ajoute différentes molécules au milieu de culture et on mesure en parallèle la production de testostérone.
- LH : hormone produite par l'hypophyse.
- TNFα : molécule bloquant l'action de la LH sur ses récepteurs.

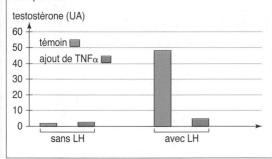

Document 2 : Mesure du taux de LH.

On mesure chez des rats le taux de LH en continu.
Deux lots de rats sont étudiés :
- des rats témoins ayant une production de testostérone normale ;
- des rats castrés ne produisant plus de testostérone.

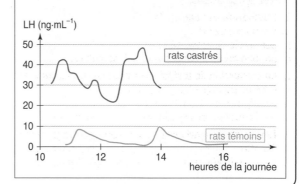

8 La contraception hormonale sans pilule — Raisonner avec rigueur

Certaines femmes refusent la pilule à cause de la contrainte de la prise quotidienne. D'autres systèmes de délivrance des hormones ont donc été développés comme l'implant ou l'anneau vaginal.
L'anneau vaginal est formé d'un plastique imprégné de progestatifs et d'œstrogènes de synthèse. Placé dans le vagin pendant 21 jours, il permet la diffusion des hormones qui rejoignent la circulation sanguine. Puis la femme l'enlève et attend une semaine avant d'en remettre un autre ; les règles surviennent pendant cette période.

Le *graphique ci-dessous* présente des observations faites sur des femmes pendant l'utilisation d'un anneau vaginal.

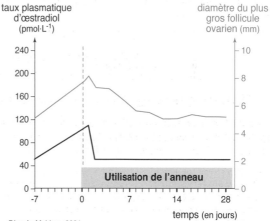

D'après Mulders, 2001

Anneau vaginal

Décrivez les actions de l'anneau vaginal et expliquez comment il peut jouer un rôle contraceptif.

9 Le déclenchement de l'ovulation — Exploitation de documents en relation avec les connaissances

L'ovulation est déclenchée chez la femme vers le 14e jour du cycle. Le follicule mûr va libérer l'ovocyte grâce à un mécanisme hormonal précis que l'on se propose de découvrir.

Document 1 : Follicule jeune et follicule mûr.

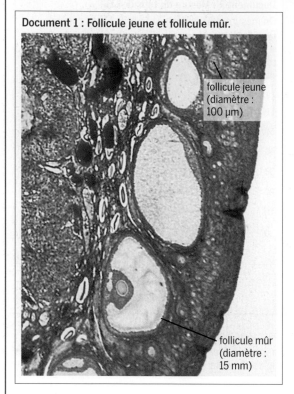

follicule jeune (diamètre : 100 µm)

follicule mûr (diamètre : 15 mm)

Document 2 : Effet de fortes doses d'œstradiol sur des cellules hypophysaires.

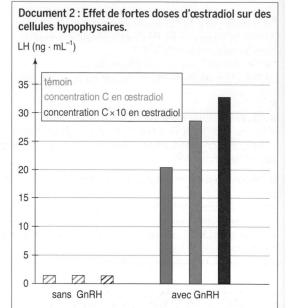

LH (ng · mL^{-1})

témoin
concentration C en œstradiol
concentration C × 10 en œstradiol

sans GnRH   avec GnRH

Des cellules hypophysaires de rats femelles sont placées en culture dans un milieu dont on fait varier la composition :
– avec ou sans GnRH ;
– avec des doses variables d'œstradiol (toutes assez élevées).

Document 3 : Variations des taux plasmatiques des hormones ovariennes.

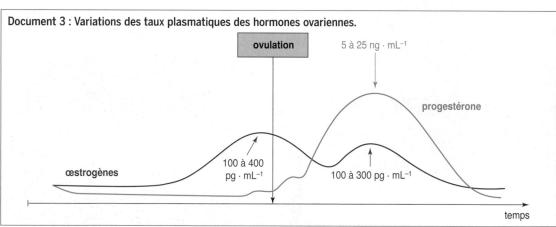

ovulation

5 à 25 ng · mL^{-1}

progestérone

œstrogènes

100 à 400 pg · mL^{-1}

100 à 300 pg · mL^{-1}

temps

1. Décrivez l'évolution des follicules ovariens à partir du document 1.

2. Reliez cette évolution à celle des taux des hormones ovariennes.

3. À partir du document 2, indiquez l'effet de la hausse des productions hormonales.

BILAN : Expliquez comment le complexe hypothalamo-hypophysaire peut détecter la présence d'un follicule mûr prêt pour l'ovulation.

Utiliser ses capacités expérimentales

10 **Identifier la fonctionnalité des gonades** Observer, raisonner, communiquer

■ Problème à résoudre

On dispose de coupes d'un ovaire et d'un testicule. L'objectif est de déterminer s'il s'agit de gonades fonctionnelles ou non.

■ Matériel disponible

– Lames minces de testicule et d'ovaire.
– Microscope, loupe binoculaire.
– Règle graduée.
– Dispositif de prise de vue.

■ Protocole

A. Observation du testicule au microscope
– Parcourez au faible grossissement l'ensemble de la lame.
– Choisissez une zone et un grossissement permettant de répondre au problème posé.

B. Observation de l'ovaire à la loupe binoculaire et au microscope.
– Placez la lame sur la platine de la loupe binoculaire. Réglez lumière et mise au point.
– Recherchez des structures traduisant une éventuelle activité de l'ovaire. Mesurez-les.
– Observez au microscope si nécessaire.

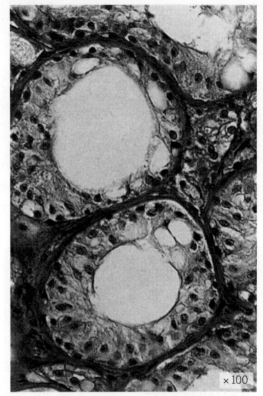

×100

a Observation microscopique du testicule.

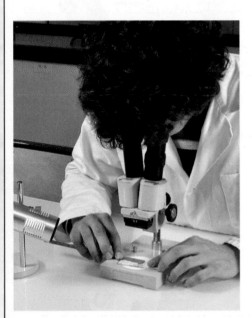

■ Exploitation des résultats

– Réalisez une photographie de l'observation du testicule et légendez-la.
– Faites un schéma annoté de votre observation de l'ovaire.
– En argumentant, concluez sur la fertilité des individus qui possédaient ces gonades.

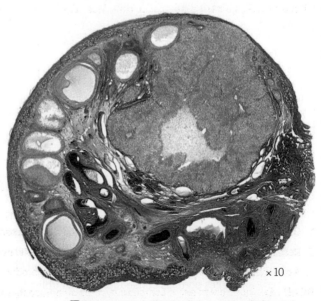

×10

b Observation de l'ovaire (ici un ovaire de femme).

Des DOCUMENTS pour se poser des questions

La résistance aux antibiotiques

En 1928, Alexander Fleming découvre par hasard les propriétés antibiotiques de la pénicilline. Il faudra attendre plus de douze ans pour que la pénicilline soit produite industriellement et constitue alors une véritable révolution dans le traitement des maladies infectieuses. Cependant, dès 1945, Fleming met en garde contre une utilisation trop importante et trop systématique des antibiotiques : elle pourrait, selon lui, favoriser la sélection de souches bactériennes résistantes à ces mêmes antibiotiques.

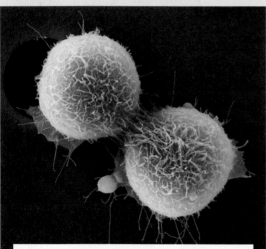

Le processus de cancérisation

Dans l'organisme, une cellule peut devenir cancéreuse et se mettre à proliférer de façon anarchique ; ici, cellule de cancer du col de l'utérus en division (photographie au MEB, colorisée).

Les maladies génétiques

De nombreuses maladies ont une origine génétique. Si certaines se manifestent systématiquement chez l'individu porteur du (des) allèle(s) responsable(s), le développement de nombreuses autres maladies génétiques peut dépendre également de facteurs environnementaux.

LES PROBLÉMATIQUES DU CHAPITRE

- Quelle est la part de la génétique et celle de l'environnement dans le développement de maladies comme la mucoviscidose, les maladies cardio-vasculaires ou le cancer ?
- Comment utiliser nos connaissances concernant les maladies génétiques et les cancers pour élaborer des traitements ou des campagnes de prévention ?
- Quelles sont les conséquences de l'utilisation des antibiotiques en médecine ?

Des associations assistent les familles touchées par la mucoviscidose.

Variation génétique
et santé

La mucoviscidose, un exemple de maladie génétique

La mucoviscidose est qualifiée de « maladie génétique » car toutes les personnes atteintes présentent des mutations sur un gène précis. *Les documents présentés ici permettent de comprendre le lien qui existe entre le génotype (la mutation sur l'ADN) et le phénotype (les symptômes de la maladie).*

A Une maladie génétique grave

La production de mucus visqueux par les cellules épithéliales est à l'origine du nom de mucoviscidose donné à cette maladie. Ces cellules sont présentes dans de nombreux organes du corps humain, mais les manifestations principales se repèrent au niveau des poumons et de l'appareil digestif.

● **Au niveau pulmonaire**, l'excès de mucus dans les bronches *(photographies ci-contre)* provoque des difficultés lors de l'expiration et une toux chronique. Ce mucus anormal est également à l'origine de nombreuses infections (bronchites à répétition). À long terme, ces infections détruisent le tissu pulmonaire et une greffe de poumons devient nécessaire pour pallier à l'insuffisance respiratoire.

● **Au niveau digestif**, le mucus obstrue les canaux pancréatiques et empêche la libération dans l'intestin des enzymes digestives produites par cette glande. La première conséquence est une difficulté à digérer les graisses, ce qui entraîne des problèmes de constipation et des difficultés à prendre du poids. La deuxième conséquence est une dégradation du pancréas par les enzymes qui y restent confinées.

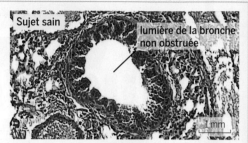

Sujet sain — lumière de la bronche non obstruée — 1 mm

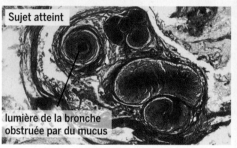

Sujet atteint — lumière de la bronche obstruée par du mucus

Doc. 1 Les manifestations cliniques de la mucoviscidose.

En 1989, on identifie la **protéine CFTR** comme responsable de la mucoviscidose. Après sa production dans le cytoplasme, cette protéine s'implante dans la membrane. Elle permet alors la sortie d'ions chlorure (Cl⁻), ce qui est nécessaire à la production d'un mucus fluide. Chez les deux tiers des malades, la protéine mutée ne diffère de la protéine normale que par l'absence d'un acide aminé en position 508 sur la chaîne.

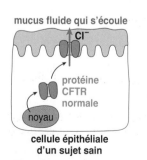

mucus fluide qui s'écoule — Cl^- — protéine CFTR normale — noyau — **cellule épithéliale d'un sujet sain**

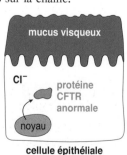

mucus visqueux — Cl^- — protéine CFTR anormale — noyau — **cellule épithéliale d'un sujet malade**

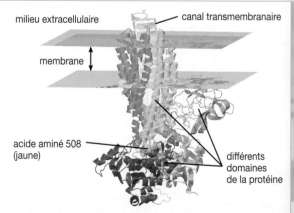

milieu extracellulaire — canal transmembranaire — membrane — acide aminé 508 (jaune) — différents domaines de la protéine

La protéine CFTR est une grosse molécule formée de 1 480 acides aminés. Elle est enchâssée dans la membrane des cellules épithéliales et sa conformation tridimensionnelle ménage un canal permettant la sortie des ions chlorures.

Doc. 2 Le dysfonctionnement d'une protéine membranaire à l'origine de la maladie.

B Une origine génétique relativement simple

La synthèse de la protéine CFTR est contrôlée par un gène du même nom, situé sur le chromosome 7. On connaît actuellement plus de 1 000 mutations de ce gène à l'origine d'une mucoviscidose. Toutes n'ont pas la même gravité car la fonction de la protéine peut être altérée ou supprimée selon les cas. Le *document ci-dessous* montre les résultats d'une comparaison faite avec le logiciel *Anagène* de l'allèle normal de CFTR avec l'allèle muté le plus courant dans la population (F508 Δ, présent dans plus de deux tiers des cas de mucoviscidose). On peut comparer les séquences nucléotidiques des allèles et les séquences peptidiques des protéines.

Pour télécharger les modèles moléculaires et les séquences :

www.bordas-svtlycee.fr

position des acides aminés dans la chaîne

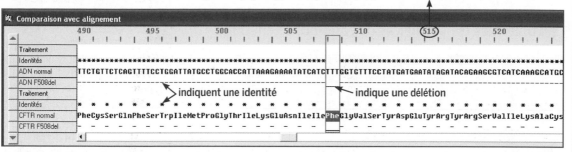

indiquent une identité   indique une délétion

Doc. 3 Des mutations du gène CFTR.

• Une prévision du risque

L'allèle responsable de la mucoviscidose est un allèle récessif : un sujet malade est donc homozygote pour cet allèle et un hétérozygote n'est pas malade.
Dans la population française, le risque d'être hétérozygote est proche de 1/32 et celui d'être malade de 1/4100. Toutefois, quand des cas sont connus dans une famille, ce risque est *a priori* plus important.
On analyse alors l'arbre généalogique de la famille *(voir l'exemple ci-dessous)* pour apprécier le **risque** pour un couple donné d'avoir un enfant malade.
Un résultat élevé peut conduire le médecin à proposer un **diagnostic prénatal** ou **préimplantatoire**.

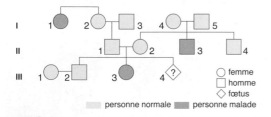

○ femme
□ homme
◇ fœtus
▨ personne normale ■ personne malade

• Un dépistage systématique

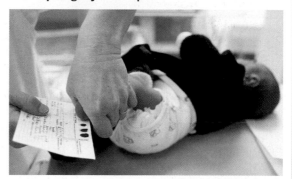

En France, depuis 2002, le dépistage systématique de plusieurs maladies génétiques, dont la mucoviscidose, est organisé chez le nourrisson âgé de 3 ou 4 jours. On prélève quelques gouttes de sang, par exemple au niveau du talon, et on recherche la présence de marqueurs caractéristiques de chacune des maladies. Un résultat positif entraîne une prise en charge précoce du malade, ce qui améliore ses conditions de vie.

Doc. 4 Des connaissances indispensables pour réaliser des prévisions et des dépistages.

Pistes d'exploitation

PROBLÈME À RÉSOUDRE ▶ Dans le cas de la mucoviscidose, quel lien peut-on établir entre anomalie génétique et phénotype macroscopique « malade » ?

Doc. 1 et 2 Reliez les troubles cliniques constatés aux anomalies découvertes au niveau moléculaire.

Doc. 2 et 3 Faites le lien entre l'anomalie au niveau de la protéine et celle au niveau du gène.

Doc. 4 Calculez le risque pour le fœtus III.4 d'être atteint de mucoviscidose. Faites de même pour les éventuels enfants du couple III.1 / III.2.

Les traitements médicaux de la mucoviscidose

La possession de deux allèles mutés rend inéluctable le développement de la maladie. *Ces deux pages montrent les possibilités offertes aujourd'hui par la médecine pour soulager les malades ainsi que les perspectives futures de traitement.*

A   Limiter les conséquences de l'anomalie génétique

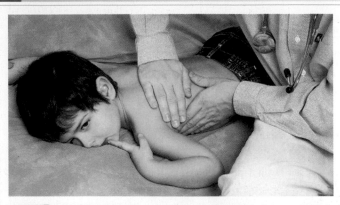

• La **kinésithérapie respiratoire**, réalisée deux fois par jour, permet d'éliminer les excès de mucus. Elle peut être effectuée par un professionnel ou par un membre de la famille ayant reçu une formation.

• Une hygiène de vie assez stricte est à respecter. Le patient doit éviter les contacts avec les allergènes (tapis, poussières…), le tabac et les personnes atteintes d'infections des bronches. Une activité physique régulière et adaptée est conseillée.

Doc. 1   Des gestes ou comportements à adopter au quotidien.

• La **nébulisation** permet d'administrer des médicaments directement dans les bronches. Il s'agit de molécules fluidifiant le mucus ou d'antibiotiques luttant contre les infections bronchiques. Cette technique est également utilisée pour transférer des fragments d'ADN contenant l'allèle normal du gène CFTR (voir doc. 3, p. 283).

• Quand la fonction respiratoire est trop dégradée, l'air est enrichi en dioxygène (oxygénothérapie) et, dans les cas extrêmes, la seule solution est une greffe de poumons (à la condition de trouver un donneur compatible).

• Un régime hypercalorique avec des compléments vitaminés est conseillé aux patients. Ceux-ci prennent également chaque jour des gélules contenant des enzymes pancréatiques. Leur dosage se fait en fonction de la quantité de graisses dans les aliments consommés.

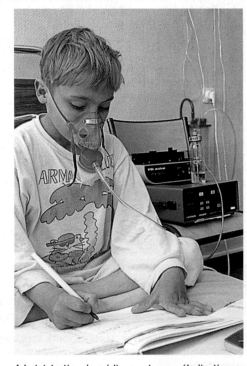

Administration de médicaments par nébulisation

> Les progrès dans la prise en charge des patients ont permis de réelles avancées. L'espérance de vie, qui n'était que de 7 ans en 1965, pourrait passer à 46 ans pour un enfant né en 2006. L'âge moyen des personnes décédées en 2007 reste cependant encore assez bas (27 ans). On note également une augmentation du nombre de patientes débutant une grossesse (33 en 2007). Ce sont des signes encourageants qui montrent que la vie des personnes atteintes de la mucoviscidose ressemble de plus en plus à une vie normale (études, travail, enfants), mais il reste encore du chemin à parcourir.
>
> *D'après « Registre français de la mucoviscidose, rapport 2007 ».*

Doc. 2   Des traitements réguliers qui ont permis des progrès importants.

B Un espoir de correction de l'anomalie génétique

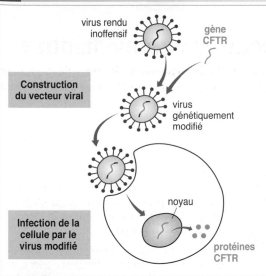

Construction du vecteur viral

virus rendu inoffensif

gène CFTR

virus génétiquement modifié

Infection de la cellule par le virus modifié

noyau

protéines CFTR

• Le principe général de la thérapie génique consiste à insérer dans une cellule le gène qui lui fait défaut. Il faut pour cela disposer de vecteurs (virus ou autre) capables d'intégrer ce gène au génome des cellules.

• Dans le cas de la mucoviscidose, le gène CFTR normal est apporté aux cellules épithéliales par un « vecteur » répondant à des conditions strictes :
– intégration durable dans les bonnes cellules ;
– absence de toxicité ;
– absence de réaction immunitaire.

Les virus qui infectent certaines cellules et y insèrent leur ADN peuvent être de bons vecteurs à condition de les rendre totalement inoffensifs. On utilise également des vecteurs synthétiques (des microparticules lipidiques) qui sont mieux tolérés par le système immunitaire. Ces vecteurs peuvent être administrés de façon répétée, notamment par nébulisation.

Doc. 3 La thérapie génique utilise des vecteurs pour transférer le gène CFTR.

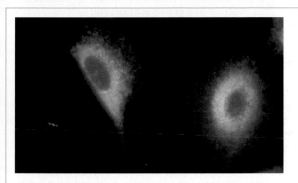

niveau d'expression du gène (en % par rapport à un sujet normal)

souris ayant reçu le gène CFTR

minimum thérapeutique : 5%

jours après l'administration du vecteur

D'après Hyde, 2008.

• La *photographie ci-dessus* montre des cellules pulmonaires humaines mises en culture et infectées par un virus porteur du gène CFTR. La protéine CFTR est alors produite par ces cellules : elle est ici colorée en rouge et on repère bien son expression au niveau de la membrane.

• Le *graphe* correspond à des résultats expérimentaux obtenus chez des souris, dépourvues du gène CFTR fonctionnel, qui ont reçu par aérosol des vecteurs synthétiques contenant le gène CFTR. On a ensuite vérifié que le niveau d'expression de ce gène dans les cellules épithéliales dépassait bien un minimum thérapeutique.

• Pour évaluer l'efficacité de ce traitement chez l'Homme, une étude clinique est actuellement menée sur une trentaine de patients. Une difficulté vient du fait que, chez le malade, l'expression du gène CFTR est limitée dans le temps. En effet, les cellules épithéliales se renouvellent rapidement : les cellules génétiquement modifiées meurent et sont remplacées par des cellules ne possédant pas ce gène.

Doc. 4 Une mise au point difficile dans le cas de la mucoviscidose.

Pistes d'exploitation

PROBLÈME À RÉSOUDRE ▶ Comment un malade atteint de mucoviscidose est-il pris en charge ? Quelles sont les perspectives de traitements dans l'avenir ?

Doc. 1 et 2 Indiquez à quelles anomalies, décrites page 280, répondent les traitements et conseils proposés aux malades.

Doc. 3 Décrivez le principe de la thérapie génique.

Doc. 3 et 4 Estimez l'efficacité du transfert de gène chez la souris. Quelle technique permet de compenser la rapide diminution d'efficacité de ce transfert ?

Lexique, p. 354

Maladies génétiques et facteurs environnementaux

Le déterminisme génétique d'une maladie n'est pas toujours absolu : le mode de vie, l'environnement peuvent jouer un rôle fondamental. *Les documents proposés vont permettre de comprendre comment on peut mettre en évidence la part des facteurs génétiques et environnementaux dans le déclenchement d'une maladie.*

A L'apport des études épidémiologiques

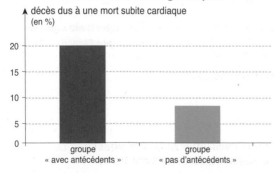

Une des premières causes de mortalité

Les maladies cardiovasculaires causent un décès sur trois, en France, avec environ 150 000 décès par an. Elles peuvent affecter les veines (**phlébites**), les artères (**AVC, anévrismes**) ou le cœur (**infarctus du myocarde**).

40 000 cas de morts subites dues à un trouble du rythme cardiaque (**fibrillation ventriculaire**) surviennent chaque année en France ; des défibrillateurs sont désormais installés dans les lieux publics pour apporter une aide rapide et limiter ces chiffres.

Une étude **épidémiologique** a été menée auprès des employés de la ville de Paris entre 1967 et 1990 pour rechercher si cette pathologie avait une origine génétique ou était favorisée par le mode de vie. En voici les principales étapes :
– **Sélection des sujets** : 7 746 sujets de sexe masculin âgés de 42 à 53 ans et n'ayant pas d'antécédents cardiaques au début de l'étude.
– **Enquête** : antécédents familiaux et renseignements sur les habitudes de vie (activité physique, alimentation, tabagisme…).

– **Collecte de données biologiques** : poids, taille, bilan lipidique sanguin…
– **Suivi** : relevé des cas de mort subite chez les participants pendant plusieurs années.
– **Analyse statistique des résultats** : évaluation de l'influence d'un facteur (antécédents familiaux par exemple), en comparant les taux de décès entre un groupe concerné par ce facteur (sujets ayant des antécédents familiaux) et un groupe non concerné (ceux n'ayant pas d'antécédents familiaux).

Pourcentages de décès par mort subite dans deux groupes : l'un présentant des antécédents familiaux de mort subite, et l'autre n'en possédant pas.

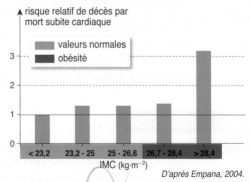

D'après Empana, 2004.

Relation entre obésité et risque de décès par mort subite. Le degré d'obésité est estimé par l'**indice de masse corporelle** (l'IMC correspond au poids divisé par le carré de la taille).

> **Doc. 1** Le principe d'une étude épidémiologique menée sur la mort subite cardiaque.

B La recherche d'un gène impliqué dans une maladie

L'infarctus du myocarde est la conséquence d'une obstruction des artères coronaires alimentant le muscle cardiaque. Des plaques d'athéromes constituées de lipides peuvent se former dans les artères et les obstruer. Un caillot peut alors se constituer et interrompre la circulation du sang.

Des études épidémiologiques comparables à celle décrite dans le document 1 montrent l'existence de facteurs génétiques. On peut donc rechercher les gènes impliqués. Le *schéma ci-contre* présente les étapes de cette recherche.

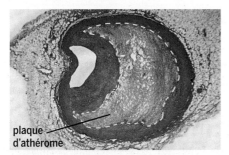

plaque d'athérome

Artère obstruée par une plaque d'athérome

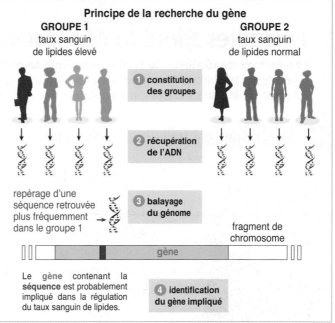

Principe de la recherche du gène

GROUPE 1 taux sanguin de lipides élevé

GROUPE 2 taux sanguin de lipides normal

1 constitution des groupes

2 récupération de l'ADN

repérage d'une séquence retrouvée plus fréquemment dans le groupe 1

3 balayage du génome

fragment de chromosome

gène

Le **gène** contenant la **séquence** est probablement impliqué dans la régulation du taux sanguin de lipides.

4 identification du gène impliqué

Doc. 2 Un « balayage » du génome permet de repérer des gènes impliqués dans une maladie.

• Une relation entre excès de cholestérol sanguin et maladies cardiovasculaires est établie depuis longtemps. On sait aujourd'hui que ce cholestérol est transporté dans le sang par deux types de protéines :
– les LDL (ou « mauvais cholestérol ») qui déposent le cholestérol sur les parois des artères et forment ainsi des plaques d'athérome ;
– les HDL (ou « bon cholestérol ») qui transportent le cholestérol depuis les organes qui en ont trop vers le foie où il est éliminé.

• En 2009, une étude menée sur plus de 100 000 personnes a mis en évidence un lien génétique entre 95 séquences d'ADN et un taux de cholestérol sanguin élevé. Ces séquences correspondent donc à des allèles de gènes impliqués dans la régulation de ce taux.

• On a cherché à mettre en évidence expérimentalement l'implication d'un de ces gènes. Pour cela, on a choisi une des 95 séquences qui correspond à un gène connu (gène Galnt2). Chez des souris, on a augmenté ou diminué le niveau d'expression de ce gène. On a ainsi constaté l'existence d'une relation entre le niveau d'expression du gène et la concentration sanguine des HDL. Les résultats sont présentés sur le *graphique ci-contre*.

• Une fois l'implication du gène établie, on peut ensuite chercher à développer des médicaments corrigeant ses effets.

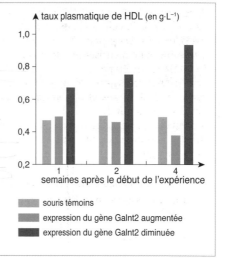

souris témoins

expression du gène Galnt2 augmentée

expression du gène Galnt2 diminuée

Doc. 3 Des résultats confirmés par une expérimentation chez l'animal.

Pistes d'exploitation

PROBLÈME À RÉSOUDRE ► Comment peut-on mettre en évidence des facteurs génétiques et environnementaux pour une maladie aux causes multiples ?

Doc. 1 Décrivez les étapes d'une démarche épidémiologique. À partir des résultats obtenus, indiquez si les facteurs testés ont réellement une influence.

Doc. 2 Expliquez comment on peut repérer un gène favorisant le développement d'une maladie.

Doc. 3 Les résultats permettent-ils de confirmer le rôle du gène testé ici ?

Lexique, p. 354

Une altération du génome peut conduire au cancer

Une mutation touchant une cellule somatique disparaît avec la mort de cette cellule, sauf si la cellule se cancérise et devient alors « immortelle », c'est-à-dire se multiplie indéfiniment. *Nous allons ici montrer le lien qui existe entre une mutation somatique et le développement d'un cancer.*

A D'une cellule pulmonaire fonctionnelle au développement d'une tumeur

● **Cellules pulmonaires cancéreuses**

On voit sur cette image des cellules ciliées recouvrant l'intérieur des bronches (en jaune). On trouve à côté (en vert) des **cellules cancéreuses**.

● **Principe de la cancérisation**

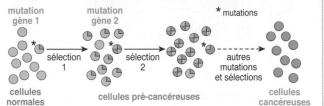

Les mutations qui apparaissent régulièrement dans les **cellules somatiques** de notre organisme sont en général corrigées par des mécanismes de réparation (voir p. 36). Il arrive cependant que des mutations « non rectifiées » portant sur certains gènes confèrent un avantage sélectif à la cellule mutée. Par la suite, d'autres mutations peuvent renforcer cet avantage sélectif chez des cellules descendantes. Une dizaine de mutations successives de ce type conduisent à former au final une cellule cancéreuse ayant trois caractéristiques essentielles :
– **immortalité** : elle ne répond plus aux signaux de destruction ;
– **transformation** : elle perd sa fonction initiale au sein de l'organe ;
– **prolifération** : elle se multiplie activement conduisant à la formation d'une tumeur de petite taille aux cellules toutes identiques.

Doc. 1 **La cellule cancéreuse se forme à partir d'une cellule pulmonaire normale.**

● Quand la tumeur grossit, ses besoins nutritifs augmentent. Elle stimule le développement de nouveaux vaisseaux sanguins à son contact. Ceci facilite non seulement son approvisionnement en nutriments mais aussi la migration éventuelle de cellules tumorales vers d'autres régions de l'organisme où elles peuvent être à l'origine de cancers secondaires (métastases).

● Une tumeur « solide » de la taille d'une tête d'épingle contient déjà 10 millions de cellules tumorales et une tumeur de la taille d'une noisette en contient plus d'un milliard. Toutes ces cellules descendent de la cellule cancérisée initialement, plusieurs années auparavant.

● En l'absence de soins, la tumeur peut atteindre assez rapidement une masse importante ; elle compromet alors la fonction de l'organe qui l'abrite. Dans le cas d'un cancer pulmonaire, une insuffisance respiratoire se développe et peut être à l'origine du décès.

Petite tumeur au milieu d'alvéoles pulmonaires

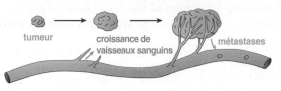

Doc. 2 **L'évolution d'une tumeur.**

B Mise en évidence d'un gène impliqué dans la cancérisation

La protéine p53 a reçu le surnom de « suppresseur de tumeur » car elle est capable de bloquer le processus de cancérisation. Elle se fixe sur l'ADN présentant une anomalie, ce qui peut stopper les divisions cellulaires ou provoquer l'**apoptose** (mort cellulaire). Cette propriété a été mise en évidence sur des souris très particulières dotées d'un gène p53 inactif, mais que l'on peut réactiver par des techniques spécifiques. Au début de l'expérimentation, les souris sont irradiées, ce qui déclenche la formation de tumeurs ; on réactive ensuite l'expression du gène p53.
Les résultats sont indiqués dans le *graphique ci-dessous*.

Vidéo

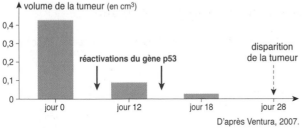

volume de la tumeur (en cm³)

0,4

0,3

0,2   réactivations du gène p53   disparition de la tumeur

0,1

0

jour 0   jour 12   jour 18   jour 28

D'après Ventura, 2007.

Protéine p53 liée à un fragment d'ADN

Doc. 3 La protéine p53, protéine « suppresseur de tumeur ».

La protéine p53 est contrôlée par un gène du même nom situé chez l'Homme sur le chromosome 7. Une mutation de ce gène est retrouvée dans plus de la moitié des cancers humains (de tous types).

L'exemple ci-dessous présente la comparaison des séquences du gène et de la protéine p53 pour différentes cellules pulmonaires, normales ou non.

- **p53 norm** : cellule pulmonaire normale prélevée chez un individu ne présentant pas de tumeur.
- **p53 canc 1-a et canc 1-b** : deux cellules pulmonaires cancéreuses prélevées dans une tumeur d'un même individu 1.
- **p53 canc 2** : cellule pulmonaire cancéreuse prélevée chez un individu 2 présentant une tumeur.
- **p53 canc 3** : cellule pulmonaire cancéreuse prélevée chez un individu 3 présentant une tumeur.

	167	171	174	710	720	730	740	750	760
p53_norm.adn	CACATGACGGAGGTTGTGAGG		CGCTGCCCL.....	TGTGTAACAGTTCCTGCATGGGC		GGCATGAACCGGAGGCCCATCCTCACCATC
p53_canc1-a.adn			G			
p53_canc1-b.adn			G			
p53_canc2.adn			A			
p53_canc3.adn					T	
Traitement						
Identités	* * * * * *	*	* *	* * * * *	* * * * *	* * * * * * *
p53_norm.pro	HisMetThrGluValValArg	ArgCysPr...	etCysAsnSerSerCysMetGly	Gly	MetAsnArgArgProIleLeuThrIle
p53_canc1-a.pro			Gly		
p53_canc1-b.pro			Gly		
p53_canc2.pro			Ser		
p53_canc3.pro				Val	

Doc. 4 Comparaison des séquences normales et mutées du gène et de la protéine p53.

Pour télécharger les modèles moléculaires et les séquences :

www.bordas-svtlycee.fr

Pistes d'exploitation

PROBLÈME À RÉSOUDRE ► Quel est le lien entre mutation et cancérisation d'une cellule somatique ?

Doc. 1 et 2 Décrivez les étapes amenant à la formation d'une tumeur dans un poumon humain. Expliquez comment une tumeur pulmonaire peut être à l'origine de cancers secondaires dans l'organisme.

Doc. 3 Justifiez le « surnom » donné à la protéine p53.

Doc. 4 Montrez le lien entre la présence d'une mutation du gène p53 et le développement d'une tumeur.

Lexique, p. 354

La cancérisation, un processus complexe

Les mutations génétiques à l'origine d'une cellule cancéreuse peuvent être spontanées, mais il existe également des facteurs favorisant leur apparition. *Les documents proposés ici vont permettre d'identifier quelques facteurs à l'origine du développement de cancers chez l'Homme.*

A Une origine plurifactorielle pour les cancers pulmonaires

Pour tester la réalité d'une prédisposition génétique à développer un cancer pulmonaire, une étude épidémiologique a été menée au Texas entre 1995 et 2003 sur deux groupes de personnes n'ayant jamais fumé de leur vie :
– **groupe 1** : 316 sujets ayant développé un cancer pulmonaire ;
– **groupe 2** : 318 sujets n'ayant pas développé de cancer.
Les cas de cancers parmi leurs parents proches (enfants, ascendants, frères ou sœurs) ont été notés pendant toute la période de suivi. Des analyses statistiques ont alors permis d'évaluer le risque associé à l'existence d'un lien familial avec une personne atteinte.
Le *graphique ci-contre* présente les résultats obtenus.

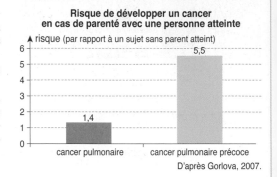

D'après Gorlova, 2007.

Doc. 1 **Une prédisposition génétique.**

• **Tabagisme (passif ou actif)**
L'étude a porté sur des non-fumeurs ayant un conjoint fumeur. On a recherché un lien entre le risque de développer un cancer du poumon et le nombre d'années de vie commune.

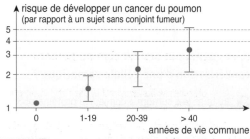

• **Pollution atmosphérique**
Une étude américaine a suivi 1,2 million de personnes entre 1982 et 1998. Le risque de développer un cancer du poumon a été étudié en fonction du taux de pollution de l'air par des particules fines rejetées dans les gaz d'échappement ou par l'industrie.

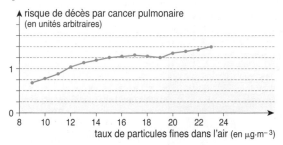

Doc. 2 **Les effets de deux facteurs environnementaux sur le développement de cancers pulmonaires.**

B Un lien entre cancer et infection virale

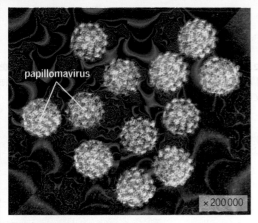

papillomavirus

× 200 000

Le **virus du papillome humain** (VPH) ou papillomavirus est responsable de l'infection sexuellement transmissible sans doute la plus répandue au monde (entre 20 et 40 % des femmes seraient touchées selon les estimations). Il existe plus de 200 formes différentes de ce virus.

Chez la femme, le cancer du col de l'utérus est un des plus meurtriers, principalement dans les pays en voie de développement. Il touche surtout des femmes jeunes (fréquence maximale à 40 ans).

On a suspecté un lien entre l'infection par le papillomavirus et le développement de ce cancer. Pour vérifier ce lien, une étude épidémiologique a été menée aux États-Unis. Deux groupes ont été constitués : le premier formé de femmes présentant un cancer du col de l'utérus, le second de femmes non touchées par ce cancer (groupe témoin). On a recherché si chaque femme avait ou non été infectée par le papillomavirus.

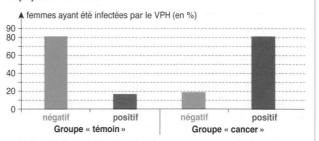

femmes ayant été infectées par le VPH (en %)

| négatif | positif | négatif | positif |
| Groupe « témoin » | | Groupe « cancer » | |

Doc. 3 Infection à papillomavirus et cancer du col de l'utérus.

• Nous avons vu (page 287) que la protéine p53 pouvait bloquer le processus de cancérisation :
– soit en interrompant le cycle cellulaire (le temps est ainsi donné à la cellule pour réparer son ADN endommagé, après quoi elle reprendra ses divisions) ;
– soit, si l'ADN de la cellule est trop endommagé, en provoquant la mort de cette cellule par apoptose.
En cas de mutation, cette protéine perd ses capacités anti-prolifératives et apoptotiques.

• Dans les cancers du col de l'utérus (toujours associés à un virus de type papillomavirus), la situation est particulière. Une protéine virale (protéine E6) se fixe spécifiquement sur p53 et la détruit, ce qui conduit à la même situation qu'une tumeur ayant une p53 mutée.

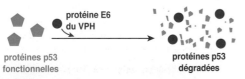

protéine E6 du VPH

protéines p53 fonctionnelles → protéines p53 dégradées

Doc. 4 Virus et inactivation de la protéine p53.

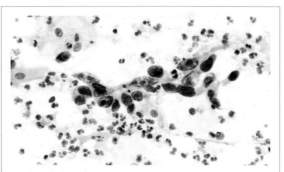

En France, la fréquence du cancer du col de l'utérus diminue considérablement depuis une trentaine d'années en raison des politiques de dépistage mises en œuvre (voir p. 263). Le médecin réalise un frottis et récupère des cellules du col utérin. Une coloration permet ensuite de mettre en évidence la présence de cellules cancéreuses (en rouge sur la *photographie ci-dessus*). Il est conseillé de faire ce frottis tous les 3 ans pour les femmes de plus de 18 ans.

Doc. 5 Vers un dépistage systématique.

Pistes d'exploitation

PROBLÈME À RÉSOUDRE ▶ Quels facteurs sont à l'origine du développement des cancers du poumon et du col de l'utérus ?

Doc. 1 et 2 Indiquez quels facteurs agissent sur l'apparition de cancers du poumon. Ces facteurs déclenchent-ils obligatoirement un cancer du poumon ?

Doc. 3 et 4 Montrez le lien existant entre l'infection par le papillomavirus et le cancer du col de l'utérus.

Doc. 5 Quel est l'intérêt de réaliser des dépistages du cancer du col de l'utérus chez la femme ?

Lexique, p. 354

La résistance bactérienne aux antibiotiques

Depuis que les antibiotiques sont utilisés en médecine pour combattre les maladies liées à une infection bactérienne, des formes résistantes ne cessent d'apparaître. *Ces deux pages vont permettre de comprendre les mécanismes et les conséquences de cette résistance.*

A Apparition et sélection d'une résistance à un antibiotique

Certaines souches bactériennes sont résistantes à un antibiotique, d'autres non. On a ainsi pu constater, chez certaines bactéries de type *Escherichia coli*, l'existence d'une résistance à un antibiotique, la céfotaxime. Ces bactéries produisent une enzyme, la β-lactamase, capable de détruire la céfotaxime. D'autres bactéries de la même espèce possèdent cette enzyme, mais celle-ci est inefficace contre la céfotaxime.

À l'aide du logiciel *Anagène*, on peut comparer les séquences de la β-lactamase pour deux bactéries, une sensible à la céfotaxime (SHV-1), l'autre résistante (SHV-2).

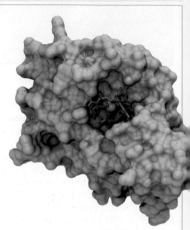

Enzyme β-lactamase (en vert)
associée à la céfotaxime (en orange)

Doc. 1 **L'origine de la résistance d'une bactérie à un antibiotique.**

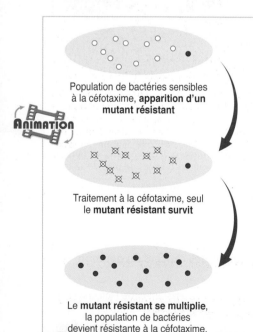

Population de bactéries sensibles à la céfotaxime, **apparition d'un mutant résistant**

Traitement à la céfotaxime, seul le **mutant résistant survit**

Le **mutant résistant se multiplie**, la population de bactéries devient résistante à la céfotaxime.

Au sein des populations bactériennes, des souches résistantes à un antibiotique apparaissent spontanément mais avec une fréquence faible. L'utilisation de cet antibiotique va détruire les bactéries sensibles et épargner les souches résistantes. Ces dernières vont donc avoir tendance à se développer et devenir ainsi de plus en plus fréquentes. On dit que les antibiotiques sélectionnent les souches résistantes.

Pour éviter d'utiliser un antibiotique inefficace, on doit donc réaliser des **antibiogrammes** qui vont déterminer les sensibilités et les résistances des bactéries présentes chez un malade.

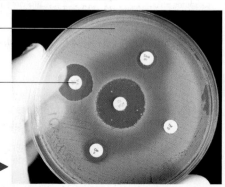

bactéries prélevées chez le malade et cultivées sur un milieu approprié

pastilles contenant chacune un antibiotique différent, disposées sur la culture

Résultats ▶
d'un antibiogramme

Doc. 2 **Une sélection des bactéries résistantes s'opère au cours du temps.**

B Une multiplication des formes résistantes

Une étude menée au Maroc a suivi l'évolution de la résistance aux antibiotiques de souches d'*E. coli* responsables d'infections urinaires.

Les auteurs ont mesuré, en 1998 puis en 2004, le pourcentage de bactéries résistantes à une catégorie particulière d'antibiotiques, les fluoroquinones. En parallèle, ils ont estimé l'évolution de la consommation de ces fluoroquinones dans la population entre 1994 et 2004. Les résultats sont présentés sur le *graphique ci-contre (d'après El Bakkouri, 2009)*.

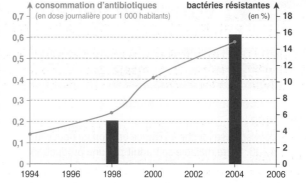

Doc. 3 L'utilisation des antibiotiques et l'évolution des résistances bactériennes.

L'utilisation massive des antibiotiques depuis quelques décennies, aussi bien en milieu hospitalier qu'à domicile, a sélectionné des souches résistantes à un grand nombre de molécules.

La « sélection » opérée par cette diversité d'antibiotiques a abouti à la création de bactéries « super-résistantes ».

On a ainsi découvert en 2010, à Chennai, en Inde, des bactéries possédant une enzyme β-lactamase particulière appelée NDM-1, pour *New Delhi metallo-β-lactamase 1*, capable de détruire la quasi-totalité des antibiotiques connus. Cette bactérie a été retrouvée dans plusieurs hôpitaux britanniques, sans doute ramenée par des patients s'étant fait soigner en Inde. Des infections par ces souches seront donc plus difficiles à combattre car le nombre de molécules actives devient extrêmement réduit.

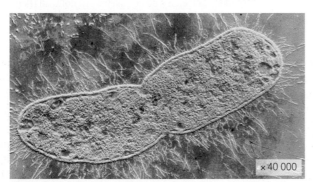

Klebsiella pneumoniae, une des bactéries super résistantes trouvées à Chennai, en Inde.

Les antibiotiques sont inefficaces contre les infections virales, notamment celles responsables de maladies fréquentes comme les bronchites, rhumes ou certaines angines. L'usage des antibiotiques doit donc être restreint au maximum, d'où les nombreuses campagnes incitant à un usage raisonné de ces molécules.

Doc. 4 Des conséquences importantes en termes de santé publique.

Pistes d'exploitation

PROBLÈME À RÉSOUDRE ► Comment expliquer l'apparition de bactéries résistantes aux antibiotiques ? Quelles en sont les conséquences ?

Doc. 1 Expliquez comment une bactérie peut devenir résistante à un antibiotique.

Doc. 2 Expliquez comment l'usage des antibiotiques favorise la formation de souches résistantes.

Doc. 3 Expliquez l'évolution de la résistance aux fluoroquinones au Maroc entre 1998 et 2004.

Doc. 4 Quelles attitudes adopter face à ces problèmes préoccupants de résistance ?

Lexique, p. 354

chapitre 3 Variation génétique et santé

1 Le déterminisme génétique absolu de certaines maladies

■ La mucoviscidose, un exemple de maladie génétique

● La mucoviscidose touche en France environ un nouveau-né sur 4 200. Cette maladie se traduit par une production surabondante de mucus dans différents organes (bronches, conduits pancréatiques...). L'obstruction des bronches conduit à des **difficultés respiratoires** et favorise également le développement d'infections. Les enzymes digestives du pancréas ne peuvent plus atteindre l'intestin, d'où des **difficultés pour digérer les graisses**. La cause de la maladie est une **altération du gène CFTR**, codant pour une protéine du même nom. C'est cette absence de protéine CFTR fonctionnelle qui conduit à la production excessive de mucus anormalement visqueux.

● Seuls les individus homozygotes, possédant **deux allèles déficients**, sont **malades**. Sachant que les **hétérozygotes** sont **porteurs sains** et représentent environ 1/32e de la population, il est possible d'estimer le risque d'avoir un enfant malade. Par exemple, si un couple a déjà eu un enfant malade, les deux partenaires sont obligatoirement hétérozygotes et, à chaque nouvelle naissance, ont donc un risque sur quatre d'avoir un enfant atteint.

■ Des traitements et des espoirs pour l'avenir

● Les seules solutions disponibles aujourd'hui consistent à **limiter les effets de la maladie**. On élimine l'excès de mucus bronchique par des exercices de **kinésithérapie respiratoire** quotidiens et la prise de médicaments fluidifiants. Des traitements antibiotiques visent à limiter les infections qui dégradent le poumon avec le temps. Quand la fonction respiratoire est trop altérée, des séances d'**oxygénothérapie** deviennent nécessaires. En dernier recours, on peut procéder à une **greffe pulmonaire**.
Pour traiter les symptômes digestifs, il est nécessaire de prendre chaque jour des compléments en enzymes pancréatiques ainsi que des compléments vitaminiques.

● L'espérance de vie des malades a beaucoup progressé grâce aux traitements, mais elle reste inférieure à 50 ans. Pour aller encore plus loin, on cherche aujourd'hui à corriger l'anomalie du gène CFTR grâce à une **thérapie génique** consistant à implanter un allèle fonctionnel dans chaque cellule pulmonaire atteinte. Pour « transporter » cet allèle, il faut disposer d'un vecteur qui soit à la fois efficace et sans danger. De nombreux essais cliniques sur des malades, actuellement en cours, utilisent pour le transfert des virus ou des vecteurs synthétiques. Les premiers résultats obtenus sont encourageants et pourraient déboucher dans un avenir proche sur des traitements efficaces.

2 Des maladies aux origines plurifactorielles

■ La « part des gènes » dans les maladies cardio-vasculaires

Les maladies cardio-vasculaires sont les maladies qui concernent le cœur (infarctus, fibrillation...) et la circulation sanguine (artériopathies, obstruction des vaisseaux sanguins...). Elles représentent la deuxième cause de décès en France et sont également responsables de handicaps lourds. Des études épidémiologiques révèlent l'existence **d'allèles favorisant le développement de ces maladies**. Par exemple, si un gène contrôlant le transport sanguin du cholestérol est altéré, cette molécule peut s'accumuler dans le sang et être responsable de la formation de plaques d'athérome obstruant les vaisseaux sanguins. Les personnes porteuses de ces allèles ont donc un **risque plus important** de développer des maladies cardio-vasculaires que des personnes possédant l'allèle normal.

■ La « part du mode de vie » dans les maladies cardio-vasculaires

Contrairement ce que nous avons vu dans le cas de la mucoviscidose, la présence d'allèles altérés n'est pas obligatoirement suivie du déclenchement d'une maladie cardiovasculaire. Leur absence n'assure d'ailleurs pas davantage une protection absolue. **Divers facteurs non génétiques** favorisent la survenue d'accidents cardio-vasculaires : obésité, alimentation riche en graisse, tabagisme, sédentarité.

> #### Les études épidémiologiques permettent de tester l'influence de tel ou tel facteur
>
> Pour des raisons éthiques, on ne peut pas soumettre l'Homme à une expérimentation pour tester l'influence sur la santé de tel ou tel facteur. On recourt alors à des études épidémiologiques. Des groupes de patients sont constitués en fonction du facteur à tester (par exemple, un groupe soumis au facteur étudié et un groupe témoin). Puis, les groupes sont suivis et le nombre de malades qui apparaissent dans chacun est comptabilisé. Des analyses statistiques indiquent ensuite s'il y a un lien entre le facteur testé et le développement de la maladie.

Finalement, le risque de développer une maladie cardio-vasculaire dépend donc à la fois de facteurs génétiques et de facteurs liés à l'environnement et au mode de vie. Une personne présentant un risque génétique peut largement le minorer en adoptant un mode de vie adapté.

3 Perturbation du génome et cancérisation

■ Une cellule cancéreuse se forme par mutation d'une cellule somatique

La mutation d'une cellule somatique est le plus souvent sans réelle conséquence, la cellule disparaissant parce qu'elle n'est pas viable ou qu'elle est éliminée par le système immunitaire. Toutefois, dans certains cas, la mutation confère un avantage à cette cellule qui peut alors se multiplier et donner un clone cellulaire porteur de la mutation. Dans cette population de cellules mutantes, d'autres mutations peuvent intervenir et renforcer l'avantage initial. Ainsi s'opère, au fil des générations cellulaires, une sélection de cellules de plus en plus anormales. La **cellule cancéreuse finale** est **immortelle** et se **multiplie de façon anarchique** ; elle a perdu sa fonction originelle et ne répond plus aux signaux de l'organisme. Le clone cellulaire forme une tumeur qui va grossir, et peut aussi essaimer dans l'organisme pour donner des métastases. Une tumeur trop grosse réduit considérablement la fonction de l'organe où elle est située ; une perte de fonction (hépatique, pulmonaire, cérébrale...) conduit alors au décès du malade.

■ Une origine plurifactorielle pour les cancers

● Les études épidémiologiques ont montré l'**importance des facteurs mutagènes** dans la genèse des cancers. En effet, bien qu'étant un phénomène spontané, la survenue d'une mutation est facilitée par des facteurs mutagènes. Ainsi, de nombreux facteurs (tabac, pollution atmosphérique, amiante...) augmentent le risque de développer un cancer pulmonaire. Limiter l'exposition des individus à ces facteurs diminue donc le risque.

● Un lien est aujourd'hui clairement établi entre l'**infection virale** et développement de **certains cancers**. C'est le cas par exemple du lien entre papillomavirus et cancer du col de l'utérus, ou encore entre virus de l'hépatite B et cancer du foie.

Des **dépistages** de ces infections virales ont donc été menés pour mieux identifier et suivre les sujets infectés. En parallèle, on réalise des **campagnes de prévention** contre les infections (vaccinations, conseils d'hygiène...). Ces mesures ont permis, depuis quelques années, la chute du nombre de décès par cancer du col de l'utérus, en France.

4 Variation génétique bactérienne et résistance aux antibiotiques

■ Les bactéries peuvent devenir résistantes aux antibiotiques

Comme tous les êtres vivants, les bactéries subissent des **mutations**. Certaines de ces mutations leur confèrent une **résistance aux antibiotiques**, médicaments utilisés pour lutter contre les infections bactériennes. Au départ, les formes mutantes sont peu nombreuses, mais si un antibiotique est utilisé massivement chez les malades, il va détruire les souches bactériennes sensibles et « **sélectionner** » ainsi les souches porteuses de la mutation de résistance. Ces **formes résistantes** deviennent donc **de plus en plus fréquentes**.

■ L'apparition d'un grave problème de santé publique

Dans les dernières décennies, l'utilisation massive des antibiotiques a favorisé cette sélection de bactéries résistantes. Certaines sont même devenues résistantes à la plupart des antibiotiques (**bactéries multirésistantes**).

Le risque existe de se trouver un jour face à des bactéries contre lesquelles aucun antibiotique connu ne sera efficace. On cherche donc à utiliser au mieux les antibiotiques disponibles et à découvrir de nouvelles molécules.

chapitre 3 Variation génétique et santé

À RETENIR

■ Le déterminisme génétique absolu de certaines maladies

La mucoviscidose se traduit par la production d'un **mucus anormalement visqueux** qui encombre les voies respiratoires et les canaux pancréatiques. Cette maladie est la conséquence de la **mutation d'un seul gène (gène CFTR)**. Seuls les individus **homozygotes** sont atteints. Dans des familles déjà touchées par la maladie, l'étude d'un arbre généalogique permet de prévoir le risque pour un nouvel enfant d'être atteint.

Les effets de la maladie sont atténués par certaines pratiques (kinésithérapie respiratoire, aérosols...). La **thérapie génique** représente un espoir de corriger l'anomalie dans les cellules pulmonaires atteintes.

■ Des maladies aux origines plurifactorielles

L'altération de certains gènes **favorise** le développement de maladies comme les maladies cardio-vasculaires, mais ces maladies ne présentent **pas un lien absolu** avec la présence du gène, comme dans le cas de la mucoviscidose.

Le milieu de vie, les habitudes alimentaires et l'activité physique jouent un rôle majeur : la survenue de la maladie dépend d'une **interaction complexe** entre facteurs génétiques et environnementaux.

■ Perturbation du génome et cancérisation

Le processus de cancérisation débute avec la **mutation** d'une cellule somatique. Ses descendantes subissent à leur tour des modifications de leur génome. Finalement, certaines peuvent évoluer en cellules cancéreuses.

Les mutations à l'origine des cancers peuvent être spontanées ou provoquées par un **facteur mutagène**. Certaines **infections virales** augmentent également le risque de développer un cancer. Une protection contre les facteurs mutagènes et contre certains virus limitera l'incidence de ces cancers.

■ Variation génétique bactérienne et résistance aux antibiotiques

Des mutations spontanées peuvent faire apparaitre, dans une population, **des bactéries résistantes à un antibiotique**.

L'utilisation massive de cet antibiotique dans les traitements médicaux va **sélectionner** les bactéries résistantes, et, de ce fait, leur fréquence va augmenter.

Comme cette sélection s'opère pour les différents antibiotiques connus, des **souches bactériennes multirésistantes** apparaissent, ce qui pose un **problème majeur de santé publique**.

Mots-clés

- Maladie génétique
- Mucoviscidose
- Thérapie génique
- Maladie d'origine multifactorielle
- Études épidémiologiques
- Cancérisation
- Facteurs mutagènes
- Résistance aux antibiotiques

Capacités et attitudes

▶ Recenser, organiser et extraire des informations pour établir, dans le cas de la mucoviscidose, le lien entre le phénotype macroscopique et le génotype.

▶ Étudier un arbre généalogique pour évaluer un risque génétique.

▶ Comprendre la démarche épidémiologique dans la recherche de responsabilité d'un facteur

▶ Savoir choisir ses comportements face à un risque de santé pour exercer sa responsabilité individuelle ou collective.

▶ Concevoir et mettre en œuvre un protocole mettant en évidence la résistance d'une bactérie à certains antibiotiques.

Patrimoine génétique et maladie

Déterminisme génétique absolu
(l'exemple de la mucoviscidose)

Déterminisme plurifactoriel
(l'exemple des maladies
cardio-vasculaires)

mutation
du gène
CFTR

mutation
**d'un gène contrôlant
le taux de cholestérol**

Prédisposition génétique
à avoir un taux de cholestérol
sanguin trop élevé

Présence
d'une **mutation**
sur l'ADN

Production d'une **protéine
CFTR anormale**, n'accomplissant
plus sa fonction

Sédentarité,
obésité

Sport,
régime pauvre en graisse

Symptômes respiratoires et
digestifs de la mucoviscidose
chez tous les individus porteurs
de la mutation à l'état homozygote

Risque important
de maladie
cardio-vasculaire

Risque faible
de maladie
cardio-vasculaire

Perturbation du génome et cancérisation

Rayons UV

Substances chimiques
mutagènes

Virus

Cellule
somatique

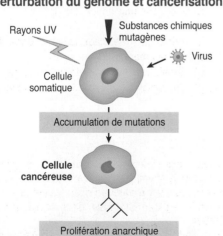

Accumulation de mutations

**Cellule
cancéreuse**

Prolifération anarchique

Tumeur : clone de cellules cancéreuses

Variation génétique bactérienne et résistance aux antibiotiques

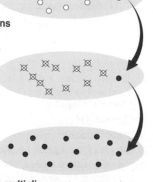

Apparition de **mutations
spontanées** dans une
population bactérienne.

Traitement par un
antibiotique : seul
le **mutant résistant
survit**.

Le **mutant résistant se multiplie**,
la population de bactéries
devient résistante à cet antibiotique.

Les superbactéries indiennes

En 2009, des médecins indiens identifient chez un patient des bactéries (*Escherichia coli* et *Klebsiella pneumoniae*) résistant aux traitements antibiotiques, y compris à ceux réservés aux bactéries résistant aux molécules couramment utilisées.

Une étude plus poussée montre alors que ces bactéries possèdent un gène nommé NDM (pour New Delhi metallo-ß-lactamase) qui code pour une enzyme capable de détruire la plupart des molécules antibiotiques. De telles souches bactériennes représentent une menace potentielle redoutable.

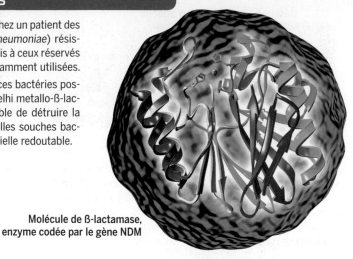

Molécule de ß-lactamase, enzyme codée par le gène NDM

souches bactériennes sensibles (en %)

Sensibilité à divers antibiotiques des bactéries porteuses de la mutation NDM

Des études ont montré que seuls deux antibiotiques (la colistine et la tigécycline) restaient efficaces contre les bactéries porteuses du gène NDM. L'arsenal thérapeutique disponible a donc considérablement diminué.

Des bactéries porteuses du gène NDM ont été retrouvées en Angleterre et en Australie, chez des patients ayant tous séjourné en Inde ou au Pakistan ; comme beaucoup avaient également visité d'autres pays, on peut craindre une dissémination des bactéries résistantes.

Les bactéries possèdent une propriété qui peut s'avérer redoutable. Le gène NDM est en effet situé sur un plasmide, c'est-à-dire un petit fragment d'ADN circulaire indépendant du chromosome bactérien. Or, ce plasmide peut être copié et passe assez facilement d'une bactérie à l'autre (qu'elles soient de la même espèce ou d'espèces différentes). L'échange se fait, au cours d'un phénomène appelé la conjugaison, grâce à un tube qui s'établit entre deux bactéries (indiqué par la flèche sur la *photographie ci-contre*).

Il y a donc des possibilités de multiplication et de dissémination du gène de résistance beaucoup plus importantes. La prolifération de souches résistantes pourrait donc se faire très vite et cette éventualité pose un problème très sérieux à la communauté médicale.

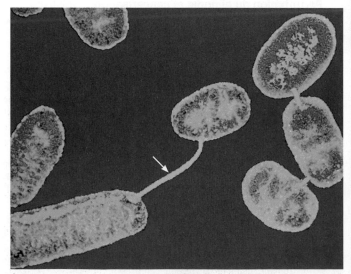

Échange de matériel génétique chez des bactéries *Escherichia coli*

Statistiques et santé

Vos goûts et vos points forts
- Faire des calculs, réaliser des graphiques
- Établir des corrélations
- Utiliser des logiciels
- Être utile aux autres

Statisticien
C'est assurer le traitement des résultats des études faites pour proposer des résultats clairs.

Les domaines d'activité potentiels

Il s'agit de vérifier l'efficacité d'un médicament ou l'influence d'un facteur sur une maladie, ou encore d'estimer l'efficacité des politiques de santé publique. Il faut pour cela mettre en place des études épidémiologiques, puis traiter les masses de données ainsi obtenues. Les résultats permettent de conseiller médecins, politiques et industriels pharmaceutiques dans leurs choix et leurs pratiques.

Pour y parvenir

Les études pour devenir statisticien sont variées, depuis le DUT *statistique et informatique décisionnelle* aux grandes écoles en passant par des masters et des licences pro. Un épidémiologiste suit souvent des études médicales et s'oriente vers un master tourné vers la santé publique et l'épidémiologie. Il peut également avoir suivi un master dans une école comme l'INSA ou l'ISPED.

Les débouchés

Les organismes publics chargés d'évaluer l'état de santé des français (INVS, INPES, assurance maladie) recrutent régulièrement, de même que les laboratoires pharmaceutiques.

Épidémiologiste
C'est étudier les facteurs qui interviennent dans le développement des maladies pour conseiller médecins et décisionnaires.

... mieux comprendre l'histoire des sciences

Hippocrate et le « crabe »

Hippocrate (460-356 avant J.-C.) est un médecin grec, resté célèbre par les obligations morales et humanistes qu'il assignait à sa fonction. Il réalisa des descriptions complètes de différentes formes de cancer et en proposa une classification. Il donna à ces affections le nom de carcinome, dérivé d'un terme grec signifiant « crabe ». On pense qu'il l'a nommé ainsi en pensant à un crabe rongeant les tissus, à moins que la forme de certaines tumeurs ne lui ait fait penser à des pattes de crabe.

Instruments de chirurgie de la Grèce antique.
On pense qu'Hippocrate les utilisait pour extraire certaines tumeurs superficielles ou pour cautériser. Il disposait également d'onguents. De ses propres dires, ces méthodes manquaient beaucoup d'efficacité.

Buste d'Hippocrate

Exercices

1 Définissez les mots ou expressions

Maladie génétique, thérapie génique, épidémiologie, cellule cancéreuse, antibiotique.

2 Questions à choix multiples

Choisissez la ou les bonnes réponses parmi les différentes propositions.

1. La mucoviscidose :
a. est une maladie rare ;
b. est liée à un allèle récessif ;
c. peut être soignée par thérapie génique.

2. Les maladies cardio-vasculaires :
a. ont une origine exclusivement génétique ;
b. peuvent être liées au mode de vie ;
c. n'apparaissent jamais si l'on adopte un comportement adapté (alimentation, sport...).

3. Une cellule cancéreuse :
a. peut être introduite dans notre organisme par un virus ;
b. est issue de mutations de l'ADN ;
c. a plus de chance d'apparaître chez un individu si celui-ci est exposé à certains facteurs.

4. Un antibiotique :
a. est destiné à tuer des bactéries avant leur pénétration dans un organisme ;
b. est responsable d'une évolution des populations bactériennes qui répond au principe de sélection naturelle ;
c. est inefficace dans certains cas car la bactérie peut y être insensible suite à une mutation.

3 Vrai ou faux ?

Repérez les affirmations exactes et corrigez celles qui sont inexactes.

a. La thérapie génique consiste à éliminer de l'organisme les allèles responsables de maladies.
b. Un antibiotique n'est pas toujours efficace.
c. Si un couple a déjà eu un enfant atteint de mucoviscidose, le risque d'avoir un autre enfant malade est de 1/4.
d. Pour toutes les maladies génétiques, il y a une double origine : génétique et environnementale.
e. Il n'y a pas de lien entre l'apparition de bactéries résistantes aux antibiotiques et l'utilisation de ces derniers en médecine.

4 Argumentez une affirmation

a. Les traitements destinés aux patients atteints de mucoviscidose visent à corriger les effets de la maladie, mais ne parviennent pas à guérir cette maladie.
b. La plupart des cancers peuvent être considérés comme la conséquence de mutations.
c. Les facteurs environnementaux jouent un rôle majeur dans le développement de certaines maladies génétiques.

5 Restitution organisée des connaissances
Les maladies génétiques
À partir d'un exemple précis, montrez que le déclenchement d'une maladie génétique peut être lié à des facteurs environnementaux.

6 La démarche épidémiologique

Raisonner avec rigueur

Une équipe de recherche désire savoir s'il existe un lien entre la consommation d'un composant alimentaire A et le développement d'un cancer des voies digestives. Ces chercheurs réalisent donc une étude.

Choisissez parmi les différentes propositions celles qui vous paraissent rigoureuses. Justifiez vos choix.

a. L'une des possibilités de l'étude est de réaliser deux groupes ; on donne ensuite, chaque jour, le composant alimentaire A aux membres d'un seul des deux groupes.
b. Des enquêtes sont menées dans la population pour connaître les habitudes alimentaires des individus et savoir s'ils ont été exposés ou non au composant alimentaire A.
c. On doit définir des critères pour inclure les individus dans l'étude (âge, poids, antécédents familiaux...).
d. Si des cas de cancers apparaissent dans le groupe non exposé au composant A, cela signifie que ce dernier n'a pas d'influence sur l'apparition d'un cancer.

e. Le graphique ci-dessous montre qu'il n'existe pas de lien entre le composant A et le cancer des voies digestives.

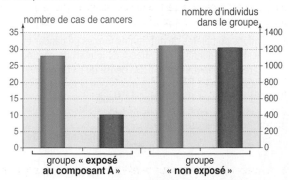

Pour cette étude, deux groupes ont été constitués et suivis pendant 5 ans ; on a comptabilisé le nombre de cas de cancers dans chaque groupe.

7 Le diabète de type 2 — Exploiter des données, raisonner

Le diabète de type 2 est une maladie liée au métabolisme du glucose. En temps normal, cette molécule est absorbée au niveau de l'intestin, elle circule dans le sang puis entre dans les cellules de l'organisme pour être utilisée ou stockée.

Chez les patients diabétiques de type 2, l'entrée du glucose dans les cellules ne se fait pas correctement et le taux sanguin de glucose augmente anormalement. Des complications peuvent apparaître à long terme si la maladie n'est pas suffisamment bien prise en charge.

Le nombre de personnes touchées en France est en augmentation, mais on constate des différences importantes en fonction du lien familial avec une personne atteinte (*tableau ci-dessous*).

Lien de parenté avec un sujet atteint	Risque d'être atteint
Jumeau vrai	90 à 100 %
Frère ou sœur	supérieur à 40 %
Aucun lien	entre 4 et 5 %

Lien entre obésité et diabète de type 2

Des études, menées auprès de 113 861 femmes américaines âgées de 30 à 35 ans, ont permis de dresser le *graphe ci-dessous*. La corpulence de ces femmes a été estimée par la mesure de l'indice de masse corporelle ou IMC (IMC = poids/taille au carré) : on considère qu'il y a surpoids à partir de 25 et obésité à partir de 30.

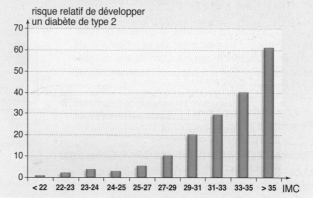

1. Quels indices montrent que le diabète de type 2 a une origine génétique ?

2. Montrez que le mode de vie a également une influence sur le développement de la maladie.

8 La phénylcétonurie — Raisonner avec rigueur

La phénylcétonurie est une maladie qui touche environ un nouveau-né sur 15 000, en France. Provoquée par une accumulation de phénylalanine dans le sang, elle perturbe le développement du système nerveux et les enfants atteints présentent des retards mentaux importants.

La phénylalanine est normalement détruite par une enzyme, la PAH. Les sujets malades présentent tous une mutation du gène de la PAH, situé sur le chromosome 12. Cette mutation est récessive. La fréquence des individus hétérozygotes, en France, est proche de 1/60. Un test simple, réalisé à partir de quelques gouttes de sang, permet de savoir si une personne est atteinte ou pas de cette maladie.

Il est cependant possible de minimiser les effets de cette déficience génétique en adoptant un régime pauvre en phénylalanine (fruits et légumes essentiellement).

Des études sont en cours pour développer des médicaments ou une thérapie génique.

Arbre généalogique d'une famille touchée par la phénylcétonurie

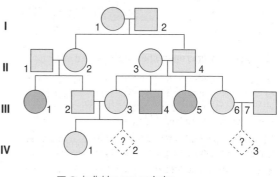

☐ ○ individus non-malades
■ homme atteint   ● femme atteinte

1. À quelles personnes vous paraît-il intéressant de proposer le test de dépistage ? Justifiez.

2. À partir de l'étude de l'arbre généalogique ci-dessus, calculez le risque d'être atteint de phénylcétonurie pour les deux fœtus (IV-2 et IV-3).

3. Le risque calculé vous paraît-il élevé ?

Exercices

9 L'évolution de l'espérance de vie aux États-Unis Exploiter des documents, raisonner

L'espérance de vie est le nombre d'années que peut espérer vivre un individu si les conditions de vie au moment du calcul restent les mêmes par la suite. Alors que cette espérance augmente de façon régulière dans la plupart des pays développés, elle se stabilise aux États-Unis.

Parmi les explications possibles, la question de l'obésité revient assez fréquemment. On se propose ici de chercher à comprendre comment une hausse de l'obésité pourrait expliquer une baisse de l'espérance de vie aux États-Unis.

Document 1 : Évolution de l'espérance ▶ de vie à la naissance en France et aux États-Unis.

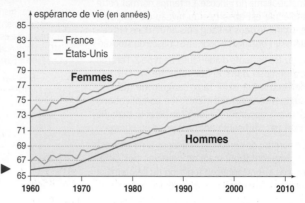

Document 2 : Évolution de l'obésité dans quelques pays.

L'obésité est attribuée à une consommation excessive de graisses et de sucres associée à un manque d'exercice physique.

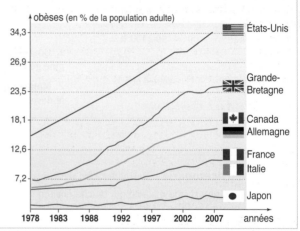

Document 3 : Lien entre obésité et risque d'infarctus du myocarde.

L'étude a porté sur 15 152 sujets de tous pays. Les sujets ont été classés en 5 catégories montrant des degrés d'obésité croissants : de « poids normal » pour Q1 à « obésité extrême » pour Q5. Parallèlement, on a noté les cas d'infarctus du myocarde. Cet accident vasculaire est dû à une obstruction des vaisseaux coronaires qui alimentent le cœur avec un risque d'arrêt cardiaque si l'accident n'est pas traité à temps.

Un risque de 1 signifie que le facteur considéré n'a pas d'influence sur le risque d'infarctus.

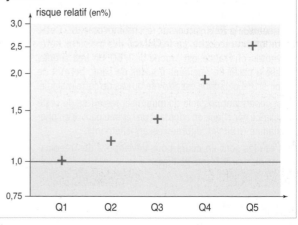

À partir des documents ci-dessus et de vos connaissances, proposez une explication possible à la variation de l'espérance de vie constatée aux États-Unis au cours des décennies récentes.

Utiliser ses capacités expérimentales

10 Réaliser et analyser un antibiogramme   Suivre un protocole

■ Problème à résoudre

On souhaite déterminer l'antibiotique le plus efficace contre une bactérie (kit Sordalab).

■ Matériel disponible

– Boîte de Petri avec milieu nutritif pour bactéries.
– Suspension de bactéries non pathogènes fournies dans le kit.
– Pastilles imbibées de quatre antibiotiques différents.
– Poire et pinces stériles.

■ Protocole expérimental

ATTENTION : Manipuler en conditions stériles, c'est-à-dire à proximité d'une source de chaleur (bec Bunsen ou électrique).

– Lavez vos mains, désinfectez le plan de travail à l'eau de Javel.
– Prélevez 1 mL de suspension de bactéries, puis déposez-le dans la boîte de Petri.
– Répartissez soigneusement la suspension sur toute la surface (en tournant ou avec un étaloir) ; videz l'excédent.
– Refermez la boîte et laissez sécher 20 à 25 minutes.
– Déposez les pastilles d'antibiotiques dans la boîte puis refermez-la.
– Maintenez la culture pendant 48 heures à 30 °C.

Ensemencement et dépôt des disques d'antibiotiques

■ Exploitation des résultats

– Mesurez le diamètre de la zone d'action de chaque antibiotique.
– En suivant la méthode décrite ci-dessous, déterminez la sensibilité des bactéries aux différents antibiotiques, puis indiquez ceux qui semblent être les plus efficaces.

Principe de lecture :

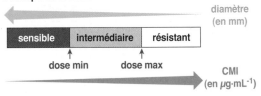

Le diamètre de la zone d'action est reporté sur l'**abaque** en partant de la droite. La lecture de la **CMI** (concentration minimale inhibitrice) se fait directement à la partie inférieure de l'**abaque** mais, sa valeur en µg·mL⁻¹ n'ayant qu'un intérêt pour le médecin. On se contentera ici de comparer la CMI à deux valeurs critiques (dose minimale et dose maximale) définies par les laboratoires et qui permettent d'apprécier l'intérêt thérapeutique de chaque antibiotique.

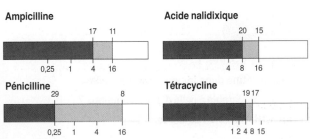

Résultats après incubation de 48 h.
AM : ampicilline, P : pénicilline,
NA : acide nalidixique, TE : tétracycline.

Des DOCUMENTS pour se poser des questions

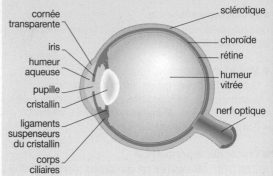

cornée transparente
sclérotique
iris
choroïde
humeur aqueuse
rétine
pupille
humeur vitrée
cristallin
nerf optique
ligaments suspenseurs du cristallin
corps ciliaires

L'œil humain : plus qu'un système optique

L'œil humain est constitué de milieux transparents permettant à une image de se former sur la rétine. C'est à partir de cette image formée sur la rétine qu'une information est transmise au cerveau, ce dernier assurant la perception visuelle.

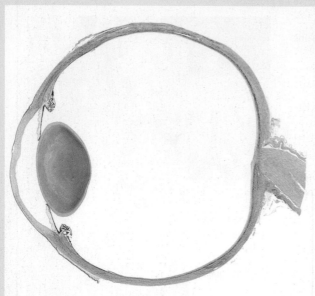

Des photorécepteurs par millions

La rétine d'un œil humain ne comporte pas moins de 130 millions de cellules nerveuses photoréceptrices.

LES PROBLÉMATIQUES DU CHAPITRE

- Comment la transparence du cristallin est-elle assurée ?
- Quels rôles jouent les photorécepteurs de la rétine dans la perception visuelle ?
- La vision des couleurs chez l'Homme est-elle comparable à celle d'autres animaux ?
- Comment le message visuel issu de l'œil est-il transmis au cerveau ?

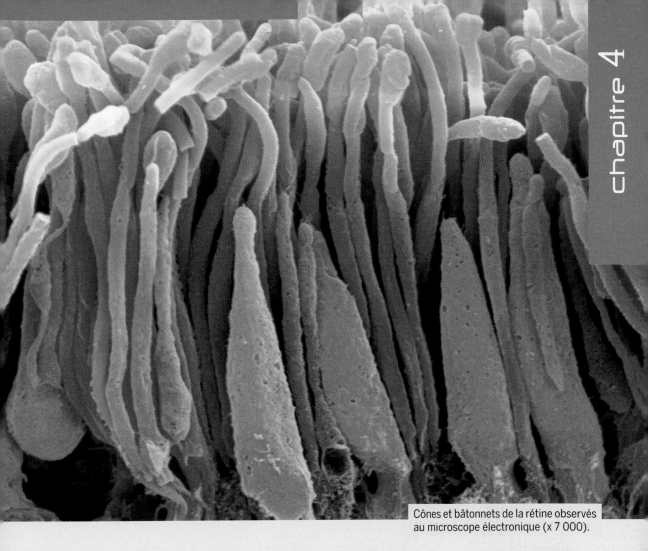

Cônes et bâtonnets de la rétine observés au microscope électronique (x 7 000).

La vision : de la lumière
au message nerveux

Le cristallin : une lentille vivante

Le cristallin est une lentille convergente : sa forme biconvexe, sa transparence et sa souplesse sont des caractéristiques indispensables à la vision. *Ces documents permettent de comprendre comment cet organe vivant peut présenter de telles propriétés.*

A Le cristallin, un organe transparent

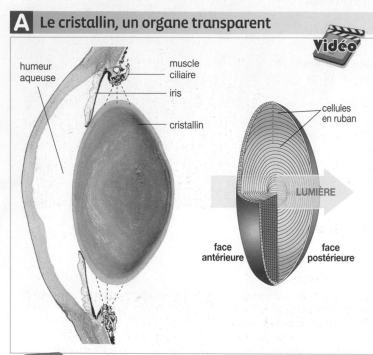

Le cristallin est un organe très particulier : il est en effet dépourvu de **tissu conjonctif**, de cellules nerveuses et de capillaires sanguins. Le cristallin est constitué de milliers de cellules allongées en forme de rubans incurvés. Dans la partie centrale du cristallin, les cellules sont parfaitement transparentes et laissent donc passer la lumière.

Le cristallin est suspendu par des ligaments reliés à un muscle en anneau (muscle ciliaire). En se contractant, ce muscle provoque un glissement des cellules du cristallin de telle sorte que le cristallin prend une forme plus bombée. Ce processus d'**accommodation,** en augmentant la **vergence** du cristallin, permet de voir nettement les objets proches.

Doc. 1 **Le cristallin : un organe qui laisse passer la lumière et dont la forme peut varier.**

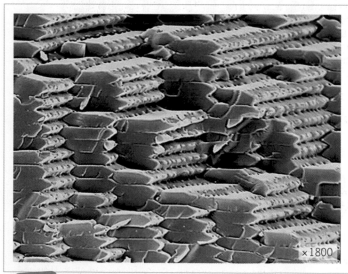

Les cellules en ruban du cristallin ont une forme très particulière, en « lames de parquet » comme le montre cette observation au microscope électronique. La lumière arrive perpendiculairement à leur surface, ce qui évite la dispersion.

Dans la partie centrale du cristallin, les cellules n'ont pas de noyau et sont totalement dépourvues d'**organite**. Leur cytoplasme est constitué à plus de 90 % de protéines (appelées cristallines) qui forment un réseau ordonné se traduisant par un aspect de gel optiquement très homogène.

Le métabolisme des cellules du cristallin est très particulier : les cellules reçoivent leurs nutriments solubles par diffusion à partir de l'**humeur aqueuse**.

Doc. 2 **Une organisation cellulaire qui explique la parfaite transparence du cristallin.**

B Les cellules du cristallin : un cycle cellulaire très particulier

Cette image du cristallin d'un souriceau observé deux jours après la naissance permet de comprendre comment évoluent les cellules du cristallin. Sur ce cliché, le noyau des cellules est coloré en orange, le cytoplasme en vert.

Les cellules situées en périphérie du cristallin se divisent par mitoses et refoulent vers l'intérieur les cellules plus anciennes. Chaque cellule s'allonge à ses deux extrémités jusqu'à atteindre les parties antérieure et postérieure du cristallin. Le centre du cristallin est donc constitué des cellules les premières formées. Très peu de cellules se forment après l'âge de 20 ans.

Au cours de leur croissance, les cellules subissent une différenciation très caractéristique. On observe successivement :
– une accélération de la **transcription** de certains gènes ;
– l'arrêt de cette transcription ;
– la fragmentation de l'ADN puis la disparition du noyau ;
– enfin, la disparition de tous les **organites**.

Les cellules du cristallin s'apparentent alors à des cellules en fin de vie, mais elles ne meurent pas et ne sont jamais éliminées.

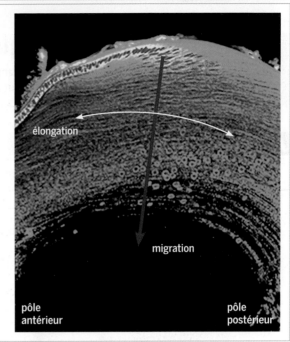

élongation

migration

pôle antérieur

pôle postérieur

Doc. 3 **Les cellules du cristallin : une fin de vie qui s'éternise ?**

animation

La presbytie

La presbytie est un phénomène qui apparaît chez tous les individus, à partir de 45 ans environ.

Elle se caractérise par une difficulté à voir de près : pour lire, l'individu est obligé de maintenir son livre à distance des yeux. La presbytie contraint à porter des lunettes augmentant la **vergence** du cristallin.

Ce défaut d'accommodation est dû au vieillissement des cellules du cristallin qui deviennent moins **élastiques** : le cristallin perd alors sa faculté à prendre une forme plus bombée.

La cataracte

Les cellules du cristallin mènent une vie « à l'économie » : de ce fait, elles disposent de capacités très limitées pour se réparer. Elles sont notamment incapables de fabriquer de nouveaux **ARN messagers**.

Les dégâts causés par exemple par les rayons ultraviolets ou par un taux de sucre trop important dû au diabète deviennent parfois irréversibles : les protéines cristallines finissent par précipiter, se déstructurent et l'en-

semble du cristallin devient opaque : c'est la cataracte. La cataracte peut s'opérer (voir page 318).

Doc. 4 **Des anomalies de la vision dues au vieillissement.**

Pistes d'exploitation

PROBLÈME À RÉSOUDRE ▶ **Quelles sont les caractéristiques des cellules du cristallin en relation avec sa fonction dans la vision ?**

Doc. 1 Rappelez la fonction du cristallin.

Doc. 2 Faites une liste des caractéristiques des cellules du cristallin en relation avec sa fonction.

Doc. 2 et 3 Comparez la « vie » d'une cellule du cristallin à celle habituellement constatée chez les autres cellules.

Doc. 4 Montrez que ces anomalies de la vision sont en relation avec certaines particularités des cellules du cristallin.

Lexique, p. 354

La rétine : une mosaïque de photorécepteurs

La rétine est la membrane interne de l'œil sur laquelle se forme l'image des objets vus. *Des observations et des expérimentations montrent que cette membrane est composée de multiples cellules dont certaines sont sensibles à la lumière.*

A La rétine observée au microscope

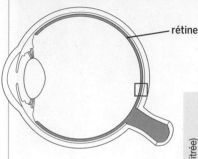

rétine

La **rétine** est une fine membrane de 0,5 mm d'épaisseur, incolore et transparente, qui tapisse l'intérieur de l'œil. L'observation au microscope optique à fort grossissement permet de comprendre comment sont agencées les cellules qui la constituent.

La *photographie ci-contre* a ▶ été obtenue après une coloration qui met en évidence les contenus cellulaires, notamment les noyaux : on distingue ainsi plusieurs couches de cellules interconnectées.

Partie interne de l'œil (humeur vitrée)

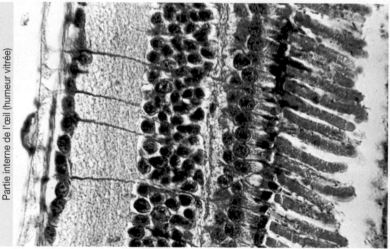

neurones ganglionnaires

neurones bipolaires

photorécepteurs

fibres du nerf optique

La lumière qui traverse les **milieux transparents de l'œil** traverse aussi les différentes couches cellulaires de la rétine avant de parvenir aux photo-récepteurs.

LUMIÈRE

Doc. 1 **La rétine : une architecture complexe.**

B Des cellules sensibles à la lumière

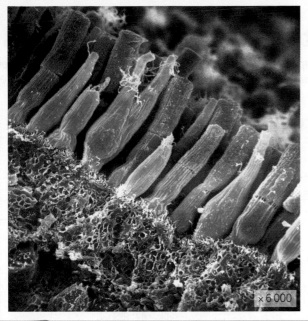

×6 000

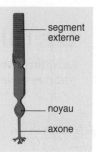

Bâtonnets

- **Nombre** : 125 millions
- **Pigment** : rhodopsine
- **Sensibilité** : très élevée
  (les bâtonnets sont 100 fois
  plus sensibles que les cônes)
- **Perception des couleurs** : non

segment externe

noyau

axone

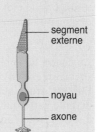

Cônes

- **Nombre** : 6,5 millions répartis
  en trois types
- **Pigment** : opsine (chaque type
  de cône possède une opsine
  particulière)
- **Sensibilité** : faible
- **Restitution des couleurs** : oui
  (voir page 309)

segment externe

noyau

axone

Doc. 2 **Cônes et bâtonnets : la rétine comporte deux catégories de photorécepteurs.**

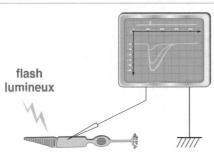

flash lumineux

Il est possible de mesurer le **potentiel électrique** existant au niveau d'un photorécepteur.

L'enregistrement ci-contre montre la ▶
réponse d'un cône lorsqu'on le soumet à
un flash lumineux d'intensité croissante.

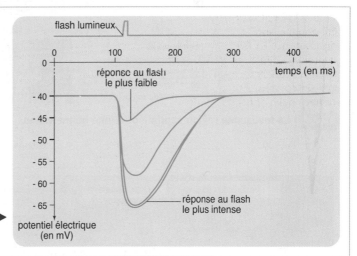

flash lumineux

réponse au flash
le plus faible

temps (en ms)

réponse au flash
le plus intense

potentiel électrique
(en mV)

Doc. 3 **La réponse d'un cône à un stimulus lumineux.**

Pistes d'exploitation

<u>PROBLÈME À RÉSOUDRE</u> ▶ **Où sont situées les cellules photoréceptrices de la rétine et quelles sont
leurs caractéristiques ?**

Doc. 1 et 2 Nommez les cellules photoréceptrices de la
rétine et précisez leur localisation.

Doc. 1 Quelles sont les relations entre les photorécepteurs et les autres cellules de la rétine ?

Doc. 3 Que montre cette étude ? Justifiez le terme de
photorécepteurs donné aux cônes et aux bâtonnets.

Doc. 1 à 3 Montrez que la rétine est un tissu nerveux.

Lexique, p. 354

Les rôles complémentaires des photorécepteurs

La rétine comporte deux types de photorécepteurs, les cônes et les bâtonnets. *L'étude de leur répartition et de leurs propriétés permet de comprendre certaines caractéristiques de la vision.*

A Une inégale répartition des photorécepteurs rétiniens

Pouvez-vous lire entièrement cette ligne si vous ne bougez ni vos yeux ni votre tête ?
Fixez bien le mot « si » dans la ligne ci-dessus. Quels autres mots de la phrase (à droite et à gauche) pouvez-vous lire en maintenant tête et yeux strictement immobiles ?

Au centre de la rétine, la **fovéa** est une région spécialisée d'environ 1,5 mm de diamètre. Elle est située sur l'**axe optique** du cristallin, de telle sorte que c'est au niveau de la fovéa que se forme l'image d'un objet situé sur cet axe optique.

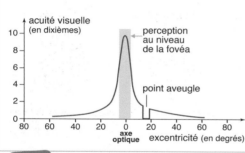
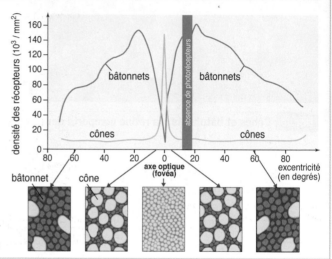

Doc. 1 La fovéa, une région capitale pour une bonne vision.

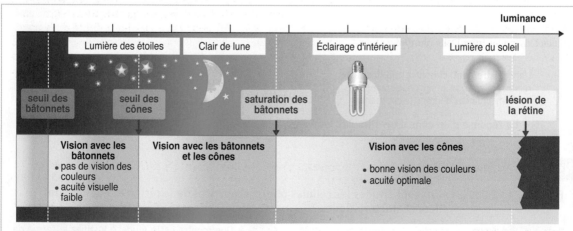

En faible éclairement, seuls les bâtonnets sont susceptibles d'être stimulés : on détecte mieux un objet faiblement éclairé en le regardant de côté.

Quand l'éclairement est suffisant, ce sont les cônes qui assurent la perception : les mouvements incessants de l'œil dirigent la fovéa vers les objets à détecter.

Doc. 2 La complémentarité des photorécepteurs rétiniens.

B Les cônes et la vision des couleurs

Chez l'Homme, la vision des couleurs repose sur l'existence de trois types de cônes qui diffèrent par le **pigment** qu'ils renferment. Ces pigments, appelés **opsines**, ont une sensibilité différente aux lumières colorées.

Les opsines contenues dans les trois types de cônes sont le produit de l'expression de trois gènes localisés sur deux chromosomes différents (les chromosomes 7 et X).

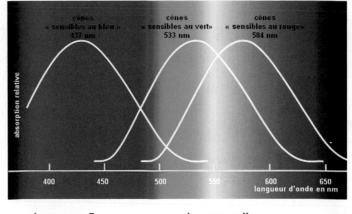

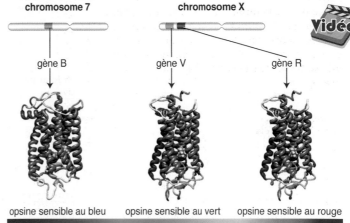

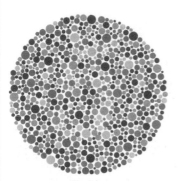

Voyez-vous un chiffre ? Certaines personnes ne le distinguent pas...

Dès le début du XIXᵉ siècle, le médecin et physicien Thomas Young propose que la vision des couleurs résulte de l'excitation de trois types de détecteurs seulement.

Il explique ainsi l'anomalie de la vision présentée par le physicien anglais John Dalton : celui-ci (tout comme son frère) ne parvenait pas à distinguer le rouge et le vert. Ce n'est que beaucoup plus tard (au début des années 1960) que l'on obtint la preuve directe de l'existence de trois pigments, localisés dans trois types de cônes de la rétine : la théorie de Young était enfin confirmée. Le **daltonisme** est une anomalie génétique qui touche environ 8 % de la population masculine (0,5 % de la population féminine) : du fait de l'absence de l'un des trois types de cônes, les daltoniens ne peuvent reproduire les couleurs qu'à partir de deux types de cônes seulement.

Doc. 3 Le déterminisme génétique de la vision des couleurs.

Pistes d'exploitation

PROBLÈME À RÉSOUDRE ► Quelles caractéristiques, en relation avec la vision, différencient les cônes et les bâtonnets ?

Doc. 1 et 2 On parle souvent de vision centrale et de vision périphérique. Présentez les caractéristiques de ces deux types de vision.

Doc. 1 et 2 Expliquez pourquoi la lecture exige un bon éclairement ainsi qu'un mouvement fréquent et très précis des yeux.

Doc. 3 Expliquez pourquoi un daltonien qui ne peut pas produire d'opsine sensible au vert confondra le rouge et le vert.

Doc. 3 Recherchez les caractéristiques et les causes d'autres anomalies de la vision des couleurs.

Lexique, p. 354

Vision des couleurs et parenté chez les primates

L'Homme partage avec d'autres animaux, notamment certains singes, une excellente perception des couleurs. *Une étude comparée des pigments rétiniens montre un mécanisme de complexification du génome au cours de l'évolution et permet de situer l'Homme au sein du groupe des primates.*

A Un mécanisme d'enrichissement du génome

ACTIVITÉ EXPÉRIMENTALE

Chez l'Homme, les **opsines** contenues dans les trois types de cônes sont les produits de l'expression de trois gènes localisés sur deux chromosomes différents.

Le pigment photosensible des bâtonnets, la **rhodopsine**, provient de l'expression d'un quatrième gène situé sur un autre chromosome.

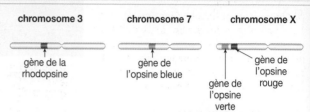

Les séquences de ces molécules peuvent être comparées à l'aide du logiciel *Phylogène* (**a**) : chaque lettre représente un acide aminé.

On peut alors établir une matrice des différences (**b**) qui indique le pourcentage de différences entre les protéines prises deux à deux.

	opsine-bleue	rhodopsine	opsine-rouge	opsine-verte
opsine-bleue	0	53.8	58.2	57
rhodopsine		0	57.3	56.1
opsine-rouge			0	4.39
opsine-verte				0

Doc. 1 **Une comparaison des quatre pigments visuels humains.**

Les scientifiques considèrent qu'une similitude supérieure à 20 % entre deux molécules ne peut être due au hasard et indique une origine commune pour les molécules.
Ceci signifie que les gènes qui codent pour ces molécules dérivent d'un « **gène ancestral** » commun.
En effet, un gène peut être accidentellement copié et se retrouver présent dans le génome en deux exemplaires, sur un même chromosome ou non : c'est la **duplication**.

Par la suite, des **mutations ponctuelles** se produisent et rendent différents ces duplicata initialement identiques. Plus la duplication d'un gène est ancienne et plus les deux gènes qui en résultent sont différents.
Ces gènes peuvent permettre la production de protéines remplissant des fonctions différentes. De tels gènes forment une **famille multigénique**.

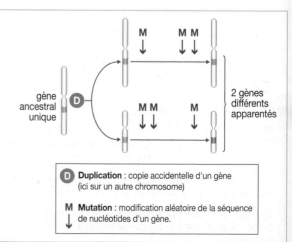

D Duplication : copie accidentelle d'un gène (ici sur un autre chromosome)

M Mutation : modification aléatoire de la séquence de nucléotides d'un gène.

Doc. 2 **La constitution d'une famille multigénique.**

B L'établissement d'une parenté au sein des primates

	360	370	380	390	400	410	420	430
Homme	CTGGTTACAGGCTGGTCACTGGCCTTCCTGGCCTTTGAGCGCTACATTGTCATCTGTAAGCCCTTCGGCAACTTCC-
Macaque	------G-------------------T---
Chimpanzé	--
Saïmiri	------G--
Souris	--A-G----A-----T---T-----T----A------G-------------A----------G-A---

Il est possible de comparer la séquence des **nucléotides** du gène qui code pour l'opsine sensible au bleu chez quelques êtres vivants, primates ou non (gène « Opn1sw »).

Le *document ci-dessus* est un extrait d'une comparaison réalisée avec le logiciel Anagène. La première séquence sert de référence : chaque nucléotide identique dans les autres séquences est noté « – ».

Le *tableau ci-contre* indique les pourcentages de ressemblances entre les gènes des différentes espèces, comparés au gène humain. ►

	Macaque	Chimpanzé	Saïmiri	Souris
Homme	96,9 %	99,8 %	93,7 %	86,5 %

Doc. 3 Une comparaison du gène permettant de produire l'opsine sensible au bleu.

Une étude systématique révèle que la plupart des mammifères ne possèdent que deux opsines. Seuls certains primates ont une vision trichromatique.

Le *tableau ci-dessous* présente l'équipement génétique relevé chez quelques primates.

	Opsine R	Opsine V	Opsine B
Homme	présent	présent	présent
Chimpanzé	présent	présent	présent
Cebus	présent	absent	présent
Gorille	présent	présent	présent
Macaque	présent	présent	présent
Saïmiri	présent	absent	présent

Doc. 4 Tous les animaux n'ont pas une vision trichromatique.

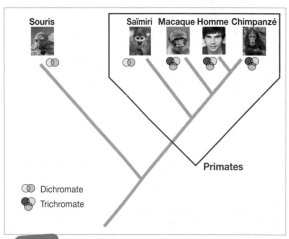

Souris — Saïmiri — Macaque — Homme — Chimpanzé

Primates

Dichromate
Trichromate

Doc. 5 Un arbre de parenté construit d'après la similitude des gènes des opsines.

Pour télécharger les données :
www.bordas-svtlycee.fr

Pistes d'exploitation

PROBLÈME À RÉSOUDRE ► Quelles informations apporte l'étude comparée des pigments rétiniens chez les primates ?

Doc. 1 et 2 Pourquoi considère-t-on que les gènes codant pour les pigments rétiniens ont une origine commune ?

Doc. 1 et 2 Présentez sous forme d'un schéma les mécanismes aboutissant à la formation de cette famille multigénique.

Doc. 2 et 4 Pourquoi peut-on dire que la vision des couleurs chez les primates s'accompagne d'un enrichissement du génome au cours de l'évolution ?

Doc. 3 à 5 Justifiez la place de l'Homme parmi les primates telle qu'elle est présentée par cet arbre.

Lexique, p. 354

De la rétine au cerveau

La vision n'est possible que si des stimulus lumineux sont perçus par les photorécepteurs rétiniens. *Cependant, voir nécessite aussi que le cerveau reçoive les messages issus de la rétine de chacun des deux yeux.*

A La vision : une fonction cérébrale

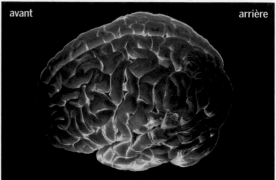

L'idée que la vision fait intervenir une partie spécifique du cerveau remonte à la fin du XIXᵉ siècle. Des médecins constatent en effet que des blessures de guerre localisées dans le **cortex occipital** rendent les personnes aveugles dans une zone déterminée du **champ visuel**. Aujourd'hui, la « tomographie par émission de positons » (TEP) et l'**IRM** permettent d'obtenir des images révélant le degré d'activité des diverses zones du cerveau. L'image de gauche a été obtenue alors que le sujet regardait des mots écrits. L'image de droite correspond à un sujet entendant des mots, sans rien voir.

■ activité forte
■ activité moyenne
■ activité faible

Doc. 1 **Identifier la localisation cérébrale de la vision.**

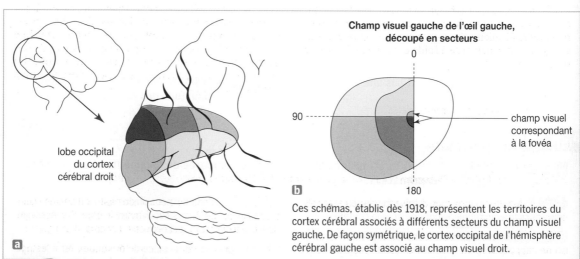

Champ visuel gauche de l'œil gauche, découpé en secteurs

lobe occipital du cortex cérébral droit

champ visuel correspondant à la fovéa

a

b

Ces schémas, établis dès 1918, représentent les territoires du cortex cérébral associés à différents secteurs du champ visuel gauche. De façon symétrique, le cortex occipital de l'hémisphère cérébral gauche est associé au champ visuel droit.

Doc. 2 **Le cortex visuel primaire : une projection du champ de vision.**

B Une communication nerveuse entre rétine et cerveau

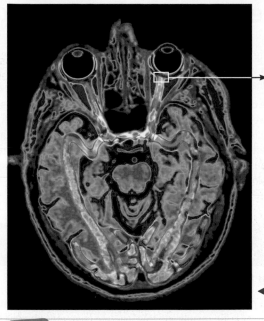

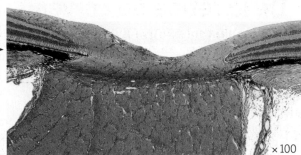

×100

Cônes et bâtonnets sont des cellules nerveuses ou neurones. Ils sont connectés à d'autres **neurones** se prolongeant par les fibres du nerf optique.

La *photographie ci-dessus* montre le départ du nerf optique au niveau de la rétine : plus d'un million de fibres nerveuses !

◀ La *photographie ci-contre* (**IRM** transversale de la tête) permet de suivre le trajet des voies visuelles.

Doc. 3 Le trajet des voies visuelles.

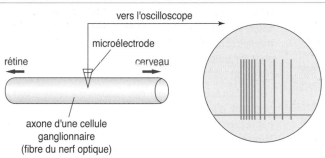

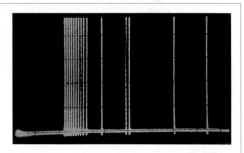

• Chaque fibre du nerf optique est le prolongement d'un neurone rétinien lui-même connecté à des photo-récepteurs rétiniens. Il est possible d'enregistrer l'activité d'une fibre nerveuse à l'aide d'une microélectrode reliée à un **oscilloscope**.

• En réponse à l'éclairement d'une zone de la rétine, on détecte alors une série de signaux électriques brefs et peu intenses, dont l'amplitude est toujours la même (1/10e de volt environ). Ces signaux électriques, de fréquence variable, sont regroupés en « salves » plus ou moins longues qui circulent à grande vitesse le long des fibres nerveuses.

Doc. 4 Le message nerveux visuel.

Pistes d'exploitation

PROBLÈME À RÉSOUDRE ▶ Comment le message visuel est-il transmis jusqu'au cerveau ?

Doc. 1 Montrez qu'une zone précise du cerveau est impliquée dans la vision.

Doc. 2 En vous fondant sur les zones colorées, faites une étude plus détaillée de la correspondance entre le cortex visuel et le champ de vision.

Doc. 2 et 3 Sachant que chaque moitié du champ visuel est perçue par les deux yeux, identifiez le trajet des messages visuels permettant la perception du champ visuel gauche.

Doc. 4 Quelles sont les caractéristiques du message transmis au cerveau depuis la rétine ?

Lexique, p. 354

313

chapitre 4 La vision : de la lumière au message nerveux

1 Le cristallin, une lentille vivante

■ Les rôles du cristallin

Les milieux transparents de l'œil (successivement la cornée, l'humeur aqueuse, le cristallin et l'humeur vitrée) se laissent normalement traverser par la lumière. Ils assurent une convergence des rayons lumineux telle qu'une image des objets se forme sur la rétine. Par ailleurs, le cristallin est responsable du phénomène d'**accommodation**, c'est-à-dire qu'il permet la vision nette d'objets plus ou moins proches. Pour cela, il est capable, en se déformant, de modifier sa vergence ce qui assure la netteté des images rétiniennes.

■ Des cellules très particulières

Le cristallin est un **organe vivant** : comme les autres organes, il est donc constitué de cellules qui se divisent et ont une activité métabolique. Ces cellules, responsables du maintien de la transparence du cristallin et de sa souplesse, ont des caractéristiques très particulières.

– Les cellules se forment par **mitoses**, en périphérie du cristallin, puis évoluent en étant repoussées vers la zone centrale du cristallin. Beaucoup de cellules sont formées pendant la vie embryonnaire, très peu se forment après l'âge de 20 ans. Elles ne sont **jamais remplacées** ; la structure du cristallin n'est donc pas renouvelée.

– Au cours de leur évolution, les cellules perdent noyau et organites. Le **cytoplasme** se présente alors sous forme d'un **gel homogène** de protéines particulières formant un réseau transparent.

– Les cellules du cristallin ne sont ni innervées ni vascularisées : les métabolites nécessaires sont apportés aux cellules par **simple diffusion**.

– À maturité, les cellules du cristallin se présentent sous forme de **lames transparentes** incurvées de 1 cm de long pour seulement 10 μm de largeur et 4,5 μm d'épaisseur. Toutes les cellules du cristallin sont étroitement jointes à leurs voisines.

■ Des anomalies de la vision

Certaines anomalies de la vision sont en rapport avec un dysfonctionnement du cristallin.

La **presbytie** correspond à une diminution des capacités d'accommodation. Cette « mise au point » nécessite une déformation du cristallin rendue possible grâce à l'**élasticité** des cellules. Avec l'âge, les cellules perdent de leur élasticité et le cristallin parvient plus difficilement à augmenter sa vergence. Ce phénomène banal contraint à porter des lunettes pour la vision rapprochée (lecture notamment).

La **cataracte** se manifeste par une **opacification** progressive du cristallin. Elle est due à une précipitation irréversible des protéines du cytoplasme des cellules. La cataracte peut facilement s'opérer, mais elle reste la première cause de cécité dans le monde (18 millions de personnes selon l'OMS).

2 Les rôles complémentaires des photorécepteurs rétiniens

■ La structure de la rétine

La rétine est un tissu nerveux dont la structure est complexe : cette membrane transparente comporte **plusieurs couches** de cellules interconnectées.

Vers l'extérieur se trouvent les nombreuses cellules photoréceptrices (130 millions au total). Ces **photorécepteurs** sont reliés à une deuxième couche de **neurones** eux-mêmes connectés à une troisième couche de neurones. Ce sont les prolongements de ces derniers qui constituent les fibres du nerf optique.

Les photorécepteurs sont des cellules qui renferment un **pigment photosensibl**e : un stimulus lumineux absorbé par le pigment est susceptible d'engendrer un **signal électrique** qui pourra alors être transmis aux neurones des autres couches de la rétine.

■ Des photorécepteurs aux propriétés différentes

Il existe deux types de photorécepteurs rétiniens, les bâtonnets et les cônes.

– Les **bâtonnets**, de loin les plus nombreux, peuvent réagir à des éclairements très faibles. En revanche, ils ne permettent ni de différencier les couleurs ni de distinguer les détails.

– Les **cônes** sont moins sensibles à la lumière. Ils permettent une **vision des couleurs** et une vision précise des objets. Il existe trois types de cônes qui diffèrent par leur pigment, nommé **opsine**. Chaque opsine présente un maximum d'absorption respectivement dans le bleu, le vert ou le rouge. C'est l'excitation relative des différents types de cônes qui permet de restituer les millions de nuances colorées auquel l'œil est sensible.

Une répartition inégale des photorécepteurs

La répartition des photorécepteurs dans la rétine n'est pas quelconque.

La **fovéa**, zone **centrale** de la rétine de la taille d'une tête d'épingle, ne comporte que des cônes. Cette zone permet une vision précise (**acuité visuelle** maximale) et en **couleurs** (à condition que l'éclairement soil suffisant). C'est la raison pour laquelle, pour une activité de précision comme la lecture, le sujet recherche un bon éclairement et bouge sans arrêt les yeux de façon à diriger les fovéas des deux yeux vers les objets regardés.

Vers la **périphérie** de la rétine, les cônes se raréfient et les bâtonnets sont de plus en plus nombreux : les objets situés à la périphérie du champ visuel sont donc perçus avec une faible acuité et une mauvaise vision des couleurs mais leur détection est possible même si leur **luminance** est faible : l'œil peut ainsi percevoir la lumière d'une bougie située à 27 km si l'air est limpide.

En pratique, c'est le système des cônes qui est mis en jeu dans la **vision diurne** (le système des bâtonnets est alors saturé). Les bâtonnets n'interviennent que lors de la **vision crépusculaire**.

3 Les photorécepteurs : un produit de l'évolution

Le déterminisme génétique de la vision des couleurs

Chez l'Homme, la vision des couleurs est dite **trichromatique** car la perception des nuances colorées repose sur des informations issues des trois types de cônes.

La **rhodopsine** (pigment des bâtonnets) et les **opsines** (pigments des cônes) sont des protéines et sont donc codées par des gènes. On connaît d'ailleurs des mutations qui rendent l'un de ces gènes défectueux. Dans un tel cas, la perception des couleurs n'est pas complètement restituée à partir de deux types de cônes seulement : c'est le **daltonisme**.

Une famille multigénique

La comparaison des séquences d'acides aminés des pigments rétiniens, ou celle des séquences de nucléotides des quatre gènes correspondants, révèle de grandes similitudes. Pour les scientifiques, un tel degré de similitude ne peut être dû au hasard et atteste d'une **origine commune** ; les quatre gènes forment ce qu'on appelle une **famille multigénique**.

Le mécanisme proposé est le suivant :
– un **gène ancestral** commun a pu être accidentellement **dupliqué** puis transposé sur un autre chromosome (ou sur un même chromosome) ;
– par la suite, chaque copie du gène subit, indépendamment des autres, des **mutations** ponctuelles.

La répétition de ces mécanismes a permis que se constitue progressivement, au cours de l'évolution, la famille multigénique des opsines.

La place de l'Homme parmi les primates

La comparaison des gènes des pigments rétiniens de différents animaux montre qu'il existe une très forte similitude entre les gènes humains et ceux des autres **primates** (sensiblement plus qu'avec les autres mammifères). Ceci confirme donc que l'Homme est étroitement apparenté avec certains primates (le Chimpanzé en particulier).

Par ailleurs, l'étude de ces gènes révèle que seuls certains primates sont trichromates, la plupart des mammifères et certains singes ne possédant en effet que deux types de cônes. Cette comparaison permet ainsi de situer au cours de l'évolution le processus de **duplication/transposition** qui a doté certaines espèces de la vision trichromatique.

4 Le message nerveux visuel

De la rétine au cerveau

Au sein de la rétine, les photorécepteurs sont connectés à des neurones qui forment les fibres du **nerf optique**. C'est donc un **message nerveux**, de **nature électrique**, qui est acheminé par les deux nerfs optiques jusqu'au cerveau. Sur le trajet des voies visuelles, le croisement partiel des fibres des deux nerfs optiques a une conséquence importante : la moitié (gauche ou droite) du **champ visuel** est perçue par l'hémisphère cérébral du côté opposé.

Le cortex visuel primaire

L'imagerie médicale (IRM) ainsi que l'étude de lésions montre qu'il existe dans le cerveau une **zone spécialisée** dans la vision. En effet, une région bien localisée du cerveau, située dans la partie occipitale, constitue le point d'entrée des messages nerveux provenant des deux yeux. Ce **cortex visuel** primaire apparaît structuré comme une « carte » du champ de vision : à chaque secteur du champ de vision correspond un territoire du cortex visuel.

À RETENIR

■ Le cristallin, une lentille vivante

Le **cristallin** est l'un des systèmes transparents de l'œil qui assurent la convergence des rayons lumineux. Le cristallin est un organe vivant ; il doit sa **transparence** à une structure et à un fonctionnement très particuliers des cellules qui le constituent. Ces cellules ont notamment la particularité de perdre noyau et autres organites et de ne jamais être remplacées. La **cataracte** est une anomalie qui se manifeste par la perte progressive de la transparence des cellules du cristallin. Elle peut conduire à la cécité.

La déformation du cristallin permet l'**accommodation** nécessaire à la vision rapprochée. La perte d'élasticité des cellules du cristallin explique la **presbytie** qui apparaît naturellement avec l'âge.

■ Deux types de photorécepteurs complémentaires

La **rétine** est la membrane interne de l'œil. Elle comporte les cellules sensorielles de la vision appelées **photorécepteurs**. Il en existe deux types : les bâtonnets et les cônes.

Les **bâtonnets**, plus nombreux en périphérie de la rétine, permettent une vision dans des conditions d'éclairement très faible mais avec une acuité médiocre et sans perception des couleurs. Les **cônes** sont plus abondants dans la partie centrale de la rétine, notamment la **fovéa**. Le fonctionnement des cônes exige une luminosité importante et permet la vision avec une grande acuité. Il existe trois types de cônes respectivement plus sensibles au bleu, au vert et au rouge : ainsi, le système des cônes permet la perception des **couleurs**.

■ Les photorécepteurs, produits de l'évolution

Les **pigments rétiniens** (opsines) sont codés par des gènes apparentés qui constituent ce que l'on appelle une **famille multigénique**.

Chez l'Homme, la vision des couleurs est **trichromatique**. Le **daltonisme** est une anomalie génétique due à une mutation de l'un des gènes codant pour les opsines des cônes.

L'étude des gènes des pigments rétiniens confirme l'appartenance de l'Homme au groupe des **primates** et permet de situer plus précisément la place de l'Homme au sein de ce groupe.

■ Le message nerveux visuel

Le message nerveux issu de l'œil, de nature électrique, est acheminé au cerveau par le **nerf optique**.

La partie arrière du cerveau est spécialisée dans la vision : le **cortex visuel** primaire apparaît structuré comme une « carte » du champ de vision et constitue le point d'entrée des messages nerveux provenant des deux yeux.

Mots-clés

- Cristallin
- Photorécepteurs, cônes, bâtonnets
- Opsines, vision des couleurs
- Famille multigénique, primates
- Nerf optique, cortex visuel

Capacités et attitudes

▸ Recenser des informations pour expliquer la transparence du cristallin.

▸ Raisonner pour relier certaines caractéristiques de la vision aux propriétés et à la répartition des photorécepteurs rétiniens.

▸ Comparer les gènes des pigments rétiniens pour justifier la place de l'Homme parmi les primates.

Le cristallin et les photorécepteurs rétiniens

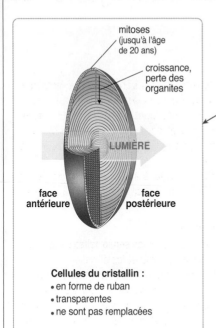

mitoses (jusqu'à l'âge de 20 ans)

croissance, perte des organites

LUMIÈRE

face antérieure   face postérieure

Cellules du cristallin :
- en forme de ruban
- transparentes
- ne sont pas remplacées

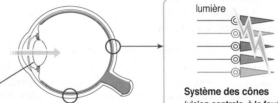

lumière

Système des cônes
(vision centrale, à la fovéa) :
- excellente perception des détails
- faible sensibilité
- distinction des couleurs

lumière

Système des bâtonnets
(vision périphérique) :
- mauvaise perception des détails
- grande sensibilité
- pas de distinction des couleurs

La vision des couleurs résulte de l'évolution

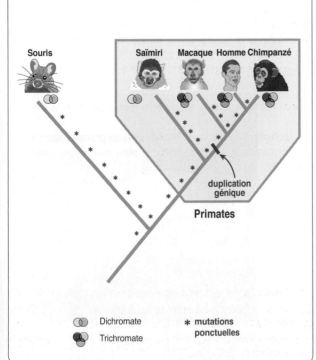

Souris

Saïmiri   Macaque   Homme   Chimpanzé

duplication génique

Primates

Dichromate

Trichromate

* mutations ponctuelles

De la lumière au message nerveux

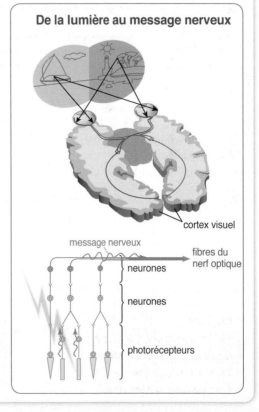

cortex visuel

message nerveux

fibres du nerf optique

neurones

neurones

photorécepteurs

Les traitements des déficiences du cristallin

• Remplacer le cristallin

La **chirurgie** est la seule façon de traiter la **cataracte**, anomalie caractérisée par une opacification du cristallin (voir page 305).

L'opération *(photographie ci-contre)* consiste à remplacer le cristallin devenu opaque par un **implant artificiel**. Cette intervention est un **geste technique** qui se réalise en 20 à 25 minutes, sous anesthésie locale. La cornée est légèrement incisée (2,2 mm) et le cristallin est fragmenté à l'aide d'ultrasons puis aspiré. L'implant est ensuite introduit après avoir été plié. Il se déploie alors dans l'espace vacant. Un point de suture est parfois nécessaire.

Les implants oculaires *(photographie ci-dessous)* sont en **matière synthétique** (acrylique ou silicone), ce qui évite toute réaction de rejet. Ils ne sont pas dégradés par les cellules de l'organisme.

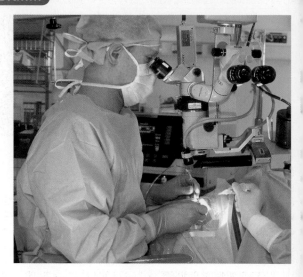

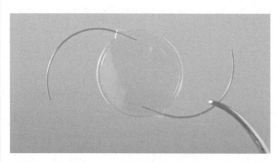

La **qualité optique** des implants est supérieure à celle d'un cristallin naturel. Ils sont traités contre les UV et protègent donc la rétine.

Le calcul de la puissance de l'implant utilisé permet de corriger en même temps une éventuelle myopie ou hypermétropie. Les progrès dans la réalisation des implants et la maîtrise de cette intervention sont tels que le remplacement du cristallin est depuis peu proposé pour traiter la **presbytie** : on greffe alors un **implant progressif** qui évite le port de lunettes et on anticipe le développement éventuel d'une cataracte.

• Corriger ou améliorer la vision à l'aide d'un laser

Il est, aujourd'hui, possible de modifier à l'aide d'un **laser** la vergence des milieux transparents de l'œil et donc de corriger **myopie** ou **hypermétropie**.

L'intervention, très rapide, est pratiquée sous anesthésie locale : on découpe partiellement la **cornée** pour en soulever une fine lamelle. Puis, à l'aide d'un **laser** spécifique, on remodèle l'intérieur de la cornée (en une minute environ) : le laser aplatit le centre de la cornée des myopes et, à l'inverse, augmente la courbure de la cornée des hypermétropes. Le volet antérieur de la cornée est ensuite remis en place.

Cette chirurgie peut corriger une myopie jusqu'à environ – 10,00 dioptries, une hypermétropie jusqu'à + 5,00 dioptries. Avec les appareils très récents, on parvient même à corriger les aberrations optiques de la cornée, ce qui permet d'atteindre une acuité visuelle supérieure à la normale (15/10 ou 20/10) !

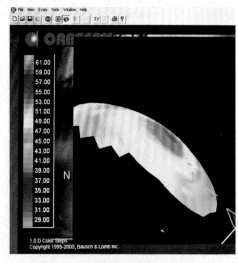

Avant la découpe au laser de la cornée, un examen est pratiqué pour en réaliser une **topographie** très précise, déterminant son épaisseur et son rayon de courbure en différents points.

.. mieux connaître des métiers et des formations

L'ophtalmologue, médecin des yeux

Vos goûts et vos points forts :
- Faire des mesures
- Établir des diagnostics
- Travailler avec précision
- Effectuer des gestes techniques
- Actualiser vos connaissances

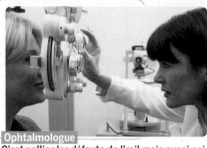

Ophtalmologue

C'est pallier les défauts de l'œil mais aussi soigner des maladies plus graves.

Les domaines d'activités

Le métier d'ophtalmologue ne se réduit certainement pas à la vérification de l'**acuité visuelle** et à la prescription de verres correctifs. En effet, l'ophtalmologue est le médecin des yeux : il est donc amené à dépister et soigner des maladies très diverses susceptibles d'affecter la vision et parfois à pratiquer des interventions chirurgicales.
Les ophtalmologues exercent dans un cabinet privé ou en hôpital.

Pour y parvenir

L'ophtalmologue est **docteur en médecine** : six années d'études sélectives, suivies de cinq années de spécialisation, sont nécessaires (bac + 11). Il faut rappeler que les études de médecine exigent **un très bon niveau scientifique** ainsi qu'une bonne **culture générale**.
Actuellement, on manque d'ophtalmologues.

.. mieux comprendre l'histoire des arts

Des peintres malvoyants

Le *tableau ci-contre* est l'un des nombreux « Pont Japonais » peints par **Monet**. Celui-ci date de 1899.
Près de vingt ans plus tard, en 1918, Monet réalise le *tableau ci-dessous*. Le peintre était alors atteint d'une très sévère double **cataracte**. On sait que cette affection se traduit par un voile qui rend la vision floue et altère la perception des couleurs, particulièrement les couleurs froides.

« Pont Japonais » Claude Monet – 1899

Selon Philippe Lanthony, médecin ophtalmologue spécialiste de la vision des couleurs, « *cette adaptation montre avec quelle ingéniosité, quelle imagination et quelle invention le grand artiste surmonte ce déficit et crée une peinture d'accent nouveau dans son œuvre* ».

« Pont Japonais » Claude Monet – 1918

Exercices

1 Définissez les mots ou expressions

Cristallin, accommodation, presbytie, cataracte, rétine, photorécepteurs, cônes, bâtonnets, fovéa, cortex visuel.

2 Questions à choix multiples

Choisissez la ou les bonnes réponses.

1. Le cristallin :
a. est constitué de cellules mortes ;
b. est assimilable à une lentille convergente ;
c. est indéformable ;
d. est constitué de cellules dont le fonctionnement est très particulier.

2. Les cônes :
a. sont plus abondants en périphérie de la rétine ;
b. permettent la vision des couleurs ;
c. sont indispensables pour pouvoir lire ;
d. sont surtout utilisés lorsque la lumière est faible.

3. La rétine :
a. est un tissu nerveux ;
b. permet la formation d'une image au fond de l'œil ;
c. est traversée par la lumière ;
d. est connectée au cerveau.

4. Le cortex visuel :
a. est l'une des enveloppes externes de l'œil ;
b. correspond au champ visuel ;
c. est situé à l'arrière du cerveau ;
d. est la zone du cerveau où sont stockées les images déjà vues.

3 Vrai ou faux ?

Repérez les affirmations exactes et corrigez celles qui sont inexactes.

a. La vergence du cristallin augmente généralement avec l'âge.
b. Les cellules du cristallin ont une durée de vie très limitée.
c. Les bâtonnets sont plus sensibles à l'intensité de la lumière que les cônes.
d. La perception des couleurs est meilleure lorsque la lumière est tamisée.
e. Une lésion d'une zone du cerveau peut rendre aveugle.
f. Les nerfs optiques transmettent au cerveau l'image perçue par les yeux.
g. Chez l'Homme, il existe normalement trois types de cônes.
h. L'étude des pigments rétiniens confirme l'étroite parenté entre l'Homme et le Chimpanzé.

4 Questions à réponse courte

a. En quoi consiste la presbytie ? La cataracte ?
b. Pourquoi la vision centrale est-elle plus précise que la vision périphérique ?
c. Qu'est-ce que le daltonisme et quelle en est la cause ?
d. Pourquoi dit-on que les gènes des quatre pigments rétiniens forment une famille multigénique ?

5 Restitution organisée de connaissances

1. Expliquez comment l'organisation et le fonctionnement du cristallin contribuent à assurer une bonne vision.
2. Montrez la complémentarité des photorécepteurs rétiniens dans la vision.

6 La dégénérescence maculaire liée à l'âge (DMLA)   Expliquer à l'aide des connaissances acquises

La dégénérescence maculaire liée à l'âge (DMLA) est un trouble de la vision qui touche un quart des personnes âgées de plus de 75 ans. Les personnes constatent tout d'abord une baisse de la perception visuelle puis l'apparition d'une tache sombre centrale. Le sujet atteint de DMLA est souvent ébloui par la lumière ambiante. La partie périphérique du champ visuel n'est jamais touchée : les personnes sont handicapées pour lire, écrire, mais cette maladie ne provoque jamais de cécité totale.

La DMLA est due à une dégénérescence des photorécepteurs localisés dans la macula, partie centrale de la rétine où se situe la fovéa.

En vous appuyant sur vos connaissances, expliquez les divers aspects de cette affection mentionnés ici.

7 Le mécanisme de l'accommodation

Comprendre des informations

Dans l'œil, le cristallin est suspendu par des filaments radiaux à un muscle circulaire situé en arrière de l'iris. Sur la *photographie ci-contre*, le cristallin a été retiré, de façon à voir la partie postérieure de ces structures.

Le mécanisme d'accommodation est surprenant : lorsque le muscle ciliaire est relâché, son diamètre est plus grand, de ce fait il tire sur les filaments ce qui aplatit le cristallin. Au contraire, lorsque le muscle ciliaire se contracte, son diamètre diminue : les contraintes exercées sur les filaments sont moindres et le cristallin peut se relâcher, prenant une forme plus bombée.

Parmi les affirmations suivantes, choisissez celles qui vous semblent exactes :

a. En A, le cristallin est plus convergent, le muscle ciliaire est contracté.

b. En B, le cristallin est plus convergent, le muscle ciliaire est contracté.

c. En A, le cristallin est moins convergent, le muscle ciliaire est relâché.

d. En B, le cristallin est plus convergent, le muscle ciliaire est relâché.

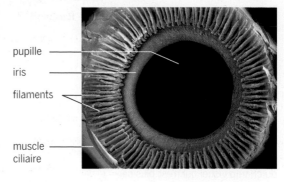

pupille
iris
filaments
muscle ciliaire

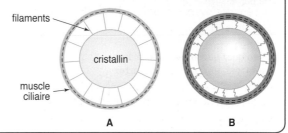

filaments
cristallin
muscle ciliaire

A   B

8 Acuité visuelle et structure de la rétine

Recenser, organiser et exploiter des informations

Une image formée sur la partie centrale de la rétine, au niveau de la fovéa, sera perçue avec une excellente acuité, c'est-à-dire une très bonne distinction des détails (voir page 308). Au contraire, les images formées en périphérie de la rétine apparaissent floues.

Le *tableau ci-dessous* apporte quelques précisions chiffrées sur les photorécepteurs rétinien.

Densité en photorécepteurs de la fovéa	• 180 000 cônes par mm^2 • 0 bâtonnet
Densité en photorécepteurs de la rétine périphérique	• 3 000 à 4 000 cônes • 80 000 bâtonnets par mm^2
Diamètre d'un cône de la fovéa	1,5 µm
Diamètre d'un bâtonnet	4 µm

Le *document ci-contre* rappelle que la lumière traverse d'abord l'ensemble des couches cellulaires de la rétine avant d'atteindre et de stimuler les photorécepteurs. Les messages nerveux sont ensuite acheminés en sens inverse vers les fibres nerveuses du nerf optique.

1. Comparez les caractéristiques structurales de la rétine dans la région de la fovéa et en région périphérique.

2. Proposez une explication à la différence d'acuité visuelle de ces deux régions de la rétine.

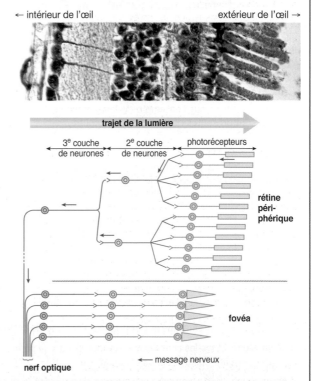

← intérieur de l'œil   extérieur de l'œil →

trajet de la lumière

3ᵉ couche de neurones — 2ᵉ couche de neurones — photorécepteurs

rétine périphérique

fovéa

nerf optique   ← message nerveux

Coupe de rétine observée au microscope et organisation dans deux régions différentes de l'œil

9 Le trajet des voies visuelles — Raisonner

L'observation des déficits de perception du champ visuel consécutifs à différentes lésions cérébrales, ainsi que des études expérimentales, ont permis d'établir les constats présentés par le *document ci-contre*.

Les *schémas* présentent, pour chacun des deux yeux, les champs visuels associés à quatre lésions : ce qui est en noir correspond à la portion du champ visuel qui n'est plus perçue par le sujet.

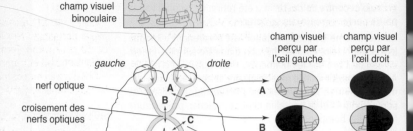

champ visuel binoculaire

champ visuel perçu par l'œil gauche — champ visuel perçu par l'œil droit

gauche — *droite*

nerf optique — A, B

croisement des nerfs optiques — C

corps genouillé latéral

cortex occipital — D

vue de dessus

Emplacement des lésions — **Conséquences sur les champs visuels**

1. Indiquez quelle partie du champ visuel est perçue par le cortex visuel de chacun des hémisphères.

2. Précisez le trajet des voies visuelles issues de chacun des deux yeux. Expliquez votre raisonnement.

10 Pigments rétiniens et parenté entre espèces — Organiser des informations, argumenter

Le *document ci-dessous* présente un extrait de la comparaison, pour sept espèces, de la séquence d'acides aminés de l'opsine des cônes sensibles au bleu : un tiret correspond à une identité par rapport à la séquence de l'Homme, choisie ici comme référence.

Le logiciel utilisé *(Anagène)* permet de connaître le pourcentage d'identités sur l'ensemble de la séquence : les résultats sont présentés dans le *tableau ci-contre*.

Identités (en %) entre les séquences d'acides aminés de l'opsine des cônes sensibles au bleu.

	Homme
Vache	86,0 %
Souris	85,8 %
Rat	86,7 %
Macaque	96,0 %
Cochon	85,8 %
Poule	47,1 %

Comparaison avec alignement

	290	295	300	305	310
Homme	ArgAsnHisGlyLeuAspLeuArgLeuValThrIleProSerPhePheSerLysSerAlaCysIleTyrAsnProIleIleTyr
Vache	– – – – – – Val– – – – – – – – – Ala– – – – – Val– – – – – –
Souris	– – – – – – – – – – – – – – – Ala– – – – Ser– Val– – – – – –
Rat	– – – – – Tyr– – – – – – – – – Ala– – – – Ser– Val– – – – – –
Macaque	– – – – – – – – – – – – – – – Ala– – – – – – – – – – – –
Cochon	– – – – ValThr– – – – – – – – – Ala– – – – – – – – – – – –
Poule	– GlyArgSerPheGluValGly– AlaSer– – – Val– – – – SerThrVal– – – Val– –

1. Quelle première remarque peut-on faire à l'analyse de cette comparaison ?

2. En vous basant sur les connaissances acquises dans la partie 1 du manul (p. 6 à 83), expliquez l'origine des différences constatées.

3. Montrez que cette comparaison permet de préciser le degré de parenté entre l'Homme et les six autres espèces.

Utiliser ses capacités expérimentales

11 L'expérience de Mariotte   Observer au microscope, communiquer

■ **Problème à résoudre**

Physicien et botaniste français, Edme Mariotte (1620-1684) est surtout connu par la loi qui lie pression ct volume des gaz (« loi de Boyle-Mariotte »). Mais il s'est également illustré par la célèbre expérience qui révéla l'existence d'une « **tache aveugle** » dans le champ de vision. L'objectif est ici de reproduire cette expérience et de trouver l'explication du phénomène constaté.

■ **Matériel**

– Bande de papier avec deux repères (*voir ci-dessous*).
– Préparation microscopique : coupe de rétine.
– Préparation microscopique ou photographie : coupe de rétine dans la région du nerf optique.
– Microscope.

■ **Protocole**

– Reproduisez l'expérience de Mariotte : placez la bande de papier portant les deux repères (ou le manuel) à une distance de 50 cm environ. Fermez l'œil gauche, fixez le rond blanc avec l'œil droit et rapprochez lentement l'image.
– Observez au microscope la coupe de rétine, comparez avec la coupe réalisée dans la région du nerf optique.

■ **Exploitation des résultats**

– Faites une phrase rendant compte du phénomène constaté en réalisant l'expérience de Mariotte.
– Faites un schéma illustrant la structure de la rétine et expliquez alors les particularités de la région du nerf optique.
– En vous appuyant sur un schéma, expliquez le phénomène constaté.

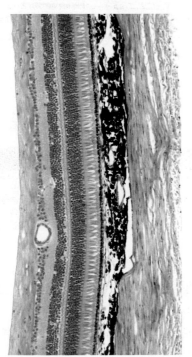

ⓐ Observation microscopique d'une coupe de rétine (× 160).

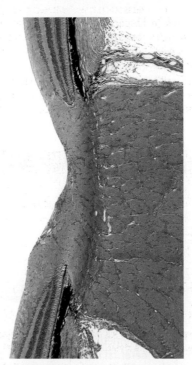

ⓑ Observation microscopique d'une coupe de rétine dans la région du nerf optique (× 80).

Des DOCUMENTS pour se poser des questions

Quand le cerveau crée le mouvement

Lorsque l'on regarde cette image, pourtant parfaitement statique, on perçoit en général un mouvement de rotation dans le sens des aiguilles d'une montre. Ceci montre que la perception visuelle n'est pas qu'une simple restitution des images formées sur la rétine.

Les dangers des hallucinogènes

Certaines substances provoquent des hallucinations et, au-delà, perturbent profondément le fonctionnement nerveux. D'abord testées dans un but thérapeutique (psychothérapie), ces substances sont classées parmi les stupéfiants.

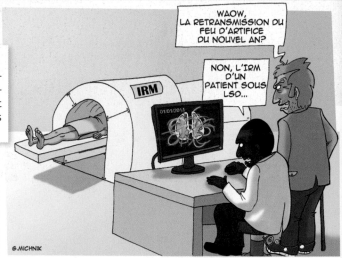

LES PROBLÉMATIQUES DU CHAPITRE

- Quels sont les rôles du cerveau dans la vision ?
- Comment des substances chimiques perturbent-elles le fonctionnement cérébral impliqué dans la vision ?
- Comment se construit la perception visuelle propre à chaque individu ?

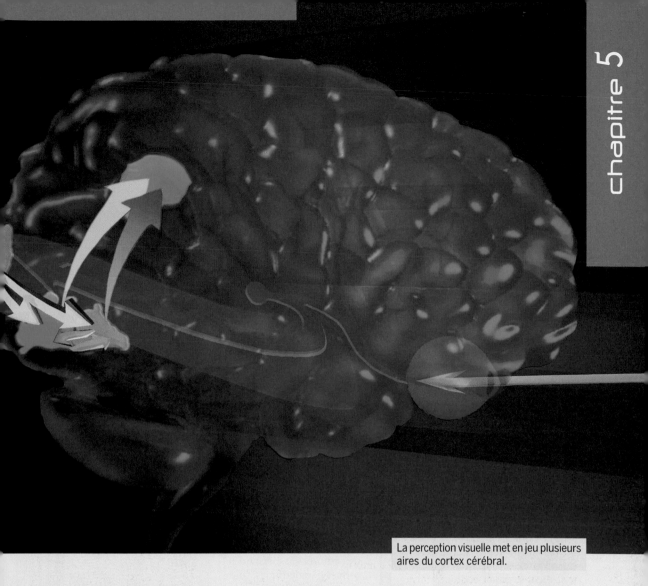

La perception visuelle met en jeu plusieurs aires du cortex cérébral.

Cerveau et vision

La vision : une construction cérébrale

La vision nécessite l'arrivée de messages nerveux dans la région postérieure du cerveau, dénommée cortex visuel. *L'imagerie médicale permet aujourd'hui de mieux comprendre comment la perception visuelle est ensuite élaborée par le cerveau.*

A Des aires visuelles spécialisées

On a demandé à un patient souffrant d'une lésion très localisée du cortex cérébral (sur l'aire V4) d'essayer de reproduire un tableau du peintre Mondrian, associant des formes de couleurs variées.

Le dessin effectué par le patient est présenté ici à droite du tableau.

Doc. 1 Une curieuse anomalie de la vision.

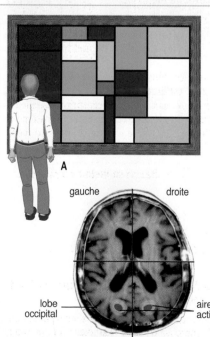

A

• En **A** un sujet regarde un tableau constitué de plages très colorées associant des formes géométriques, souvent rectangulaires et de couleurs vives ; en **B** le sujet regarde un tableau en noir et blanc qui suggère un mouvement.

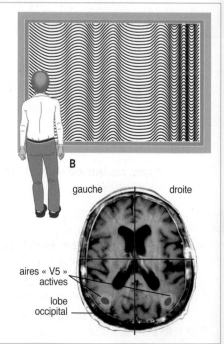

B

• Des **explorations fonctionnelles** de l'activité cérébrale indiquent quelles zones du cerveau sont les plus actives.

gauche — droite

lobe occipital — aires « V4 » actives

aires « V5 » actives — lobe occipital

Doc. 2 Une mise en évidence du rôle spécifique de certaines aires cérébrales.

B La vision résulte du traitement de multiples informations

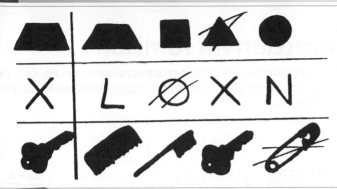

Ce test consiste à cocher l'objet qui figure au début de chaque ligne. Le patient qui a effectué ce test voit parfaitement les couleurs et utilise souvent cette unique information pour reconnaître les objets : il se trompe donc souvent.

L'examen médical révèle qu'à la suite d'une intoxication par le monoxyde de carbone, ce patient souffre d'une destruction de cellules nerveuses localisées dans une zone très précise du cortex cérébral dénommée aire V3.

Doc. 3 La mise en évidence d'une autre aire cérébrale très spécialisée.

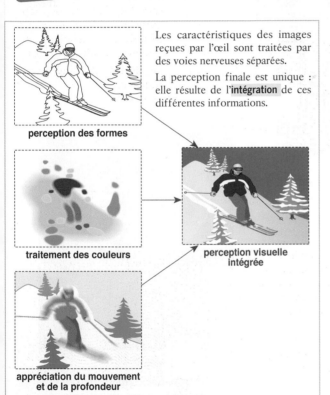

Les caractéristiques des images reçues par l'œil sont traitées par des voies nerveuses séparées.

La perception finale est unique : elle résulte de l'**intégration** de ces différentes informations.

perception des formes

traitement des couleurs

perception visuelle intégrée

appréciation du mouvement et de la profondeur

Doc. 4 Forme, couleur mouvement ; traitement séparé, vision unifiée.

Jeune fille ou personne âgée ?
L'image est unique et pourtant chacun n'a pas nécessairement la même perception visuelle de cette image. Ce que l'on nomme couramment « illusion d'optique » relève le plus souvent de l'interprétation cérébrale.

Doc. 5 À chacun sa vision du monde...

Pistes d'exploitation

PROBLÈME À RÉSOUDRE ► Comment le cerveau traite-t-il les informations qui lui parviennent de la rétine ?

Doc. 1 et 2 Déduisez de ces informations les rôles que l'on peut attribuer aux aires visuelles V4 et V5.

Doc. 3 Quel rôle précis attribuez-vous à l'aire V3 ? Justifiez votre réponse.

Doc. 1 à 4 Expliquez comment la perception visuelle est élaborée par le cerveau.

Doc. 5 L'expression « illusion d'optique » vous paraît-elle appropriée ? Recherchez d'autres exemples où le cerveau est ainsi pris en défaut.

Lexique, p. 354

Des substances qui perturbent la vision

Certains produits, notamment des substances contenues dans des drogues, sont susceptibles de perturber la vision. *Cette étude montre comment de telles substances interfèrent dans le cerveau avec la transmission du message nerveux visuel.*

A Des substances hallucinogènes

Certaines substances peuvent provoquer des **hallucinations** et perturber la perception visuelle.

La kétamine, par exemple, est un anesthésique dont l'usage a été détourné dans le cadre des « rave parties ». Sous l'effet de la kétamine, l'environnement apparaît déformé, courbé, distordu (**a**). Certains produits, comme la psilocybine, sont issus de substances naturelles contenues notamment dans des champignons.

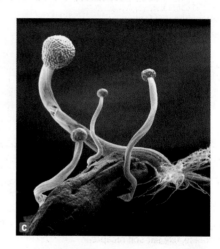

Le LSD (**b**) est un produit de synthèse obtenu à partir de l'acide lysergique, contenu dans un champignon parasite des céréales, l'ergot de seigle (**c**).

C'est le plus puissant des **hallucinogènes** connus : trente minutes environ après une ingestion de moins d'un dixième de milligramme de LSD, le sujet voit apparaître des visions extrêmement colorées. Cette drogue modifie l'état de conscience du sujet, réaction souvent qualifiée de « voyage » (« trip »).

Très en vogue dans les années 1960-1970, le LSD est interdit depuis 1966 (voir p. 337).

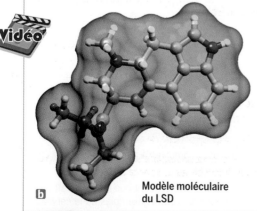

Vidéo

Modèle moléculaire
du LSD

b

Des substances dangereuses, classées comme stupéfiants

La consommation de LSD provoque diverses hallucinations visuelles et auditives et peut aussi provoquer des vertiges et des vomissements, ainsi que des troubles respiratoires et locomoteurs.

Dès la première prise, l'expérience du LSD peut s'avérer très négative (« bad trip ») et générer phobies, sensations d'angoisse et même tentatives de suicide.

À plus long terme, le LSD peut engendrer un état dépressif, des troubles psychiques comme des épisodes où le sujet revit, longtemps après, l'état engendré par la consommation de drogue (« flash-back »).

Doc. 1 Certaines drogues provoquent d'étranges visions.

B Des substances qui dérèglent le fonctionnement cérébral

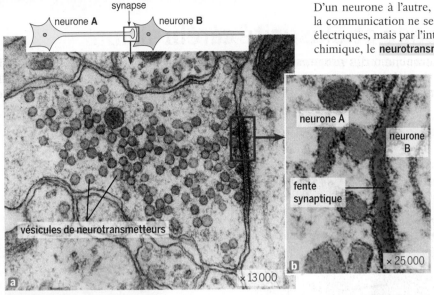

D'un neurone à l'autre, au niveau d'une **synapse**, la communication ne se fait plus par des signaux électriques, mais par l'intermédiaire d'un messager chimique, le **neurotransmetteur**.

L'arrivée d'un message nerveux électrique provoque la libération du neurotransmetteur dans la fente synaptique. Le neurotransmetteur se fixe alors sur des **récepteurs** spécifiques situés sur la membrane du second neurone, ce qui déclenche la naissance d'un nouveau message nerveux.

Doc. 2 Le rôle de substances chimiques dans la transmission des messages nerveux.

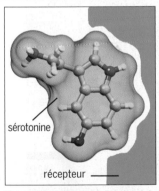

Un neurotransmetteur cérébral, la sérotonine, fixé sur son récepteur.

La sérotonine *(image ci-contre à gauche)* est un neurotransmetteur intervenant dans de nombreuses fonctions cérébrales (perception sensorielle, humeur, émotivité, sommeil…). Les récepteurs à la sérotonine sont largement répartis dans le cerveau (zone colorée en jaune sur *l'image ci-contre à droite*).

Dans une étude, on a comparé l'activation des récepteurs cérébraux à la **sérotonine** chez deux sujets, l'un ayant absorbé de la psylocybine et l'autre un **placebo**.

Les images obtenues par tomographie par émission de positons (TEP) ont révélé une activation beaucoup plus forte des récepteurs à la sérotonine chez le sujet ayant absorbé de la psilocybine.

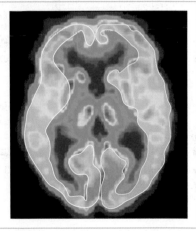

Doc. 3 La mise en évidence d'une perturbation du fonctionnement cérébral.

Télécharger les modèles moléculaires :

www.bordas-svtlycee.fr

Pistes d'exploitation

PROBLÈME À RÉSOUDRE ► Comment des substances chimiques peuvent-elles perturber la perception visuelle ?

Doc. 1 Précisez en quoi les substances citées perturbent la perception visuelle et montrez que leur action peut modifier profondément le fonctionnement cérébral.

Doc. 2 Pourquoi la transmission du message nerveux au niveau d'une synapse est-elle qualifiée de transmission chimique ?

Doc. 3 Que peut-on déduire de cette étude ?

Doc. 1 à 3 Proposez une explication au mode d'action de substances hallucinogènes comme le LSD.

Lexique, p. 354

Apprentissage et plasticité cérébrale

Reconnaître un mot, un objet ou un visage est une fonction cérébrale plus complexe qu'il n'y paraît. *Des observations et des études expérimentales montrent que la mise en place du fonctionnement cérébral impliqué dans la vision sollicite des structures innées mais aussi l'expérience individuelle.*

A L'importance de l'expérience visuelle

Une expérience, réalisée chez un macaque, consiste à injecter des **marqueurs radioactifs** dans la rétine de l'un des deux yeux, puis à réaliser une observation du cortex cérébral.

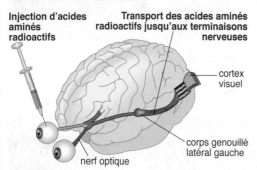

Injection d'acides aminés radioactifs

Transport des acides aminés radioactifs jusqu'aux terminaisons nerveuses

cortex visuel

corps genouillé latéral gauche

nerf optique

La *photographie ci-contre* montre l'aspect du **cortex visuel** : les terminaisons nerveuses en connexion avec l'œil injecté apparaissent en clair (marqueur radioactif), celles provenant de l'autre œil apparaissent en sombre.

Cette structure du cortex visuel se retrouve à l'identique chez tous les **primates**, dès la naissance.

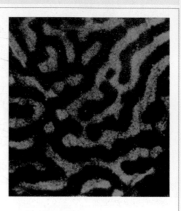

Doc. 1 Dès la naissance, le système visuel est organisé et opérationnel.

Une étude menée par deux chercheurs montre l'importance de l'expérience individuelle dans la maturation du cortex visuel.

• Le **premier graphique** montre, chez un animal normal, la répartition des neurones du cortex visuel en sept classes : les neurones de la classe 1 sont exclusivement stimulés par l'œil droit, ceux de la classe 7 exclusivement par l'œil gauche tandis que ceux de la classe 4 le sont indifféremment par les deux yeux.

• Dans la **première expérience**, les chercheurs ont occulté l'œil droit d'un chaton une semaine après la naissance jusqu'à l'âge de 2 mois ½. L'œil occlus est ensuite ouvert et l'étude des neurones du cortex visuel est réalisée à l'âge adulte, environ 38 mois (la classe 00 correspond à

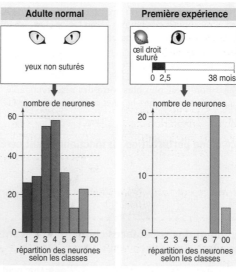

des neurones du cortex visuel qui ne peuvent être activés par aucun des deux yeux). Des enregistrements réalisés dans la rétine de l'œil occlus montrent que celui-ci est tout à fait fonctionnel et que les voies visuelles sont intactes. Cependant, la **cécité** de l'œil droit est définitive.

• La même expérience est ensuite réalisée chez un chat plus âgé : l'occultation de l'œil droit intervient ici de l'âge de 12 mois à l'âge de 38 mois. Après l'expérience, une vision binoculaire normale se réinstalle rapidement.

Doc. 2 Une expérience réalisée chez l'animal.

B Une étonnante plasticité cérébrale

Le braille est un système de lecture et d'écriture tactile utilisé par des personnes aveugles ou malvoyantes.

L'image de droite présente, en **IRM**, une « coupe virtuelle » du cerveau de deux volontaires au niveau du cortex visuel.

• L'image **a** correspond à une personne voyante qui effectue, les yeux bandés, une reconnaissance de caractères tactiles en braille.

• L'image **b** correspond à la même tâche effectuée cette fois-ci par une personne non-voyante (ayant perdu la vue à l'âge de trois ans et habituée à la lecture en braille).

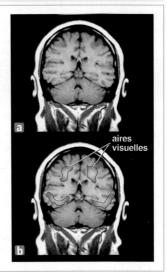

aires visuelles

Doc. 3 **Chez les non-voyants, une reconversion des aires de la vision est possible.**

Une expérience récente menée chez 47 personnes volontaires confirme la possibilité d'adaptation du cerveau humain. Durant 5 jours, la moitié seulement des sujets ont porté en permanence un masque sur les yeux, les privant de toute stimulation visuelle. Pendant cette période, voyants et non-voyants ont suivi l'apprentissage intensif du braille (4 à 6 heures par jour).

Les personnes qui ont les yeux bandés apprennent plus vite le braille.

Les *documents ci-contre* montrent que cette faculté implique très rapidement le cortex « visuel ».

Plus étonnant encore : 24 heures après l'expérience (jour 6), cette reconversion des aires visuelles a disparu, le cortex visuel ne répondant plus qu'à des stimuli visuels.

Les mécanismes de cette **plasticité** sont encore inconnus : les chercheurs pensent qu'une adaptation aussi rapide et réversible ne repose pas sur la mise en place de nouvelles structures mais sur l'activation de **circuits neuronaux** déjà existants.

Réponse des neurones du cortex visuel à des stimuli tactiles

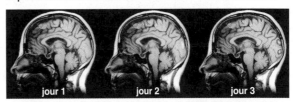

jour 1 jour 2 jour 3

a IRM.

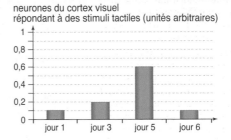

b Activité des neurones du cortex visuel chez les sujets ayant les yeux bandés.

Doc. 4 **Une expérience qui révèle l'extraordinaire souplesse du cerveau humain.**

Pistes d'exploitation

PROBLÈME À RÉSOUDRE ► Comment s'établit le fonctionnement cérébral impliqué dans la perception visuelle ?

Doc. 1 et 2 Montrez que le cortex visuel est, dès la naissance, en relation fonctionnelle avec chacun des deux yeux.

Doc. 2 Que montre l'expérience réalisée chez le jeune chaton ? Expliquez pourquoi une cataracte chez le jeune enfant doit impérativement être opérée.

Doc. 3 Comparez les deux IRM et proposez une explication.

Doc. 3 et 4 Montrez que l'idée d'une spécialisation stricte et définitive des aires cérébrales doit être remise en cause.

Lexique, p. 354

chapitre 5 Cerveau et vision

1 L'élaboration d'une perception visuelle intégrée

■ Le cortex visuel primaire

Nous avons vu dans le chapitre précédent que les messages nerveux émis par la rétine arrivent à la **partie postérieure du cortex cérébral**. Toute lésion localisée dans cette zone occipitale entraîne un trouble de la vision : dans une partie plus ou moins étendue du champ visuel, on ne voit rien (une telle tache aveugle est appelée *scotome*). L'étude méthodique des scotomes et l'exploration du cerveau par imagerie médicale (IRM) ont montré que le **champ visuel** est véritablement « cartographié » dans le cortex occipital des deux hémisphères. Cette zone, appelée **cortex visuel primaire**, correspond donc à l'« entrée » dans le cerveau des messages nerveux rétiniens.

■ Des aires cérébrales spécialisées

Cependant, l'arrivée des messages nerveux dans ce cortex primaire ne suffit pas à assurer une perception visuelle, c'est-à-dire une interprétation mentale des sensations élémentaires reçues au niveau du cortex visuel primaire. Celle-ci nécessite l'intervention d'autres aires cérébrales spécialisées : on a en effet pu délimiter, à proximité du cortex visuel primaire, au moins **cinq autres aires cérébrales** qui contiennent chacune une carte du champ visuel. Les techniques d'imagerie médicale fonctionnelle permettent de préciser le rôle de ces différents territoires corticaux : ces zones sont plus ou moins actives selon que le sujet regarde plutôt une image riche en **couleurs** ou animée de **mouvements** ou encore dominée par des **formes** géométriques...

Il apparaît donc que, après son arrivée au niveau du cortex visuel primaire, le message nerveux est **traité** séparément et en parallèle par des aires spécialisées dans la reconnaissance des formes, des couleurs, des mouvements. Une perception visuelle unique résulte ensuite d'une **intégration** de l'ensemble des messages ainsi traités par ces différentes aires corticales.

■ L'intervention de la mémoire

Lire un mot ou reconnaître un visage nécessite bien entendu la perception visuelle du mot écrit ou du visage observé. Cependant, cette reconnaissance met aussi en jeu la **mémoire**. En effet, quand on reconnaît visuellement un mot, un objet ou un visage, notre cerveau relie les informations perçues à un souvenir plus ou moins profondément ancré. Cependant, il n'y a pas dans le cerveau une aire de

la mémoire où seraient matériellement stockés les souvenirs. C'est la **réactivation** de plusieurs **assemblées de neurones** qui permet d'associer une perception à un souvenir précédemment « encodé ».

Illusions d'optique ou illusions cérébrales ?

Ce que l'on appelle illusion d'optique résulte le plus souvent d'informations erronées, non contenues dans l'image mais surajoutées par le cerveau quand le cortex reconstruit l'image perçue.

– Dans les **illusions géométriques**, des éléments secondaires conduisent le cerveau à sous-estimer ou surestimer des dimensions ou à fausser des directions.

– Les **images à double sens** perturbent le cerveau, habitué à fournir une seule interprétation. Chacun privilégie alors l'une des interprétations au point parfois de masquer totalement la deuxième.

– Certaines figures (roues, cylindres, etc.) étant souvent associées à des **mouvements** de rotation, il arrive que le cerveau rajoute cette impression de mouvement à une image statique.

– Les **constructions impossibles** sont des tentatives de reconstitution en trois dimensions d'images vraisemblables, à partir de dessins plans d'objets qui ne peuvent exister.

---

2 L'intervention de substances chimiques

■ De la rétine au cortex, des relais synaptiques

Le message nerveux issu de la rétine, de nature électrique, est transmis au cerveau par les fibres du nerf optique. Ce message emprunte des chaînes de neurones successifs, en franchissant des « zones relais » : les « corps genouillés latéraux », par exemple, constituent le principal relais où les neurones issus de la rétine sont connectés à des neurones cérébraux. Le message transite d'un neurone au suivant en franchissant les zones de connexion appelées **synapses**.

Au niveau de ces synapses, la transmission du message est assurée par l'intermédiaire de **substances chimiques** : les **neurotransmetteurs**. L'arrivée d'un message nerveux électrique à l'extrémité du neurone pré-synaptique provoque la libération de molécules de neurotransmetteurs. Déversées dans un espace très réduit, la **fente synaptique**, ces substances se fixent sur des **récepteurs spécifiques** situés sur le neurone post-synaptique. Ce dernier peut alors émettre un nouveau message nerveux de nature électrique qui va se propager.

Il existe dans le cerveau de multiples neurotransmetteurs : la **sérotonine** est l'un d'entre eux. Cette substance joue un rôle important dans la transmission des messages nerveux visuels mais aussi dans d'autres circuits neuronaux du cerveau.

■ Une cible pour l'action de substances chimiques exogènes

Le mécanisme de la transmission synaptique du message nerveux permet de comprendre comment des **substances chimiques** extérieures à l'organisme peuvent perturber le fonctionnement nerveux. Le mode d'action de certaines de ces substances a pu être établi : en effet, on constate qu'elles ont une **structure tridimensionnelle** en partie semblable à celle du neurotransmetteur naturel, de telle sorte qu'elles peuvent se fixer sur les récepteurs, à la place du neurotransmetteur.

Certaines substances ont pour effet de **renforcer l'action** du neurotransmetteur : il y a alors exagération de la transmission des messages nerveux. À l'inverse, d'autres substances **diminuent l'action** du neurotransmetteur et limitent donc la transmission des messages nerveux.

■ Des substances qui perturbent gravement la communication nerveuse

Certaines substances sont qualifiées d'**hallucinogènes** car elles provoquent des « hallucinations » c'est-à-dire la perception d'objets ou d'événements qui n'existent pas dans la réalité. Par exemple, le **LSD**, substance chimique dérivée de composés naturellement présents dans certains champignons, est connu pour provoquer des **visions** très colorées. La structure moléculaire du LSD est très proche de celle d'un neurotransmetteur, la sérotonine : ainsi, cette substance agit en interférant avec la **fixation du neurotransmetteur** sur son récepteur.

D'autres substances altèrent la perception sensorielle : l'alcool, par exemple, rétrécit le champ visuel et modifie l'appréciation des distances. La consommation de cannabis se traduit par une perception exacerbée des sons et perturbe la vision.

3 Apprentissage et plasticité cérébrale

■ Des structures innées

Chez tous les êtres humains, la mise en place du **phénotype** cérébral impliqué dans la vision repose sur les mêmes structures : dès la naissance, tout être humain possède en effet photorécepteurs, voies optiques et cortex visuel fonctionnels.

De telles structures sont le résultat de l'**expression génétique**. Elles sont issues de l'**évolution** et beaucoup d'entre elles sont partagées avec d'autres animaux (primates en particulier).

■ L'importance de l'apprentissage individuel

Cependant, différentes études montrent que l'**expérience individuelle** agit sur la **maturation** du cortex visuel. Chez le jeune, l'occultation d'un œil (expérimentale chez l'animal, due à une cataracte chez l'humain) peut entraîner une déconnexion irréversible du cortex visuel correspondant à l'œil occulté. Ainsi, il apparaît que c'est en exerçant la vision que le cortex visuel se construit définitivement.

■ Une étonnante plasticité cérébrale

Chez les personnes **non-voyantes**, on a pu constater une **reconversion** des aires habituellement dévolues à la vision : en effet, l'imagerie médicale révèle que la reconnaissance tactile (lecture en Braille) peut activer le cortex « visuel ». On peut donc penser que de **nouvelles connexions synaptiques** peuvent s'établir, même après la naissance, entre différentes aires cérébrales.

Des expériences récentes montrent qu'une telle reconversion peut s'établir très rapidement et de façon réversible. Il semblerait qu'une telle plasticité repose ainsi sur la réactivation de circuits neuronaux jusque-là utilisés à d'autres fins.

■ À chacun sa vision du monde...

La perception visuelle implique des **structures innées** très complexes, communes à tous les individus de l'espèce. Mais elle fait aussi appel à la mémoire et à l'expérience individuelle qui reposent sur la **plasticité cérébrale**.

Ainsi, la perception visuelle de chacun dépend de caractéristiques dont sont dotés tous les humains mais elle est aussi riche du vécu et des expériences propres à chaque individu : aucun cerveau ne voit le monde de la même façon !

chapitre 5 Cerveau et vision

À RETENIR

■ L'élaboration d'une perception visuelle intégrée

Le **cortex visuel primaire**, situé dans la partie arrière du cerveau, correspond aux points d'entrée des messages nerveux issus des photorécepteurs rétiniens.

D'autres aires du cortex cérébral participent à la vision : elles sont **spécialisées** dans la reconnaissance des **formes**, des **couleurs**, des **mouvements**.

La vision résulte de l'**intégration** des informations issues de ces différentes aires visuelles en interaction avec la **mémoire**.

■ L'intervention de substances chimiques

Entre la rétine et le cortex visuel, et au sein des différentes aires corticales, le message nerveux est transmis par des **neurones interconnectés**. On appelle **synapse** la zone de connexion entre deux neurones.

Le message nerveux qui circule le long d'un neurone est de nature électrique, mais entre deux neurones, au niveau d'une synapse, le message nerveux est transmis par l'intermédiaire d'une **substance chimique** appelée **neurotransmetteur**. La transmission synaptique nécessite que les molécules de neurotransmetteurs se fixent sur des **récepteurs spécifiques**.

Certaines substances chimiques, comme le LSD, peuvent perturber la vision, provoquer des **hallucinations** et avoir d'autres conséquences graves sur le fonctionnement cérébral. De telles substances peuvent **interférer avec la transmission synaptique** du message nerveux, par exemple en se fixant sur les récepteurs à la place des neurotransmetteurs.

■ Apprentissage et plasticité cérébrale

La **mise en place du phénotype** cérébral impliqué dans la vision repose sur des **structures** présentes et fonctionnelles dès la **naissance**, identiques chez tous les individus de l'espèce. Elles sont le résultat de l'expression de l'**information génétique** et sont issues de l'**évolution**.

La **maturation du cortex** cérébral s'effectue cependant également sous l'effet de l'**expérience individuelle** et de l'**apprentissage**. En effet, une caractéristique du fonctionnement cérébral est sa capacité à se remanier au cours de la vie ; c'est ce qu'on appelle la **plasticité cérébrale**.

La **mémoire** repose aussi sur la plasticité du cerveau : elle passe par la sollicitation répétée de circuits neuronaux, ce qui réactive des souvenirs précédemment encodés.

Mots-clés

- Cortex visuel
- Aires visuelles spécialisées
- Perception visuelle intégrée
- Mémoire
- Synapse
- Neurotransmetteur, récepteur
- Plasticité cérébrale

Capacités et attitudes

▶ Exploiter des données expérimentales et interpréter des observations médicales pour déterminer le rôle de certaines aires cérébrales.

▶ Comparer des modèles moléculaires pour expliquer le mode d'action de substances hallucinogènes.

▶ Recenser des informations, exploiter des expériences pour comprendre le phénomène de plasticité cérébrale.

Le cristallin et les photorécepteurs rétiniens

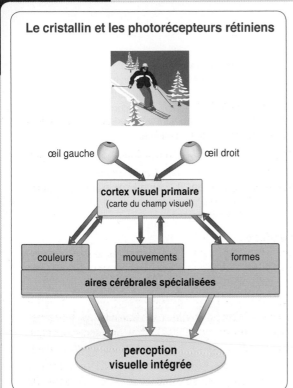

œil gauche   œil droit

cortex visuel primaire
(carte du champ visuel)

couleurs   mouvements   formes

aires cérébrales spécialisées

perception
visuelle intégrée

La mise en place du phénotype cérébral impliqué dans la vision

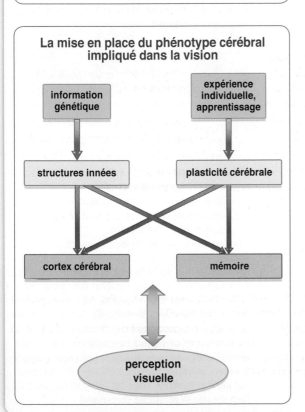

information
génétique

expérience
individuelle,
apprentissage

structures innées

plasticité cérébrale

cortex cérébral

mémoire

perception
visuelle

Des substances chimiques interfèrent avec le fonctionnement cérébral

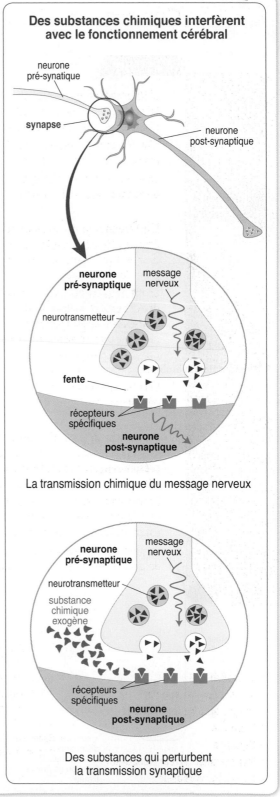

neurone
pré-synatique

synapse

neurone
post-synaptique

neurone
pré-synaptique

message
nerveux

neurotransmetteur

fente

récepteurs
spécifiques

neurone
post-synaptique

La transmission chimique du message nerveux

neurone
pré-synaptique

message
nerveux

neurotransmetteur

substance
chimique
exogène

récepteurs
spécifiques

neurone
post-synaptique

Des substances qui perturbent
la transmission synaptique

Voir avec la langue !

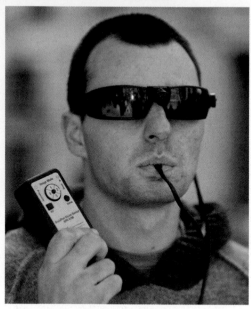

• Incroyable, mais vrai...

Il y a déjà plus de 40 ans, Paul Bach-y-Rita, spécialiste des neurosciences, l'affirmait : « *ce ne sont pas les yeux qui voient mais le cerveau* ». Selon lui, des informations transmises au cortex visuel via un **autre organe des sens** devaient pouvoir engendrer la perception d'images.

Cette hypothèse est désormais confirmée : depuis mars 2010, Craig Lundberg (*photographie ci-contre*), un soldat britannique qui a perdu la vue en 2007 suite à une explosion en Irak, peut marcher sans assistance, identifier des objets sans les toucher et même **lire des mots** !

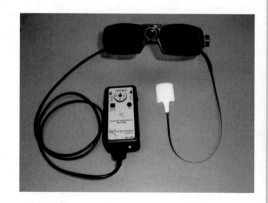

• Comment ça marche ?

Le dispositif utilisé (« Brain-port ») est constitué d'une caméra placée sur des lunettes, de façon à permettre une exploration de l'environnement semblable au mouvement habituel du regard.

Grâce à un dispositif électronique, les stimulations lumineuses captées par la caméra sont converties et transmises à une sorte de « sucette » qui délivre de petites impulsions électriques (9 volts). C'est donc avec les **récepteurs sensoriels de la langue** que Craig Lundberg tente de décrypter les impulsions générées. « *C'est un peu comme si on léchait une pile ou que l'on mangeait un bonbon effervescent* » dit Craig Lundberg !

• Voit-on vraiment ?

Au début, le décryptage des informations nécessite un effort de la part de l'utilisateur mais il lui est possible de se diriger grâce aux informations tactiles perçues par la langue.

Mais après quelques heures d'utilisation seulement, le raisonnement conscient disparaît et l'utilisateur perçoit réellement des **formes.**

L'exploration fonctionnelle du cerveau chez des non-voyants utilisant ce dispositif le confirme : le message nerveux généré par la langue est d'abord transmis dans une zone du cortex cérébral spécialisée dans la perception tactile. Ensuite, le message nerveux rejoint effectivement l'aire visuelle située à l'arrière du cerveau en empruntant des circuits et en activant des **territoires cérébraux non sollicités habituellement.** L'image qui se crée dans le cerveau est cependant probablement bien différente de celle que pourrait générer la rétine. Mais cet exemple illustre bien l'extraordinaire **plasticité** du cerveau.

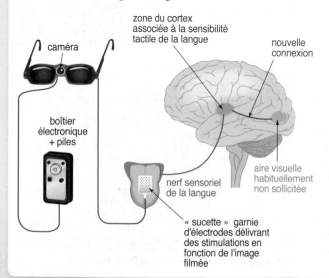

caméra

boîtier
électronique
+ piles

zone du cortex
associée à la sensibilité
tactile de la langue

nouvelle
connexion

aire visuelle
habituellement
non sollicitée

nerf sensoriel
de la langue

« sucette » garnie
d'électrodes délivrant
des stimulations en
fonction de l'image
filmée

... mieux comprendre l'histoire des arts

Des représentations du « mal des ardents »

L'**ergotisme**, encore appelé « Mal des ardents » ou « Feu de Saint-Antoine », est une intoxication grave due à la consommation de farine de céréales contaminée par un champignon parasite, l'**ergot de seigle** (voir page 328). L'ergotisme se traduit par des douleurs insupportables, des crises convulsives, une gangrène des doigts et des orteils, ainsi que par des hallucinations et des troubles psychotiques. On sait aujourd'hui que l'ergot de seigle renferme plusieurs substances très toxiques, dont la molécule précurseur du **LSD**.

On connaît de nombreux cas d'épidémies historiques d'ergotisme. Plusieurs tableaux célèbres y font référence. Commandés par les moines de l'ordre de **Saint-Antoine**, qui avaient pour mission de **guérir les malades**, ces tableaux étaient exposés dans les hospices ou dans les églises lors de pèlerinages auxquels se rendaient les malades dans l'espoir d'une guérison.

La « *Tentation de Saint-Antoine* » de Jérôme Bosch – vers 1506 (Musée national de Lisbonne). Détail du panneau latéral gauche.
Ces étranges créatures évoquent sans doute les hallucinations ressenties par les malades (peut-être même par le peintre lui-même) intoxiqués par les substances hallucinogènes contenues dans l'ergot de seigle.

... mieux comprendre l'histoire des sciences

L'histoire du LSD

Le LSD est une **molécule de synthèse** produite pour la première fois en 1938 par Albert Hofmann (*photographie ci-contre*). Travaillant pour les laboratoires Sandoz, ce scientifique cherche alors à mettre au point un **stimulant circulatoire** à partir de substances contenues dans un champignon, l'ergot de seigle (voir page 71).

D'abord classé sans intérêt, le LSD est à nouveau étudié par Hofmann en 1943. Ressentant vertiges et hallucinations en manipulant le produit, Hofmann décide de se l'administrer, découvrant ainsi les effets du produit.

Dans les années 1950 et 1960, le LSD intéresse beaucoup les psychiatres pour une approche psychothérapeutique et même la CIA qui y voit la possibilité d'une utilisation comme arme incapacitante ou pour mener des interrogatoires.

Le LSD connaît alors une diffusion croissante, d'autant qu'il n'est pas interdit et les expériences d'auto-administration se multiplient. Dans les années 1960, Le LSD exerce une influence énorme dans les milieux de la pop-music auprès de la **communauté hippie**.

Devant ce « succès » imprévu, Sandoz décide d'arrêter la fabrication du produit en 1965 et la consommation de LSD est interdite aux États-Unis en 1968. La consommation de LSD ne baissera cependant que progressivement, au profit d'autres substances comme l'**ecstasy**...

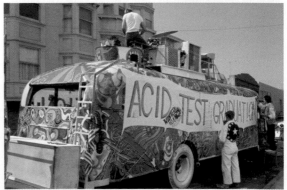

Bus célébrant l'usage du LSD (San Francisco, 1966).

Exercices

1 **Définissez les mots ou expressions**

Perception visuelle, plasticité cérébrale, synapse, neurotransmetteur, récepteur du neurotransmetteur, hallucinogène.

2 **Questions à choix multiples**

Choisissez la ou les bonnes réponses.

1. De la rétine au cortex visuel :
a. le message nerveux est directement transmis par un seul neurone ;
b. le message nerveux est transmis par des substances chimiques qui cheminent dans le nerf optique ;
c. le message nerveux peut être modifié par l'intermédiaire de substances chimiques exogènes ;
d. il existe des relais où le message est transmis grâce à des substances chimiques.

2. Une substance hallucinogène :
a. modifie la perception du monde réel ;
b. améliore la vision ;
c. provoque la vision de quelque chose qui n'existe pas ;
d. peut provoquer des troubles psychiques.

3. La perception visuelle :
a. résulte de la lumière transmise au cerveau par les nerfs optiques ;
b. est une représentation élaborée par le cerveau ;
c. résulte d'une intégration de plusieurs informations ;
d. nécessite l'arrivée de messages électriques dans une région précise du cerveau.

3 **Vrai ou faux ?**

Repérez les affirmations exactes et corrigez celles qui sont inexactes.
a. Au niveau d'une synapse, le neurotransmetteur pénètre dans le neurone post-synaptique.
b. Un neurone ne peut être en connexion qu'avec un seul autre neurone.
c. Certaines substances chimiques exogènes présentent des similitudes avec des neurotransmetteurs du cerveau.
d. Le LSD arrête la transmission du message nerveux visuel et peut donc rendre une personne aveugle.
e. L'expérience individuelle, surtout au plus jeune âge, influe la construction du système nerveux visuel.

4 **Questions à réponse courte**

a. Pourquoi dit-on que la perception visuelle implique des aires cérébrales spécialisées ?
b. Quelle est la cible de substances hallucinogènes comme le LSD ?
c. D'où vient un neurotransmetteur et où se fixe-t-il ?
d. Quelle particularité structurale présentent un neurotransmetteur et son récepteur ?

5 **Restitution organisée de connaissances**

1. Expliquez comment une substance comme le LSD peut perturber le message nerveux visuel.
2. Expliquez comment se construit le phénotype cérébral impliqué dans la vision.

Utiliser ses compétences

6 **Le cerveau se réorganise sans cesse**   Proposer une hypothèse explicative

Si nous savons lire, reconnaître un mot écrit ne nous prend que 200 millisecondes. Des recherches récentes ont montré que cette reconnaissance met d'abord en jeu une région spécialisée du cortex visuel, située dans l'hémisphère gauche, à proximité d'une zone spécialisée dans la reconnaissance des visages. L'activité de ces aires visuelles a été comparée par IRM chez différents sujets, sachant lire depuis l'enfance, ayant appris à lire à l'âge adulte ou illettrés :
– chez les personnes illettrées, la zone correspondant à la « reconnaissance des mots » réagit intensément à la reconnaissance des visages ;
– chez les personnes qui savent bien lire, la zone de reconnaissance des visages est rétrécie ;
– les modifications cérébrales chez un adulte sachant lire sont les mêmes que celui-ci ait appris à lire durant son enfance ou tardivement.

D'après cette étude, sur quel phénomène reposerait l'apprentissage de la lecture ? Expliquez.

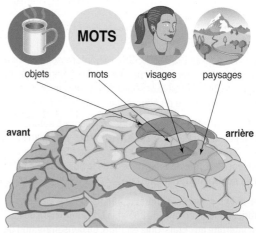

Aires de reconnaissance visuelle : hémisphère cérébral gauche (vue de dessous).

objets   mots   visages   paysages

avant   arrière

Guide pratique

Même avec les microscopes les plus puissants, la plupart des molécules ne sont pas observables à notre échelle. Cependant, **plusieurs logiciels** permettent, en choisissant les traitements adaptés, de mener une véritable **investigation** de façon à déterminer les propriétés des molécules étudiées : composition, organisation, interactions, etc.

Analyser la structure d'un acide aminé

Un **affichage en boules et bâtonnets** et une **coloration par type d'atomes** montrent quels atomes forment une molécule et comment ces atomes sont organisés. Ici, la structure de la valine, un acide aminé :

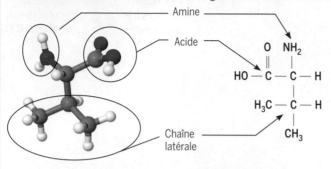

Amine

Acide

Chaîne latérale

$$O \quad NH_2$$
$$HO - C - C - H$$
$$H_3C - C - H$$
$$CH_3$$

Les acides aminés ont tous la même organisation ;
– une partie **amine** et une partie **acide**, reliées à un même atome de carbone ;
– une **chaîne latérale**, différente d'un acide aminé à l'autre.

Comprendre l'enchaînement des acides aminés dans un peptide

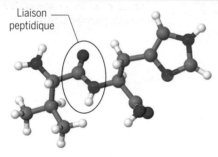

Liaison peptidique

Un peptide se forme lorsque la partie amine d'un acide aminé réagit avec la partie acide d'un autre acide aminé, formant ainsi une **liaison peptidique**.

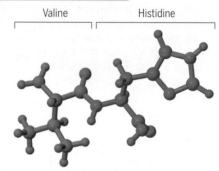

Valine   Histidine

Une **coloration par type de résidu** révèle la succession des acides aminés d'un peptide (ou celle des nucléotides A, C, G, T, U pour l'ADN et l'ARN).

Visualiser l'enchaînement des acides aminés dans une protéine

L'affichage **« en spaghetti » (ou en brin)** représente la séquence des acides aminés de façon simplifiée : les chaînes latérales sont effacées, il ne reste que la succession des liaisons peptidiques.

Thréonine 4
Proline 5
Leucine 3
Glu 6
Glu 7
Sérine 9
Histidine 2
Lysine 8
Alanine 10
Thr 12
Alanine 13
Valine 1
Valine 11
Leucine 14
Tryptophane 15

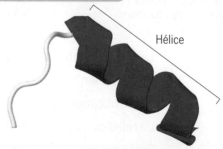

Hélice

Dans une protéine, les acides aminés interagissent selon leurs propriétés. Leur enchaînement peut prendre des formes caractéristiques. L'**affichage en rubans et la coloration par structure** souligne les structures telles que l'enroulement en hélice.

Combiner les modes d'affichage et de coloration pour explorer un modèle

Visualiser la forme des molécules

L'**affichage en sphères** montre le volume occupé par chaque atome et révèle la **forme globale** de la molécule (globulaire, en double hélice, en bâton, en Y, etc.).

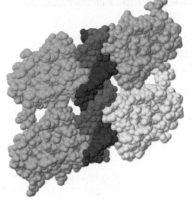

Distinguer les différentes chaînes

La **coloration par chaîne** associe sous une même couleur tous les atomes liés entre eux par des liaisons covalentes. Elle montre si un modèle est constitué de plusieurs molécules. Deux chaînes enroulées en hélice révèlent la présence d'ADN.

Visualiser le squelette de la molécule

Les **affichages en ruban, en spaghetti ou en dessin** donnent une représentation simplifiée de la molécule : seules les liaisons principales sont affichées tandis que les atomes sont masqués. Cette visualisation fait apparaître l'architecture de la molécule et permet de différencier les protéines des molécules d'ADN ou d'ARN.

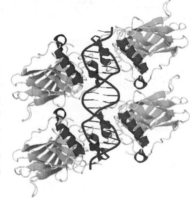

Distinguer les différentes structures

La **coloration par structure** permet de distinguer les repliements caractéristiques dans les protéines (hélices et feuillets principalement).

Mettre en évidence une partie de la molécule

Pour appliquer des commandes à une partie seulement d'une molécule, il faut au préalable la **sélectionner**. Pour cela, des commandes manuelles peuvent êtres écrites en utilisant les noms des chaînes ou des résidus recherchés.

On pourra ensuite appliquer des commandes spécifiques de coloration ou d'affichage pour la partie sélectionnée.
Exemple de sélections successives pour localiser les valines 6 dans un dimère d'hémoglobine drépanocytaire :

1. Affichage du modèle et **coloration par chaînes**. Ici, le contact des deux molécules implique les chaînes H et B.

2. RESTRICT *B, *H
= sélectionne et limite l'affichage aux chaînes B et H.

3. SELECT VAL6
= sélectionne toutes les valines en position 6.

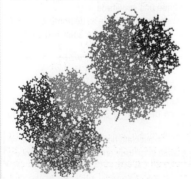

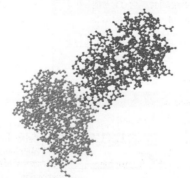

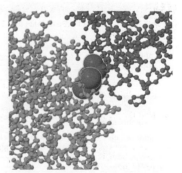

Le séquençage des protéines et des gènes a permis de constituer des **banques de données** contenant des suites d'informations (les séquences) que l'on peut comparer entre elles, traduire à l'aide du code génétique, etc. Plusieurs logiciels, « Anagène » et « GenieGen » par exemple, permettent d'effectuer divers traitements sur de telles données.

Afficher et convertir des séquences

En général, seul le brin d'ADN non transcrit est fourni par les banques de données.

Une séquence d'ADN « codant » correspond à la succession des exons d'un gène.

La règle indique l'ordre de succession des nucléotides.

La **conversion d'une séquence** permet d'afficher la correspondance entre 4 séquences :
– les deux brins de l'ADN, non transcrit et transcrit ;
– l'ARN messager, complémentaire du brin transcrit, semblable au brin non transcrit ;
– la séquence d'acides aminés obtenue par traduction (en appliquant le code génétique).

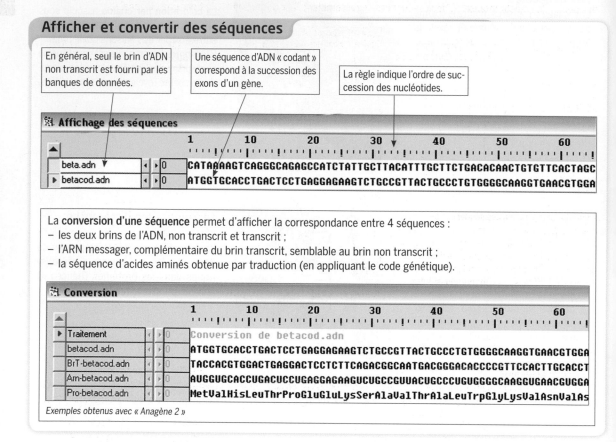

Exemples obtenus avec « Anagène 2 »

Comparer des séquences

Une **comparaison simple** consiste à comparer les nucléotides ou les acides aminés successifs deux à deux. Cette comparaison ne tient pas compte d'éventuelles délétions ou additions. Une com-paraison avec **alignement** (ou avec **discontinuité**) consiste à déterminer par le calcul le minimum de différences entre deux séquences, en tenant compte d'éventuelles délétions ou additions.

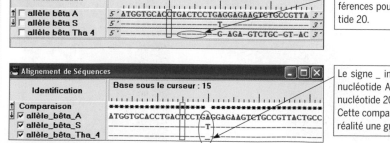

Le signe – indique une similitude.
Cette comparaison simple révèle ici de nombreuses différences pour la dernière séquence à partir du nucléotide 20.

Le signe _ indique que l'on considère une délétion du nucléotide A, en décalant la 3e séquence à partir du nucléotide 20.
Cette comparaison avec alignement montre qu'il y a en réalité une grande similitude entre les trois séquences.

Exemples obtenus avec « GenieGen »

Comparer des séquences graphiquement

Un « **dotplot** » est obtenu en plaçant en abscisse et en ordonnée deux séquences à comparer. Chaque nucléotide d'une séquence est comparé avec tous ceux de l'autre séquence. Les zones identiques sont repérées par des points de couleur intense. Si deux séquences se ressemblent, leur dotplot se traduit par une diagonale.

Séquence A

Séquence B

Point de couleur : les nucléotides en X et Y sont identiques.

Point de couleur vive : plusieurs nucléotides à la suite sont identiques.

Exemple : comparaison des séquences de l'opsine bleue de l'Homme et de l'alouate. Une diagonale (❶) s'interprète comme une parenté. Des décalages (❷) peuvent montrer des insertions ou des délétions. Une rupture dans la coloration de la diagonale (❸) est le témoin de mutations.

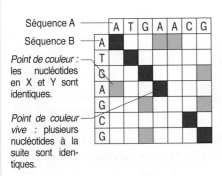
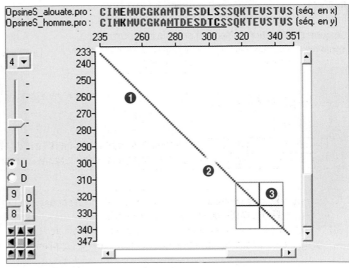

Exemple obtenu avec le logiciel « Anagène2 »

Des documents de référence

● Le code génétique
Cette présentation circulaire s'utilise en lisant les trois nucléotides d'un codon, du centre vers l'extérieur (1er nucléotide en jaune, 2e nucléotide en orange, 3e en rose) :

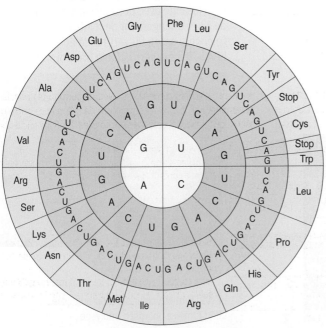

● Les 20 acides aminés
Leur nom est souvent remplacé par leur symbole à trois lettres ou à une lettre.

Alanine	Ala	A
Arginine	Arg	R
Ac. aspartique	Asp	D
Asparagine	Asn	N
Cystéine	Cys	C
Ac. glutamique	Glu	E
Glutamine	Gln	Q
Glycine	Gly	G
Histidine	His	H
Isoleucine	Ile	I
Leucine	Leu	L
Lysine	Lys	K
Méthionine	Met	M
Phénylalanine	Phe	F
Proline	Pro	P
Sérine	Ser	S
Thréonine	Thr	T
Tryptophane	Trp	W
Tyrosine	Tyr	Y
Valine	Val	V

Quartz

LPNA – Sections quelconques, incolores et limpides, aux contours sinueux.

LPA – Selon l'orientation de la section, diverses nuances de gris, allant du gris blanc au gris très foncé, puis au noir (extinction). Au voisinage de la position d'extinction, la section semble parcourue par le passage d'une ombre (extinction onduleuse).

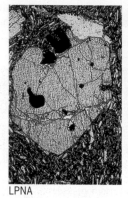

LPA

Olivine

LPNA – Sections incolores, très limpides, à contours anguleux ou arrondis dans les laves, à contours quelconques dans les roches grenues. Présence de cassures et parfois d'un clivage fin, très discret.

LPA – Teintes très vives : violet, bleu, vert ou rouge. À ne pas confondre avec la muscovite.

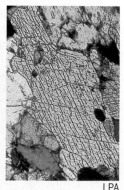

LPNA — LPA

Pyroxènes

• Exemple : augite

LPNA – Très faiblement colorée en vert-jaunâtre ou incolore. Dans les laves, sections allongées rectangulaires à un seul clivage et sections carrées ou octogonales à deux clivages faisant un angle de 90°. Dans les roches grenues, sections quelconques à 1 ou 2 clivages.

LPA – Teintes variables, brunes et/ou bleutées. D'autres pyroxènes montrent des teintes très vives, bleu-vert, orangé vif ou, au contraire, des teintes gris ou gris-brun.

LPNA — LPA

Amphiboles

• Exemple : hornblende verte

LPNA – Couleur verte, forme quelconque, proche d'un rectangle avec un seul clivage ou proche d'un losange avec deux clivages faisant un angle de 120°. Changement de teinte avec l'orientation (pléochroïsme), du vert foncé au vert plus clair.

LPA – Teintes vert-jaune à brun-orangé.

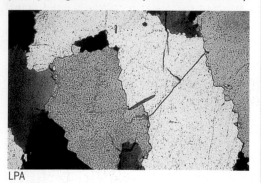

LPNA — LPA

LPNA : lumière polarisée non analysée.
LPA : lumière polarisée analysée.

Feldspaths

• Feldspaths alcalins (exemple : orthose)
LPNA – Sections souvent quelconques, parfois à contours rectangulaires ; incolores ou ayant un aspect « poussiéreux » si le feldspath est altéré.
LPA – Diverses nuances de gris allant du gris blanc (éclairement maximal) au noir (zones « éteintes »). Une même section peut présenter une juxtaposition de deux plages de teintes différentes séparées par un plan : c'est une macle.

• Feldspaths calco-alcalins (plagioclases)
LPNA – Sections incolores à contours quelconques dans les roches grenues ou en fines baguettes rectangulaires (microlites) dans les laves. Aspect parfois poussiéreux si le plagioclase est altéré.
LPA – Teinte gris blanc à gris foncé, devenant noire (zones éteintes). La même section de minéral montre une alternance de bandes parallèles noires (toutes éteintes) et gris clair (éclairées) constituant une macle caractéristique.

LPNA — LPA

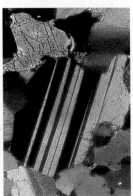

LPNA — LPA

Micas

• Biotite
LPNA – Couleur brune, forme souvent allongée, présence d'un clivage parallèle à l'allongement. Changement de couleur du minéral (pléochroïsme) du brun foncé au jaune quand on modifie son orientation.
LPA – Teintes vives : rouge, vert, bleu.

• Muscovite
LPNA – Incolore, forme allongée, présence d'un clivage « en lames de parquet » parallèle à l'allongement.
LPA – Teintes très vives : bleu, vert, jaune ou rouge.

LPNA (nord-sud)

LPNA (est-ouest) — LPA

LPNA

LPA

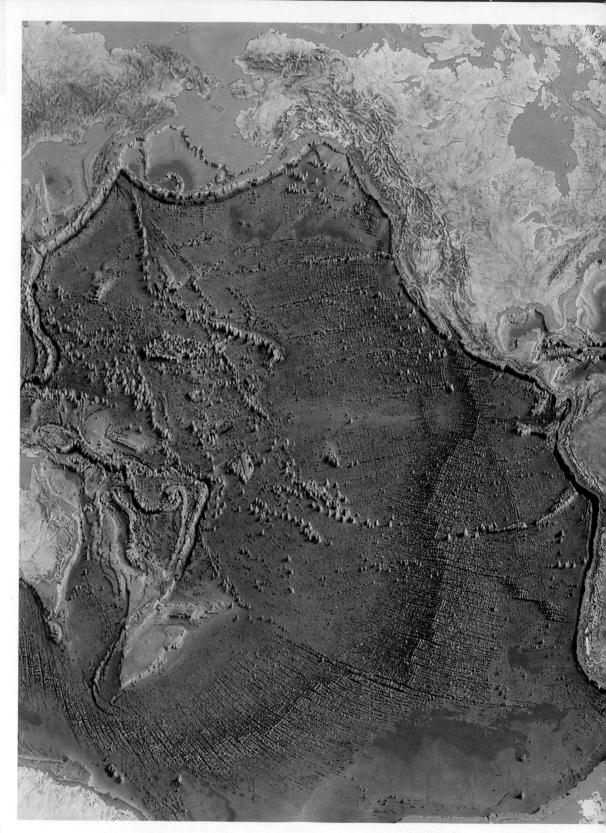

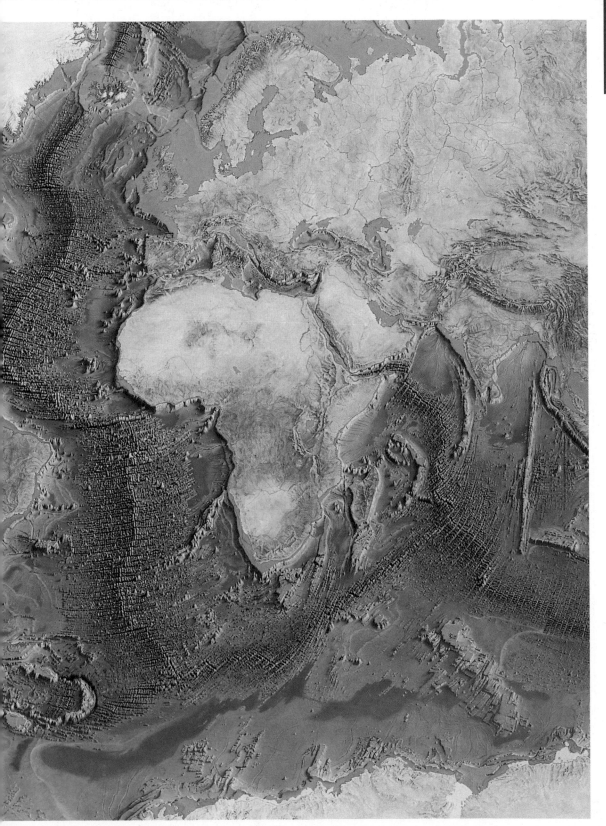

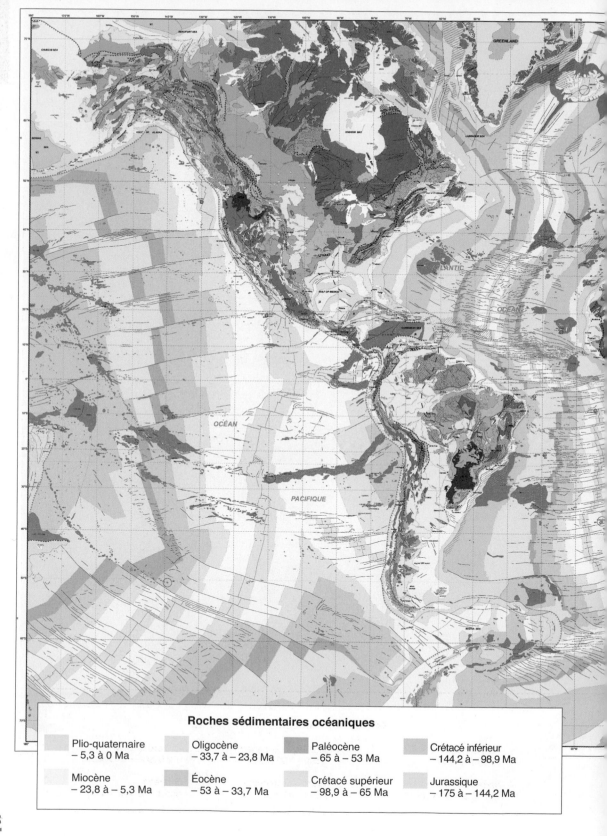

Roches sédimentaires océaniques

Plio-quaternaire − 5,3 à 0 Ma	Oligocène − 33,7 à − 23,8 Ma	Paléocène − 65 à − 53 Ma	Crétacé inférieur − 144,2 à − 98,9 Ma
Miocène − 23,8 à − 5,3 Ma	Éocène − 53 à − 33,7 Ma	Crétacé supérieur − 98,9 à − 65 Ma	Jurassique − 175 à − 144,2 Ma

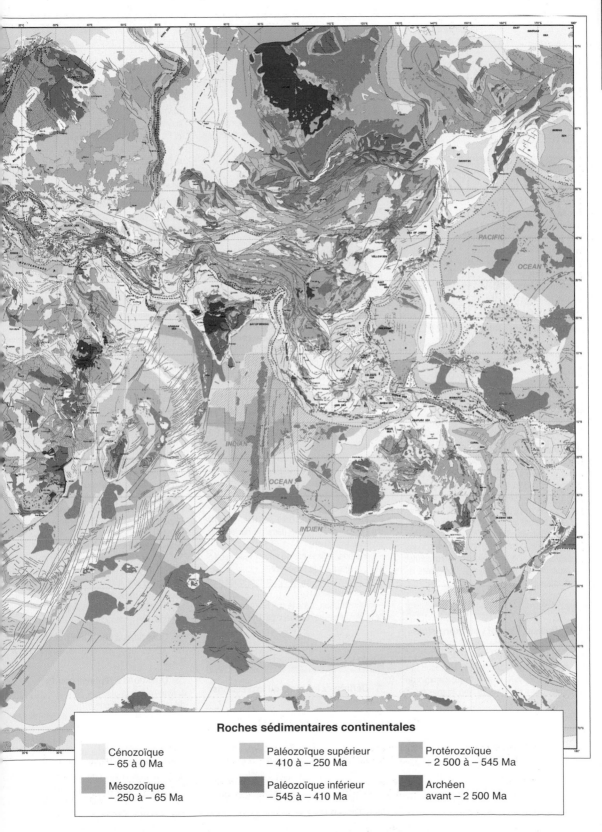

Roches sédimentaires continentales

Cénozoïque
− 65 à 0 Ma

Paléozoïque supérieur
− 410 à − 250 Ma

Protérozoïque
− 2 500 à − 545 Ma

Mésozoïque
− 250 à − 65 Ma

Paléozoïque inférieur
− 545 à − 410 Ma

Archéen
avant − 2 500 Ma

*Les corrections fournies dans ces pages concernent uniquement, pour chaque chapitre, la partie « **Tester ses connaissances** ». Elles vous permettront de procéder à une auto-évaluation et donc de contrôler vous-même le degré d'acquisition des connaissances.*

Partie 1

Expression, stabilité et variation du patrimoine génétique

Chapitre 1, page 26

1 Définissez les mots ou expressions
Chromosome : voir Lexique.
Mitose : voir Lexique.
Réplication : voir Lexique.
ADN-polymérase : voir Lexique.
Cycle cellulaire : voir Lexique.
Anaphase : étape de la mitose au cours de laquelle chaque chromosome dupliqué se sépare en deux chromatides migrant chacune à l'un des pôles de la cellule.

2 Questions à choix multiples
Les bonnes réponses sont : **1**-a et **b** ; **2**-b ; **3**-b ; **4**-b.

3 Vrai ou faux ?
a. Vrai.
b. Vrai.
c. Faux. La mitose se déroule en 4 phases.
d. Vrai.
e. La quantité d'ADN double dans une cellule au cours de l'interphase.

4 Questions à réponse courte
a. Au cours de la mitose, l'ADN des chromosomes est surenroulé sur lui-même, très compacté, ce qui constitue des chromosomes bien visibles au microscope. En interphase, les chromosomes se décondensent et sont mal individualisés ; ils sont alors très difficiles à observer.
b. Avant la division cellulaire, l'intégralité de l'information génétique est copiée en deux exemplaires (réplication de l'ADN en interphase). Ceci permet à chaque cellule-fille d'hériter de l'intégralité de l'information génétique.

Chapitre 2, page 46

1 Définissez les mots ou expressions
Mutation : modification accidentelle de la séquence de nucléotides d'un gène.
Agent mutagène : substance chimique ou rayonnement (UV, X, radioactivité) capable de provoquer des mutations ou d'en augmenter la fréquence.
Mutation somatique : voir Lexique.
Mutation germinale : voir Lexique.
Addition : mutation ponctuelle caractérisée par l'ajout d'un nucléotide dans la séquence.
Délétion : mutation ponctuelle caractérisée par la perte d'un nucléotide de la séquence.
Substitution : mutation ponctuelle caractérisée par le remplacement d'un nucléotide par un autre.

2 Questions à choix multiples
Les bonnes réponses sont : **1**-a, **b** ; **2**-a, c ; **3**-a, c ; **4**-c.

3 Vrai ou faux ?
a. Faux. Une mutation peut être spontanée mais son apparition peut aussi être favorisée par un agent mutagène.
b. Vrai.
c. Vrai.
d. Faux. Substitution, délétion et addition sont trois types de mutations.
e. Faux. Tous les rayons ultraviolets ont, à des degrés divers, un effet mutagène et sont donc potentiellement dangereux.

4 Questions à réponse courte
a. Toutes les cellules d'un individu sont porteuses d'une même mutation si cette mutation est présente dans la cellule-œuf, donc si cette mutation s'est produite au cours de la formation des gamètes chez l'un des deux parents.
b. À l'échelle d'une cellule et d'un cycle cellulaire, les mutations sont rares car cet accident est peu fréquent, n'affectant qu'un nucléotide sur un milliard environ. C'est cependant un phénomène assez banal car si l'on considère le nombre de nucléotides dans une cellule (6,4 milliards de paires), le nombre de cellules d'un individu et le nombre de divisions cellulaires au cours de la vie, toutes les cellules héritent en fait de quelques mutations.
c. On peut dire que les mutations enrichissent le génome d'une espèce, car c'est par mutation que se crée un nouvel allèle. La diversité des allèles pour chaque gène, c'est-à-dire la biodiversité génétique d'une espèce, résulte donc du phénomène de mutation.
d. Une mutation ponctuelle est une mutation qui ne concerne qu'une paire de nucléotides. On peut distinguer :
– l'addition, dans le cas où un nouveau nucléotide s'insère dans la séquence ;
– la délétion, dans le cas où un nucléotide de la séquence est perdu ;
– la substitution, dans le cas où un nucléotide de la séquence est remplacé par une autre.

Chapitre 3, page 68

1 Définissez les mots ou expressions
Acide aminé : voir Lexique.
Code génétique : voir Lexique.
Transcription : voir Lexique.
ARN messager : voir Lexique.
Brin transcrit d'ADN : brin de la molécule d'ADN qui, au cours de la transcription, sert de matrice pour former le brin d'ARN, par complémentarité des nucléotides.
Traduction : voir Lexique.
Épissage : voir Lexique.

2 Questions à choix multiples
Les bonnes réponses sont **1**-c, d ; **2**-a, c ; **3**-d.

3 Vrai ou faux ?
a. Vrai.
b. Vrai.
c. Faux. Il existe trois codons qui n'ont pas d'acide aminé correspondant (codons-stop).
d. Faux. Le code génétique est universel : tous les êtres vivants utilisent le même code génétique, à de très rares exceptions près.

4 Questions à réponse courte
a. Alors que l'ADN est formé de deux brins complémentaires de nucléotides, l'ARN n'est formé que d'un seul brin. Par ailleurs, dans l'ARN, le nucléotide T est remplacé par un nucléotide U et le glucide constitutif des nucléotides est le ribose.
b. Le rôle de l'ARN-polymérase est de réaliser la transcription, c'est-à-dire d'effectuer la synthèse d'ARN en associant des nucléotides par complémentarité avec l'un des brins de l'ADN.
c. Le rôle du codon d'initiation est de signaler l'endroit où débute la traduction : c'est en effet au niveau du codon d'initiation que le ribosome commence la synthèse d'une protéine.
d. La conséquence de l'épissage alternatif d'un gène est de permettre la production de protéines différentes à partir d'une même séquence génétique.

Chapitre 4, page 82

1 Définissez les mots ou expressions
Phénotype : ensemble des caractéristiques d'un individu, résultant de l'expression de ses gènes en interaction avec les facteurs environnementaux.
Phénotype moléculaire : voir Lexique.
Génotype : ensemble des gènes d'une cellule, d'un individu.
Cellules différenciées : cellules ayant acquis des caractères particuliers, à la suite de l'expression d'une partie de l'information génétique, en interaction avec les facteurs environnementaux.
Facteur de transcription : molécule ou signal susceptible d'activer ou d'empêcher la transcription d'un gène.

2 Questions à choix multiples
Les bonnes réponses sont **1**-b, d ; **2**-a, c et d ; **3**-c, d.

3 Questions à réponse courte
1. Une mutation allélique peut être à l'origine de la production d'une protéine déficiente ou de l'absence de production d'une protéine. Une telle modification du phénotype moléculaire peut se répercuter à l'échelle cellulaire et à l'échelle macroscopique et être responsable, par exemple, d'une maladie génétique.
2. Dans un même organisme, il existe des types cellulaires différents car toutes les cellules n'expriment pas les mêmes gènes et ne contiennent donc pas les mêmes protéines.

3. Un facteur externe peut exercer une influence sur le phénotype en activant ou en empêchant l'expression d'un gène (action sur l'étape de transcription). Un facteur externe peut aussi agir sur les protéines synthétisées et modifier leur fonction, donc le phénotype aux différentes échelles.

4. La connaissance du génotype ne permet pas toujours de prédire le phénotype, car un gène ne s'exprime pas toujours et le résultat de son expression dépend aussi de facteurs environnementaux. Un même génotype peut se traduire par des phénotypes finalement différents.

4 Rédigez une phrase...

a. Le phénotype macroscopique dépend du phénotype cellulaire, lui-même induit par le phénotype moléculaire.

b. Le phénotype moléculaire dépend de l'expression du génotype, en interaction avec des facteurs environnementaux.

c. Une mutation peut être à l'origine de la production d'une protéine déficiente, responsable d'une maladie génétique.

Partie 2

La tectonique des plaques : histoire d'un modèle

Chapitre 1, page 106

1 Définissez les mots ou expressions

Dérive des continents : théorie émise par A. Wegener au début du XXe siècle, qui présente divers arguments scientifiques en faveur d'une mobilité horizontale des continents, type de mobilité non admise à l'époque.

Pangée : continent unique existant à la fin de l'ère primaire.

Ondes sismiques de volume : ondes sismiques P et S qui pénètrent à l'intérieur du globe terrestre, à l'inverse des ondes de surface.

Discontinuité de Gutenberg : limite séparant le manteau du noyau, située à 2 900 km de profondeur ; elle fut définie par Gutenberg en 1912.

Terre solide : ensemble des enveloppes de la Terre interne constituées de matériaux à l'état solide et mises en évidence par la propagation des ondes sismiques P et S (ces dernières en particulier ne se propageant pas dans les milieux liquides).

Sismique réflexion : voir Lexique.

2 Questions à choix multiples

Les bonnes réponses sont **1**-**a** ; **2**-**a** et **c** ; **3**-**b**.

3 Vrai ou faux ?

a. Faux. La dérive des continents est une théorie nouvelle au début du XXe siècle.

b. Vrai.

c. Vrai.

d. Faux. Les croûtes océanique et continentale forment la croûte terrestre qui repose sur le manteau.

e. Vrai.

4 Annotez un modèle de la Terre interne

Du haut vers le bas sur le schéma : **croûte continentale, croûte océanique,** *discontinuité de Moho,* **manteau terrestre,** *discontinuité de Gutenberg,* **noyau.**

Chapitre 2, page 130

1 Définissez les mots ou expressions

Flux géothermique : voir Lexique.

Expansion océanique : augmentation de la surface des fonds océaniques par apport de matériaux profonds au niveau des dorsales océaniques.

Anomalie magnétique : différence entre la valeur mesurée du champ magnétique en une zone donnée et une valeur moyenne théorique.

Asthénosphère : voir Lexique.

Faille transformante : voir Lexique.

Tectonique des plaques : voir Lexique.

2 Questions à choix multiples

Les bonnes réponses sont **1**-**a** et **b** ; **2**-**a** et **c** ; **3**-**b**.

4 Vrai ou faux ?

a. Vrai.

b. Vrai.

c. Faux. Les anomalies magnétiques traduisent des inversions de polarité du champ magnétique terrestre au cours des temps géologiques.

d. Faux. Les séismes sont présents au niveau des failles transformantes sur la partie qui décale l'axe de la dorsale.

e. Faux. La présence des points chauds est en accord avec le modèle de la tectonique des plaques, avec la plaque qui se déplace sur le point chaud fixe et qui est perforée régulièrement.

5 Établir des relations historiques

Hess (années 1960) : idée de l'expansion océanique.

Vine et Matthews (1963) : lien entre anomalies magnétiques et expansion océanique.

Wadati (1930) et Benioff (1955) : subduction.

Wilson (années 1960) : failles transformantes.

Morgan (1967) : théorie des points chauds.

Le Pichon (1968) : 6 plaques lithosphériques.

Chapitre 3, page 152

1 Définissez les mots ou expressions

GPS (**G**lobal **P**ositioning **S**ystem) **:** voir Lexique.

Géopositionnement : voir Lexique.

Tomographie sismique : voir Lexique.

Fusion partielle : voir Lexique.

Vitesse « instantanée » : mesure obtenue par satellite, elle correspond à la distance parcourue (précision millimétrique) par un point situé sur une plaque en une durée courte, « instantanée », de l'ordre du jour.

Déplacement relatif : déplacement d'une plaque par rapport aux autres plaques, mesurable par différentes méthodes, il peut s'agir de mouvements de divergence, de convergence ou de coulissage.

2 Questions à choix multiples

Les bonnes réponses sont : **1**-**a** ; **2**-**a** ; **3**-**c**.

3 Vrai ou faux ?

a. Faux. Plus on s'éloigne de la dorsale, plus l'épaisseur des sédiments est importante.

b. Faux. Les sédiments au contact du basalte sont d'autant plus vieux que l'on s'éloigne de la dorsale.

c. Faux. Les conditions de température et de pression du géotherme moyen océanique ne sont pas suffisantes pour obtenir une fusion partielle de la péridotite.

d. Faux. Lorsque le solidus est dépassé, il y a formation de magma mais la péridotite n'est que partiellement fondue.

4 Argumentez une affirmation

a. Seules certaines conditions de pressions et de températures, réalisées à l'aplomb d'une dorsale, permettent de recouper le solidus de la péridotite mantellique et donc de provoquer sa fusion partielle.

b. La lithosphère océanique est en permanence fabriquée au niveau des dorsales (zones d'expansion océanique) mais elle est en permanence consommée au niveau des zones de subduction. Cette dynamique de l'ordre de quelques cm · an^{-1} assure le renouvellement de la lithosphère océanique.

Partie 3

Enjeux planétaires contemporains

Chapitre 2, page 186

1 Définissez les mots ou expressions

Hydrocarbures : composés organiques formés de carbone et d'hydrogène, il s'agit du gaz naturel et du pétrole.

Upwelling : voir Lexique.

Faille normale : voir Lexique.

Roche mère pétrolifère : roche d'origine sédimentaire (argileuse ou carbonatée) généralement de couleur sombre, riche en matière organique, donnant, lors de son enfouissement des hydrocarbures par dégradation thermique, des composés organiques.

Subsidence : enfoncement lent et progressif de la croûte permettant dépôt et enfouissement des sédiments.

Gisement : accumulation d'hydrocarbures dans une roche poreuse (réservoir).

Conditions anoxiques : environnement de dépôt de sédiments organiques, pauvre en oxygène. Il s'agit généralement de fonds marins peu brassés par les courants.

2 Questions à choix multiples

Les bonnes réponses sont **1**-**a** ; **2**-**a** et **c** ; **3**-**a** et **c**.

Corrigés d'exercices

3 Vrai ou faux ?
a. Vrai.

b. Faux, une tectonique compressive permet la mise en place de pièges arrêtant la migration des hydrocarbures vers la surface et permettant la mise en place de gisements.

c. Faux, un calcaire grossier et poreux ne permet pas de bloquer l'ascension d'un hydrocarbure.

d. Vrai.

4 Questions à réponse courte
a. La roche **2**-**b.** la roche **3**-**c.** La roche **4**-**d.** Le bloc qui est au dessus de la faille est descendu par rapport au bloc qui est sous la faille, il s'agit d'une faille normale caractéristique d'une tectonique en distension.

e. Le gisement s'est formé suite à un plissement qui a permis l'accumulation des hydrocarbures au sein de la roche réservoir poreuse, juste sous la roche couverture imperméable. Les fluides se sont concentrés au creux du pli d'une part et contre la faille d'autre part.

Chapitre 3, page 204

1 Définissez les mots ou expressions
Biotope : voir Lexique.
Biocénose : voir Lexique.
Pyramide des productivités : voir Lexique.
Agrosystème : voir Lexique.
Engrais : voir Lexique.
Eutrophisation : voir Lexique.

2 Questions à choix multiple
Les bonnes réponses sont **1**-**b** ; **2**-**a**, **c** ; **3**-**a**, **c** ; **4**-**a**, **c** ; **5**-**a**, **b**.

3 Questions à réponses courtes
a. La bioaccumulation d'un pesticide est l'augmentation de sa concentration constatée d'un niveau à l'autre dans un réseau trophique. La conséquence est le risque d'intoxication des consommateurs prélevant leur nourriture dans un niveau trophique de rang élevé (carnivores).

b. Au cours d'un cycle cultural, le cultivateur de céréales commence par préparer la terre, mécaniquement et par l'apport d'engrais. Ensuite, il sème. Durant le printemps et l'été, il contrôle la croissance des plants et traite à plusieurs reprises à l'aide de différents pesticides, pour limiter la croissance des plantes concurrentes (adventices) et éviter ou limiter les dégâts causés par les champignons ou les insectes ravageurs. Il peut aussi irriguer le champ, en été surtout et en fonction des besoins de la culture. L'étape suivante est la récolte par moisson à l'aide des engins adaptés.

c. Pour apporter la « bonne » dose d'engrais à sa culture, l'agriculteur doit tenir compte des besoins réels de la plante (variables suivant le type de culture), des propriétés du sol et de la pluviométrie, pour éviter la lixiviation des engrais vers les nappes phréatiques notamment.

4 Vrai ou faux ?
a. Faux. Les êtres vivants interagissent avec les conditions de l'environnement dans lequel ils vivent et peuvent les modifier.

b. Vrai.

c. Faux. Les agrosystèmes industriels consomment surtout des intrants importés.

Chapitre 4, page 224

1 Définissez les mots ou expressions
Intrants : matières premières utilisées pour la production agricole.
Bilan carbone : voir Lexique.
Variété hybride : voir Lexique.
Agroforesterie : voir Lexique.
Agriculture de précision : voir Lexique.
Agroécologie : pratique agricole respectueuse de l'écosystème, maintenant la qualité des sols, les paysages, la biodiversité, faisant souvent appel aux savoir-faire paysans de façon à minimiser les intrants.

2 Questions à choix multiple
Les bonnes réponses sont **1**-**a** ; **2**-**a**, **c** ; **3**-**a** ; **4**-**a**.

3 Questions à réponses courtes
a. La consommation de viande exige de mettre en cultures de très vastes superficies pour ensuite pouvoir nourrir les animaux d'élevages. En plus de cette importante occupation du sol, cela exige de grandes quantités d'eau et des intrants importants. Il serait plus efficace d'utiliser directement la production agricole pour nourrir l'humanité.

Autre exemple : la consommation de produits frais locaux limite le bilan carbone en diminuant les conséquences, pour l'environnement, du transport, du conditionnement et de la distribution.

b. Pour améliorer les plantes cultivées, les chercheurs sélectionnent certaines variétés présentant des caractéristiques génétiques intéressantes et, par croisement, obtiennent de nouvelles variétés hybrides combinant plusieurs caractéristiques. Ils peuvent aussi transférer à une plante, par transgénèse, un gène d'intérêt provenant d'une autre espèce.

c. L'élevage de poissons carnivores n'est pas une solution pour protéger les écosystèmes marins car les aliments utilisés (farines et huiles de poisson) sont issus de la pêche industrielle. La production de ces « poissons fourrages », destinés à l'élevage des poissons carnivores, nécessite une biomasse marine très importante et encourage donc à surexploiter le milieu marin.

4 Vrai ou faux ?
a. Faux. La consommation de viande a des conséquences négatives beaucoup plus importantes que la consommation de céréales : la nutrition animale exige de grandes superficies traitées avec engrais et pesticides et de grandes quantités d'eau.

b. Faux. Nos consommations alimentaires sont responsables d'un rejet de quantités importantes de CO_2 dans l'atmosphère et contribuent donc au réchauffement climatique.

c. Faux. Les réserves permettant de fournir l'agriculture en phosphates sont limitées et non renouvelables à l'échelle de temps humain, comme la plupart des ressources géologiques.

Partie 4

Corps humain
et santé

Chapitre 1, page 249

1 Définissez les mots ou expressions
Stade indifférencié : ébauche des gonades et des voies génitales, identique pour les deux sexes dans les premiers temps du développement embryonnaire.
Hormone anti-müllérienne : hormone responsable de la disparition des canaux de Müller.
Gène SRY : gène porté par le chromosome Y et déterminant le développement de l'appareil génital dans le sens mâle.
Puberté : période de l'adolescence correspondant à l'achèvement du phénotype sexuel avec la mise en place des caractères sexuels secondaires et le début du fonctionnement des organes génitaux.
Canaux de Müller : voir Lexique.
Canaux de Wolff : voir Lexique.

2 Questions à choix multiples
Les bonnes réponses sont **1**-**a** et **b** ; **2**-**c** ; **3**-**a** ; **4**-**a** et **b**.

3 Vrai ou faux ?
a. Faux. Il existe une autre hormone, l'AMH qui inhibe le développement des canaux de Müller chez l'embryon.

b. Vrai.

c. Faux. L'individu présentera un phénotype masculin, du fait de la présence d'un chromosome Y mais anormal du fait de la présence de 2 chromosomes X.

d. Vrai.

4 Argumenter une affirmation
a. Les modifications pubertaires dépendent de l'action des hormones sexuelles ; testostérone chez les garçons, œstradiol chez les filles.

b. La première étape est la détermination du sexe de la gonade (testicule ou ovaire), puis vient la différenciation des voies génitales ; enfin le phénotype sexuel s'achève avec les modifications pubertaires.

c. Il existe sur le chromosome Y un gène, nommé SRY, qui va déterminer le développement de l'appareil génital dans le sens mâle.

d. Chez la femme, la formation de l'ovaire et celle des voies génitales se fait de façon spontanée, sans l'action d'hormones ou d'un gène de féminisation.

Chapitre 2, page 276

1 Définissez les mots ou expressions
Hypophyse : voir Lexique.
Gonadostimulines : voir Lexique.
GnRH : voir Lexique.
Rétrocontrôle hormonal : voir Lexique.
Contraception hormonale : voir Lexique.
Contraception d'urgence : voir Lexique.

Infertilité : difficulté à avoir des enfants pour un individu ou un couple.

Fécondation *in vitro* : technique de procréation médicalement assistée qui consiste à produire un embryon en laboratoire.

IST : infection sexuellement transmissible.

2 Questions à choix multiples
Les bonnes réponses sont **1**-**a** ; **2**-**c** ; **3**-**b** et **d**.

3 Vrai ou faux ?
a. Faux. Le rétrocontrôle devient positif quand les taux sanguins d'œstradiol sont élevés.
b. Vrai.
c. Faux. La pilule contient des hormones imitant les effets des hormones ovariennes.
d. Vrai.
e. Faux. Il est également possible de mener des campagnes de dépistage ou de vaccination.

4 Questions à choix multiples
Les bonnes réponses sont **a** et **c**.

Chapitre 3, page 298

1 Définissez les mots ou expressions
Maladie génétique : maladie liée en partie ou exclusivement à la mutation d'un gène.
Thérapie génique : voir Lexique.
Épidémiologie : voir Lexique.
Cellule cancéreuse : cellule ayant acquis des propriétés particulières à l'issue de plusieurs mutations (prolifération, immortalité...).
Antibiotique : molécule capable de détruire ou de bloquer le développement des bactéries.

2 Questions à choix multiples
Les bonnes réponses sont **1**-**a** et **b** ; **2**-**b** ; **3**-**b** et **c** ; **4**-**b** et **c**.

3 Vrai ou faux ?
a. Faux. La thérapie génique n'enlève pas les allèles malades, mais vise plutôt à ajouter un allèle fonctionnel.
b. Vrai.
c. Vrai.
d. Faux. Certaines maladies comme la mucoviscidose ont un contrôle génétique absolu.
e. Faux. L'utilisation d'antibiotiques en médecine crée une pression sélective et favorise l'évolution des populations bactériennes vers une résistance.

4 Argumenter une affirmation
a. La thérapie génique n'étant pas encore au point, les traitements ne font que corriger les symptômes : élimination du mucus bronchique en excès et prise de compléments alimentaires.
b. Les cellules cancéreuses apparaissent à la suite de mutations de cellules normales de l'organisme. Il existe donc des gènes dont la mutation favorise le développement d'un cancer.
c. Il existe des gènes dont la mutation favorise le développement de maladies cardio-vasculaires, mais un individu porteur de ces mutations réduira considérablement le risque en adoptant un mode de vie adapté.

6 Questions à choix multiples
Les bonnes réponses sont **b** et **c**.

Chapitre 4, page 320

1 Définissez les mots ou expressions
Cristallin : organe vivant de l'œil, transparent et de forme biconvexe, permettant la convergence des rayons lumineux sur la rétine.
Accommodation : voir Lexique.
Presbytie : difficulté à voir les objets situés près de l'œil, qui apparaît naturellement avec l'âge. La presbytie est due à la perte d'élasticité des cellules du cristallin.
Cataracte : anomalie qui se manifeste par la perte progressive de la transparence des cellules du cristallin. Elle peut conduire à la cécité.
Rétine : voir Lexique.
Photorécepteurs : cellules de la rétine (cônes et bâtonnets) qui répondent à un stimulus lumineux en émettant un message nerveux.
Cônes : photorécepteurs rétiniens permettant une excellente perception des détails et des couleurs à condition que l'éclairement soit suffisant.
Bâtonnets : photorécepteurs rétiniens très sensibles à la lumière, même si celle-ci est de faible intensité, mais ne permettant pas une bonne perception ni des détails ni des couleurs.
Fovéa : voir Lexique.
Cortex visuel : voir Lexique.

2 Questions à choix multiples
Les bonnes réponses sont **1**-**b**, **d** ; **2**-**b**, **c** ; **3**-**a**, **c**, **d** ; **4**-**b**, **c**.

3 Vrai ou faux ?
a. Faux. Avec l'âge, la vergence du cristallin est plus difficile à augmenter.
b. Faux. Les cellules du cristallin ne meurent pas.
c. Vrai.
d. Faux. La perception des couleurs est meilleure si l'éclairement est fort car elle fait intervenir les cônes qui ne fonctionnent que si l'éclairement est suffisamment important.
e. Vrai.
f. Faux. Les nerfs optiques transmettent des messages nerveux correspondant à l'image perçue par les yeux.
g. Vrai.
h. Vrai.

4 Questions à réponse courte
a. La presbytie se traduit par une difficulté à accommoder, c'est-à-dire à voir de près : par exemple, le sujet est obligé d'éloigner son journal pour le lire ou ne parvient pas à lire les caractères écrits trop petits. La presbytie est due à une perte d'élasticité du cristallin, qui apparaît normalement avec l'âge.
La cataracte est une anomalie qui se manifeste par la perte progressive de la transparence des cellules du cristallin. Elle peut conduire à la cécité. La cataracte peut être opérée avec succès.
b. La vision centrale est plus précise que la vision périphérique car, dans la région centrale de la rétine, la densité en cônes est maximale. Or, les cônes sont des photorécepteurs permettant une vision précise.
c. Le daltonisme est une anomalie de la vision des couleurs. Cette anomalie se manifeste par une confusion de certaines couleurs qui ne peuvent être discernées. Le daltonisme est une ano-

malie génétique qui se traduit par la présence dans la rétine de deux types de cônes fonctionnels au lieu de trois. La perception des couleurs s'effectue donc à partir de deux types de cônes et non de trois : certaines couleurs, pourtant différentes, sont perçues de la même façon.
d. On que les gènes des quatre pigments rétiniens constituent une famille multigénique car ces quatre gènes se sont formés au cours de l'évolution par duplications et mutations d'un même gène ancestral. C'est pourquoi leurs séquences présentent beaucoup de similitudes.

Chapitre 5, page 338

1 Définissez les mots ou expressions
Perception visuelle : représentation visuelle élaborée par le cerveau à partir des différentes informations qui lui parviennent.
Plasticité cérébrale : voir Lexique.
Synapse : zone de connexion entre deux neurones.
Neurotransmetteur : voir Lexique.
Récepteur du neurotransmetteur : molécule portée par la membrane du neurone post-synaptique sur laquelle peut se fixer le neurotransmetteur.
Hallucinogène : voir Lexique.

2 Questions à choix multiples
Les bonnes réponses sont **1**-**c**, **d** ; **2**-**a**, **c**, **d** ; **3**-**b**, **c**, **d**.

3 Vrai ou faux ?
a. Faux. Au niveau d'une synapse, le neurotransmetteur se fixe sur un récepteur porté par le neurone post-synaptique.
b. Faux. Un neurone peut être connecté à de nombreux autres neurones.
c. Vrai.
d. Faux. Le LSD engendre des hallucinations visuelles.
e. Vrai.

4 Questions à réponse courte
a. On dit que la perception visuelle implique des aires cérébrales spécialisées, car la représentation visuelle est élaborée par le cerveau en intégrant des informations traitées séparément par différentes zones cérébrales. La forme, la couleur, le mouvement sont analysés dans des zones spécialisées du cerveau avant que ces informations soient unifiées.
b. Les substances hallucinogènes comme le LSD ont pour cible certaines synapses du cerveau, notamment des synapses transmettant le message nerveux visuel.
c. Un neurotransmetteur est produit dans des vésicules du neurone pré-synaptique. Il est libéré dans l'espace synaptique et se fixe sur un récepteur situé sur la membrane du neurone post-synaptique.
d. Un neurotransmetteur et son récepteur ont une forme tridimensionnelle en partie complémentaire, de telle sorte que le neurotransmetteur peut se fixer par « emboîtement » sur le récepteur (modèle « clé-serrure »).

A

Accident vasculaire : Accident affectant des vaisseaux sanguins, et qui peut correspondre soit à une lésion entraînant une hémorragie, soit à la formation d'un caillot entraînant une obstruction.

Accommodation : Aptitude de l'œil (du cristallin en particulier) à assurer la mise au point d'une image sur la rétine.

Acide aminé : Petite molécule organique comportant une fonction acide et une fonction amine. Ces molécules peuvent se lier pour former les grosses molécules de protéines.

Acides nucléiques : Famille de molécules constituées d'un assemblage de nucléotides et représentées par l'ADN d'une part, les ARN d'autre part.

ADN-polymérase : Complexe enzymatique responsable de la fabrication des brins d'ADN au cours de la réplication.

Adventices : Plantes se développant de façon spontanée dans les cultures (« mauvaises » herbes).

Agent mutagène : voir « mutagène ».

Agriculture biologique : Agriculture respectant un cahier des charges précis, privilégiant notamment la fertilisation organique du sol, l'alimentation naturelle et le bien-être des animaux d'élevage, et interdisant entre autres l'usage des pesticides chimiques et des engrais minéraux azotés.

Agriculture de précision : Utilisation des moyens les plus modernes pour adapter au mieux les pratiques agricoles de façon à améliorer les rendements tout en respectant l'environnement.

Agriculture intensive : Ensemble des pratiques agricoles dont l'objectif principal est d'obtenir un rendement maximal.

Agriculture paysanne : Mode de production et de distribution des produits agricoles qui vise à rapprocher les consommateurs et les producteurs dans le souci d'une agriculture de qualité et durable.

Agroforesterie : Pratique qui consiste à faire cohabiter arbres et grandes cultures.

Agrosystème : Écosystème dont le biotope et la biocénose sont transformés pour y pratiquer l'élevage ou la culture.

Alignement : Fait de décaler deux séquences moléculaires l'une par rapport à l'autre afin de mettre en évidence leurs ressemblances.

Allèle : Une des versions possibles d'un gène. Les allèles d'un même gène occupent la même position (locus) sur un chromosome.

Amélioration des plantes : Ensemble des procédés qui visent à rendre les plantes cultivées plus performantes.

Aménorrhée : Absence de règles. Le nombre de semaines d'aménorrhée est utilisé pour mesurer l'avancement d'une grossesse.

AMH : voir hormone anti-müllérienne.

Anémie : Diminution de la teneur du sang en hémoglobine (liée généralement à une chute du taux d'hématies). L'anémie se traduit par un état de grande fatigue.

Anévrisme : Dilatation locale de la paroi d'une artère ; c'est une zone fragile qui peut se rompre.

Anomalie magnétique : Différence entre la valeur mesurée du champ magnétique terrestre en un lieu donné et une valeur moyenne théorique.

Antibiogramme : Technique permettant de mesurer la sensibilité d'une souche bactérienne à différents antibiotiques.

Apoptose : Mécanisme d'autodestruction déclenché par une cellule en réponse à un signal, par exemple à la suite d'une mutation de cette cellule.

ARN (Acide Ribonucléique) : L'ARN est une molécule formée par l'enchaînement de quatre sortes de nucléotides (A, U, C, G), associés en un brin unique.

ARN messager (ARNm) : Molécule servant d'intermédiaire entre l'information contenue dans un gène (ADN) et les ribosomes, ateliers de fabrication des polypeptides. Chez les eucaryotes, l'ARNm résulte de la maturation d'un ARN pré-messager.

ARN pré-messager : ARN résultant directement de la transcription d'une séquence d'ADN.

ARN-polymérase : Complexe enzymatique responsable de la fabrication de l'ARN au cours de la transcription.

Asthénosphère (du grec *asthenos*, « sans force », et sphère) **:** partie ductile du manteau supérieur sur laquelle peuvent se déplacer les plaques lithosphériques rigides.

Autoradiographie : Technique permettant de repérer des molécules contenant des isotopes radioactifs. Le rayonnement émis par ces molécules impressionne un film photographique, formant ainsi des taches noires observables au microscope.

AVC (Accident Vasculaire Cérébral) : Atteinte cérébrale temporaire ou permanente due à la rupture ou à l'obstruction d'une artère alimentant le cerveau ou une de ses parties.

Axe optique : Droite imaginaire représentant l'axe de symétrie commun aux milieux transparents de l'œil (cornée et cristallin notamment). Centre optique et foyer image sont situés sur cet axe.

B

Bilan carbone : Estimation de la quantité de CO_2 rejetée par une activité, un territoire ou encore par la fabrication et le recyclage d'un produit.

Bioaccumulation : Augmentation de la concentration des molécules toxiques d'un niveau à l'autre d'un réseau trophique.

Biocénose : Ensemble des êtres vivants (producteurs, consommateurs, décomposeurs) d'un écosystème.

Biodiversité génétique : Diversité des allèles des gènes, rendant possible la diversité génétique des individus au sein d'une espèce.

Biotope : Ensemble des caractéristiques physiques et chimiques d'un écosystème.

Blocs basculés : Au niveau d'un rift continental ou d'une marge passive, blocs de croûte continentale séparés par des failles normales. La forme courbe des failles provoque le basculement des blocs les uns par rapport aux autres lors de l'étirement de la croûte.

C

Canaux de Müller et de Wolff : Ébauche des voies génitales chez l'embryon. Un seul des deux types de canaux subsiste normalement à la naissance et permet de relier la gonade à l'extérieur. Les canaux de Müller sont à l'origine des voies génitales féminines. Les canaux de Wolff sont à l'origine des voies génitales masculines.

Cancérisation : Transformation de cellules normales en cellules cancéreuses par mutations.

Caryotype : Présentation photographique de l'ensemble des chromosomes d'une cellule ; ils sont, le cas échéant, regroupés par paires et rangés par taille décroissante. Chaque espèce est caractérisée par le nombre et la forme des chromosomes visibles sur le caryotype.

Cécité : Fait d'être aveugle.

Cellule cancéreuse : Cellule de l'organisme ayant acquis par mutation des caractéristiques particulières : immortalité, perte de fonction et absence de réponse aux signaux cellulaires.

Cellule somatique : Cellule de l'organisme qui n'est pas à l'origine de la formation de gamètes.

Centromère : Secteur d'une chromatide qui lui permet de s'associer à sa chromatide « sœur » lorsque le chromosome est double.

Champ magnétique terrestre : Champ magnétique affectant l'ensemble du globe terrestre et de l'espace environnant ; il est engendré par des mouvements de matériaux ionisés au sein de l'enveloppe liquide du noyau terrestre.

Champ visuel : Domaine de l'espace pouvant être observé en gardant les yeux et le reste du corps immobiles. On parle de champ binoculaire si les deux yeux sont ouverts, de champ monoculaire si l'un des deux yeux est clos.

Chromatides : Lorsque le chromosome est dupliqué et condensé, il apparaît sous la forme de deux chromatides « sœurs » reliées entre elles par leur centromère ; chacune contient une même molécule d'ADN issue de la réplication.

Chromosome : Au moment de la division cellulaire, structure très condensée prise par l'ADN enroulé autour de protéines (histones).

Circuit neuronal : Ensemble de neurones interconnectés.

Code génétique : Système de correspondance entre l'information génétique et les acides aminés, associant un acide aminé à un triplet de nucléotides.

Codon : Séquence de trois nucléotides consécutifs de l'ARN messager codant pour un acide aminé ou pour la fin de la traduction (codons-« stop »).

Coloration de Feulgen : Technique permettant de colorer de façon spécifique les molécules d'ADN (les autres constituants cellulaires ne se colorent pas dans ce cas).

Complexe enzymatique : Association de plusieurs enzymes.

Complexe hypothalamo-hypophysaire : Ensemble des deux organes reliés par des vaisseaux sanguins : un centre nerveux (hypothalamus) et une glande hormonale (hypophyse). Ils assurent la régulation de nombreuses fonctions dont la fonction de reproduction.

Contraception : Méthode réversible permettant des actes sexuels tout en évitant une fécondation.

Contraception d'urgence : Méthode permettant de limiter le risque de grossesse suite à un rapport sexuel non protégé.

Contraception hormonale : Méthode contraceptive basée sur l'utilisation de molécules imitant l'action des hormones sexuelles.

Corps jaune : Structure issue de la transformation du follicule ovarien après l'ovulation. Elle produit les deux types d'hormones ovariennes : œstrogènes et progestérone.

Cortex occipital : Partie superficielle du lobe arrière du cerveau, traitant essentiellement des informations visuelles.

Cortex visuel : Partie superficielle du cerveau localisée dans le lobe occipital, permettant de traiter les informations visuelles.

Cristallisation : Formation de cristaux à partir de la solidification d'un liquide.

Croissance démographique : Augmentation de la population.

Croûte terrestre : Partie la plus superficielle de la Terre, de quelques kilomètres à quelques dizaines de kilomètres d'épaisseur et pouvant être soit océanique (de nature essentiellement basaltique), soit continentale (de nature granitique).

Cycle cellulaire : Ensemble des changements qui affectent une cellule depuis sa formation (à la suite d'une division) jusqu'à ce qu'elle-même finisse de se diviser par mitose. Chaque cycle cellulaire comprend une interphase suivie d'une mitose.

Daltonisme : Anomalie héréditaire de la vision des couleurs, conduisant à la confusion de certaines couleurs, par exemple le rouge et le vert.

Dérive des continents : Théorie émise par Wegener, au début du XXᵉ siècle, en s'appuyant sur divers arguments scientifiques en faveur d'une mobilité horizontale des continents.

Détumescence thermique : Contraction de la lithosphère consécutive à son refroidissement. Elle se traduit par une diminution de son volume et une augmentation de densité.

Diagnostic préimplantatoire : Recherche d'allèles responsables d'une maladie sur des embryons formés par fécondation in vitro avant de les implanter dans l'utérus d'une femme.

Diagnostic prénatal : Ensemble des méthodes permettant de détecter, au cours d'une grossesse, des anomalies de l'embryon ou du fœtus.

Discontinuité de Gutenberg : Limite séparant le manteau du noyau (2 900 km de profondeur) mise en évidence par Gutenberg en 1912.

Discontinuité de Lehmann : Limite séparant le noyau externe liquide de la graine solide (5 100 km de profondeur) mise en évidence par Lehmann en 1936.

Discontinuité de Mohorovicic (ou Moho) : Limite mise en évidence par Mohorovicic en 1909 et séparant la croûte terrestre du manteau (entre 7 et 70 km de profondeur).

Dopamine : neurotransmetteur cérébral intervenant dans diverses fonctions importantes telles que le comportement, la cognition, les circuits de la récompense, le sommeil ou la mémorisation.

Dorsale océanique : Relief sous-marin d'une longueur de plusieurs milliers de kilomètres marquant la frontière de deux plaques lithosphériques ; à ce niveau, se crée de la croûte océanique (accrétion), ce qui entraîne l'écartement des deux plaques.

Drépanocytose : Maladie génétique provoquée par une mutation ponctuelle (substitution d'un nucléotide par un autre) dans le gène de la β-globine (synonyme : anémie falciforme).

Ductile : Qualifie un matériau susceptible de se déformer plastiquement sans se rompre.

Duplication : Fabrication accidentelle d'une copie conforme d'un gène. La copie s'implante ensuite ailleurs dans le génome, soit sur le même chromosome, soit sur un autre.

Écosystème : Ensemble formé par une communauté d'êtres vivants (biocénose) et par leur environnement (biotope).

Écosystème naturel : Écosystème non modifié (ou peu modifié) par l'intervention de l'Homme.

Élastique : Un matériau est qualifié d'élastique s'il est capable de retrouver sa forme et sa dimension initiales après une déformation.

Endonucléase : Enzyme capable de se fixer le long d'une molécule d'ADN ou d'ARN, et de couper la chaîne de nucléotides.

Engrais : Substances riches en molécules minérales ou organiques, utilisées pour améliorer la fertilité du sol et la nutrition des plantes cultivées.

Enzyme : Molécule organique capable d'accélérer le déroulement d'une réaction chimique spécifique. La plupart des enzymes sont des protéines.

Enzyme de réparation : Enzyme capable de corriger une anomalie dans la succession des nucléotides de l'ADN.

Épidémiologie : Étude des facteurs qui interviennent dans l'apparition des maladies, leur fréquence, leur répartition géographique et leur évolution.

Épissage : Étape de l'expression de certains gènes chez les eucaryotes, au cours de laquelle les introns de l'ARN pré-messager sont éliminés et les exons

liés les uns aux autres. L'ARN messager ainsi obtenu passe alors dans le cytoplasme où il est traduit.

EPO (Érythropoïétine) : Hormone protéique fabriquée par les reins et le foie. Elle active la production des globules rouges par les cellules souches de la moelle osseuse.

Erreur de réplication : Non-respect de la règle de complémentarité des nucléotides au cours de la réplication de l'ADN.

État condensé : Qualifie l'état de l'ADN pendant la mitose, la molécule étant surenroulée sur elle-même, donc très compactée, prenant l'aspect caractéristique d'un chromosome.

État décondensé : Qualifie l'état de l'ADN pendant l'interphase, la molécule d'ADN étant peu enroulée sur elle-même.

Eucaryote : Organisme qui possède des cellules comportant divers organites délimités par une membrane, notamment le noyau.

Eutrophisation : Enrichissement d'une eau en nitrates et phosphates entraînant la prolifération des végétaux et l'appauvrissement du milieu en dioxygène.

Exons : Portions de l'ARN pré-messager qui peuvent être conservées au cours de l'épissage.

Expansion océanique : Augmentation de la surface des fonds océaniques par apport de matériaux profonds au niveau des dorsales océaniques.

Exploration fonctionnelle : Examen d'un organe au cours duquel sont prises des mesures répétées afin d'étudier son fonctionnement (par exemple, l'IRM fonctionnelle permet non seulement de voir le cerveau mais d'étudier son fonctionnement).

Facteur mutagène : Élément qui augmente le taux de mutation des cellules d'un organisme vivant ; par exemple les UV, le tabac ou certains additifs alimentaires.

Faille normale : Faille liée à une distension. Lorsque la faille est inclinée, le compartiment rocheux situé au-dessus de la faille descend par rapport au compartiment rocheux situé sous la faille.

Faille transformante : Frontière entre deux plaques lithosphériques où il n'y a ni création ni disparition de lithosphère, mais coulissement des deux plaques.

Famille multigénique : Ensemble de plusieurs gènes formés par duplications et mutations d'un même gène ancestral.

Fibrillation ventriculaire : Trouble du rythme cardiaque qui se manifeste par des contractions rapides et désordonnées du ventricule. Elle peut déboucher sur une mort subite cardiaque.

FIVETE (Fécondation In Vitro Et Transfert d'Embryon) : Technique de procréation médicalement assistée qui consiste à mettre en présence hors de l'organisme des gamètes mâles et femelles afin d'obtenir des embryons, puis à les implanter dans l'utérus de la femme.

Flux géothermique : Quantité de chaleur provenant des profondeurs de la Terre et traversant une unité de surface en un temps donné.

Flux thermique : Voir flux géothermique.

Follicule ovarien : Structure ovarienne sphérique formée par de nombreuses cellules folliculaires et contenant un ovocyte. Le follicule assure la maturation de l'ovocyte et produit des hormones ovariennes.

Fongicide : Produit phytosanitaire utilisé pour détruire ou limiter le développement des champignons (moisissures) causant des dégâts aux cultures.

Force d'Eötvös : Force qui, sur une Terre légèrement aplatie aux deux pôles, aurait tendance à pousser les continents vers l'équateur. Cette force serait une conséquence du fait que les continents ont une densité plus faible que les matériaux sous-jacents.

Fosse océanique : Au niveau des zones de subduction, longue dépression sous-marine profonde (de 8 à 11 km) et de largeur limitée (100 km).

Fovéa : Zone centrale de la rétine de la taille d'une tête d'épingle, ne comportant que des cônes. Cette zone permet une vision précise et en couleurs, à condition que l'éclairement soit suffisant.

FSH (Follicule Stimulating Hormone) : Hormone hypophysaire qui stimule selon le sexe les ovaires (stimule le développement des follicules) ou les testicules (stimule la spermatogenèse).

Fusion partielle : Fusion, au sein d'une roche, des minéraux qui présentent les températures de fusion les plus basses alors que les autres minéraux restent à l'état solide.

Gène ancestral : Gène à partir duquel se serait formée une famille multigénique, à la suite de duplications et de mutations.

Gène SRY (Sex-determining Region of chromosome Y) : Gène présent sur le chromosome Y et qui code pour une protéine TDF (Testis Determining Factor). Cette dernière a pour fonction de masculiniser les gonades.

Géodésie : Étude de la forme générale de la Terre, de son champ de pesanteur (gravimétrie) et de ses variations liées à l'inégale répartition des masses en profondeur. La géodésie spatiale (systèmes GPS ou DORIS) permet de préciser ces caractéristiques.

Géopositionnement : Localisation géographique (altitude, latitude et longitude) obtenue par différents systèmes de navigation satellitaire (le système GPS par exemple) qui autorisent une précision centimétrique, voire millimétrique.

Géotherme : Courbe traduisant l'augmentation de la température des roches en fonction de la profondeur (et donc de la pression).

Germinale (mutation) : Voir « mutation germinale ».

Globines : Protéines entrant dans la composition de l'hémoglobine.

GnRH (Gonadotropin Releasing Hormone) : Neurohormone produite par les neurones de l'hypothalamus. Déversée dans le sang, elle va stimuler l'activité des cellules hypophysaires sécrétrices de LH et de FSH.

Gonade : Organe assurant la production des gamètes et des hormones sexuelles.

Gonade indifférenciée : État de la glande génitale dans les premières semaines de la vie embryonnaire ; elle ne montre alors aucune différence entre un futur ovaire et un futur testicule.

Gonadostimulines : Hormones stimulant l'activité des gonades (ovaires et testicules).

GPS (Global Positioning System) : Grâce à un ensemble de satellites en orbite autour de la Terre, système mondial de repérage qui détermine la position en latitude, longitude et altitude d'un objet.

Habitudes alimentaires : Désigne les préférences concernant la façon de choisir et de consommer ses aliments.

Hallucination : Fait de percevoir (par la vue, l'ouïe, l'odorat...) quelque chose qui n'est pas présent dans l'environnement ou n'existe pas.

Hallucinogène : Substance qui provoque des hallucinations.

Hémoglobine : Protéine contenue dans les globules rouges et spécialisée dans le transport du dioxygène ; elle est constituée de quatre chaînes de globines associées à un groupement contenant du fer.

Hormone anti-müllérienne : Hormone produite par le testicule, essentiellement pendant la vie fœtale. Elle provoque la disparition des canaux de Müller qui évolueraient sinon en utérus et trompes.

Lexique

355

Hormone : Molécule produite par des cellules spécialisées, transportée par le sang et agissant sur d'autres cellules possédant des récepteurs spécifiques de cette hormone.

Humeur aqueuse : Liquide nutritif transparent, situé entre la cornée et le cristallin. Elle contient l'iris, qui donne sa couleur à l'œil.

Hydrophobe : Qui n'a pas d'affinité pour l'eau, qui « fuit » les milieux aqueux.

Hypophyse : Glande endocrine située à la base du cerveau. Elle produit de nombreuses hormones dont les gonadostimulines LH et FSH.

Hypothalamus : Organe nerveux situé au-dessus de l'hypophyse avec laquelle il communique par des vaisseaux sanguins. Il produit une molécule stimulant l'hypophyse : la GnRH.

Hypoxique : Un environnement est dit hypoxique lorsque sa concentration en dioxygène dissous est faible.

In utéro : Désigne un phénomène qui se produit dans l'utérus, pendant la grossesse.

Infarctus du myocarde : Accident du fonctionnement cardiaque dû à l'obstruction des artères coronaires qui alimentent le muscle cardiaque. La zone non irriguée ne se contracte plus, ce qui peut causer un arrêt cardiaque.

Infertilité : Difficulté rencontrée par un couple pour avoir des enfants.

Intégration (nerveuse) : Traitement par un réseau de neurones de messages nerveux diversifiés, permettant d'élaborer une perception cohérente de soi et de l'environnement.

Intensif : Qualifie les agrosystèmes utilisant de grandes quantités d'intrants afin de maximiser la productivité.

Intensification : Augmentation de l'utilisation d'intrants afin d'améliorer la productivité d'un agrosystème.

Interphase : Période comprise entre deux mitoses. Au cours de l'interphase, la cellule réplique son ADN.

Intrants : Matières premières utilisées pour la production agricole.

Introns : Portions de l'ARN pré-messager qui sont éliminées au cours de l'épissage.

Intumescence thermique : Dilatation de la lithosphère consécutive à son échauffement. Elle se traduit par une augmentation de volume et une diminution de densité.

Inversion du champ magnétique : Au cours des temps géologiques, la polarité du champ magnétique terrestre s'est périodiquement modifiée, les pôles magnétiques nord et sud échangeant leurs positions en quelques millénaires.

IRM : Imagerie par Résonance Magnétique. L'IRM est une technique d'imagerie médicale qui permet d'observer les organes du corps humain en 3D et en coupes virtuelles selon toutes les directions. L'IRM est basée sur certaines propriétés physiques des noyaux des atomes.

Irrigation : Apport d'eau aux cultures afin de compenser l'insuffisance des précipitations et de satisfaire au mieux les besoins hydriques des végétaux.

Isostasie : Théorie qui décrit les conditions d'équilibre des compartiments de la croûte terrestre par rapport au manteau sous-jacent.

Isotherme : Ligne le long de laquelle la température est constante (par exemple, sur une coupe de l'écorce terrestre, ensemble des profondeurs correspondant à une température donnée).

IST (Infection Sexuellement Transmissible) : Maladie causée par un microbe pouvant être transmis d'une personne à une autre au cours d'une relation sexuelle.

Kinésithérapie respiratoire : Technique permettant d'aider un patient atteint de mucoviscidose à éliminer les excès de mucus présent dans ses bronches.

L

LH (Luteinizing Hormone) : Hormone hypophysaire qui stimule selon le sexe les ovaires (déclenche l'ovulation) ou les testicules (stimule la production de testostérone).

Lithosphère (du grec « *lithos* », pierre, et sphère) : Couche superficielle rigide de la Terre, d'une centaine de km d'épaisseur et comprenant la croûte (continentale ou océanique) et une partie du manteau supérieur.

Lixiviation : Entraînement de substances minérales du sol par l'eau s'infiltrant sous la couche explorée par les racines.

M

Magnétomètre : Appareil permettant de mesurer la direction et l'intensité d'un champ magnétique.

Maladie d'origine multifactorielle : Maladie dont le déclenchement est due à différentes causes, génétiques (présence d'allèles déficients) et environnementales (obésité, pollution...).

Maladie génétique : Maladie causée au moins en partie par une anomalie d'un gène.

Marge continentale : Région immergée de la bordure d'un continent faisant le raccord avec la lithosphère océanique.

Marge passive : Marge continentale ne présentant pas d'activité volcanique ou sismique. Ces marges présentent des blocs basculés de croûte au sein desquels se trouve une sédimentation caractéristique de l'histoire de la marge.

Marqueurs radioactifs : Molécules contenant un isotope radioactif (de l'azote, du carbone...). La distribution et le devenir de ces molécules dans le corps peuvent être suivis par l'expérimentateur grâce à la désintégration radioactive des isotopes.

Mécanisme semi-conservatif : Mécanisme de réplication de l'ADN, tel que chaque molécule d'ADN comporte un brin provenant de la molécule d'origine et un brin néoformé.

Mélanome : Tumeur cutanée due à la prolifération de cellules responsables de la pigmentation de la peau, les mélanocytes.

Métastases : Tumeurs secondaires se formant suite à la migration de cellules cancéreuses hors de la tumeur primaire, et à leur implantation dans d'autres organes.

Méthodes contraceptives : Méthodes réversibles permettant des actes sexuels tout en évitant une conception.

Milieux transparents de l'œil : Parties de l'œil laissant passer la lumière. D'avant en arrière, il s'agit de la cornée, de l'humeur aqueuse, du cristallin et de l'humeur vitrée.

Mitose : Division cellulaire assurant à chacune des deux cellules-filles un nombre de chromosomes et une information génétique en principe identiques à ceux de la cellule-mère.

Modèle cinématique : Représentation calculée par ordinateur à partir de multiples données, et qui propose une image du déplacement des plaques lithosphériques par rapport à un repère fixe.

Monoculture : Culture d'une seule espèce végétale sur de grandes surfaces, année après année.

Monoxyde de carbone : Gaz inodore, invisible et très toxique (formule : CO).

Motorisation (de l'agriculture) : Développement de l'utilisation de machines agricoles équipées de moteurs.

Mouvements de convection : Transferts de chaleur par déplacement de matière d'une zone chaude vers une zone plus froide.

Mucoviscidose : Maladie génétique qui se manifeste par des troubles respiratoires et digestifs. Elle est due à une production excessive de mucus par les cellules épithéliales qui obstruent les bronches et d'autres canaux de l'organisme.

Mutagène : Qualifie une molécule ou un rayonnement capable de provoquer des mutations.

Mutation : Modification de la séquence des nucléotides de l'ADN.

Mutation germinale : Mutation se produisant dans une cellule du corps à l'origine des gamètes. Une telle mutation peut se transmettre à la descendance.

Mutation ponctuelle : Modification accidentelle de la séquence de nucléotides d'un gène, qui crée une nouvelle version de ce gène.

Mutation somatique : Mutation se produisant dans une cellule quelconque du corps, à l'exception de celles qui sont à l'origine des gamètes. Une telle mutation ne peut donc pas se transmettre à la descendance de l'individu.

N O

Nébulisation : Technique permettant de pulvériser un liquide en très fines gouttelettes (par exemple un médicament pour l'administrer dans les voies respiratoires).

Neurohormone : Qualificatif donné à une molécule produite par un neurone, mais qui se comporte comme une hormone en circulant dans le sang pour aller agir sur une cellule-cible.

Neurone : Cellule capable d'analyser des signaux (nerveux, chimiques ou autres), d'émettre et de transporter un message nerveux et de le transmettre à d'autres cellules.

Neurotransmetteur : Substance chimique qui assure la transmission du message nerveux d'un neurone à un autre au niveau d'une synapse.

Niveau trophique : Ensemble des êtres vivants se nourrissant du même type d'aliment au sein d'un réseau trophique (niveau des herbivores, des carnivores, etc.).

Nucléotide : Sous-unité constitutive des molécules d'ADN (A, T, C, G) et d'ARN (A, U, C, G).

Œstradiol : Hormone ovarienne du groupe des œstrogènes, produite par les cellules folliculaires ; elle stimule le développement de la muqueuse utérine.

Œstrogènes : Hormones produites par les ovaires et stimulant la croissance de la muqueuse utérine. Il existe également des œstrogènes de synthèse, présents dans les pilules contraceptives et produits artificiellement.

Opsine : Pigment présent dans les cônes. Chaque type d'opsine présente une sensibilité plus importante pour une lumière colorée, bleue, verte ou rouge.

Organites : Structures présentes dans le cytoplasme des cellules eucaryotes, limitées par une ou plusieurs membranes. Le noyau, les chloroplastes sont des exemples d'organites.

Oscilloscope : Appareil permettant de visualiser et de suivre les variations au cours du temps des différences de potentiel électrique.

P

Paléomagnétisme : « trace » du champ magnétique terrestre enregistrée dans une roche au moment de sa formation (par extension, science qui étudie ces traces).

Paléopôle : Position occupée par un pôle magnétique dans le passé.

Péridotite : Roche grenue constituant l'essentiel du manteau terrestre et riche en péridot (autre nom de l'olivine).

Pesticide : Produit chimique destiné à lutter contre les êtres vivants nuisibles aux cultures (herbicide, insecticide, fongicide...)

Pétrographie : Étude des roches comprenant leur description macroscopique et microscopique, leur classification et leur origine.

Phénocristaux : Cristaux de grande taille et visibles à l'œil nu dans une roche magmatique.

Phénotype : Ensemble des caractéristiques d'un individu, résultant de l'expression de ses gènes en interaction avec les facteurs environnementaux.

Phénotype moléculaire : Ensemble des protéines se trouvant dans une cellule, résultant de l'expression de gènes en interaction avec les facteurs environnementaux.

Phénotype sexuel : Ensemble des caractères sexuels primaires (organes génitaux) et secondaires (aspect du corps) qui caractérisent un sexe donné.

Phéromone : Molécule émise par un être vivant dans le milieu extérieur. Elle va agir sur un autre être vivant qui possédera les récepteurs spécifiques.

Phlébite : Formation d'un caillot de sang dans une veine qui bloque la circulation sanguine.

Piégeage des hydrocarbures : Résulte du blocage de la migration des hydrocarbures par une roche imperméable (roche couverture). C'est le fait de stocker dans une roche poreuse (roche réservoir) des hydrocarbures (pétrole ou gaz).

Pigments (rétiniens) : Protéines contenues dans la membrane des cônes et des bâtonnets et capables d'engendrer, lorsqu'elles sont éclairées, un message nerveux visuel.

Placebo : Produit inactif que l'on donne à un sujet à la place d'un produit actif (un vrai médicament par exemple), pour apprécier l'action réelle de ce dernier, indépendamment des facteurs psychologiques qui peuvent intervenir lors de son administration.

Plaine abyssale : Vaste zone plane du fond océanique, située à grande profondeur (de 4 000 m à 6 000 m) et s'étendant du pied d'un talus continental jusqu'à une dorsale océanique.

Plan de Wadati-Benioff : Surface sur laquelle se localisent les foyers des séismes associés à la subduction d'une plaque lithosphérique sous une autre (mise en évidence par Wadati en 1930 et Benioff en 1955).

Plasticité cérébrale : Capacité du cerveau à se réorganiser en fonction des stimulations qu'il reçoit, de l'expérience vécue.

Plateau continental : Bordure immergée du littoral à faible pente et dont la profondeur n'excède pas 200 mètres.

PMA (Procréation Médicalement Assistée) : Ensemble de techniques médicales proposées à des couples infertiles pour augmenter leurs chances d'avoir un enfant.

Point chaud : Zone de la planète qui est le siège d'une activité volcanique particulière. À cet endroit, la plaque lithosphérique surmonte une colonne de matériel mantellique chaud d'origine très profonde. Près de la surface, il y a production de magmas qui perforent périodiquement cette plaque lors des épisodes éruptifs. L'alignement en surface des édifices volcaniques, de plus en plus âgés d'une extrémité à l'autre de l'alignement, marque le déplacement de la plaque au-dessus du point chaud.

Pôle eulérien : Point d'intersection de l'axe (eulérien) de rotation avec la surface du globe terrestre.

Polymérisation : Fabrication d'une longue chaîne moléculaire (ou polymère) par association de molécules plus petites (ou monomères). Une protéine est un polymère d'acides aminés, un brin d'ADN est un polymère de nucléotides.

Polymorphe (gène) : Gène pour lequel il existe plusieurs allèles dont la fréquence au sein de l'espèce est supérieure ou égale à 1 %.

Potentiel électrique : Quantité de charges électriques contenues dans un objet. Les signaux nerveux correspondent à des variations du potentiel électrique des neurones.

Précurseurs : Molécules participant à la formation d'une autre molécule, par assemblage ou autre

transformation chimique. Les nucléotides A, T, C et G sont des précurseurs de la molécule d'ADN.

Presse à enclume de diamant : Dispositif permettant de soumettre un très petit fragment de roche inséré entre deux diamants à des pressions comparables à celles existant dans le manteau terrestre.

Prévalence : Mesure de la fréquence d'une maladie dans la population. Elle correspond au nombre de cas dans une population rapporté à l'effectif total de cette population et s'exprime en pourcent.

Primates : Groupe d'espèces apparentées rassemblant les mammifères qui possèdent entre autres un pouce opposable aux autres doigts, des ongles plats, des yeux rapprochés sur l'avant de la face (les humains, les chimpanzés sont des primates).

Productivité primaire nette : Biomasse végétale produite grâce à la photosynthèse.

Produits animaux : Aliments plus ou moins transformés, d'origine animale.

Progestérone : Hormone ovarienne produite par les cellules lutéales du corps jaune ; elle stimule le développement de la muqueuse utérine.

Protéine CFTR : Canal situé dans la membrane de différentes cellules humaines et permettant la sortie d'ions chlorure.

Protéine : Macromolécule formée d'un enchaînement d'acides aminés.

Puberté : Période de l'adolescence qui voit l'achèvement du phénotype sexuel avec la mise en place des caractères sexuels secondaires et l'entrée en fonction des organes génitaux.

Pyramide des productivités : Représentation graphique de la productivité des différents niveaux trophiques d'un écosystème.

Radicaux libres : Molécules très réactives pouvant endommager les cellules ; elles sont en effet capables de capter des électrons appartenant à d'autres molécules, les rendant à leur tour très instables.

Radioactif : Qualifie la forme instable d'un élément chimique qui se désintègre en émettant des rayonnements.

Réactif de Feulgen : Colorant permettant de colorer de façon spécifique les molécules d'ADN (les autres constituants cellulaires ne se colorent pas dans ce cas).

Récepteur : Molécule sur laquelle une autre molécule est susceptible de se fixer par complémentarité (au moins partielle) de leur forme.

Réchauffement climatique : Tendance actuelle de la température moyenne terrestre à augmenter rapidement.

Régression marine : Retrait de la mer du continent vers le bassin océanique du fait d'une baisse du niveau marin, du soulèvement de la bordure continentale ou d'un apport massif de sédiments, les trois phénomènes pouvant se combiner.

Rémanence : Durée pendant laquelle un produit persiste dans l'environnement.

Réplication de l'ADN : Formation de deux molécules d'ADN en principe identiques à la molécule initiale.

Reproduction conforme : Reproduction qui conserve les caractéristiques initiales. La division cellulaire est qualifiée de reproduction conforme car elle conserve le nombre et l'aspect des chromosomes.

Réseau trophique : Ensemble des relations alimentaires entre les êtres vivants d'un écosystème.

Résistance aux antibiotiques : Capacité possédée par certaines souches bactériennes de détruire les antibiotiques ; ces derniers sont donc incapables d'éliminer les bactéries résistantes.

Ressources non renouvelables : Ressources qui ne peuvent être renouvelées à l'échelle d'une vie humaine.

Réticulum endoplasmique : Réseau de cavités du cytoplasme délimitées par une membrane. Les ribosomes peuvent se fixer sur la membrane du réticulum et y injecter les protéines en cours de fabrication.

Rétine : Fine membrane incolore et transparente tapissant le fond de l'œil. Elle comporte plusieurs couches de cellules, dont les photorécepteurs (bâtonnets et cônes).

Rétrocontrôle hormonal : Système permettant l'autorégulation d'une production hormonale. Une hormone, dont la sécrétion est commandée par un système de contrôle, rétroagit sur ce système de contrôle pour, selon le cas, diminuer ou augmenter sa production.

Rhodopsine : Pigment capable de réagir à de faibles luminosités, la rhodopsine n'est présente que dans les bâtonnets.

Ribosome : Élément constitué de deux sous-unités (une petite et une grosse), permettant la synthèse des protéines à partir d'un ARN messager et d'acides aminés libres.

Risque : Probabilité de survenue d'un événement fâcheux (développement d'une maladie par exemple).

Roche plutonique : Roche grenue formée par cristallisation lente d'un magma en profondeur.

S

Séquençage (d'une protéine) : Opération permettant de déterminer la séquence des acides aminés composant une protéine.

Sérotonine : Neurotransmetteur intervenant dans de nombreuses fonctions cérébrales (perception sensorielle, humeur, émotivité, sommeil...).

Sexe génétique : Sexe défini au niveau du génome (chromosomes et gènes présents chez un individu) ; par exemple, chez les mammifères, la présence d'un chromosome Y portant notamment le gène SRY oriente le développement vers le sexe masculin.

Sismique réflexion : Technique permettant d'ausculter le sous-sol terrestre et basée sur l'enregistrement en surface d'échos issus de la propagation d'ondes sismiques provoquées et réfléchies en profondeur.

Solidus : Ensemble des conditions de pression et de température pour lesquelles une roche subit un début de fusion partielle.

Spécificité : Propriété qui évoque l'idée d'une précision plus ou moins grande : par exemple, un pesticide à faible spécificité détruit indistinctement un grand nombre d'espèces vivantes (l'inverse s'il est spécifique).

Spermogramme : Examen médical du sperme d'un patient permettant un comptage des spermatozoïdes et une estimation de leur qualité.

Stratigraphie : Étude de la succession des roches sédimentaires qui se déposent en strates au cours des temps géologiques.

Subsidence : Enfoncement lent et progressif de la croûte permettant dépôt et enfouissement des sédiments.

Subsidence thermique : Enfoncement progressif du fond d'un bassin sédimentaire liée au refroidissement de la croûte.

Synapse : Zone de connexion entre deux neurones.

Synthèse (d'une protéine) : Formation d'une protéine par enchaînement d'acides aminés libres. Cette polymérisation s'effectue au cours du déplacement d'un ribosome le long d'un ARN messager.

Système de récompense : Zone du cerveau responsable d'une sensation de plaisir quand elle est activée par un stimulus.

Système immunitaire : Ensemble des organes, des cellules et des molécules participant à la défense de l'organisme contre les agressions extérieures (bactéries, virus, toxines, etc.) et contre les cellules anormales (cancéreuses, etc.).

Lexique

Index

Un index n'est pas une liste de mots à connaître ; c'est un outil de travail pour se repérer dans le livre à partir d'un mot ou d'une expression.

Crédits photographiques

p. 123 *ht* : et reprise **p. 84**, Ph © G. Brad Lewis / GETTY IMAGES France
p. 127 : voir p. 112, 113, 119
p. 128 *ht g* : Ph © Chad Ehlers / GETTY IMAGES France
p. 128 *ht d* : Ph © J.L. Klein et M.L. Hubert / BIOSPHOTO
p. 129 *ht* : Ph © Eric Duliere / PHOTOPQR / Nice Matin / MAXPPP
p. 129 *bas* : Ph © Noaa Ocean Explorer
p. 131 *bas* : Image Google Earth / D.R.
p. 132 *bas g* : Ph © SPL / BIOSPHOTO
p. 132 *bas d* : Ph © Georg Gerster / GAMMA RAPHO
p. 133 *ht d* : Ph © Russell Kord PHOTO12.COM / ALAMY
p. 134 *ht g* : Ph © Edobric / SHUTTERSTOCK
p. 134 *m* : Ph X-D.R.
p. 135 : Ph © Brynjar Gauti / AP / SIPA PRESS / T
p. 136 *ht m* : Ph © coll. Bettmann / CORBIS / N° IH010654
p. 136 *ht d* : Ph © IODP-USIO
p. 136 *m* : et reprise **p. 84**, Ph © Photo Researchers / BSIP
p. 136 *bas g* : image Google Earth / D.R.
p. 137 *m* : et reprise p. 149, © NOAA / NGDC / D.R.
p. 138 : © d'après NWW / D.R. / T
p. 139 *ht* : © 2 images Google Earth / D.R.
p. 141 *ht d* : et reprise p.149, Ph © CNES / CLS
p. 141 *m* : © CNES / CLS
p. 142 *bas* : d'après Eric Debayle, Kennett B, Priestley K, 2005 "global azimuthal seismic anisotropy and the unique plate-motion deformation of Australia", Nature 433, 509-512
p. 143 *ht* : et reprise p. 149, "d'après King S.D, and J. Ritsema, African hotspot volcanism : Small-scale convection in the upper mantle beneath cratons, Science, 290, 1137-1140, 2000" / D.R.
p. 143 *m* : © Rob van der Hilst, 1997, MIT / D.R.
p. 143 *bas d* : Ph © X-D.R.
p. 149 : voir p.137, 141, 143
p. 150 *ht g* : Ph © image Google Earth
p. 150 *ht d* : © traitement interférométrique assuré par l'OPGC (S.O. 012) à partir de données fournies gracieusement par la Jaxa et l'Esa dans le cadre du projet ESA ALOS-ADEN #3622
p. 150 *bas d* : © F. Brenguier, N.M. Shapiro, M. Campillo, A. Nercessian, V. Ferrazzini (2007) in "3-D surface wave tomography of the Piton de la Fournaise volcano using seismic noise correlations", Geophys.Res.Lett., 34, LO2305, doi:10.1029/2006GLO28586
p. 151 *ht d* : Ph © Jeff Smith / GETTY IMAGES France
p. 151 *bhg*, Ph © Pirozzi / AKG
p. 151 *bbg* : Jerôme Bosch : "La création du Monde", dos du tryptique, Ph © AKG
p. 151 *bas d* : Ph © ESA / SPL / COSMOS
p. 153 *ht d* : image Google Earth / D.R.
p. 153 *bas d* : Ph © NASA
p. 154 *ht d* : et reprise p. 86, Ph © Eric Quintero / AFP / T
p. 154 *m* : image Google Earth / D.R.
p. 156 et **p. 157**, voir p. 160, 170, 212 , 215
p. 160 *ht d* : Ph © Musée du plâtre / D.R.
p. 160 *m g* : et reprise p. 156 , Ph © G. Labriet / PHOTONONSTOP
p. 160 *m d* : carte géologique simplifiée de la France, © BRGM- www.brgm.fr-Autor. R11 / 09 Ed
p. 162 *bas g* : Ph © Frank Huster / GETTY IMAGES France
p. 162 *bas d* : Ph © BRULLE Marc
p. 163 *ht* : Ph © G. Labriet / PHOTONONSTOP
p. 163 *bas* : Ph © SITE DU PONT DU GARD
p. 167 : Ph © P. Nehlig / BRGM
p. 169 : voir p. 161 et p. 164
p. 170 *ht g* et reprise **p. 156**, Ph © Smetek / Sime / PHOTONONSTOP
p. 170 *bas g* : Ph © Xavier Richer / PHOTONONSTOP
p. 171 : Ph © Earth Observation Satellite Co., Lanham, Maryland, / SPL / COSMOS
p. 175 *m* : Ph © BESLIER Marie- Odile / Geoazur, UMR 6526
p. 176 *bas* et 3 docs **p. 177** *mil*, extrait de Murris, R.J., 1980 MiddleEast:stratigraphic evolution and oil habitat: AAPG Bulletin V.64, p.598-618 / D.R.
p. 178 *ht d* : Ph © Darlyne-A.Murawski / Peter Arnold / BIOSPHOTO
p. 179 *m d* : © 2006-2008 BERGER Jean-Paul
p. 184 *ht d* : Ph © Hulton -Deutsch coll. / CORBIS / N° HUO35571
p. 184 *bas g* : Ph © Jamal Nasrallah / epa / CORBIS N°42-19199313
p. 185 *ht d* : Ph © F. Pitchal / Sygma / CORBIS N°0000292800-003
p. 185 *m d* : Ph © Bildagentur RM / Tips / PHOTONONSTOP
p. 188 *ht g* : Ph © Thomas Dodge / SPL / COSMOS
p. 188 *m* : Ph © David Nunuk / SPL / COSMOS / T
p. 189 : Ph © Ken Weingart / CORBIS N° 42-23148490
p. 190 : image de fond : Ph © nobleIMAGE / PHOTO12.COM / ALAMY
p. 190 : chouette, Ph © Ann et Steve Toon / NHPA / BIOSPHOTO
p. 190 : araignée, Ph © C. Huetter / ARCO / BSIP
p. 190 : litière et sol, Ph © Eye of Science / SPL / COSMOS
p. 192 *ht g* : Ph © Vstock LLC / GETTY IMAGES France
p. 192 *ht d* : Ph © Image Source / GETTY IMAGES France
p. 192 *m* : Ph © Bernard Jaubert / GETTY IMAGES France
p. 192 *bas g* : Ph © Radius Images / GETTY IMAGES France
p. 192 *bas d* : Ph © Kay Chernush / GETTY IMAGES France
p. 193 *ht g* : Ph © Sinclair Stammers / SPL / COSMOS
p. 194 *ht g* : Ph © Jean-Luc et Françoise Ziegler / BIOSPHOTO
p. 194 : logo STICS , Ph © INRA
p. 195 *ht g* : Ph © Antoine Devouard / REA / T
p. 196 : Ph © Serge HARPIN , extrait du Dictionnaire encyclopédique du jardin polycultural à base vivrière des Petites Antilles Créolophones
p. 197 *ht d* : Ph © Jerry Driendl / GETTY IMAGES France
p. 202 *m g* : Ph © Dr. Jeremy Burgess / SPL / COSMOS
p. 202 *m* : Ph © Dr. Jeremy Burgess / SPL / COSMOS
p. 202 *bas* : Ph © Christophe Maitre / INRA
p. 203 *ht d* : Ph © Stephen Ausmus / US depmt of Agriculture / SPL / COSMOS
p. 203 *bas d* : Ph © Bettmann / CORBIS N° BEO45471
p. 204 *bas* : Ph © Dorling Kindersley / GETTY IMAGES France
p. 205 *ht g* : Ph © Christophe Maitre / INRA
p. 206 *bas g* : Ph © Kelly Cheng Travel Photography / GETTY IMAGES France
p. 206 *bas d* : Ph © Guy / AgenceImages / GETTY IMAGES France
p. 207 *m d* : Ph © L. Seguy / CIRAD / Pôle Images
p. 208 *ht g* : et *m*, 2 Ph © Peter Menzel / COSMOS / T
p. 209 : Ph © Bill Barksdale / AGSTOCKUSA / SPL / COSMOS
p. 210 *m g* : Ph © John Kelly / GETTY IMAGES France
p. 210 *m d* : Ph © James And James / GETTY IMAGES France
p. 211 *ht d* : Ph © David R. Frazier /Photolibrary.Inc / PHOTO12.COM / ALAMY
p. 212 *ht g* : et reprise p. 157, Ph © Wayne Hutchinson / PHOTO12.COM / ALAMY
p. 213 *g* : Ph © Simon Frazer / SPL / COSMOS
p. 213 *d* : Ph © Simon Frazer / SPL / COSMOS
p. 215 : doc 3a : Ph ©Bill Barksdale / AGESTOCKUSA / COSMOS
p. 215 : doc 3b : Ph © Paulo Fridman / CORBIS N° 42-19787445 (et reprise p. 3, 156)
p. 215 : doc 3c : Ph © Maximilian Stock Ltd / SPL / COSMOS
p. 215 : doc 3d : Ph © Thinkstock Images / GETTY IMAGES France
p. 215 *m ht* : Ph © Dorling Kindersley / GETTY IMAGES France
p. 215 *m d* : Ph © Jean Gaumy / MAGNUM Photos
p. 216 *ht g* : Ph © Scott Bauer / US Department of Agriculture / SPL / COSMOS
p. 216 *ht d* : Ph © J. Chatin / Genoplante / INRA
p. 216 *bas d* : Ph © Russ Munn / AGSTOCKUSA / SPL / COSMOS
p. 217 *ht d* : Ph © Christian Dupraz / INRA
p. 217 *bas g* : Ph © PAVIO Jean-Claude
p. 222 *ht d* : Ph © James Worrell / GETTY IMAGES France
p. 222 *m g* : Ph © Picturegarden / GETTY IMAGES France
p. 222 *ht g* : Ph M. Seemuller / DEA / GETTY IMAGES France
p. 222 *m d* : Ph © Gregor Schuster / GETTY IMAGES France
p. 222 *m m* : N°b, P. Fridman / Samba Photo / GETTY IMAGES France
p. 222 *m m* : N°c, Ph © FogStock / PHOTO12.COM / ALAMY
p. 222 *m m* : N°d, Ph © M. Sobreira / PHOTO12.COM / ALAMY
p. 222 *bas d* : Ph © Steven May / PHOTO12.COM / ALAMY
p. 223 *ht* : Ph © Erich Lessing / AKG / T
p. 223 *m* : Ph © Serge Carre / INRA
p. 223 *bas* : Ph © P. Nicklen / National Geographic / CORBIS / N°42-25660687
p. 226 et **p. 227** voir p. 254, 261, 282, 307
p. 229 m g : Ph © Eye of Science / SPL / COSMOS / T
p. 229 *m d* : 3 Ph © Nikas Yorgos / SPL / COSMOS /T
p. 229 *bas d* : Ph © Lennart Nilsson / SCANPIX Suède / T
p. 230 *bas g* : Ph © Sovereign / ISM /T
p. 232 *ht g* : Ph © Jon Feingersch / Zefa / CORBIS/ T
p. 232 *ht m* : Ph © Peter Skinner / BSIP / T
p. 232 *ht d* : Ph © Biophoto Associates / BSIP /T
p. 232 *bas g* : 3 Ph © James A. Sullivan cellsalive.com / T
p. 232 *bas d* : Ph © MEDICIMAGE / BSIP
p. 233 : Ph © BSIP / T
p. 234 : et reprise p. 237, Ph © Thierry Berrod / Mona Lisa Production / SPL / PHANIE / T
p. 235 : Ph © Isabella Perez / PHOTONONSTOP/ T
p. 236 *ht d* : Ph © Sovereign / ISM / T
p. 236 *m g* : Ph © Noam Armonn / PHOTO12.COM / ALAMY / T
p. 236 *m d* : Ph © Amana images / JUPITER IMAGES / T
p. 237 *m* : 2 Ph © Lennart Nilsson / SCANPIX / T
p. 238 *ht g* : et reprise p. 247, Ph © Dr. Gopal Murti / Phototake / BSIP
p. 238 *bas g* : Ph © avec l'aimable autorisation de Mélanie Beaulieu Bergeron et Nicole lemieux, Université de Montreal, Quebec / T
p. 241 *g* : 2 Ph © Nathalie Josso / INSERM / T
p. 241 *d* : Ph © Eden Atwood : http//www.edenatwood.com
p. 243 *ht g* : Ph © Innerspace Imaging / SPL / COSMOS / T
p. 243 *ht d* : Ph © Alain Gougeon / ISM / T
p. 243 *mg* : Ph © Science Pictures LTD / SPL/COSMOS
p. 243 *m d* : Ph © Visuals Unlimited / CORBIS / N° 42-19139720
p. 243 *bas d* : Ph © Image Source / PHOTONONSTOP
p. 248 *ht d* : Ph © Denise Monnerat Nogueira / T
p. 248 *m g* : Ph © M. Gunther / BIOSPHOTO / T
p. 248 *bas d* : Ph © Luisa Ricciarini / LEEMAGE / T
p. 252 *ht g* : Ph © image 100 / PHOTO12.COM / ALAMY
p. 252 *ht d* : Auguste Renoir" Maternité", 1886, Hambourg, Pr. Hermann Schnabel, Ph © AKG-Images
p. 253 : Ph © David Phillips / Visuals Unlimited / BSIP
p. 254 *ht d* : et reprise p. 226 , Ph © Steve Gschmeissner / SPL / COSMOS
p. 254 *bas g* : Ph © Syeve Gschmeissner / SPL / COSMOS
p. 255 *ht g* : Ph © John Burbidge / SPL / COSMOS / T
p. 255 *m g* : Ph © Alain Gougeon / ISM
p. 255 *m* : Ph © Alain Gougeon / ISM (et reprise p. 259)
p. 255 *m d* : Ph © Alain Gougeon / ISM / T
p. 256 *ht g* : Ph © Sovereign / ISM / T
p. 256 *ht d* : Ph © Steve Gschmeissner / SPL / COSMOS / T
p. 257 *bas* : Ph © Dr. M. Warembourg / INSERM / T
p. 258 : Ph © C. Edelmann / Petit Format /Hoa-Qui / GAMMA RAPHO / T
p. 259 *m g* : Ph © Alain Gougeon / ISM
p. 262 *ht g* : Ph © Pasieka / SPL / COSMOS / T
p. 263 *ht g* : Ph © Ian Hooton / SPL / COSMOS
p. 264 *ht m* : Ph © S. Gschmeissner / SPL / COSMOS / T
p. 264 *ht d* : Ph © Scimat / BSIP/ T
p. 264 *bas d* : Ph © SPL / COSMOS / T
p. 265 *ht* : et reprise p.271, Ph © Zephyr / SPL / COSMOS / T
p. 265 *bas* : Ph © Y. Ardaens / ISM / T
p. 267 *m* : Ph © PHOTO12.COM / ALAMY / T
p. 271 : voir p. 261, 262, 265
p. 272 *ht d* : Ph © FLI / Age Fotostock
p. 272 *m g* : Ph © AISA / ROGER-VIOLLET
p. 272 *bas d* : Bonhams, Londres, Ph © BRIDGEMAN-GIRAUDON
p. 273 *ht d* : Ph © Jesse A. Wankasmith / First Light / CORBIS N° 42-23529942
p. 273 *m d* : Ph © Yang Liu / CORBIS N° 42-21960382
p. 273 *bas g* : Ph © H. Morgan / SPL / COSMOS
p. 273 *bas d* : Ph © Thomas Padilla / MaxPPP
p. 275 *bas g* : Ph © SGO / BSIP
p. 277 *hd*, et **p. 339** *g* et *mil* (2 docs), 2 Ph © FABRE Claude / T
p. 277 *bas d* : Ph © Jean-Cl. Revy- A.Gougeon / ISM
p. 278 *ht* : Ph © Science Source / BSIP
p. 278 *bas* : Ph © Steve Gschmeissner / SPL/COSMOS
p. 279 : Ph © Michel Renaud / AFP
p. 280 *ht d* : Ph © UEB IFR140 / PHANIE
p. 280 *m d* : Ph © CNRI / SPL / PHANIE
p. 281 m d : Ph © Astier / BSIP
p. 282 *ht g* : et reprise p. 226, Ph © Mendil / BSIP
p. 282 *bas* : Ph © Alix / PHANIE / T
p. 283 : Ph © CHU Brest-Garo / PHANIE
p. 284 : Ph © Burger / PHANIE
p. 285 : Ph © Ed Reschke / BSIP
p. 286 *ht g* : Ph © Dr. Tony Brain / SPL / COSMOS
p. 286 *bas d* : Ph © Moredun Animal Health Ltd. / SPL / COSMOS
p. 288 *bas g* : Ph © Medical Picture / PHOTO12.COM / ALAMY / T
p. 288 *bas d* : Ph © PHOTO12.COM / ALAMY / T
p. 289 *ht g* : Ph © Dr. L. Stannard UCT / SPL / PHANIE
p. 289 *m d* : Ph © National Cancer Institute / SPL / PHANIE
p. 290 *bas d* : Ph © H. Morgan / BSIP
p. 291 *bas g* : Ph © CNRI / SPL / COSMOS
p. 291 *m d* : illustration © Geraldine.com.fr/Agence Australie / CNAMTS / T
p. 296 *ht* : Ph © Pasieka / SPL / COSMOS
p. 296 *bas* : Ph © Dr. L. Stannard, UCT / SPL / COSMOS
p. 297 *ht* : Ph © B. Boissonnet / BSIP
p. 297 *m* : Ph © Burger / PHANIE
p. 297 *bas g* : Ph © BRIDGEMAN - GIRAUDON
p. 297 *bas d* : Ph © G. Bernard / SPL / COSMOS
p. 300 : Ph © Jim West / PHOTO12.COM / ALAMY
p. 302 : Ph © Johannes Lieder / ISM / T
p. 303 : Ph © Eye of Science / PHANIE
p. 304 *ht g* : Ph © Johannes Lieder / ISM
p. 304 *bas g* : Ph © X-D.R.
p. 305 *ht* : Ph © BASSNETT Steven, Washington University School of Medicine
p. 305 *bas* : Ph © Phototake / Galati / BSIP
p. 306 : Ph © Carolina Biological / Phototake / BSIP
p. 307 : et reprise p. 3, 226, Ph © OMICRON / BSIP/ T
p. 309 *m g* : Ph © ISM
p. 311 : souris, Ph © Pierre Vernay / BIOSPHOTO / T
p. 311 : homme, Ph © Emely / GETTY IMAGES France / T
p. 311 : macaque, Ph © S. Cordier / BIOSPHOTO / T
p. 311 : chimpanzé, Ph © Suzi Eszterhas / BIOSPHOTO / T
p. 311 : saïmiri, Ph © Franck et Christine Dzlubak / BIOSPHOTO / T
p. 312 : 2 Ph © Sovereign / ISM / T
p. 313 *ht g* : Ph © James Cavallini / BSIP/ T
p. 313 *ht d* : Ph © Steve Gschmeissner / SPL / COSMOS / T
p. 313 *m d* : Ph © Pr. Castano / SPL / COSMOS / T
p. 318 *ht* : Ph © Topaloff / BSIP
p. 318 *m* : Ph © P. Goetgheluck / Double Vue.fr
p. 318 *bas* : Ph © A. Benoist / BSIP
p. 319 *ht d* : Ph © image 100 / CORBIS
p. 319 *bas g* : Ph © AKG images / T
p. 319 bas d : Ph © Erich Lessing / AKG / T
p. 320 bas : Ph © CMSP / BSIP/ T
p. 321 *ht d* : Ph © Richard Kessel / Visuals Unlimited / BSIP
p. 323 *bas g* : Ph © Steve Gschmeissner / SPL / COSMOS
p. 323 *bas d* : Ph © Steve Gschmeissner / SPL / COSMOS
p. 324 : Ph © SPL / PHANIE
p. 325 : Ph © Phototake / PHOTO12.COM / ALAMY
p. 326 *ht* : et 327 ht, Extrait de "Scientific American", Sept 92, with permission of Semir Zeki, Pr. of Neurobiology at University College, London / T
p. 326 *bas* : g et dte, Ph © Living Art Enterprises / BSIP / T
p. 327 : Ph X-D.R./ T
p. 328 *ht g* : Ph © BAUDE Denis / T
p. 328 *m* : Ph © Eye of Science / SPL / COSMOS / T
p. 329 *ht g* : Ph © Dr. Dennis Kunkel / Phototake / BSIP / T
p. 329 *ht d* : Ph © A. Triller / INSERM / T
p. 329 *bas g* : Ph © Visuals Unlimited / BSIP / T
p. 330 : Ph © Simon LeVay, Torsten Wiesel and David Hubel, with permission
p. 331 *ht g* : Ph © Wil and Dení Mc Intyre / BSIP / T
p. 331 *ht d* : Ph © Photo Researchers / BSIP / T
p. 331 *m* : Ph © Sovereign / ISM / T
p. 336 *ht g* : Ph © Rex Features / Rex / SIPA PRESS / T
p. 336 *m d* : Ph © 2009 Wicab. Inc / T
p. 337 *ht d* : Ph © BRIDGEMAN - GIRAUDON / T
p. 337 *m* : Ph © STR / Keystone / CORBIS / T
p. 337 *bas d* : Ph © Ted Streshinsky / CORBIS / T
p. 344 et **p. 345**, quartz, olivine, amphiboles, feldspaths, micas, 14 Ph © FLOC'H Jean Pierre / T
p. 346 : et **p. 347**, et 5 reprises p. 3, 84, 112, 120, 127, "World Ocean Floor Panorama," Bruce C. Heezen and Marie Tharp 1977, © by Marie Tharp 1977/2003. Reproduced by permission of Marie Tharp Maps, LLC 8 Edward Street, Sparkill, New York 10976 / T
p. 348 et **p. 349**, © CCGM-CGMV / 2010

« Les droits de reproduction des illustrations sont réservés en notre comptabilité pour les auteurs ou les ayants droit dont nous n'avons pas trouvé les coordonnées malgré nos recherches et dans les cas éventuels où les mentions n'auraient pas été spécifiées. »

N° d'éditeur : 10173881
Imprimé en Italie par Stige
Dépôt légal : Août 2011